Les régions du g

(voir la carte à l'intérieur de la couverture ci-contre)

le dauphin

1) Visite Montréal. – 800472
   (3h)   9546

2) Les Laurentides

QUÉBEC

Collection Le Guide Vert sous la responsabilité d'Anne Teffo

Édition
Stéphanie Vinet, L'ADÉ L'Atelier d'édition

Rédaction
Laurent Gontier, Manuel Sanchez, Gwen Cannon, Marylène Duteil, Alexandra Forterre, Cynthia Ochterbeck

Cartographie
Stéphane Anton, Michèle Cana, Thierry Lemasson, Severin Vlad, Cristina Ferecatu, Raluca Georgeta Nicola, Leonard Pandrea

Relecture
L'ADÉ L'Atelier d'édition

Remerciements
Didier Broussard, Isabelle Foucault

Conception graphique
Christelle Le Déan

Régie publicitaire et partenariats
michelin-cartesetguides-btob@fr.michelin.com
Le contenu des pages de publicité insérées dans ce guide n'engage que la responsabilité des annonceurs.

Contacts
Michelin
Guides Touristiques
27 cours de l'Île Seguin, 92100 Boulogne-Billancourt
Service consommateurs : tourisme@tp.michelin.com
Boutique en ligne : www.michelin-boutique.com

Parution 2012

3/ DÉCOUVRIR LE QUÉBEC

1/
ORGANISER
SON VOYAGE

Aller au Québec

En avion

COMPAGNIES AÉRIENNES

Les principales compagnies nationales assurent des vols réguliers directs entre l'Europe et le Canada. Prévoyez environ 7h de vol entre Paris et Montréal.

Air Canada – ✆ 00 31 20 405 52 50 (Belgique) ; ✆ 0 825 880 881 (0,15 €/mn, France) ; ✆ 0 848 247 226 (Suisse) - www.aircanada.com.

Air France – ✆ 36 54 (0,34 €/mn, France) - www.airfrance.com.

SN Brussels Airlines – ✆ 0 902 51 600 (0,75 €/mn, Belgique) - www.brusselsairlines.com.

Swiss International Airlines – ✆ 0 848 700 700 (Suisse) - www.swiss.com.

Autres compagnies

Air Transat – ✆ 0 825 120 248 (0,15 €/mn, France) ; ✆ 00 800 872 672 88 (Belgique et Suisse) - www.airtransat.com.

Vols au départ de Nantes, Bordeaux, Toulouse, Marseille, Nice, Lyon, Mulhouse/Bâle et Bruxelles de mai à octobre.

British Airways, KLM, Lufthansa – www.britishairways.com - www. klm.com - www.lufthansa.com.

Vols réguliers avec escale via Londres, Amsterdam et Francfort.

Corsairfly – ✆ 0 820 042 042 (0,34 €/mn, France) - www.corsairfly.com. Vols directs entre Paris et Montréal de mai à novembre.

AÉROPORTS

Le Québec possède deux aéroports internationaux.

Aéroport Pierre-Elliott-Trudeau – Montréal - ✆ 514 394 7377 ou 1 800 465 1213 - www.admtl.com.

Aéroport Jean-Lesage – Québec - ✆ 418 640 2600/2700 - www.aeroportdequebec.com.

  Pour rejoindre le centre-ville, voir « Nos adresses » à Montréal (p. 140) et à Québec (p. 322).

Avant de partir

Identité du pays

Pays : Canada
Capitale : Québec
Capitale fédérale : Ottawa
Superficie : 1 356 367 km²
Population : 7 907 375 habitants
Monnaie : dollar canadien
Langue officielle : français

Météo

CLIMAT

Du fait de sa latitude et de sa position en bordure orientale du pays, le Québec est soumis à d'extrêmes écarts de température. Des hivers rigoureux succèdent à des périodes estivales chaudes, caractéristiques d'un climat continental. Plus l'on remonte vers le nord, plus les étés se rafraîchissent et les hivers deviennent glacés, mais l'amplitude thermique entre les saisons persiste. Les précipitations sont abondantes, particulièrement dans les régions voisines de l'océan Atlantique et de la baie d'Hudson, et les moyennes annuelles oscillent entre 35 et 110 cm. Ces mêmes précipitations diminuent généralement à l'intérieur des terres et vers le nord, et sont équitablement réparties entre les pluies d'été et les neiges d'hiver.

SAISONS

Hiver

C'est la première saison associée au Québec. Annoncé parfois dès le mois de novembre par d'importantes chutes de neige, il se maintient jusqu'en mars, voire avril-mai, selon les régions. Les températures descendent fréquemment en dessous de 0 °C, et, aux mois de janvier et février, peuvent être inférieures à - 25 °C. L'air est sec et froid, et le ciel connaît d'importantes périodes d'ensoleillement. C'est l'une des caractéristiques de l'hiver québécois, qui fait toute sa beauté !

TEMPÉRATURES SAISONNIÈRES								
	Avril		Juillet		Octobre		Janvier	
	mini	maxi	mini	maxi	mini	maxi	mini	maxi
Saguenay	-4	7	12	24	1	-23	-10	-8
Gaspé	-3	6	10	23	0	10	-17	-6
Kuujjuarapik	-13	-2	5	15	-1	5	-28	-8
Montréal	2	11	17	26	5	12	-12	-5
Québec	-1	7	13	25	1	10	-17	-7
Sherbrooke	-2	10	11	25	0	12	-17	-6

Alors, de nombreuses activités sont possibles : ski, randonnée en raquettes, motoneige, balade en traîneau à chiens…

🏂 *Voir « Activités », p. 18.*

😊 **Bon à savoir** – Un voyage clés en main favorisera au maximum la sécurité de vos déplacements.

Printemps

C'est la période des fameuses parties de sucre *(voir p. 48)*, lors desquelles on célèbre la récolte du sirop d'érable. Cette courte saison s'étale de fin mars à fin mai. Les journées sont encore fraîches et les soirées froides.

Été

La saison touristique estivale s'étend de mi-mai à début septembre, et bat son plein en juillet et août. Dans la partie sud du Québec, l'été peut être chaud et humide (à la latitude de Montréal). C'est la saison des festivals *(voir p. 30)* en tout genre et des terrasses qui ne désemplissent pas. Une période touristique parfaite… si l'on oublie les moustiques ! Prévoyez des vêtements légers, mais conservez avec vous une petite veste pour les soirées plus fraîches et les promenades sur les lacs.

Automne

Avec l'**été indien**, les paysages revêtent des couleurs splendides, variant du vert au rouge écarlate en passant par le jaune ocre et l'orange. Sublime !

QU'EMPORTER ?

Munissez-vous d'une lotion insectifuge pour vous protéger des **maringouins** (ou moustiques), d'autant plus nombreux que vous serez en forêt, au bord de l'eau ou dans les solitudes du Nord ; et des **mouches noires** (ou brûlots), petits moucherons voraces qui sévissent à la fin du mois de mai et au mois de juin. Emportez des vêtements pour vous protéger du froid et adaptés à vos activités de plein air : si vous devez vous équiper pour l'occasion, faîtes vos achats plutôt sur place.

Adresses utiles

INFORMATIONS TOURISTIQUES

www.bonjourquebec.com – Le site incontournable. Outre la présentation des 22 régions touristiques, des lieux à visiter, des activités à pratiquer, vous trouverez des propositions de séjours thématiques. Vous pourrez aussi télécharger ou commander des brochures et profiter du service de réservation pour l'hébergement et les transports. Des liens vers les billetteries de spectacles sont en outre proposés. Un service de discussion en ligne avec des conseillers est ouvert en semaine (9h-17h, 10h merc.).

Par téléphone

France

Tourisme Québec – ☎ 0 800 90 77 77 (numéro gratuit) - 15h-23h (16h merc.).

Belgique

Tourisme Québec – ☎ 0 800 78 532 (numéro gratuit) - 15h-23h (16h merc.).

Suisse

Tourisme Québec – ☎ 00 1 514 873 2015 - 15h-23h (16h merc.).

AMBASSADES

France

Ambassade du Canada – 35 av. Montaigne - 75008 Paris - ☎ 01 44 43 29 00 ou 01 44 43 29 02 (service consulaire) - www.france.gc.ca.

Belgique

Ambassade du Canada – 2 av. de Tervuren - 1040 Bruxelles - ☎ 02 741 06 11 - www.belgique.gc.ca.

Suisse
Ambassade du Canada –
88 Kirchenfeldstrasse - 3005 Berne
☎ 031 357 32 00 - www.suisse.
gc.ca.
♿ **www.dfait-maeci.gc.ca** : pour
une liste complète des ambassades,
consulats et missions du Canada
à l'étranger.

SITES INTERNET

www.gouv.qc.ca – Portail officiel
du gouvernement québécois.
www.quebecweb.com – Portail
du Québec.
www.canada.travel – Site officiel
du tourisme au Canada.
www.sepaq.com – Site de la
société gestionnaire des parcs et
réserves du Québec.
www.pc.gc.ca – Site des parcs
nationaux du Canada.
www.quebecregion.com – Site
officiel de l'office de tourisme de
Québec (ville et région).
www.tourism-montreal.org –
Site d'informations touristiques
de Montréal.
www.staq.net – Société touristique
des autochtones du Québec.

TOURISME ET HANDICAP

Les structures facilitant la vie
quotidienne des personnes
handicapées, notamment celles
circulant en fauteuil roulant, sont
nombreuses et efficaces.
**Association des paralysés de
France** – 17 bd Blanqui - 75013
Paris - ☎ 01 40 78 69 00 - www.
apf.asso.fr. Le service APF Évasion
pourra vous fournir quelques
informations avant votre départ.
Association Kéroul – 4545 av.
Pierre-de-Coubertin - CP 1000 -
Montréal (QC), H1V 3R2 - ☎ 514 252
3104 - www.keroul.qc.ca.
Cette association propose un
répertoire touristique pour les
personnes à capacité physique
restreinte, intitulé *Le Québec*

accessible. Publié en collaboration
avec les Guides de Voyage Ulysse,
il est complété par l'encart *La Route
accessible*, coûte 24,95 $ (HT) et
peut être envoyé en Europe.
Tours Chanteclerc – 152 r. Notre-
Dame Est - 8e étage - Montréal (QC)
H2Y 3P6 - www.tourschanteclerc.
com. Cette agence met en place
des voyages adaptés aux personnes
à mobilité réduite.

AGENCES DE VOYAGES

En Europe
Allibert (Montagnes et déserts) –
☎ 04 76 45 50 50 (France) ;
☎ 02 526 92 90 (Belgique) ;
☎ 022 849 85 51 (Suisse) -
www.allibert-trekking.com.
Authentik Canada – ☎ 0 805
080 113 (France) ; ☎ 0 800 262 32
(Belgique) ; ☎ 0 800 898 601
(Suisse) - www.authentikcanada.
com.
Aventuria – ☎ 0 821 029 941
(France) - www.aventuria.com.
**Compagnie des États-Unis et
du Canada** – ☎ 0 892 234 430
(0,34 €/mn, France) - www.
compagniesdumonde.com.
Comptoir des voyages – ☎ 0 892
239 339 (0,34€/mn, France) -
www.comptoir.fr.
Globe-Trotters – ☎ 02 732 90 70
(Belgique) - www.globe-trotters.be.
Grand Nord Grand Large –
☎ 01 40 46 05 14 - www.gngl.com.
Jetset voyages – ☎ 01 53 67 13 00
(France) - www.jetset-voyages.fr.
Maison des États-Unis –
☎ 01 53 63 13 43 - www.
maisondesetatsunis.com.
Terre Canada – ☎ 01 34 18 18 18
(France) - www.terrecanada.com.
Terre d'Aventure – ☎ 0 825
700 825 (0,15€/mn, France) ;
☎ 02 54 395 60 (Belgique) -
www.terdav.com.
USA et Canada Conseil –
☎ 01 45 46 51 75 (France) -
www.usaconseil.com.

Au Québec

Aventure écotourisme Québec – ☏ 450 661 2225 ou 1 866 278 5923 - www.aventurequebec.ca.

Back Roads – ☏ 510 527 1555 - www.backroads.com (en anglais).

Comptoir aventure – ☏ 418 977 9447 ou 1 888 692 9965 - www.comptoiraventure.com.

Détour nature – ☏ 514 271 6046 - www.detournature.com.

Les Aventures Makwa – ☏ 514 285 2583 - www.makwa.net.

Natural Habitat Adventure – ☏ 303 449 3711 ou 1 800 543 8917 - www.nathab.com (en anglais).

Vacances transat – ☏ 0 825 12 12 12 (0,15 €/mn, France) - www.vacancestransat.fr.

Formalités

DOCUMENTS IMPORTANTS

Papiers d'identité

Un passeport en cours de validité est nécessaire aux ressortissants français, belges et suisses pour entrer sur le territoire canadien ; par mesure de précaution, assurez-vous auprès de l'ambassade du Canada *(voir p. 10)* la plus proche de votre lieu de résidence que vous disposez des documents nécessaires avant d'entreprendre votre voyage.

Permis de conduire

Au Québec, les permis de conduire français sont valables pour une durée de six mois. Au-delà de cette période et pour les ressortissants des autres pays, le permis international est obligatoire.
☏ *Voir « Voiture », p. 26.*

ENTRÉE AUX ÉTATS-UNIS

Si vous envisagez, lors d'un séjour au Québec, de faire une escapade aux États-Unis, informez-vous avant le départ sur les règlements en vigueur et les documents requis aux douanes auprès de l'ambassade américaine la plus proche de votre lieu de résidence.
☏ France : http://french.france. usembassy.gov ; Belgique : http:// french.belgium.usembassy.gov ; Suisse : http://bern.usembassy.gov

SANTÉ

Vaccin

Aucune vaccination n'est obligatoire pour séjourner au Québec.

Traitement médical

Si vous avez un traitement médical en cours, n'oubliez pas d'emporter votre ordonnance et vérifiez que vos produits pharmaceutiques sont clairement étiquetés pour le passage de la douane. Dans les pharmacies, les médicaments sont remis uniquement sur ordonnance d'un médecin membre du Collège des médecins du Québec.

ASSURANCES INDIVIDUELLES

Il est recommandé de contracter une assurance fournissant des garanties spéciales d'assistance pour les frais médicaux car ceux-ci sont très élevés pour les touristes étrangers. Elle peut aussi être nécessaire pour la pratique d'activités sportives.

Europ Assistance – www.europ-assistance.com

Mondial Assistance – www.mondial-assistance.fr

La Croix bleue – 550 r. Sherbrooke Ouest - bureau B-9 - Montréal (QC) H3A 3S3 - ☏ 1 877 909 7686 - www.qc.croixbleue.ca. Cet organisme propose une assurance (durée maximum : 6 mois) qui s'achète soit avant le départ, soit dans les cinq jours qui suivent l'arrivée au Canada.

DOUANES

La circulation de certaines marchandises (tabac, alcool, œuvres d'art, médicaments…) et de sommes d'argent en valeur est soumise à restriction.
📞 www.cbsa-asfc.gc.ca

Argent

Monnaie

L'unité monétaire est le **dollar canadien** ($ CA ou $), divisé en cents. 1 $ = 100 cents.
Taux de change en septembre 2011 : 1 $ = 0,7 € ; 1 € = 1,4 $.
📞 *Voir « Argent », p. 21.*

Cartes bancaires

Les cartes bancaires de type American Express, Carte Blanche, Visa/Carte bleue, Diners Club et MasterCard/Eurocard sont largement acceptées au Québec (sauf dans les régions les plus isolées) et souvent considérées comme une garantie, pour louer une voiture ou réserver une chambre d'hôtel par exemple. Elles permettent également de retirer des dollars 24h/24 dans les guichets automatiques des banques, situés un peu partout (aéroports, gares, attractions touristiques, supermarchés, etc.).

Chèques de voyages

Les chèques de voyage constituent un autre moyen simple de se procurer des devises. Ils sont acceptés dans la plupart des hôtels, restaurants et commerces.

Téléphone

Pour **appeler le Québec à partir d'un autre pays** : composez le code d'accès international de votre pays (Belgique, France, Suisse : 00) suivi de l'indicatif 1, de l'indicatif régional et du numéro à 7 chiffres.

💬 **Bon à savoir** – Pour téléphoner à des tarifs avantageux au Québec, consultez le site www.skype.com.
📞 *Voir « Téléphone », p. 24.*

Téléphones mobiles

Si vous souhaitez utiliser votre téléphone mobile au Québec, renseignez-vous sur les conditions tarifaires auprès de votre opérateur, assurez-vous que votre appareil est adapté aux normes américaines et que la fonction « internationale » est bien activée.

💬 **Bon à savoir** – Lorsque vous êtes à l'étranger, n'oubliez pas que les communications sont payantes tant à l'émission qu'à la réception.

Décalage horaire

Il faut compter **6h de moins** entre la France, la Belgique ou la Suisse, et le Québec et 5h pour les îles de la Madeleine. Ainsi, quand il est midi à Bruxelles, Paris ou Genève, il est 6h à Montréal et 7h dans les îles de la Madeleine. Le Québec adopte l'heure d'été du premier dimanche d'avril au dernier dimanche d'octobre.

Se loger

NOTRE SÉLECTION

Retrouvez notre sélection d'établissements dans « Nos adresses » de la partie « Découvrir le Québec ». Sans ignorer les limites de l'exercice, nous les avons classés selon plusieurs catégories de prix, dont vous trouverez le détail dans le tableau *(voir p. 16)*. Les prix indiqués correspondent à ceux d'une chambre double standard, en haute saison, taxes comprises.

💬 **Bon à savoir** – Certains hôtels proposent des tarifs réduits le week-end. Les prix peuvent être très variables selon la saison.
📞 *Voir « Taxes », p. 24.*

DIFFÉRENTS TYPES D'HÉBERGEMENT

Le Québec propose de nombreuses formules d'hébergement, de l'hôtel de luxe au terrain de camping en passant par les pourvoiries ou les Gîtes du passant.

Les offices de tourisme québécois mettent gracieusement à la disposition du public toutes sortes de brochures fournissant une description détaillée des différents types d'établissements.

De manière générale, il est conseillé de réserver à l'avance, surtout en haute saison et en dehors des grands centres urbains. Beaucoup d'installations touristiques peuvent d'être fermées durant certains mois de l'année.

Chaînes hôtelières

Elles possèdent des établissements dans les grandes villes du Québec et mettent à la disposition de leur clientèle une gamme, variant selon les chaînes, de services et d'équipements, tant pour un voyage d'affaires que pour un séjour d'agrément.

Best Western International – www.bestwestern.fr
Fairmont/Canadian Pacifique – www.fairmont.com
Hilton – www.hilton.com
Holiday Inn – www.holidayinn.com
Hôtel des Gouverneurs – www.gouverneurs.com
Radisson – www.radisson.com
Ramada Inn – www.ramadainn.com (en anglais).
Sheraton – www.sheraton.com

Motels

Le long des grandes routes et des voies d'accès aux villes, des motels de type **Comfort Inn** et **Quality Hotel & Suites** offrent des chambres équipées d'une salle de bains et d'une télévision, et disposent parfois d'une cafétéria ou d'un restaurant, voire d'une piscine, pour un prix variant de 90 à 120 $ la nuit pour deux, petit-déjeuner inclus.
Réservations par l'intermédiaire de :
Choice Hotels – www.choicehotels.com
Days Inn – www.daysinn.com (en anglais).

Pourvoiries

Au cœur de paysages sauvages et variés, les centaines de pourvoiries du Québec associent un hébergement de qualité, souvent au bord d'un lac, et l'organisation de nombreuses activités de plein air. Transport aérien, hébergement, équipement, accompagnement (recours à des guides qualifiés) et obtention des permis nécessaires : les pourvoiries se chargent de tout ! Quelques-unes proposent même des services de conservation, de réfrigération et de transport du poisson et du gibier. Relativement coûteux, ces séjours n'en sont pas moins très prisés. Il faut donc réserver longtemps à l'avance !
Fédération des pourvoiries du Québec – 5237 bd Wilfrid-Hamel - Québec (QC) G2E 2H2 -
418 877 5191 et 1 800 567 9009 - www.fpq.com.

Gîtes du passant et auberges rurales

Ces deux formules promettent un hébergement chaleureux, en ville ou à la campagne, dans des maisons souvent pleines de caractère : il peut s'agir aussi bien d'une chambre d'hôtes dans une maison victorienne, d'un cottage au fond d'un jardin, d'un phare aménagé que d'une jolie maison de ville dans une rue pittoresque. Le niveau de confort peut aller du plus sophistiqué (avec vue sur la mer, entrée particulière, etc.) au plus modeste (ni téléphone ni salle de bains dans la chambre).

👤👥 Particulièrement adaptées aux familles avec enfants, les vacances

NOUVEAU Guide Vert :
Explorez vos envies de voyages

Envie de découvertes ? Envie de sorties ? Envie de loisirs ?...
Avec 20 nouvelles destinations et 85 titres réactualisés, le nouveau
Guide Vert MICHELIN répond à toutes vos envies de voyages.
Informations mieux organisées, format plus pratique, carnet d'adresses
enrichi pour découvrir, sortir, dîner, dormir... Il a tout prévu pour varier
vos plaisirs tout en vous garantissant la meilleure sélection de sites
touristiques étoilés et d'itinéraires conseillés.
Grâce au nouveau Guide Vert MICHELIN et à son complément Internet
ViaMichelin Voyage, vous êtes sûr de construire le voyage qui correspond
à vos envies.

à la ferme permettent aux visiteurs, en tant qu'hôtes payants, de participer aux activités agricoles quotidiennes et de prendre les repas avec la famille d'accueil.

Bon à savoir – Les gîtes proposent des prix moyens excédant rarement 110 $ la nuit pour deux, petit-déjeuner – toujours copieux – inclus. Les auberges sont nettement plus chères.

Gîte et auberge du passant – www.giteetaubergedupassant.com. Elle édite le guide *Terroir et saveur du Québec* (42 $ pour l'Europe, taxes et frais de port inclus ; 4 semaines de délais).

Hôtellerie Champêtre – www.hotelleriechampetre.com

Aux sports d'hiver

Les principales stations de ski des Laurentides, de l'Outaouais, de Charlevoix et des Cantons-de-l'Est offrent différentes formules d'hébergement : hôtels, gîtes, locations d'appartements et de chalets.

www.maneige.com

Auberges de jeunesse

Elles proposent, pour les petits budgets, tout un réseau d'étapes bon marché à travers le Québec. L'hébergement est simple : dortoirs (couverture et oreillers fournis) ou chambres individuelles (moyennant un supplément), douches, machines à laver, cuisine en libre accès et parfois même programmes d'interprétation et autres services.

Hostelling International-Canada – www.hihostels.ca

Universités et lycées

Pendant les vacances d'été (mai-août), certains établissements scolaires et universitaires louent des dortoirs aux voyageurs pour une somme modique, mais il est conseillé de réserver à l'avance. Informez-vous auprès de Tourisme Québec (*voir p. 10*) ou de l'établissement en question. À titre indicatif :

Montréal – Université McGill - 514 398 5200 ; Université de Montréal - 514 343 6531 ; Université Concordia - 514 848 2424, poste 4758.

Québec – Université Laval - 418 656 2921.

Trois-Rivières – Université du Québec - 819 378 0385.

Rimouski – Université du Québec - 418 723 4311.

Terrains de camping

Le camping est une formule très économique et largement répandue, notamment dans les parcs et les réserves fauniques. Les tarifs vont de 20 à 35 $ la nuit, selon les services proposés. Les formules « Prêt à camper » en tente-roulotte ou tente Huttopia (entièrement équipée) coûtent un peu moins de 100 $ la nuit.

Bon à savoir – Certains campings ferment l'hiver.

Association des terrains de camping du Québec – www.campingquebec.com. Elle propose

NOS CATÉGORIES DE PRIX		
	Hébergement (prix de la chambre double sans petit-déjeuner)	**Restauration** (prix d'un repas)
Premier prix	moins de 75 $ (moins de 53 €)	moins de 20 $ (moins de 14 €)
Budget moyen	de 75 à 125 $ (de 53 à 88 €)	de 20 à 35 $ (de 14 à 25 €)
Pour se faire plaisir	de 125 à 200 $ (de 88 à 140 €)	de 35 à 50 $ (de 25 à 35 €)
Une folie	plus de 200 $ (plus de 140 €)	plus de 50 $ (plus de 35 €)

gratuitement le *Guide du camping Québec* (frais de port à payer).

Se restaurer

Le Québec aime les plaisirs de la table ! Son large éventail de cuisines – notamment dans les grandes villes – ne trompe pas : cuisine du terroir ou mets exotiques, libre-service santé ou relais gastronomique, restauration rapide ou familiale, il y en a pour toutes les bourses pour tous les goûts.

NOTRE SÉLECTION

Les **lieux de restauration** proposés dans « Nos adresses » dans la partie « Découvrir le Québec » sont également classés par catégories de prix comprenant le coût moyen d'un repas : une entrée, un plat et un dessert pour une personne (pourboire et boissons non compris).

👉 *Tableau des prix (ci-contre).*

TYPES D'ÉTABLISSEMENTS

Restauration rapide

Il existe d'innombrables formules rapides d'inspirations américaine (hot-dog, poulet frit, fish and chips) et internationale (grec, asiatique), parfois végétarienne (soupe), pour manger sur le pouce.

Cabanes à sucre

Ces établissements de restauration familiale servent au printemps, et parfois toute l'année, des produits de l'érable et des repas confectionnés à partir de ces produits. Ce sont toujours de bonnes adresses gourmandes.

👉 www.laroutedessucres.com

PARTICULARITÉS

Tarifs

Les tarifs proposés le midi sont souvent deux à trois fois moins élevés que ceux du soir, à la même adresse.

Repas

Le petit-déjeuner s'appelle ici le déjeuner ; le déjeuner : le dîner ; et le dîner : le souper ! Le dîner se prend vers 12h et le souper, entre 17h30 et 19h.

Alcool

Certains restaurants (n'ayant pas la licence de vente d'alcool) acceptent que les clients apportent eux-mêmes leur **bouteille de vin**. Ils affichent en vitrine « apportez votre vin » ou BYOW (« *bring your own wine* », en anglais).

PETIT LEXIQUE

Beurre de pinotes : de cacahuètes.
Blé d'inde : maïs.
Boisson : boisson alcoolisée uniquement.
Breuvage : boisson chaude ou froide, non alcoolisée.
Liqueur : boisson gazeuse.
Cannes : conserves.
Bar-laitier : marchand de glaces.
Dépanneur : petite épicerie de proximité.
Ustensiles : couverts.
Tip : pourboire.

Sur place de A à Z

ACTIVITÉS

Le Québec, véritable paradis pour les amateurs d'activités en pleine nature, satisfera aussi bien les novices que les sportifs confirmés. Grâce à des conditions d'enneigement exceptionnelles, la pratique des sports d'hiver s'étale de mi-novembre à mi-avril, voire mi-mai, selon la région. La plupart des grandes villes se trouvent à proximité d'une ou de plusieurs stations de ski. Les parcs nationaux et provinciaux offrent quant à eux de beaux espaces qui se découvrent hiver comme été. Enfin, les innombrables lacs et rivières se prêtent aux plaisirs aquatiques.

😊 **Bon à savoir** – Certaines activités et excursions doivent être réservées longtemps à l'avance.

Renseignements

Pour organiser vos sorties loisirs et sportives, le site de l'office de tourisme du Québec (*voir p. 10*) est une mine d'idées et d'informations pratiques. Vous pouvez aussi contacter les agences de voyages (*voir p. 11*), les offices de tourisme locaux (*coordonnées dans la partie « Découvrir le Québec »*), les pourvoiries (*voir p. 14*) et consulter les sites des parcs et réserves (*voir p. 22*).

Canotage

Cette activité se pratique sur la majorité des rivières, sauf – bien sûr – celles qui servent au flottage du bois. La plupart des parcs et des réserves sont le point de départ d'excursions en canot de un ou plusieurs jours. Des emplacements de camping rustiques sont alors mis à la disposition des canoteurs.

Chasse

Les chasseurs trouveront leur bonheur dans les grands espaces naturels du Québec en particulier dans l'Abitibi-Témiscamingue (*voir p. 438*), la Côte-Nord (*voir p. 414*), la Mauricie (*voir p. 209*), l'Outaouais (*voir p. 168*), autour du lac St-Jean (*voir p. 363*) et le Nunavik (*voir p. 454*). Dans le centre du Québec, on compte un grand nombre d'orignaux, d'ours noirs, de gélinottes et de cerfs de Virginie. Dans le nord, au-dessus du 52e parallèle, le gros gibier est représenté par le caribou.

😊 **Bon à savoir** – Il est interdit de chasser dans les parcs ; par contre, les réserves fauniques sont ouvertes à tout chasseur muni du permis spécifique, sauf dans les régions où la chasse contingentée de l'orignal est réservée à la population québécoise.

Enregistrement du gibier – Formalité obligatoire, il doit s'effectuer dans les 48 heures suivant le départ de la zone de chasse ; les centres d'enregistrement se trouvent généralement sur les routes principales et dans les aéroports des régions isolées.

Les permis de chasse – Ils s'achètent dans la plupart des magasins d'équipement de sport ou auprès des pourvoiries et/ou des bureaux des parcs des régions concernées. Leur coût varie en fonction de la saison, du lieu et du type de gibier.

🌐 www.mrnf.gouv.qc.ca/faune/chasse

Cyclotourisme

Les pistes cyclables bien entretenues et les voies vertes ne

manquent pas. Les occasions de louer des vélos sont nombreuses.

Équitation

Les Cantons-de-l'Est *(voir p. 242)*, la Gaspésie *(voir p. 390)*, les Laurentides *(voir p. 177)* et le Bas-St-Laurent *(voir p. 376)* disposent d'un grand nombre de centres équestres. Certains ranchs d'accueil proposent des forfaits hébergement, des leçons d'équitation et des randonnées équestres.

Golf

Les passionnés de golf disposent d'environ 300 terrains, essentiellement concentrés dans les Cantons-de-l'Est *(voir p. 242)*, dans les Laurentides *(voir p. 177)*, en Mauricie *(voir p. 209)* et dans l'Outaouais *(voir p. 168)*. Certains terrains privés n'acceptent pas de visiteurs extérieurs.

Kayak

Descente de rivières et/ou kayak de mer sont particulièrement populaires dans des régions du Nord telles que l'Abitibi-Témiscamingue *(voir p. 438)*, le Saguenay *(voir p. 351)* et le Nunavik *(voir p. 454)*, où des camps ont été

mis en place. Plusieurs organismes proposent des excursions organisées.

Motoneige

Environ 33 000 km de pistes balisées traversent la province de Québec. Des hébergements (refuges chauffés, etc.) et des services de réparation sont disponibles le long du réseau Trans-Québec.

Observation de la nature

Cette activité est très populaire. On peut observer les animaux dans les parcs mais aussi les baleines dans le golfe du St-Laurent, les phoques du Groenland avec leurs blanchons (bébés phoques pour les Européens) près des îles de la Madeleine *(voir p. 403)*, ou encore les ours polaires dans le Nunavik *(voir p. 454)*. Ces excursions sont menées par des experts. Les places étant limitées, il convient de réserver six à neuf mois à l'avance.

Patin à glace

Les patinoires, dont dispose chaque municipalité, sont aussi parfois aménagées sur les rivières ou sur les lacs, dans les parcs.

STATIONS DE SKI AUTOUR DE MONTRÉAL ET QUÉBEC

Pêche

La pêche est un loisir largement répandu au Québec et qui se pratique en toute saison. En hiver, on pêche sur la glace, installé dans une petite cabane afin de pouvoir patienter ; en été, on pêche dans les lacs et rivières situés en partie dans de nombreux parcs qui attirent autant les passionnés que les dilettantes : dans l'Abitibi-Témiscamingue *(voir p. 438)*, la Côte-Nord *(voir p. 414)*, la Mauricie *(voir p. 209)*, l'Outaouais *(voir p. 168)*, autour du lac St-Jean *(voir p. 363)* et le Nunavik *(voir p. 454)*. Le sud du Québec est connu pour la pêche au saumon, tout comme l'île d'Anticosti *(voir p. 429)*. Les rivières de la Gaspésie *(voir p. 390)* regorgent de truites mouchetées et de perches. Le centre de la province est riche en poissons de toutes sortes.

Les permis de pêche – Obligatoires pour la pêche en eau douce, ils s'obtiennent dans la plupart des magasins d'équipement de sport ou auprès des pourvoiries et/ou des bureaux des parcs des régions concernées. Leur coût varie en fonction de la saison, du lieu et du type poisson.

♿ www.mrnf.gouv.qc.ca/faune/peche

Planche à voile

La planche à voile est un sport très prisé sur les lacs, dans les parcs provinciaux et dans la péninsule gaspésienne. La saison commence mi-juin et s'achève fin août.

Randonnée

Les amoureux de la nature peuvent partir en randonnée sur les nombreux sentiers balisés qui sillonnent les montagnes et les forêts ou qui longent la côte.

Raquette à neige

Inventée par les Amérindiens, elle est aujourd'hui un sport populaire, pratiqué dans les centres de ski de fond et dans les parcs.

Ski alpin

Les Laurentides (à moins d'une heure en voiture de Montréal), les imposantes montagnes appalachiennes, fort réputées, qui traversent les Cantons-de-l'Est, Charlevoix et la région de Québec, avec des pistes agréées par la Fédération internationale de ski, constituent l'essentiel du domaine skiable québécois. Elles bénéficient d'un enneigement favorable (entre 300 et 375 cm en moyenne).

Ski de fond

Le Québec possède un réseau bien entretenu de pistes de ski de fond totalisant plusieurs milliers de kilomètres. Les pistes, de difficultés variables, sont surveillées et jalonnées de refuges chauffés. Dans beaucoup de régions, on trouvera des écoles, des parcours guidés et des services de location de ski.

Traîneau à chiens

Depuis quelques années, les formules d'initiation à la conduite d'attelage de chiens se multiplient. Pour tous les âges, de quelques heures à plusieurs jours. Une expérience inoubliable !

Voile

Grâce à ses nombreux lacs (Duplessis, Charlevoix, Laurentides, Manicouagan, région de Montréal), le Québec fournit maintes occasions de faire de la voile entre le mois de juin et la fin du mois d'août. Jalonnée de difficultés, la remontée du St-Laurent s'adresse aux sportifs les plus expérimentés.

AMBASSADES ET CONSULATS

Ambassades

Les ambassades se trouvent dans la capitale canadienne, Ottawa.
France – 42 prom. Sussex - Ottawa (Ontario) K1M 2C9 - ✆ 613 789 1795 - www.ambafrance-ca.org.

Belgique – 360 r. Albert - bureau 820 - Ottawa (Ontario) K1R 7X7 - ✆ 613 236 7267 - www.diplomatie.be/ottawa.fr.
Suisse – 5 Marlborough Ave. - Ottawa (Ontario) K1N 8E6 - ✆ 613 235 1837.

Consulats

En cas de vol ou de perte de vos papiers, les adresses suivantes pourront se révéler fort utiles :
France – 1501 McGill College - bureau 1000 - Montréal (QC) H3A 3M8 - ✆ 514-878-4385 - http://consulfrance-montreal. org ; 25 r. St-Louis - Québec (QC) G1R 3Y8 - ✆ 418 266 2500 - http://consulfrance-quebec.org.
Belgique – 999 bd Maisonneuve-Ouest - Suite 1600 - Montréal (QC) H3A 3L4 - ✆ 514 849 7394 - www.diplomatie.be/montrealfr.
Suisse – 1572 av. Docteur-Penfield - Montréal (QC) H3G 1C4 - ✆ 514 932 7181.

ALCOOL

L'âge légal de consommation d'alcool au Québec est de 18 ans et le taux d'alcoolémie maximum est de 80 mg/100 l de sang.
Les vins et spiritueux s'achètent uniquement dans les magasins de La **Société des Alcools du Québec** ou SAQ. Les bières, les cidres locaux et quelques vins bas de gamme sont vendus chez les dépanneurs (épiceries de proximité).

ARGENT

Monnaie

Le dollar canadien se divise en 100 cents ou **sous**.
Il existe des pièces de :
- 1 cent = 1 « penny » (désignation familière : 1 sou),
- 5 cents = 1 nickel (5 sous),
- 10 cents = 1 dime (10 sous),
- 25 cents = 1 quarter (25 sous),

- 1 dollar (familièrement appelé une piastre, à prononcer *piasse*),
- 2 dollars.
Les billets sont de 5, 10, 20, 50, 100, 500 et 1 000 $. Les grosses coupures sont plus difficiles à écouler dans les petits commerces.
🦽 *Voir « Argent », p. 13.*

Change

Les bureaux de change sont nombreux dans les principales villes du Québec. Les aéroports offrent également des services de change. Préférez les agences spécialisées dans les transactions internationales, telle Thomas Cook. Le change est également possible dans les banques et les Caisses d'épargne.

Banques

Leurs heures d'ouverture varient selon la ville ou la région.
À titre indicatif : Montréal : du lundi au vendredi de 9h à 17h ; Québec : lundi, mardi et vendredi de 9h30 à 15h, mercredi et jeudi de 9h30 à 18h. Dans les grands aéroports, les banques ont des horaires plus étendus et des guichets de change.

Virements

Il est possible, en cas de besoin, de se faire virer de l'argent liquide au Canada par l'intermédiaire de **Western Union**, qui possède des bureaux dans plus d'une centaine de pays (France et autres pays d'Europe compris).
🦽 www.westernunion.fr

ÉLECTRICITÉ

Au Canada, le courant alternatif est de 110 V et 60 Hz. Les appareils européens nécessitent des **adaptateurs** à fiches plates, disponibles chez les spécialistes de l'électronique ou du voyage.

HORAIRES D'OUVERTURE

Au Québec, les **bureaux** sont généralement ouverts du lundi au vendredi de 9h à 17h, et les **magasins** du lundi au vendredi de 10h à 18h (jusqu'à 21h le jeudi et le vendredi), le samedi de 10h à 17h. Dans les grandes villes, certains commerces ouvrent aussi le dimanche de 12h à 17h.

Il n'est pas rare de trouver des supermarchés ouverts 7 jours/7 jusqu'à 23h. Les centres commerciaux sont ouverts jusqu'à 21h, du lundi au vendredi.

INFORMATIONS TOURISTIQUES

Chaque région édite un guide touristique officiel, qu'il est possible de télécharger sur son site Internet ou de commander gratuitement par courrier.

Tourisme Québec – 1 877 266 5687 ou 514 873 2015 - www.bonjourquebec.com.

Retrouvez les coordonnées des centres d'informations touristiques, dans la partie « Découvrir le Québec ».

JOURS FÉRIÉS

Jour de l'an – 1er janvier.
Vendredi saint – Vendredi précédant le dimanche de Pâques.
Lundi de Pâques – Lundi suivant le dimanche de Pâques.
Fête des Patriotes – Lundi précédant le 25 mai.
Fête nationale du Québec – 24 juin.
Fête du Canada – 1er juillet.
Fête du Travail – 1er lundi de septembre.
Jour de l'Action de Grâce – 2e lundi d'octobre.
Jour du Souvenir – 11 novembre.
Noël – 25 décembre.

PARCS NATIONAUX

Créés pour préserver dans leur état naturel des sites exceptionnels tout en les rendant accessibles au public, les **trois parcs nationaux** du Québec disposent de programmes d'interprétation (randonnées guidées, diaporamas, films vidéo, expositions…) visant à faire découvrir l'environnement naturel. Ils sont équipés de terrains de camping, qui se remplissent vite en été.

www.pc.gc.ca

Les tarifs (droit d'entrée, camping, activités proposées) et les horaires d'ouverture variant d'un parc à l'autre, il est conseillé de vous adresser au bureau d'information du parc concerné.

Archipel-de-Mingan (Duplessis) – *Voir p. 425*.
Forillon (Gaspésie) – *Voir p. 395*.
Mauricie (Mauricie) – *Voir p. 213*.

PARCS PROVINCIAUX ET RÉSERVES FAUNIQUES

Dans les **23 parcs provinciaux** du Québec, le visiteur peut, à longueur d'année, profiter d'une grande variété d'activités de plein air, le tout dans un cadre naturel protégé. Le Québec compte également **15 réserves fauniques**.

La société des établissements de plein air du Québec gère les parcs et les réserves fauniques et contrôle l'organisation des activités.

www.sepaq.com

POSTE

Timbres

L'affranchissement au tarif de première classe (carte postale ou lettre) coûte 59 cents (jusqu'à 30 g) à destination du Canada, 1,03 $ pour les États-Unis et 1,75 $ pour l'Europe.

Codes postaux

www.postescanada.ca – Ce site fournit les différents codes postaux des villes du Québec et permet de localiser les bureaux de poste et les services postaux disséminés dans des boutiques à travers toute la province.

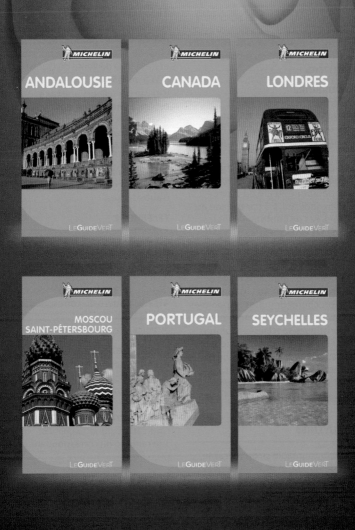

Boîtes aux lettres

De grosses boîtes rouges accueillent votre courrier à proximité des bureaux de poste, pharmacies et dépanneurs.

Horaires

Les grands bureaux de poste sont ouverts du lundi au vendredi de 9h à 17h. De nombreux petits bureaux de poste peuvent ouvrir beaucoup plus tard.

POURBOIRE

Dans les restaurants, les bars, les taxis et chez le coiffeur, il est d'usage de laisser un pourboire de 10 à 15 % du total de la note hors taxes pour le service. Les chasseurs d'hôtel et les bagagistes reçoivent un pourboire au gré du client. À titre indicatif, 1 $ par bagage est usuel. Pas de pourboire dans les cinémas et les théâtres.

SPECTACLES

Les journaux (numéros de fin de semaine, section Arts et spectacles), les brochures gratuites disponibles dans les hôtels et les publications touristiques spécialisées comme *Voir* fournissent généralement une liste des spectacles à l'affiche et l'endroit où ils se déroulent.
Billetteries – www.admission.com ; www.billetech.com ; www.lavitrine. com (dernière minute).

SOUVENIRS

L'incontournable **sirop d'érable**, évidemment, et tous ses dérivés ! Mais aussi l'artisanat inuit et amérindien (réclamer la vignette d'authenticité délivrée par le gouvernement canadien), des vêtements traditionnels en peau d'animaux, en fourrure ou en cuir (peu onéreux et de grande qualité), de la musique ou de la littérature locale. Les boutiques des musées présentent un grand choix d'articles.

TAXES

Au Canada, les **prix** sont généralement mentionnés **hors taxes**, celles-ci étant ajoutées au moment du paiement en caisse.

TPS, TQV et autres

Elles se composent de la taxe fédérale sur les produits et services (TPS) de **5 %** du montant hors taxes et de la taxe de vente du Québec (TVQ) de **8,5 %**.
Il existe par ailleurs une **taxe** propre à l'**hébergement** de 3 % du montant hors taxes pour la Gaspésie, Laval et Québec, de 3,5 % pour Montréal et de 2 $ la nuitée pour les autres régions. Enfin, certains produits, comme l'alcool par exemple, sont soumis à d'autres taxes.

TÉLÉPHONE

Appels internationaux

Pour **appeler l'Europe**, composez le 011 + l'indicatif du pays (Belgique : **32** ; France : **33** ; Suisse : **41**) + le numéro du correspondant sans le 0 initial.
🕭 *Voir « Téléphone », p. 13.*

Appels nationaux

Appels interurbains – Composez le 1 + l'indicatif régional (3 chiffres) + le numéro du correspondant (7 chiffres).
Appels intra-urbains – Composez l'indicatif régional (3 chiffres) + le numéro du correspondant (7 chiffres).

Indicatifs régionaux

Le Québec compte quatre indicatifs régionaux :
514 : communauté urbaine de Montréal et île Perrot ;
450 : Laval, Rive-Nord, Rive-Sud, Laurentides, région du Richelieu ;
418 : ville de Québec, Gaspésie et est de la province ;
819 : Cantons-de-l'Est, Hull, régions du Nord.

Renseignements

Dans la zone d'appel – ☏ 411.
Hors de la zone d'appel –
Composez le 1 + indicatif régional
+ 555 1212.
Téléphoniste – Pour obtenir l'aide
d'un téléphoniste, composez le 0.

Tarifs

Les numéros commençant par 800,
866, 877 et 888 sont gratuits mais
ne peuvent être passés qu'à partir
du Canada.

☏ **Bon à savoir** – Beaucoup
d'hôtels majorant les appels, il est
plus avantageux de téléphoner
d'une cabine publique.

Cartes téléphoniques

Les cabines téléphoniques
fonctionnent avec des pièces, des
cartes prépayées ou des cartes
bancaires (plus cher). Les cartes
téléphoniques s'achètent dans
les magasins Téléboutique™
de Bell Canada, les principales
chaînes hôtelières, les aéroports,
les auberges de jeunesse et les
bureaux de tourisme. D'autres
cartes s'utilisent depuis les
appareils privés (celui de votre
chambre d'hôtel par exemple).

TRANSPORTS INTÉRIEURS

En avion

Au Québec, outre les grandes
compagnies ainsi que leurs filiales
qui assurent des vols à l'intérieur
du pays, diverses compagnies de
charters desservent les régions les
plus reculées.
Pour obtenir les numéros de
téléphone des transporteurs
aériens locaux, adressez-vous
à votre agence de voyages
ou à l'office de tourisme de la
région concernée.

♿ Service aérien vers le Nunavik
(voir p. 466).

En train

Le réseau québécois est peu
développé, hormis sur l'axe
Québec-Montréal-Toronto.
À l'intérieur de la province,
VIA Rail propose des tarifs
raisonnables et un confort
satisfaisant. Première classe (Via 1)
et couchettes sont disponibles sur
les longs trajets : pour rejoindre
la Gaspésie à partir de Montréal,
comptez 19h.

☏ **Bon à savoir** – Il est conseillé
de faire ses réservations à l'avance,
surtout en été. Pour vous procurer
des billets ou forfaits VIA Rail,
contactez votre agence de voyages
ou des représentants agréés de
VIA Rail à l'étranger.

VIA Rail – 3 pl. Ville-Marie -
bureau 500 - Montréal (QC)
H3B 2C9 - ☏ 514 989 2626 ou 1 888
842 7245 - www.viarail.ca.

Forfaits – VIA Rail propose deux
cartes pass pour circuler à des prix
avantageux sur le réseau ferroviaire.
Le **pass Réseau** donne droit à sept
allers simples à utiliser sur une
période de 21 jours.
Le **pass Corridor** donne droit à
7 allers simples dans le corridor
Québec-Windsor sur une période
de 10 jours.

Liaisons avec les États-Unis –
Pour vous rendre du Québec
aux États-Unis (New York et
Washington), notez qu'AMTRAK
propose une liaison quotidienne au
départ de Montréal.

AMTRAK – ☏ 1 800 872 7245 -
www.amtrak.com.

En autocar

Au Québec, l'autocar est un moyen
de transport plus pratique et plus
rapide que le train. De plus, les
tarifs sont souvent plus avantageux.
Principales compagnies :

Orléans Express – ☏ 514 395 4000
ou 1 888 999 3977 - www.
orleansexpress.com. Dessert
Montréal, Laval, Québec, la
Mauricie, le Bas-St-Laurent, la
Montérégie, le Centre-du-Québec,
Chaudière-Appalaches, Lanaudière
et la Gaspésie.

😊 **Bon à savoir** – Cette compagnie propose par ailleurs des services répondant aux besoins des personnes à mobilité réduite.

Intercar – 📞 418 627 9108 ou 1 888 861 4592 - www.intercar. qc.ca. Dessert le Saguenay-Lac-St-Jean, Charlevoix et la Côte-Nord.

Limocar – 📞 514 842 2281 - www.transdev.ca. Relie Montréal, la Montérégie et les Cantons de l'Est en passant, entre autres, par Rougemont, Granby, Bromont et Sherbrooke.

Itinéraires – Pour prévoir des circuits impliquant plusieurs compagnies, consultez le site d'informations **www.espacebus.ca** qui ne prend pas les réservations.

Forfaits – Si vous envisagez plusieurs trajets consécutifs entre mai et décembre, procurez-vous le laissez-passer d'autocar **RoutPass**. Durant 7, 14 ou 18 jours, il permet de se déplacer partout au Québec, en Ontario et jusqu'à New York (forfait 18 jours seulement).

♿ www.routpass.com

😊 **Bon à savoir** – Ce forfait est vendu en Europe par l'intermédiaire de représentants agréés dont vous pourrez vous procurer la liste en contactant l'ambassade du Canada la plus proche de votre lieu de résidence.

En bateau

Le Québec dispose d'un vaste réseau de « **traversiers** » (ferries) qui circulent sur le St-Laurent entre l'Atlantique et les grands lacs desservant les villes et villages qui le bordent. Ils naviguent également sur les rivières Saguenay, Richelieu et des Outaouais, entre les îles de la Madeleine et l'île du Prince-Édouard. Pour tout renseignement, adressez-vous à Tourisme Québec (*voir p. 10*), à l'office de tourisme de la région concernée ou à la **Société des traversiers du Québec** – 📞 1 877 787 7483 ou 418 643 2019 - www.traversiers.gouv.qc.ca.

URGENCES

Pompiers, police, urgences médicales – 📞 911.

VISITES

L'accès aux parcs et aux musées est payant. Des réductions sont accordées en fonction des tranches d'âge : aînés ou plus de 65 ans (« âge d'or »), enfants de 3 à 12 ans, enfants de moins de 3 ans (gratuité). Des cartes musées sont aussi proposées dans certaines villes permettant de visiter plusieurs lieux pendant une période donnée, en incluant ou non un forfait transport.

VOITURE

Le Québec dispose d'un réseau routier bien entretenu. Dans le nord de la province et hors des grandes artères, les routes n'étant pas toujours revêtues, il convient de faire preuve d'une grande prudence au volant. La plupart des autoroutes (gratuites) sont déblayées, mais il est préférable de vérifier les conditions de circulation avant le départ.

Service météorologique d'Environnement Canada – www.meteo.gc.ca

État du réseau routier – 📞 511 – www.inforoutiere.qc.ca.

Location de voitures

Les principales sociétés de location de voitures sont généralement représentées dans les grands aéroports et dans les gares principales.

Âge – Pour louer un véhicule, il faut généralement être âgé de plus de 21 ans (voire 25 ans) et avoir son permis de conduire depuis plus de un an.

♿ *Voir « Formalités », p. 12.*

Paiement – Le plus pratique est d'utiliser une carte de crédit (de type Visa, American Express ou

MasterCard/Eurocard), faute de quoi le loueur exigera une forte caution en argent liquide.

Assurance – Le prix de la location ne couvre pas l'assurance collision. Pour un supplément, la compagnie fournira une assurance tous risques.

Conducteur – Seule la personne ayant signé le contrat de location est autorisée à conduire le véhicule en question, mais moyennant un supplément, et sur présentation de papiers en règle, un autre conducteur pourra utiliser le véhicule.

Essence – Juste avant de rendre votre voiture, n'oubliez pas de faire le plein, sinon la compagnie de location le fera pour vous, mais à un taux beaucoup plus élevé que le taux commercial moyen.

Principales agences :

Avis – www.avis.com

Budget – www.budget.ca

Discount – www.discountcar.com

Hertz – www.hertz.com

National – www.nationalcar.com

Thrifty – www.thrifty.com (en anglais).

Tilden-National – www.nationalcar.ca

Location de véhicules récréatifs

Pour découvrir le Québec, les familles ou les groupes de quatre à six personnes préféreront peut-être louer un camping-car. Cette formule de voyage étant très prisée, il est conseillé de réserver plusieurs semaines, voire plusieurs mois à l'avance auprès d'organismes chargés des locations ou de se renseigner auprès des agences de voyages *(voir p. 11)*.

Législation routière

Le port de la ceinture de sécurité est obligatoire, à l'arrière comme à l'avant, et l'utilisation de détecteurs de radar est interdite.

Limitation de vitesse – Sauf indication contraire, la limitation de vitesse est de 100 km/h sur autoroute, 90 km/h sur la plupart des routes secondaires et 50 km/h en ville.

Signalisation – Lorsque vous rencontrez un panneau « ARRÊT », vous devez immobiliser complètement votre véhicule même s'il vous semble n'y avoir aucun danger apparent.

Priorité – Attention, il n'y a pas de priorité à droite. Ce sont les panneaux de signalisation qui indiquent la priorité.

Feu tricolore – Le virage à droite au feu rouge est autorisé, sauf sur l'île de Montréal et aux intersections affichant une interdiction. L'arrêt complet du véhicule reste toutefois obligatoire et le piéton garde la priorité.

Car scolaire – Quand un car de ramassage scolaire (toujours jaune) fait un arrêt, clignotants allumés, la circulation doit s'arrêter dans les deux sens pour permettre aux enfants de traverser en toute sécurité.

www.caaquebec.com – Le site de l'Association canadienne des automobilistes fournit entre autres des informations sur les consignes de sécurité à respecter.

Accidents

De manière générale, les postes de secours sont bien indiqués sur les grandes routes.

En cas d'accident avec dégâts matériels et/ou blessures corporelles, alertez la police locale et ne quittez pas les lieux avant d'y être autorisé par les agents chargés de l'enquête (toujours se munir des papiers du véhicule et du contrat de location).

En quelques mots

Char : voiture.

Congestion : embouteillage

Gaz : essence.

Tanker son char : faire le plein d'essence.

En famille

Le Québec est une destination idéale pour voyager en famille, été comme hiver : niveau de confort de l'hébergement, même dans les parcs, facilité des transports, diversité des activités, prédominance de la nature… Le tableau récapitulatif ci-dessous présente une proposition de sites repérables dans la partie « Découvrir le Québec » grâce au pictogramme ♟.

♟ SITES OU ACTIVITÉS À FAIRE EN FAMILLE			
Chapitre du guide	**Nature**	**Musée**	**Loisirs**
Abitibi	Refuge Pageau à Amos	Cité de l'Or à Val-d'Or	
Beauce		ASTROlab du parc national du Mont-Mégantic	
Cantons-de-l'Est	Zoo de Granby		Croisière sur le lac Memphrémagog
Côte-de-Beaupré	Parc de la Chute-Montmorency		
Côte de Charlevoix	Centre d'observation des baleines de Pointe-Noire		
Côte du Bas-Saint-Laurent		Musée maritime du Québec à L'Islet-sur-Mer	
Côte-Nord	Centre d'interprétation des mammifères marins et observation des baleines à Tadoussac	Centre d'interprétation Archéo-Topo aux Grandes-Bergeronnes, Jardin des Glaciers	
Drummondville		Le village québécois d'antan, le moulin à laine d'Ulverton	
Fjord du Saguenay		Site de la Nouvelle-France	
Gaspésie	Observation des orignaux dans le parc national de la Gaspésie		Parc de la rivière Mitis, parc des Îles à Matane
Île de Montréal	Ecomuseum de Ste-Anne-de-Bellevue	Lieu historique national du Commerce-de-la-fourrure-à-Lachine	
Île Perrot		Parc historique Parc-du-Moulin	
Îles de la Madeleine		Aquarium des Îles sur l'île du Havre-Aubert	
Lac Saint-Jean	Zoo « sauvage » de St-Félicien	Maison des Bâtisseurs à Alma, village historique de Val-Jalbert, musée amérindien de Mashteuiatsh	
La Prairie		Musée ferroviaire	
Laurentides			Parc linéaire le P'tit Train du Nord, parc Carillon

Cartes et Atlas MICHELIN
Trouvez bien plus que votre route

**Les cartes et atlas MICHELIN vous accompagnent
efficacement dans tous vos déplacements.**

Laissez vous surprendre par la richesse des informations routières
et touristiques : les principales curiosités Le Guide Vert MICHELIN,
les pistes cyclables et voies vertes, les points de vues et hippodromes...
autant de découvertes à portée de main, à partir de 2,95€ seulement.

Laval		Cosmodôme	
Longueuil			Parc des Îles-de-Boucherville
Mauricie		Forges du St-Maurice, cité de l'Énergie	
Montréal	Animaux du Biodôme, insectarium	Centre des sciences, Centre d'histoire de la place d'Youville, musée de l'Environnement	
Nicolet		Musée des Abénakis à Odanak	
Outaouais		Musée canadien des Enfants à Gatineau	Train à vapeur Hull-Chelsea-Wakefield
Québec	Parc Aquarium à Ste-Foy	Centre d'interprétation de Place-Royale, Parc-de-l'Artillerie, maison de la Découverte des plaines d'Abraham	Observatoire de la capitale, site de Wendake
Saguenay	Passe migratoire à saumons de la Rivière-à-Mars	Village de la sécurité, musée du Fjord	
Sherbrooke		Musée de la Nature et des Sciences	
Trois-Rivières	Île St-Quentin	Boréalis, musée québécois de la Culture populaire, vieille prison, musée du Centre thématique sur le poulamon	
Vallée du Richelieu			Parc safari près de Hemmingford
Victoriaville		Maison Fleury en été	

Mémo

Agenda

PRINCIPALES MANIFESTATIONS

Certaines des manifestations mentionnées ci-dessous durent plusieurs semaines, voire plusieurs mois, et leurs dates varient parfois d'une année à l'autre. Pour plus de détails, adressez-vous aux offices de tourisme régionaux.
www.bonjourquebec.com – Site officiel de Tourisme Québec.
www.festivals.qc.ca – Société des fêtes et festivals du Québec.

JANVIER - FÉVRIER

Montréal – Fête des neiges.
🕭 www.parcjeandrapeau.com

FÉVRIER

Gatineau (Outaouais) – Bal de neige.
🕭 www.capitaleducanada.gc.ca
Québec – Carnaval de Québec
(*voir p. 329*).

MARS

St-Georges (Chaudière-Appalaches) – Festival beauceron de l'érable.

🕭 www.festival
beaucerondelerable.com

MAI

Plessisville (Centre-du-Québec) –
Festival de l'érable.
🕭 www.festivaldelerable.com
Victoriaville (Centre-du-Québec) –
Festival de musique actuelle.
🕭 www.fimav.qc.ca
Montréal – La Féria du vélo.
🕭 www.veloquebec.info/feria

JUIN

Tadoussac (Manicouagan) –
Festival de la chanson.
🕭 http://festivalchansontadoussac.
com
St-Gabriel-de-Brandon
(Lanaudière) – Maski-Courons
International : marche, course à
pied et cyclisme.
🕭 www.maski-courons.com
Montréal – Francofolies
de Montréal.
🕭 www.francofolies.com
Province de Québec –
Fête de la pêche.
🕭 www.fetedelapeche.gouv.qc.ca

JUIN-JUILLET

Québec – Grand rire.
🕭 www.grandrire.com
Montréal – Festival de jazz.
🕭 www.montrealjazzfest.com
Île Ste-Hélène (Montréal) –
International des Feux Loto-
Québec : concours d'art
pyrotechnique.
🕭 www.parcjeandrapeau.com

JUILLET

Salaberry-de-Valleyfield
(Montégérie) – Régates Molson Ex
de Valleyfield.
🕭 www.regates.ca
Joliette (Lanaudière) – Festival de
Lanaudière : musique classique.
🕭 www.lanaudiere.org

Saguenay - Alma (Saguenay –
Lac-St-Jean) – Festirame.
🕭 www.festivalma.com
Québec – Festival d'été *(voir p. 329)*.
🕭 www.infofestival.com
Drummondville (Centre-du-
Québec) – Mondial des cultures.
🕭 www.mondialdescultures.com
Magog (Cantons-de-l'Est) –
Traversée du lac Memphrémagog.
🕭 www.traversee-
memphremagog.com
Dolbeau (Saguenay – Lac-St-Jean) –
Festival des dix jours western de
Dolbeau-Mistassini.
🕭 www.festival10jourswestern.com
Sherbrooke (Cantons-de-l'Est) –
Fête du lac des Nations *(voir p. 260)*.
Tremblant (Laurentides) - Festival
international du blues.
🕭 www.tremblantblues.com
Montréal – Festival Juste pour rire.
🕭 www.hahaha.com ;
Festival international nuits d'Afrique.
🕭 www.festivalnuitsdafrique.com
Trois-Rivières (Mauricie) –
Grand Prix de Trois-Rivières :
course automobile.
🕭 www.gp3r.com
Roberval (Saguenay – Lac-St-
Jean) – Traversée internationale du
lac St-Jean *(voir p. 366)*.
Wendake – Pow-Wow Wendake.
🕭 www.tourismewendake.com

JUILLET-AOÛT

Saguenay - La Baie (Saguenay –
Lac-St-Jean) – La fabuleuse histoire
d'un royaume.
🕭 www.fabuleuse.com
Orford (Cantons-de-l'Est) –
Festival Orford : musique
classique et jazz.
🕭 www.arts-orford.org
St-Irénée (Charlevoix) – Festival
international du domaine Forget :
musique classique et jazz.
🕭 www.domaineforget.com
Grand-Métis (Gaspésie) - Festival
international de jardins.
🕭 www.jardinsdemetis.com

Saguenay (Saguenay – Lac-St-Jean) – Festival international des rythmes du monde.
⏾ www.rythmesdumonde.com

Bergeronnes (Manicouagan) – Festival de la baleine bleue.

Montréal – Fêtes gourmandes internationales de Montréal.
⏾ www.fetesgourmandes internationales.com

AOÛT

Lévis (Chaudière-Appalaches) – Festivent : montgolfières.
⏾ www.festivent.net

Mistassini (Saguenay – Lac-St-Jean) – Festival du bleuet de Dolbeau-Mistassini.
⏾ www.festivaldubleuet.com

Québec – Fêtes de la Nouvelle-France *(voir p. 329)*.

Havre-Aubert (îles de la Madeleine) – Concours de châteaux de sable.
⏾ www.tourismeilesdelamadeleine.com

St-Jean-sur-Richelieu (Montérégie) – Festival de montgolfières.
⏾ www.montgolfieres.com

Montréal – Festival des films du monde.
⏾ www.ffm-montreal.org

Ste-Anne-des-Monts (Gaspésie) – Fête du bois flotté.
⏾ www.feteduboisflotte. wordpress.com

Maliotenam (Duplessis) – Festival Innu Nikamu.
⏾ http://innunikamu. mapdesignweb.ca

AOÛT-SEPTEMBRE

Rimouski (Bas-St-Laurent) – Festival de jazz international.
⏾ www.festijazzrimouski.com

SEPTEMBRE

Shawinigan (Mauricie) – Classique internationale de canots de la Mauricie.
⏾ www.classiquedecanots.com

Gatineau (Outaouais) – Festival de montgolfières de Gatineau.
⏾ www.montgolfièresgatineau. com

Montmagny (Chaudière-Appalaches) – Carrefour mondial de l'accordéon.
⏾ http://accordeon.montmagny. com

Magog (Cantons-de-l'Est) – Fête des vendanges.
⏾ www.fetedesvendanges.com

St-Tite (Mauricie) – Festival western.
⏾ www.festivalwestern.com

SEPTEMBRE-OCTOBRE

Trois-Rivières (Mauricie) – Festival international de la poésie *(voir p. 208)*.

OCTOBRE

Montmagny (Chaudière-Appalaches) – Festival de l'oie blanche.
⏾ www.festivaldeloie.qc.ca

Montréal – Festival Black and Blue. Concerts de musique Transe, DJs, dance…
⏾ www.bbcm.org

OCTOBRE-NOVEMBRE

Rouyn-Noranda (Abitibi-Témiscamingue) – Festival du cinéma international.
⏾ www.festivalcinema.ca

DÉCEMBRE

Montréal - Féeries de Noël.
⏾ www.lesfeeriesduvieuxmontreal. info

DÉCEMBRE-JANVIER

Rivière-Éternité (Saguenay – Lac-St-Jean) – Exposition internationale de crèches de Noël.
⏾ www.creches.qc.ca

Bibliographie

LITTÉRATURE CONTEMPORAINE

Agonie, Jacques Brault *(Boréal, 2011)*.

Les Aurores montréales, Monique Proulx *(Boréal, 1997)*.

L'Avalée des avalés, Réjean Ducharme *(Gallimard, coll. Folio)*.

Bizango, Stanley Péan *(Les Allusifs, 2011)*.

Bonheur d'occasion, Gabrielle Roy *(Boréal, 2009)*.

La Constellation du Lynx, Louis Hamelin *(Boréal, 2011)*.

Crimes horticoles, Mélanie Vincelette *(Le Seuil, coll. Points)*.

Chronique du Plateau-Mont-Royal, Michel Tremblay *(Actes Sud, 2000)*.

La Démarche du crabe, Monique Larue *(Boréal, 1997)*.

Le Dernier Été des Indiens, Robert Lalonde *(Le Seuil, 1982)*.

Dévadé, Réjean Ducharme *(Gallimard, coll. Folio)*.

La Diaspora des Desrosiers, Michel Tremblay *(4 t., Actes Sud)*.

L'Énigme du retour, Dany Laferrière *(LGF/Livre de Poche)*.

Les Fous de Bassan, Anne Hébert *(Le Seuil, coll. Points)*

Le Froid modifie la trajectoire des poissons, Pierre Szalowski *(Héloïse d'Ormesson, 2010)*.

Les Gens fidèles ne font pas les nouvelles, Nadine Bismuth *(Boréal, 2002)*.

Une histoire américaine, Jacques Godbout *(Le Seuil, coll. Points)*.

L'Homme gris, Marie Laberge *(L'Avant-scène Théâtre, 1986)*.

L'Ingratitude, Ying Chen *(Actes Sud, coll. Babel)*.

Kamouraska, Anne Hébert *(Le Seuil, coll. Points)*.

Laura Laur, Suzanne Jacob *(Le Seuil, 1983)*.

Nikolski, David Dickner *(Denoël, 2007)*.

La Nuit des princes charmants, Michel Tremblay *(Actes Sud, coll. Babel)*.

L'Oiselière, Jean Charlebois *(Paroles d'aube, 1998)*.

Le Pavillon des miroirs, Sergio Kokis *(L'Aube, 2005)*.

Parlez-moi d'amour, Suzanne Jacob *(Boréal, 1999)*.

Putain, Nelly Arcan *(Le Seuil, coll. Points)*.

Quelques adieux, Marie Laberge *(Anne Carrière, 2006)*.

Le Reste du temps, Esther Croft *(XYZ, 2007)*.

Salut Galarneau !, Jacques Godbout *(Le Seuil, coll. Points)*

Soifs, Marie-Claire Blais *(Le Seuil, 1996)*

La Trilogie des dragons, collectif *(Les 400 coups, 2006)*.

Les Trois Modes de conservation des viandes, Maxime-Olivier Moutier *(Ed. Marchand de feuilles, 2006)*.

Vamp, Christian Mistral *(Boréal, 2004)*.

La Vie en prose, Yolande Villemaire *(Typo, 1993)*.

Volkswagen Blues, Jacques Poulin *(Actes Sud, coll. Babel)*.

BANDE DESSINÉE

Magasin général, Loisel et Tripp *(6 t., Casterman)*.

Paul, Michel Rabagliati *(Ed. de la Pastèque)*.

L'Ostie d'chat, Iris et Zviane, tome 1 *(Ed. Delcourt, 2011)*.

Le Moral des troupes, Jimmy Beaulieu *(Les 400 coups, 2005)*.

LIBRAIRIES À PARIS

Librairie du Québec – 30 r. Gay-Lussac - 75005 Paris - ✆ 01 43 54 49 02 - www.librairieduquebec.fr. Éditions québécoises et canadiennes francophones, disques, journaux et magazines, rencontres avec des écrivains organisées périodiquement.

Filmographie

Les tendances du cinéma québécois de 1949 à nos jours.

Un homme et son péché, Paul L'Anglais, 1949.

Tit-Coq, René Delacroix et Gratien Gélinas, 1952.

À tout prendre, Claude Jutra, 1963.

Pour la suite du monde, Michel Brault et Pierre Perrault, 1963.

Le Chat dans le sac, Gilles Groulx, 1964.

La Vie heureuse de Léopold Z., Gilles Carle, 1965.

Entre la mer et l'eau douce, Michel Brault, 1967.

Le Règne du jour, Pierre Perrault, 1967.

Les Mâles, Gilles Carle, 1970.

Un pays sans bon sens, Pierre Perrault, 1970.

Mon oncle Antoine, Claude Jutra, 1971.

L'Acadie, l'Acadie, Michel Brault et Pierre Perrault, 1972.

La Vraie Nature de Bernadette, Gilles Carle, 1972.

Kamouraska, Claude Jutra, 1973.

Les Ordres, Michel Brault, 1974.

J.A. Martin, photographe, Jean Beaudin, 1976.

L'Homme à tout faire, Micheline Lanctôt, 1980.

Les Bons Débarras, Francis Mankiewicz, 1980.

Crac !, Frédéric Back, 1982.

La Bête lumineuse, Pierre Perrault, 1983.

Les Fleurs sauvages, J.-Pierre Lefebvre, 1983.

Maria Chapdelaine, Gilles Carle, 1983.

La Femme de l'hôtel, Léa Pool, 1984.

La Guerre des tuques, André Melançon, 1984.

Le Crime d'Ovide Plouffe, Denys Arcand, 1984.

Bach et Bottine, André Melançon, 1986.

Le Déclin de l'empire américain, Denys Arcand, 1986 (DVD).

Pouvoir intime, Yves Simoneau, 1986.

Un zoo la nuit, J.-C. Lauzon 1987.

L'homme qui plantait des arbres, Frédéric Back, 1988 (DVD).

Les Portes tournantes, Francis Mankiewicz, 1988.

Jésus de Montréal, Denys Arcand, 1989 (DVD).

La Grenouille et la Baleine, J.-Claude Lord, 1989.

Au chic resto pop, Tahani Rached, 1990.

La Liberté d'une statue, Olivier Asselin, 1990.

Les Noces de papier, Michel Brault, 1990.

Une histoire inventée, Marc-André Forcier, 1990.

Léolo, J.-Claude Lauzon, 1992 (DVD).

Eldorado, Charles Binamé, 1995.

Le Confessionnal, Robert Lepage, 1995 (DVD).

Les Boys, Louis Saia, 1997.

Le Violon rouge, François Girard, 1999 (DVD).

Maelstrom, Denis Villeneuve, 2000.

La Femme qui boit, Bernard Edmond, 2001.

La Forteresse suspendue, Roger Cantin, 2002.

La Turbulence des fluides, Manon Briand, 2002 (DVD).

La Grande Séduction, J.-François Pouliot, 2003 (DVD).

Les Invasions barbares, Denis Arcand, 2003, (DVD).

Mambo italiano, Émila Gaudreault, 2003 (DVD).

Congorama, Philippe Falardeau, 2006 (DVD).

J'ai tué ma mère, Xavier Dolan, 2009 (DVD).

Miroir Noir, Vincent Morissey, 2010 (DVD).

Les Amours imaginaires, Xavier Dolan, 2010 (DVD).

Incendies, Denis Villeneuve, 2010 (DVD).

Hôtels ?

Restaurants ?

Savourez les meilleures adresses !

2/
COMPRENDRE
LE QUÉBEC

Sucettes au sirop d'érable.
R. Laskowitz/Age Fotostock

Économie québécoise

La force économique du Québec a longtemps résidé dans l'**abondance de ses richesses naturelles**. Ses vastes forêts, ses terres agricoles et ses puissantes rivières font toujours l'objet d'une importante exploitation, mais l'essentiel des activités économiques québécoises repose désormais sur le secteur manufacturier (environ 22 % du produit intérieur brut) et celui des services (plus de 70 %).

LES FOURRURES

Le commerce des fourrures a joué un rôle majeur dans la colonisation des régions nordiques du Québec. Héritage des Amérindiens et des Inuits, le « **piégeage** » est devenu une activité relativement marginale sur le plan national. Le Canada est pourtant l'un des plus grands fournisseurs de fourrures (sauvages ou d'élevage) du monde, et **Montréal**, la capitale nord-américaine du commerce des peaux. Les trappeurs québécois, regroupés en coopératives, piègent surtout le rat musqué, le castor et la martre.

L'INDUSTRIE FORESTIÈRE

L'industrie du bois joue un rôle économique particulièrement vital dans les régions de l'Abitibi-Témiscamingue, de la Côte-Nord, de la Mauricie et du Saguenay – Lac-St-Jean. L'exploitation des vastes forêts du Québec constitue, depuis l'époque coloniale, la source d'un revenu considérable. Dans beaucoup d'endroits, le travail forestier s'imposait, pour les cultivateurs, comme une activité d'appoint durant les longs mois d'hiver. Très vite, la construction de navires et celle de maisons entraînèrent une forte consommation de bois, sans parler de la nécessité de se chauffer par des températures fort rigoureuses en hiver. Le bois était non seulement destiné au marché domestique, mais aussi exporté vers l'Angleterre. Au début du 20e s., le succès croissant de la presse à grand tirage ouvrit un autre marché : celui de la **pâte à papier**. En 2006, le Québec a produit près de 10 millions de tonnes de pâte commerciale, spécialisée, de papier journal et de cartons. Cela représentait 7,5 % des biens manufacturés québécois. La « belle province » produit 16,5 % du papier journal vendu dans le monde, ce qui la place en deuxième position derrière le Canada ; 63 % de cette production était exportée aux États-Unis en 2006.

L'AGRICULTURE

Jusqu'au début du 20e s., l'agriculture constituait encore la base de l'économie provinciale, les produits laitiers représentant, vers 1880, un secteur commercial fort important. En 2006, l'agriculture comptait pour moins de 3 % du produit intérieur brut. Les principales régions agricoles (Bas-St-Laurent, Beauce, Gaspésie) se trouvent à proximité du St-Laurent. La production agricole comprend des produits d'origine animale (lait, porcs, volailles, bovins), céréalière (maïs, orge, avoine, blé), maraîchère et fruitière (pomme, fraise, framboise et bleuet).

LA PÊCHE

Essentiellement concentrée en Gaspésie, aux îles de la Madeleine et sur la Côte-Nord, l'industrie de la pêche contribue relativement peu au produit intérieur brut. En 2005, la valeur totale des prises maritimes s'élevait à 152 millions de dollars canadiens (86 % provenaient des prises de crustacés). La morue, le flétan du Groenland, le sébaste, le maquereau, le hareng, le saumon et les crustacés (crabe des neiges, crevette, homard) constituent l'essentiel des espèces maritimes débarquées au Québec. La pêche à l'esturgeon, la perchaude et l'anguille se fait principalement à l'ouest du cap Tourmente, dans la région du lac St-Pierre (Yamaska, Maskinongé, Nicolet et Sorel).

LES INDUSTRIES EXTRACTIVES

Le sous-sol québécois recèle une gamme très fournie de **minéraux métalliques** (or, argent, fer, cuivre, zinc, plomb, nickel) et non métalliques (le Québec est un grand exportateur d'amiante). L'activité minière fut marquée par trois grandes périodes : l'exploitation de l'amiante dans les Cantons-de-l'Est (Asbestos) dans le dernier quart du 19e s. ; celle de l'or et du cuivre en Abitibi (Rouyn-Noranda) vers 1920 ; enfin, celle du fer sur la Côte-Nord (Fermont, Duplessis) et dans le nord-est du Québec (Schefferville) après 1945. En 2007, l'exploitation des sites d'extraction québécois représentait environ 14 % de la production canadienne de minerai, et si elle demeure la principale activité de plusieurs régions, elle compte toutefois pour moins de 1 % du produit intérieur brut.

L'HYDROÉLECTRICITÉ

Importateur de pétrole et de gaz naturel, le Québec tire aussi son énergie de ses **fabuleuses ressources hydroélectriques** qu'il exporte vers les États-Unis et les autres provinces canadiennes. Ses exportations d'électricité représentent plus de 14 % de la production mondiale. L'industrialisation du Québec fut fortement liée à cette hydroélectricité qui fournit à

bon compte, dès 1900, l'énergie nécessaire à l'industrie du bois, à la pétrochimie, puis à l'électrométallurgie (Alcan, Reynolds, Péchiney). Les tenants d'un nationalisme économique ont très tôt réclamé la déprivatisation de l'électricité, que l'Ontario entreprit dès le début du 20e s. De la société Shawinigan Water and Power (1902) à Hydro-Québec (première nationalisation en 1944, suivie des grandes nationalisations de 1962-1963, à l'initiative de René Lévesque, ministre du gouvernement de M. Jean Lesage), l'hydroélectricité est devenue un produit privilégié de la force économique du Québec. Les premiers barrages sur la rivière Manicouagan furent en quelque sorte le symbole d'une prise en main de l'économie par les Québécois et d'une expertise en ingénierie aujourd'hui exportée aux quatre coins du monde. L'électricité québécoise est essentiellement produite par des centrales hydroélectriques dont les trois quarts relèvent d'Hydro-Québec. On compte tout de même quelques centrales thermiques ainsi qu'une centrale nucléaire : Gentilly-2, la seule de son genre au Québec. L'aménagement des puissantes rivières du Québec et son impact sur l'environnement et les populations autochtones des régions nordiques soulèvent de nombreuses controverses.

DE NOUVELLES DIRECTIONS

La Révolution tranquille des années 1960 s'est accompagnée d'une **intervention accrue de l'État** sur le plan social et économique. Les nationalisations (hydroélectricité et amiante), les mécanismes d'aide aux entreprises (Société générale de financement) ou d'investissements (Caisse de dépôt et de placement), les grands travaux d'infrastructures (Expo'67, métro de Montréal, Jeux olympiques de Montréal en 1976) et les politiques linguistiques favorables à l'ascension des francophones dans les domaines du commerce, de l'industrie et de la finance, ont doté la politique économique québécoise de caractéristiques originales en Amérique du Nord. Siège d'une puissante Bourse et de nombreuses banques et compagnies canadiennes, la **métropole montréalaise** bénéficia largement de cette politique qui accordait une place essentielle à l'entreprise québécoise francophone. Si son rôle de capitale financière du pays fut éclipsé au profit de Toronto dans les années 1970, Montréal continue toutefois à dominer la scène économique québécoise. En effet, 52 % des industries manufacturières se concentrent dans l'agglomération montréalaise ; elles emploient 15,5 % de la main-d'œuvre dans ce secteur, et produisent le tiers des produits finis de la province. Le **secteur des services**, dominant depuis les années 1950, représente aujourd'hui plus de 70 % du produit intérieur brut.

Depuis l'ouverture de la **voie maritime du St-Laurent** (1959), qui relie les Grands Lacs à l'océan Atlantique, l'intégration des économies québécoise et étasunienne n'a cessé de se consolider. Que ce soit par le biais de ses investissements ou des succursales québécoises d'entreprises américaines, les **États-Unis** demeurent le grand partenaire économique du Québec, même si la part des exportations internationales de la province vers son voisin américain est passée de 83 % en 2003 à 75 % en 2007, et que la part des importations de biens produits au sud de la frontière a chuté de 41,1 % en 2002 à 30,8 % en 2006.

Ces dernières années, les secteurs traditionnels de l'économie québécoise ont souffert de la concurrence internationale (notamment asiatique) ainsi que de la crise qui a touché le monde en 2008, mais les **industries de haute technologie** ont trouvé de nouveaux marchés (aéronautique, télécommunications, ingénierie). Montréal est une des capitales mondiales de la production de **jeux vidéos** (Ubisoft) et du développement de logiciels.

Gastronomie

Depuis quelques années, les Québécois se sont pris de passion pour la gastronomie sous toutes ses formes. On ne compte plus les émissions culinaires et la mode est aux cours de cuisine et d'œnologie. Dans le secret de leurs restaurants, les chefs québécois rivalisent de créativité. Séduits par l'exotisme de la cuisine européenne

LES FROMAGES QUÉBÉCOIS

Aujourd'hui, le Québec recense entre 200 et 300 références de fromages. En l'absence de labels et de zones de production définies, chaque élevage produit les siens de façon exclusive, élaborant ainsi des fromages artisanaux originaux. On trouve des fromages au lait de vache, de chèvre et de brebis, ou encore mixtes, au lait cru et biologiques. Certains se sont déjà taillé une belle réputation comme le **Riopelle**, un triple crème de l'Île-au-grue ou encore le **Pied-de-vent** des îles de la Madeleine. Plusieurs fromages ont obtenu la reconnaissance des professionnels de la restauration ou ont été primés. C'est le cas du **Zacharie Cloutier**, fromage au lait cru de brebis affiné, élu meilleur fromage du Québec en 2011.

Récolte de bleuets.
T. Kitchin & Vict/Age Fotostock

(surtout française), certains d'entre eux, véritables vedettes, redécouvrent les plats de la « belle province » et les réinterprètent à leur manière. Ainsi à Montréal, au « Pied de cochon », **Martin Picard** mêle poutine et foie gras ; chez « L'Épicier », dans le vieux port, **Laurent Godbout** redore le blason du pâté chinois ; tandis que chez « Toqué ! », **Charles-Antoine Crête** reste à l'affût des produits de saison.

LES PRODUITS

Le nouvel engouement pour la gastronomie est soutenu par l'essor de la vente des produits du terroir. En Beauce, les **produits de l'érable** sont particulièrement réputés : sirop, sucre, tire *(voir p. 48)*, tarte, yaourt, crème glacée et digestif. Pour sa part, l'île d'Orléans s'est spécialisée dans une production maraîchère (les fraises en particulier) qui fait les délices de la ville de Québec, toute proche. Vers le Saguenay – Lac-St-Jean, on affirme le plus sérieusement du monde : « Une tarte, un **bleuet** ! »,

sorte de myrtille dont on tire aussi un apéritif. Ce petit fruit n'est pas la seule spécialité de la région : on y trouve aussi la **gourgane**, une espèce de grosse fève dont on fait une soupe.

Les amateurs de poisson, de crustacés et de fruits de mer apprécieront le **saumon** frais ou fumé de la Côte-Nord, le **homard** des îles de la Madeleine, la **morue** de Gaspésie, les **crevettes** de Matane et les **bigorneaux** du Bas-St-Laurent. Les amateurs de viande n'hésiteront pas à goûter celle de caribou et d'orignal.

LES PLATS

Parmi les plats traditionnels, on mentionnera la **cipaille**, pâté de gibier mêlé de couches de pâte et de pommes de terre, les **fèves au lard,** les **oreilles de crisse** (lard frit qui crisse sous la dent), le **ragoût de boulettes** et la **tourtière** (hachis de viandes en croûte), cousin du **pâté chinois** (hachis parmentier avec du maïs), ainsi nommé car la recette daterait de l'époque des grands chantiers

Le hockey sur glace

UN PEU D'HISTOIRE

Activité hivernale depuis plus de 100 ans, le hockey est bel et bien le sport national canadien. Dérivé du français « hoquet » à cause de la forme du bâton, le hockey puise ses origines dans plusieurs jeux de bâton et de balle importés au Canada par les soldats anglais dans les années 1850. En 1875, l'étudiant montréalais **J.-G. Creighton** institua des règles et remplaça la balle par un disque plat (le *puck*) pour un meilleur contrôle sur la glace.

UN SPORT POPULAIRE

Ce jeu rapide et parfois brutal suscita l'intérêt des Canadiens. Il se répandit rapidement tandis que les rivalités parmi les équipes universitaires amateurs s'intensifiaient. Bientôt des équipes professionnelles se constituèrent. Aujourd'hui, l'engouement ne se limite pas aux matchs des grandes équipes retransmis à la télévision : plus de 580 000 jeunes Canadiens répartis dans 25 000 équipes participent à des tournois amicaux.

ℭ *Pour assister à une rencontre, voir « Nos adresses » à Montréal et à Québec.*

LA LIGUE

Fondée en 1917, la Ligue nationale de Hockey, rejointe au fil des ans par des équipes américaines, réunit désormais 30 équipes, dont seulement 6 au Canada. La saison court d'octobre à mai. Comptant parmi les cinq équipes fondatrices de la Ligue en 1917, **les Canadiens de Montréal** figurent traditionnellement parmi les meilleures équipes du championnat de hockey professionnel, avec plus de 25 coupes Stanley remportées au 20e s. Le trophée remis par le gouverneur général Lord Stanley en 1893 est toujours attribué à l'équipe victorieuse de la Ligue lors des championnats de la **coupe Stanley** qui se déroulent chaque année au mois de juin. La coupe d'origine en argent est exposée au Hockey Hall of Fame de Toronto.

LE GRAND NOM DU HOCKEY

Qui ne connaît pas **Maurice Richard** (1921-2000) au Québec ? Surnommé « Rocket », il a été le premier joueur de hockey à avoir marqué 50 buts en 50 matchs. Par huit fois, il a mené les Canadiens de Montréal à la coupe Stanley. Une véritable fierté pour les Québécois. Aujourd'hui, le trophée Maurice Richard remis par la **Ligue nationale de Hockey** (LNH) récompense le meilleur buteur de la saison.

ferroviaires auxquels participaient de nombreux ouvriers asiatiques. Et la **poutine** ? Les variantes sont multiples mais la recette traditionnelle exige des frites parsemées de « crottes » de fromage recouvertes de jus de viande, qui couinent quand on les mastique.

Quant aux desserts, la tarte au sucre et celle au sirop d'érable feront le délice des plus gourmands, à moins qu'ils ne jettent leur dévolu sur le **pudding chômeur**, petit gâteau spongieux au sirop d'érable.

Traditions populaires

La tradition orale et matérielle évoque volontiers la lointaine époque des coureurs de bois, la colonisation des régions forestières, l'importance de la religion dans la vie quotidienne et la dureté légendaire d'hivers sans fin. L'**Église**, qui fut longtemps une force prédominante dans la vie québécoise, vit peu à peu son rôle s'estomper. Sa présence demeure cependant inscrite dans le paysage, comme en témoignent les innombrables églises aux clochers argentés, les chapelles de procession et les croix de chemin que l'on trouve un peu partout dans la province. L'industrialisation et l'urbanisation ont profondément transformé le visage traditionnel du Québec. Dans les villes et les campagnes, d'anciennes coutumes ont disparu, tandis que d'autres ont survécu aux bouleversements de la vie moderne.

La **tradition orale** revient depuis quelques années sur le devant de la scène avec la mouvance du **slam** (joutes de poésie de trois minutes) et des soirées de contes qui essaiment un peu partout dans la province. Le conteur emblématique **Fred Pellerin** fait salle comble au Québec et captive un large auditoire avec les histoires de son village natal de St-Élie-de-Caxton en Mauricie. Il s'inspire de contes d'hier et les tisse avec les réalités d'aujourd'hui.

En musique, la mouvance « **néotraditionnel** » plonge dans les racines de la musique folklorique du Québec qu'elle réactualise, à l'instar des « **Cowboys Fringants** » ou « **Mes Aïeux** ». Nombre de groupes modernes reprennent en outre les ritournelles d'antan pour les recréer sur un rythme endiablé ou composent leur propre version de musiques traditionnelles. C'est le cas de la « **Bottine souriante** » connue sur la scène internationale, des « **Batinses** » de Québec ou encore de « **La Volée de Castor** ».

DES LÉGENDES

Les longues nuits de l'hiver québécois étant propices à la création d'histoires fantastiques, les traditions locales offrent un grand nombre de contes et comptines, de proverbes et de légendes. La plus originale est sans doute celle de la chasse-galerie ou « chasse sauvage ». À la venue de l'hiver, beaucoup de jeunes gens partaient dans des camps de bûcherons afin de gagner un peu d'argent. La vie dans ces chantiers était rude, et ils rêvaient parfois la nuit de leur « blonde » laissée au village. La veille du Jour de l'an, le Diable apparut pour leur proposer un marché : il offrait d'aider ceux qui se languissaient de leur bien-aimée à la rejoindre en les embarquant dans un canot capable de naviguer dans les airs à grande vitesse. En contrepartie, ils devaient s'engager à ne prononcer aucun blasphème pendant le voyage, sous peine de finir en enfer. À l'aller, tout se passa bien. Mais au retour, les hommes oublièrent parfois leur promesse et commencèrent à « sacrer », c'est-à-dire à jurer. Le canot volant descendit alors comme une

ART DE VIVRE ET NÉCESSITÉ

La société rurale québécoise apportait beaucoup de soin à la **décoration** des bâtiments, du mobilier et de nombreux objets utilitaires. Moules de bois ciselés en forme de feuille ou de cœur pour le sucre d'érable, motifs fauniques des girouettes, motifs floraux sur les portes des granges et sur les volets… sont encore visibles dans les campagnes.

Depuis les lointains débuts de la colonisation, la **tenue vestimentaire** a toujours reflété la nécessité de se protéger contre les grands froids de l'hiver. Tuques, mitaines, écharpes de laine et bottes sont de rigueur de novembre à la mi-mars, parfois même plus longtemps. La fameuse « canadienne », sorte de veste à capuchon inspirée de celle des trappeurs, et le manteau de fourrure (renard, raton laveur ou vison) restent populaires.

pierre jusqu'au sol où il s'écrasa, envoyant en enfer l'âme de ses malheureux occupants.

Une autre légende populaire raconte la mésaventure de Rose Latulippe qui aimait trop danser. Une nuit, au cours d'une veillée de danse, la porte s'ouvrit et un bel étranger entra. Rose, subjuguée, délaissa son cavalier habituel pour aller rejoindre le nouveau venu avec qui elle se mit à danser. Elle dansa pendant des heures. Mais lorsque, exténuée, elle voulut s'arrêter, elle découvrit que c'était impossible. Son partenaire continuait à la faire tourner et virevolter au point qu'elle crut sa dernière heure venue. C'est alors qu'arriva le curé du village. Il avait reconnu la main du Diable et le chassa à coup de prières et d'eau bénite. Exorcisée, la pauvre Rose Latulippe ne dansa jamais plus, désormais, qu'avec son cavalier attitré.

ET DES HÉROS

Le bûcheron **Louis Cyr** (1863-1912) devint, en son temps, une légende vivante. Pesant plus de 165 kg, il passait alors pour être l'homme le plus fort du monde. Il souleva un jour, devant un public de badauds admiratifs, une plate-forme sur laquelle avaient pris place 18 personnes, soit une charge de 1 967 kg (record inégalé). Natif de la région du lac St-Jean,

Alexis Lapointe devait son surnom de « trotteur » à sa stupéfiante vitesse à la course. Capable de couvrir plus de 240 km en une journée, il lui arrivait fréquemment de prendre à la course les chevaux et même les trains. Son autopsie aurait révélé la présence de jointures doubles, d'os et de muscles ressemblant à ceux d'un cheval.

FÊTES ET FESTIVALS

À chaque saison correspondent, au Québec, toutes sortes de traditions et de fêtes héritées du passé.

Voir aussi « Agenda » p. 30.

Printemps

C'est à la fin du mois de mars que la sève des érables commence à couler, annonçant le printemps et les fêtes associées à la confection du sirop d'érable car le **temps des sucres** est une tradition québécoise toujours très vivante. Familles et amis se rassemblent alors pour des **parties de sucre**. On consomme pour l'occasion des mets cuits dans le sirop d'érable et de savoureux desserts arrosés de ce nectar. Du sirop chaud est également versé dans la neige où il se transforme en « tire », une substance semblable à du caramel, que l'on enroule prestement sur un bâtonnet.

Été

Jour dédié à saint Jean-Baptiste, le **24 juin** est aussi la fête nationale du Québec. Son origine tant nationaliste que religieuse fait de la **St-Jean-Baptiste** l'un des principaux événements annuels. Elle est célébrée avec liesse et ferveur à travers toute la province pour bien marquer l'identité québécoise. Chars allégoriques, défilés de drapeaux, feux de bois et spectacles musicaux sont au programme.

Automne

Lorsque les érables se parent de couleurs flamboyantes, s'annonce alors la récolte du raisin et les **fêtes des vendanges** se déroulent à travers l'ensemble de la province.

Hiver

Les rigueurs d'un hiver souvent cruel ne découragent en rien les Québécois. Parmi les manifestations hivernales les plus marquantes, on notera le fameux **Carnaval de Québec** durant lequel la « vieille capitale » bourdonne d'activités : course en canot sur le St-Laurent, concours de sculpture sur glace, parades en ville… Concours de pêche à la morue et de sculpture sur glace et défilés divers ont également lieu à Ste-Anne-de-la-Pérade (Mauricie). Montréal célèbre quant à elle sa **Fête des neiges** par plus de 125 manifestations différentes. À Gatineau (secteur Hull), les fêtes du **Bal de neige** gagnent les berges de la rivière des Outaouais, avec des activités de plein air pour toute la famille. Et dans des lieux aussi nordiques que **Chicoutimi** (Saguenay – Lac-St-Jean), l'hiver est animé par une série de pièces de théâtre, d'opérettes, d'expositions et de compétitions diverses.

Art amérindien

Les nations amérindiennes ont développé, au cours des siècles, une remarquable expression artistique inspirée par leur mode de vie et leurs croyances.

L'ART TRADITIONNEL

Les **groupes nomades de langue algonquienne** (Abénaquis, Algonquins, Cris, Micmacs, Montagnais-Naskapis) se sont spécialisés dans l'**artisanat perlier** (os, pierre, coquillage ou graines) et dans la broderie au crin d'orignal, de caribou, ou aux piquants de porcs-épics. Vestes et mocassins en peau de caribou et objets en écorce de bouleau portaient des motifs géométriques incisés et peints. Le **rouge**, symbole de la continuité et du renouveau, était la couleur dominante. Les ceintures de **wampum** (perles en coquillages), ornées de motifs illustrant les grands événements dans la vie d'un peuple, s'échangeaient lors de la signature des traités ou des cérémonies de paix.

Peu nombreux au Québec, les **groupes quasi sédentaires de langue iroquoise** (Hurons, Mohawks, Onondagas, Sénécas) formaient des communautés agricoles semi-permanentes composées de « maisons longues », habitations occupées par plusieurs familles. Cette sédentarité donna naissance à une production artistique libre des contraintes imposées par le nomadisme. Parmi leurs plus belles œuvres, mentionnons des **broderies au crin d'orignal**. On reconnaissait surtout aux Huronnes la maîtrise de cet art délicat ; elles utilisaient avec habileté des techniques dont la complexité n'a jamais été égalée. Sont également remarquables les inquiétants masques de bois médicinaux aux « faux visages ».

L'ART CONTEMPORAIN

L'art amérindien connaît, depuis maintenant plusieurs années, une profonde transformation.

Il privilégiait autrefois l'utilisation de matières naturelles telles que les peaux et l'écorce. Aujourd'hui, les artistes font appel à de nouvelles matières (toile, acrylique, fusain), et donc à de nouveaux procédés artistiques, tout en s'inspirant de leur patrimoine socioculturel. On assiste ainsi à l'émergence d'un art autochtone alliant la mémoire du passé à une vision artistique résolument contemporaine.

Art inuit

Les populations des terres arctiques d'Amérique du Nord ont, elles aussi, élaboré une forme d'art qui leur a valu une grande renommée.

LES ORIGINES

Les objets les plus anciens produits par les habitants des régions septentrionales du Québec sont de petits projectiles de pierre attribués aux cultures pré-dorsétiennes et dorsétiennes. C'est ainsi que l'on a retrouvé des pétroglyphes gravés dans le roc des collines de stéatite, à Kangiqsujuaq.

Le **peuple de Thulé**, ancêtre des Inuits actuels, fabriquait des objets plus raffinés, notamment des peignes et des statuettes. Généralement de petite taille, ces objets restaient intimement mêlés aux croyances et aux pratiques religieuses de ce peuple.

Au début du 19e s., de nombreuses **pièces miniatures sculptées** dans la pierre, l'ivoire de morse et l'os de baleine furent fabriquées en échange des produits de base (sel, armes) que fournissaient les Européens. Avec le déclin du mode de vie traditionnel qui résulta du contact entre Inuits et populations allochtones, la sculpture et les autres formes d'art traditionnel perdirent peu à peu de leur signification et devinrent une nouvelle source de revenus pour la population inuit.

L'ART INUIT AU 20e SIÈCLE

Aujourd'hui, l'art inuit évoque avant tout des **sculptures** façonnées dans la « pierre à savon » ou stéatite, une roche tendre, abondante dans les régions septentrionales du Canada. Cependant, d'autres roches plus dures telles que la serpentine verte, l'argilite, la dolomite ou le quartz sont également employées. Les sculptures modernes, qui peuvent atteindre des dimensions impressionnantes, illustrent presque toujours le Grand Nord, sa faune et ses hommes. Parmi les autres formes d'art inuit, il conviendra de mentionner la gravure, la sculpture en bois de caribou, la gravure sur pierre et la tapisserie.

Afin d'empêcher l'exploitation des artistes inuits par des revendeurs peu scrupuleux, des **coopératives** locales se sont constituées à partir des années 1960. Elles sont, depuis 1967, regroupées sous la tutelle de la Fédération des coopératives du Nouveau-Québec. Les centres artistiques les plus renommés sont les villages de Povungnituk et Inukjuak, en bordure de la baie d'Hudson, et ceux de Salluit et Ivujivik.

Trois artistes ont eu une influence marquante sur l'évolution de la sculpture inuit : Joe Talirunili (1893-1976), Davidialuk (1910-1976) et Charlie Sivuarapik (1911-1968). Parmi les grands noms de la relève, citons Joanassie et Peter Ittukalak, de Povungnituk, Eli Elijassiapik, Lukassie Echaluk et Abraham Pov, d'Inukjuak.

La **collection d'art inuit Brousseau du musée national des Beaux-Arts du Québec** (voir p. 311) recèle des pièces exceptionnelles dont celles de Judas Ullulaq, Toonoo Sharky ou Joanasie Korgak.

Histoire

C'est dans l'histoire de la Nouvelle-France, province créée près d'un siècle après l'exploration du St-Laurent par Jacques Cartier (16ᵉ s.), que le Québec d'aujourd'hui trouve, pour bonne part, ses racines. La colonie française a alors supplanté le peuplement amérindien, puis cohabité non sans heurts avec les Anglais avant d'être cédée à l'Empire britannique, en 1763. Depuis, la « belle Province » francophone revendique et cultive son particularisme.

Période précoloniale

REPÈRES CHRONOLOGIQUES

Av. J.-C.
- **v. 20000-15000** – Premières migrations humaines de l'Asie vers le continent nord-américain.
- **v. 5000-1000** – Les chasseurs nomades de la culture archaïque occupent le territoire.
- **v. 1000** – Développement de la culture sylvicole : recours à des produits alimentaires cultivés, utilisation de la céramique et sédentarisation progressive.

Apr. J.-C.
- **v. 1000** – Séjours des Vikings sur la côte orientale du Canada (Terre-Neuve).
- **v. 1100** – Les Thulés, ancêtres des Inuits d'aujourd'hui, pénètrent dans la péninsule d'Ungava.
- **1492** – Christophe Colomb « découvre » l'Amérique.

APERÇU HISTORIQUE

Les toutes premières migrations humaines de l'Asie vers le continent américain s'effectuèrent par vagues successives, il y a quelque 15 000 ans, peut-être même plus, lorsque des peuplades venues de Mongolie et des steppes sibériennes franchirent le détroit de Béring alors émergé, ouvrant ainsi la voie au peuplement humain. Deux grandes cultures marquèrent la longue période séparant l'arrivée des premiers occupants du Canada de celle des Européens. La première, dite « archaïque » (5000-1000 av. J.-C.), se composait de nomades vivant des produits de la cueillette et de la chasse. Durant la seconde, dite « sylvicole » (1000 av. J.-C.-1500 apr. J.-C.), le nomadisme s'infléchit au profit d'une sédentarité caractérisée par la fabrication de poteries et le développement de l'agriculture. On estime que les **populations autochtones** d'Amérique du Nord s'élevaient à plus de trois millions de personnes avant l'arrivée des Européens.

Après les brefs séjours des Vikings, vers l'an 1000, sur les côtes de Terre-Neuve *(voir* Le Guide Vert Canada*)*, l'Europe oublia semble-t-il pendant plusieurs siècles l'existence du continent américain, à l'exception des **Basques** et des **Anglais** qui fréquentaient déjà les eaux poissonneuses de l'Atlantique Nord. Au 16ᵉ s., les tribus indigènes du

Québec entrèrent ainsi en contact avec des pêcheurs de morue venus s'aventurer sur le St-Laurent, au-delà des riches bancs de Terre-Neuve. L'arrivée des **missionnaires** et **trappeurs** modifia profondément leur mode de vie. Bénéficiant déjà d'un système très complexe de croyances et de coutumes, ces tribus résistèrent aux tentatives de l'Église qui entendait les convertir à la foi catholique, comme en témoignent les célèbres *Relations*, écrits historiques décrivant l'œuvre des missionnaires jésuites en Nouvelle-France. Le bouleversement des alliances politiques et des réseaux d'échange traditionnels, les guerres meurtrières, les maladies endémiques venues d'Europe et les effets dévastateurs d'une ardente colonisation eurent toutefois raison des Premières Nations d'Amérique du Nord.

Nouvelle-France

REPÈRES CHRONOLOGIQUES

- **1534** – Jacques Cartier prend possession du Canada au nom de François Iᵉʳ.
- **1534-1608** – Les Hurons et les Algonquins chassent les Iroquois de la vallée du St-Laurent.
- **1535** – Second voyage de Cartier, qui remonte le St-Laurent jusqu'à Hochelaga, site actuel de Montréal.
- **1608** – Fondation de la ville de Québec par Samuel de Champlain.
- **1609-1633** – Alliance des Hurons et des Français contre les Iroquois.
- **1610** – Alors qu'il cherchait la route des Indes par l'Ouest, l'Anglais Henry Hudson découvre le détroit et la baie qui porteront son nom.
- **1627** – Fondation de la Compagnie des Cent-Associés.
- **1642** – Fondation de Ville-Marie, aujourd'hui Montréal,

par Maisonneuve. Début des guerres iroquoises.
- **1648-1649** – Destruction de la Huronie par les Iroquois qui reprennent le contrôle de la vallée du St-Laurent.
- **1670** – Fondation de la Compagnie de la baie d'Hudson.
- **1673** – Exploration du Mississippi par le père Marquette et Louis Jolliet.
- **1701** – Paix de Montréal : fin des guerres iroquoises.
- **v. 1730-1750** – La famille La Vérendrye explore l'Ouest canadien.
- **1744** – Pierre-François-Xavier de Charlevoix publie sa célèbre *Histoire et description générale de la Nouvelle-France*.
- **1755** – Déportation des Acadiens.
- **1756-1763** – Guerre de Sept Ans opposant la France, l'Autriche, la Russie et l'Espagne à la Grande-Bretagne et à la Prusse.
- **1759** – Défaite française à la bataille des plaines d'Abraham. Reddition de Québec aux Anglais.
- **1760** – Capitulation de Montréal.
- **1763** – Le traité de Paris cède la Nouvelle-France à l'Angleterre.

APERÇU HISTORIQUE

Fourrures et guerres iroquoises

Au 15ᵉ s., l'espoir de découvrir la fameuse « route des Indes » lança à l'assaut des océans bien des explorateurs, parmi lesquels Christophe Colomb qui, en 1492, prit possession de l'île de San Salvador au nom de la Couronne espagnole. La présence coloniale française en Amérique du Nord débuta avec les expéditions de **Jacques Cartier** (1491-1557), échelonnées de 1534 à 1542, mais ne s'affirma réellement qu'avec la fondation de la ville de Québec par **Samuel de Champlain** (v. 1570-1636) en 1608. La **traite des**

Statue de Samuel de Champlain à Québec.
T. Bognar/Age Fotostock

fourrures devait jouer un rôle décisif dans l'histoire du Québec en poussant les Européens, attirés par le lucratif commerce des peaux, à explorer le continent à la recherche des fourrures de castor et de vison. Au début du 17ᵉ s., l'administration et le développement de la colonie furent confiés à des compagnies comme celle des **Cent-Associés** (1627), composée de marchands et d'aristocrates soucieux de tirer bénéfice du Nouveau Monde et de ses fabuleuses richesses naturelles. Néanmoins, le peuplement ne se faisait que lentement : environ 3 000 habitants en 1663, dont moins de la moitié nés sur place. L'évangélisation des populations autochtones par les jésuites eut peu de succès, et le commerce des fourrures fut marqué par les terribles **guerres iroquoises**. Champlain s'était en effet attiré la haine implacable des Iroquois, partenaires commerciaux des Anglais. Entre 1627 et 1701, cette nation attaqua régulièrement les tribus amérindiennes de langue algonquienne (Hurons, Montagnais, Algonquins) qui s'étaient rangées du côté français. En 1642, la France riposta en construisant des forts et en fournissant des armes à ses alliés. Pourtant, les attaques continuèrent jusqu'en 1701, date à laquelle les Iroquois signèrent la **Paix de Montréal** qui établissait leur neutralité.

Une colonie royale (1663-1763)

Sous le règne de **Louis XIV** (1643-1715), l'administration de la colonie se calquait sur celle des autres colonies françaises : un gouverneur, responsable des affaires militaires et extérieures ; un intendant, chargé de la justice et des finances ; des propriétaires terriens ou seigneurs ayant plusieurs fonctions administratives. Le seigneur rendait aussi la justice, construisait les moulins, percevait des redevances (cens, rente, banalités) et, le cas échéant, levait des corvées.

Les seigneurs-administrateurs, les militaires et les communautés religieuses concédaient des parcelles de terre à des censitaires selon un mode de distribution et d'occupation appelé le **système seigneurial**. Dispersées en « rangs », les exploitations agricoles ainsi créées formaient un sage alignement de longues bandes parallèles, perpendiculaires à un cours d'eau ou à une route. À l'époque, les paysans représentaient 80 % de la population qui passa de 20 000 habitants au début du 18ᵉ s. à environ 70 000 habitants vers 1760. Aux 17ᵉ et 18ᵉ s., au cours d'une véritable épopée, les explorateurs poussèrent plus loin les frontières géographiques de la Nouvelle-France et traversèrent une bonne partie du continent. Entre les années 1730 et 1740, les La Vérendrye se rendirent par exemple dans les régions du Manitoba, de la Saskatchewan, du Wyoming et du Dakota, et furent les premiers Européens à contempler les Rocheuses dans le Montana d'aujourd'hui, ouvrant ainsi la voie à de nombreux successeurs.

Les candidats au départ

En 1627, la Nouvelle-France ne comptait que 240 habitants, et 2 500 en 1663. Les migrants préféraient à cette époque embarquer pour les Indes occidentales (Antilles), réputées plus faciles à vivre. Le peuplement augmenta néanmoins de façon sensible grâce à l'implication de l'État qui envoya, en 1665, un régiment d'environ 1 200 hommes, le Carignan-Salières, et obligea les navires marchands à transporter des colons. Au total, entre 10 000 et 14 000 Français traversèrent l'Atlantique vers le Canada aux 17ᵉ et 18ᵉ s.

Ces migrants venaient de toutes les régions française, et de tous les horizons sociaux, avec toutefois des dominantes : 14,5 % d'entre eux arrivaient de Normandie, presque autant de l'Île-de-France, 9,8 % du Poitou, 8,9 % de l'Aunis,

6 % de Bretagne, 5,3 % de la Saintonge… Si le Perche n'a fourni que 250 membres, ils ont été parmi les premiers à faire souche, d'où les liens encore très étroits qui unissent le Québec à cette région française (création en 2006 à Tourouvre, dans l'Orne, de la maison de l'Émigration française au Canada).

Ces colons étaient pour la plupart artisans et pour un bon quart, paysans. Le reste de la société se répartissait entre les manœuvres (14 %), les bourgeois (12 %), le clergé (3,7 %) et les nobles (3 %). La grande majorité était célibataire, jeune (entre 15 et 29 ans) et masculine. D'où l'envoi, entre 1665 et 1673, de 900 « filles du Roy », des jeunes orphelines élevées par des religieuses aux frais du roi dans les grands couvents et les maisons d'éducation de Paris, Dieppe, Honfleur et La Rochelle (ces ports assuraient les liaisons avec les colonies). La natalité a ainsi contribué à augmenter les chiffres du peuplement et à attacher les hommes au territoire.

En 1763, ce fut donc une société à part entière, parfaitement cohérente et profondément attachée à ses racines françaises, qui intégra l'Empire britannique. Son identité catholique la distinguait aussi des autres populations nord-américaines (un décret de 1668 avait interdit l'immigration des huguenots vers l'Amérique française).

La Conquête anglaise

L'ancienne rivalité franco-anglaise, aggravée par les conflits d'intérêt résultant de la traite des fourrures, aboutit à de nombreuses guerres entre la Nouvelle-France et les colonies britanniques, puis à la prise de Québec (1629). En 1632, par le **traité de St-Germain**, la ville revint aux Français. Le **traité d'Utrecht** (1713) apporta une paix temporaire ; celle-ci ne dura que jusqu'à la **guerre de Sept Ans** (1756-1763) qui opposait, en Europe et dans les colonies, l'Autriche, la Russie, la France et l'Espagne à la Grande-Bretagne et à la Prusse. Le 13 septembre 1759, les troupes du général Wolfe défirent celles du marquis de Montcalm à la célèbre **bataille des plaines d'Abraham**, marquant la fin de la colonie française. Le 8 septembre 1760, la ville de Montréal tomba à son tour aux mains des Anglais. En 1763, le **traité de Paris** cédait la Nouvelle-France à la puissance britannique.

Régime anglais

REPÈRES CHRONOLOGIQUES

● **1774** – L'acte de Québec organise la nouvelle colonie anglaise. Il reconnaît les lois civiles françaises et garantit aux Canadiens le libre exercice de leur religion.
● **1775-1783** – Guerre d'Indépendance américaine. L'armée américaine prend Montréal (1775 et 1776), mais échoue devant Québec (1776).
● **1783** – Reconnaissance de l'indépendance des États-Unis par la Grande-Bretagne. Arrivée des premiers loyalistes (fidèles à la Couronne britannique) au Canada.
● **1789** – Révolution française et diffusion de nouvelles idées. Après la mort de Louis XVI, retournement contre-révolutionnaire.
● **1791** – L'Acte constitutionnel crée le Haut-Canada (Ontario) et le Bas-Canada (Québec), et octroie à chacun une Chambre d'assemblée.
1806 – Fondation à Québec du *Canadien*, premier quotidien francophone.
● **1812-1814** – Guerre anglo-américaine. Défaite américaine à la bataille de la Châteauguay.
● **1837-1838** – Rébellion des Patriotes. Suspension de la Constitution de 1791.

● **1841** – L'Acte d'Union crée le Canada-Uni.
● **1845-1848** – François-Xavier Garneau publie son *Histoire du Canada*. Arrivée d'un important contingent d'immigrants irlandais.
● **1852** – Fondation de l'Université Laval, première institution francophone d'enseignement supérieur en Amérique du Nord.
● **1854** – Abolition du régime seigneurial.

APERÇU HISTORIQUE

L'ère des constitutions (1760-1791)

La conquête militaire mettait en présence des Français catholiques, sujets d'une monarchie absolue, et des Anglais protestants, sujets d'une monarchie constitutionnelle. La loi constitutionnelle de 1774, connue sous le nom d'**acte de Québec**, reconnut à la majorité francophone le droit de maintenir son système seigneurial, les lois civiles françaises et le libre exercice de la religion catholique. La fin du 18e s. fut « l'ère des constitutions » : les habitants des 13 colonies américaines gagnèrent leur indépendance vis-à-vis de l'Angleterre en 1776, invitant vainement les Canadiens à se joindre à eux lors d'une invasion qui échoua finalement devant Québec. Des loyalistes, Américains fidèles à la Couronne britannique, vinrent en partie se réfugier dans les Cantons-de-l'Est. Le Québec se montra favorable à la Révolution française de 1789 jusqu'au régicide de Louis XVI en 1793.

Les autorités britanniques coloniales voyaient d'un mauvais œil l'abolition de la monarchie et de son symbole royal, tandis que l'Église catholique romaine, constatant le renversement de l'autorité royale et ecclésiastique, alimentait un courant contre-révolutionnaire par des gazettes et des sermons. Malgré ces tentatives, qui visaient à maintenir le *statu quo*, une bourgeoisie aux idées libérales commença à voir le jour. En 1791, le Parlement britannique donna une nouvelle constitution à ses colonies d'Amérique du Nord. Le Québec, ou Bas-Canada, et l'Ontario, ou Haut-Canada, se virent chacun octroyer une Assemblée législative. Le Québec fit ainsi sa première expérience d'une démocratie parlementaire.

Des luttes constitutionnelles aux luttes insurrectionnelles (1791-1840)

Dès le début du 19e s., les Canadiens français, qui s'étaient rapidement familiarisés avec les institutions britanniques, obtinrent la majorité à la Chambre, et tentèrent ainsi de faire valoir leurs aspirations et leurs revendications. Le Parti patriote, connu sous le nom de Parti canadien jusqu'en 1826, était dirigé par **Louis-Joseph Papineau** (1786-1871). Il fut vite confronté à l'autorité d'un gouverneur anglais et d'un Conseil législatif qui rejetaient souvent les lois présentées à la Chambre par les représentants du peuple. L'impasse constitutionnelle et la politique coloniale des Anglais, doublées d'une crise sociale généralisée et de l'exaspération nationaliste des Canadiens français, menèrent en 1837 et 1838 à la **Rébellion des Patriotes**. Ces insurrections, qui touchèrent particulièrement la région de Montréal, étaient suscitées par un profond sens démocratique, mais aussi par un sentiment antianglais et anticolonial et par le désir de se libérer du pouvoir seigneurial et ecclésiastique. À la suite de l'échec de ces rébellions, le gouverneur général Lord Durham fut chargé d'enquêter sur les causes de ces troubles. En 1839, pour tenter de rétablir l'harmonie au sein des

colonies et d'en favoriser l'essor, il proposa, dans son fameux *Rapport sur les affaires de l'Amérique septentrionale britannique,* l'union des deux Canadas.

L'Acte d'Union (1840-1867)

Passé en 1841, l'Acte d'Union réunit le Bas et le Haut-Canada en une province : le **Canada-Uni**. À l'époque, la population du Bas-Canada s'élevait à 750 000 habitants (dont 510 000 Canadiens français), celle du Haut-Canada se limitant alors à 480 000 habitants. Le Haut-Canada était beaucoup plus endetté que le Bas-Canada. Pourtant, la dette publique des deux Canadas fut additionnée, et l'Assemblée législative adopta même la **langue anglaise**. Au milieu du 19e s., une très forte natalité entraîna plusieurs mouvements migratoires vers des régions de colonisation comme la Mauricie, le Saguenay – Lac-St-Jean et le Bas-St-Laurent, et vers les villes industrielles de la Nouvelle-Angleterre. Affaiblie par un clergé limité et par sa non-reconnaissance légale, l'**Église catholique** témoigna, de 1763 à 1840, un indéfectible loyalisme à l'égard du pouvoir politique britannique, même à l'époque de la Rébellion des Patriotes ; en retour, elle acquit sa reconnaissance légale après 1840 et fut alors autorisée à conserver ses biens. À mesure qu'elle prenait du pouvoir sur la scène politique et se rapprochait du parti de **Louis-Hippolyte Lafontaine** (1807-1864), l'Église s'impliquait davantage en matière d'éducation. Lafontaine, allié aux réformistes du Haut-Canada, obtint pour le pays un « gouvernement responsable », c'est-à-dire aux mains du parti majoritaire au Parlement de la colonie. Un deuxième souffle de libéralisme marqua le début de l'Union après l'échec des insurrections, mais celle-ci s'acheva par la montée d'un conservatisme idéologique et politique. Les crises fréquentes menèrent à un nouveau projet politique, la Confédération, à laquelle les libéraux canadiens français s'opposèrent vainement.

Confédération canadienne

REPÈRES CHRONOLOGIQUES

- **1867** – L'acte de l'Amérique du Nord britannique crée la Confédération canadienne (Ontario, Québec, Nouveau-Brunswick et Nouvelle-Écosse).
- **1870** – Cession de la Terre de Rupert à la Confédération canadienne.
- **1892** – Début de la construction du château Frontenac à Québec.
- **1900** – Fondation de la première caisse populaire par A. Desjardins.
- **1910** – Fondation du quotidien *Le Devoir* par Henri Bourassa.
- **1912** – Le Canada octroie à la province de Québec une partie de la Terre de Rupert, connue par la suite sous le nom de Nouveau-Québec.
- **1918** – Obtention du droit de vote des Québécoises aux élections fédérales.
- **1927** – Après des années de dispute, la frontière territoriale entre le Québec et le Labrador est officiellement fixée, mais le Québec n'en reconnaît pas la légitimité.

APERÇU HISTORIQUE

Entériné par le gouvernement britannique, l'**acte de l'Amérique du Nord britannique** (connu sous le nom d'acte de Constitution, 1867) établit la Confédération canadienne. Cette nouvelle entité politique comprenait alors le Québec, la Nouvelle-Écosse, le Nouveau-Brunswick et l'Ontario.

La **Constitution de 1867** séparait les pouvoirs du gouvernement fédéral et ceux des provinces, confiant notamment à ces dernières la charge de l'éducation. Dans le but de garantir les droits des minorités (protestante au Québec, catholique dans les autres provinces), l'**article 93**, très controversé, prévoyait un système scolaire fondé sur la religion plutôt que la langue. La Constitution lança alors le terme de « Canada français » pour se référer tout d'abord aux francophones du Québec, du Nouveau-Brunswick et de l'Ontario, puis à ceux du Manitoba. Ce fut à cette époque que **Sir Wilfrid Laurier** (1841-1919) devint le premier Canadien français à occuper le poste de Premier ministre (1896-1911) du pays, alors que l'Empire britannique atteignait son apogée. Parmi les autres événements importants du début des années 1900, on notera l'opposition du Québec à la conscription militaire imposée par le gouvernement fédéral, et hors du Québec, la perte progressive des droits scolaires et linguistiques des minorités catholiques francophones.

Un renouveau nationaliste

Cette perte de droits acquis, le débat sur l'autonomie du Canada, ainsi que la menace que faisaient peser sur la langue française le commerce, la publicité et l'industrialisation, engendrèrent un double mouvement nationaliste. Le premier, incarné par **Henri Bourassa** (1868-1952), fondateur du quotidien francophone montréalais *Le Devoir*, préconisait une plus grande autonomie du Canada au sein de l'Empire britannique et une plus grande autonomie des provinces au sein de la Confédération canadienne. Le second, celui de l'historien **Lionel Groulx** (1878-1967), mettait en avant une idéologie nationaliste basée sur la triple identité des Canadiens français : catholique, francophone et rurale. La campagne de l'abbé Groulx commença au moment où la culture rurale tendait à disparaître, pour s'achever au moment où le catholicisme s'estompait au sein de la société québécoise.

La crise de 1929 dura, au Québec, jusque dans les années 1940, où elle devait se conjuguer avec les convulsions de la Seconde Guerre mondiale. Ces deux facteurs concoururent à une série d'interventions économiques et sociales soutenues pour la plupart par le gouvernement fédéral. Alors commença une période de centralisation fédérale à laquelle s'opposa vivement **Maurice Duplessis**, Premier ministre du Québec de 1944 à 1959.

Québec moderne

REPÈRES CHRONOLOGIQUES

- **1948** – Le Québec adopte son drapeau provincial.
- **1959** – Ouverture de la voie maritime du St-Laurent.
- **1960** – Début de la Révolution tranquille sous l'impulsion du Premier ministre Jean Lesage.
- **1967** – Exposition universelle de Montréal. Publication du rapport de la Commission royale sur le bilinguisme et le biculturalisme au Canada.
- **1968** – Fondation du Parti québécois.
- **1969** – Adoption de la loi 63, première loi visant la promotion de la langue française au Québec.
- **1970** – Crise d'octobre (troubles sociopolitiques liés à la prise d'otages par le Front de libération du Québec) et déclaration des mesures de guerre.
- **1976** – Jeux olympiques d'été de Montréal. Élection du

Parti québécois (premier parti nationaliste souverainiste à accéder au pouvoir), avec à sa tête René Lévesque.
- **1977** – Adoption de la loi 101.
- **1980** – Référendum sur la souveraineté du Québec : le « non » obtient 60 % des votes, le « oui », 40 %.
- **1982** – Rapatriement (de Londres) de la Constitution canadienne de 1867. Le Québec est la seule province canadienne à ne pas signer l'acte de Constitution.
- **1985** – Le Vieux-Québec devient le premier centre urbain nord-américain à être inscrit sur la prestigieuse liste du Patrimoine mondial de l'Unesco.
- **1987-1990** – Échec des accords du lac Meech : la proposition d'attribution d'un statut distinct pour le Québec n'obtient pas l'unanimité des provinces canadiennes. Conséquence : le Québec maintient son refus d'adhérer à la Constitution de 1982.
- **1988** – Création officielle du Nunavik, patrie des Inuits à l'extrême nord de la province.
- **1990** – Crise amérindienne d'Oka.
- **1992** – Échec du référendum national sur l'attribution d'un statut spécial pour le Québec. Montréal fête le 350e anniversaire de sa fondation.
- **1993** – Le Bloc québécois devient l'opposition officielle à la Chambre des communes. La loi 86 assure la prédominance du français dans l'affichage bilingue.
- **1994** – Élection du Parti québécois, avec à sa tête Jacques Parizeau, qui sera remplacé par Lucien Bouchard en janvier 1996.
- **1995** – Référendum sur la souveraineté du Québec : le « non » obtient cette fois 50,6 % des votes, le « oui », 49,4 %.
- **1996** – De violentes inondations dévastent la région du Saguenay.

● **1998** – Une tempête de verglas sans précédent s'abat sur le sud-ouest du Québec, ravageant le réseau hydroélectrique et plongeant des millions de personnes dans le noir.

● **2000** – Montréal devient le siège de la première filiale du NASDAQ (Bourse américaine des valeurs technologiques), installée au Canada.

● **2003** – Retour du parti libéral au pouvoir, sous la houlette de Jean Charest.

● **2006** – Le Canada reconnaît au Québec un rôle international.

● **2007** – Fin de l'alternance libéraux-péquistes à la Chambre avec l'arrivée dans l'opposition officielle de l'Action démocratique du Québec. Pauline Marois devient la première femme élue à la tête du Parti québécois. La Chambre des communes du Canada reconnaît le Québec comme nation.

● **2008** – Québec fête le 400ᵉ anniversaire de sa fondation. Entente entre le Québec et la France pour la reconnaissance mutuelle des qualifications professionnelles.

● **2010** – Cinquantième anniversaire de la Révolution tranquille.

● **2011** – Débâcle historique du Bloc québécois aux élections fédérales au profit du NPD (Nouveau Parti démocratique).

APERÇU HISTORIQUE

La Révolution tranquille

Les changements socio-économiques qui caractérisèrent le début des années 1960 parurent d'autant plus radicaux qu'ils contrastaient avec le conservatisme social et idéologique des gouvernements successifs de M. Duplessis. Parmi les événements qui allaient mener à la Révolution tranquille, on retiendra la prospérité économique engendrée par l'essor minier de la Côte-Nord, l'entrée des Québécois dans la société de consommation et le durcissement du mouvement ouvrier.

Le gouvernement du Québec lança, dans les années 1960, une série de mesures économiques et sociales. En 1962, il nationalisa l'industrie hydroélectrique en créant **Hydro-Québec**. En 1965, il instaura la Caisse de dépôt et placement afin de gérer les actifs d'un nouveau régime de retraite, et vint en aide à l'entreprise québécoise francophone. Il intervint également au plan social en prenant en mains la gestion des domaines de la santé et des services sociaux. Sur le plan culturel, il prit le contrôle de l'instruction publique, créant de surcroît un ministère des Affaires culturelles (1961).

Un État souverain ?

Ce renforcement du rôle de l'État se fit parallèlement à la montée du courant nationaliste. La souveraineté du Québec allait bientôt être au cœur d'un brûlant débat entre les tenants du fédéralisme, personnifié par **Pierre Elliott Trudeau**, Premier ministre du Canada de 1968 à 1979 et de 1980 à 1984, et les partisans de la souveraineté, incarnée par **René Lévesque** (1922-1987), chef du Parti québécois et Premier ministre du Québec de 1976 à 1985. Celui-ci transforma ce qui n'avait été jusqu'alors qu'un nationalisme culturel en une véritable idéologie politique. Pourtant, le 20 mai 1980, le Parti québécois perdit le référendum sur l'indépendance, 60 % des habitants se prononçant contre la séparation.

Les tensions entre la province et le gouvernement fédéral atteignirent leur paroxysme lorsque le Québec refusa de signer la **Constitution canadienne de 1982**, assortie d'une charte des Droits et Libertés, principalement parce qu'elle ne prévoyait pas le transfert des pouvoirs législatifs du gouvernement fédéral à celui de la province. Pierre Elliott Trudeau se retira du monde politique en 1984, au moment où le Parti progressiste conservateur de Brian Mulroney, Québécois d'origine, accédait au pouvoir à Ottawa. À son tour, René Lévesque fit ses adieux à la scène politique en 1985. Six mois plus tard, le Parti québécois fut défait par le Parti libéral du Québec, dirigé par Robert Bourassa. Ce dernier annonça qu'il poserait cinq conditions à la signature de la Constitution de 1982.

Les Premiers ministres du Canada et des dix provinces s'entendirent sur ces conditions lors des **accords du lac Meech** (30 avril 1987), qui prévoyaient pour le Québec un statut spécial de « société distincte ». Ces accords, qui devaient être unanimement entérinés par le Parlement fédéral et les assemblées législatives des dix provinces canadiennes avant le 23 juin 1990, n'aboutirent pas, et l'échec qui s'ensuivit remit en cause l'adhésion du Québec à la Constitution du Canada.

En octobre 1995, le second référendum sur la souveraineté de la province a recueilli 50,6 % de « non ».

Depuis, le Parti québécois peine à trouver un second souffle, à renouveler ses troupes et à sensibiliser les Québécois sur ce qui apparaît pour certains comme un repli identitaire. Les élections fédérales de mai 2011 ont porté un nouveau coup à l'idée d'indépendance. Le **Bloc québécois**, pendant du Parti québécois, souverainiste et social-démocrate, a été littéralement balayé et ne conserve que 4 sièges sur 47. Son électorat historique, composé de souverainistes et d'indépendantistes, a massivement voté pour le **Nouveau parti démocratique** (NPD), basé à Toronto. Situé plus à gauche, ce parti détient désormais 60 sièges sur 75 dans la « belle province ». Une victoire vite endeuillée au mois d'août suivant par le décès du très populaire chef du NPD, **Jack Layton**. Un rude coup pour le mouvement indépendantiste qui semble aujourd'hui dans l'impasse.

Paysages et nature

Presque trois fois plus grand que la France et légèrement plus vaste que l'Alaska, le Québec représente – avec une superficie de 1 540 680 km² – environ 15 % du territoire canadien. Cette immense province, qui atteint 1 500 km d'est en ouest et 2 000 km du nord au sud, permet la coexistence d'une multitude de paysages et de climats, sans parler d'une faune et d'une flore très caractéristiques.

Grandes régions naturelles

De la toundra nordique aux espaces émaillés de lacs du Bouclier canadien, des terrasses cultivées des montagnes appalachiennes aux basses terres du St-Laurent, où se concentre la majorité de la population, le Québec recèle une gamme étonnante de paysages !

LE BOUCLIER CANADIEN

Élément dominant de la charpente physique du Canada, le Bouclier couvre 80 % de la superficie provinciale. Les roches de granit et de gneiss de cette immense région forment le soubassement d'une très ancienne chaîne de montagnes qui, pendant des milliards d'années, fut soumise à un constant travail d'érosion. Durant l'ère paléozoïque, presque toute la surface du Bouclier était recouverte d'eaux peu profondes et ensevelie sous d'épaisses couches de sédiments marins. Cette étendue, plutôt plate et monotone, atteint à peine 600 m au-dessus du niveau de la mer. Les paysages du Bouclier se composent essentiellement de plateaux étendus, interrompus çà et là par quelques massifs montagneux. Sur les bords, on trouve cependant des terrains profondément entaillés par des rivières s'écoulant en direction des basses terres environnantes.

Les plateaux nordiques

À la fin de la dernière glaciation, il y a environ 6 000 ans, seule cette région – célèbre pour ses nombreux lacs – était encore prise par les glaces. La moitié sud du plateau est dominée par le massif des **monts Otish**, dont les sommets dépassent 1 000 m d'altitude. Au sud-est, le réservoir Manicouagan comble aujourd'hui le cratère formé par l'impact d'une météorite. Phénomène assez remarquable à cette latitude, les précipitations annuelles atteignent, grâce aux vents d'ouest venus de la baie d'Hudson, une hauteur de plus de un mètre, dont presque la moitié en neige.

Les imposants monts Torngat, dont le **mont Iberville** (1 622 m) est le point culminant du Québec, séparent la baie d'Ungava de la mer du Labrador.

L'Abitibi-Témiscamingue

Cette région du Bouclier s'étire le long de la frontière avec l'Ontario, entre la rivière des Outaouais et la plaine d'Eastmain, au sud de la baie James. Plus au sud, la boucle de la rivière des Outaouais délimite la région de Témiscamingue, connue pour ses fermes laitières nichées au cœur de collines couvertes d'épinettes.

Les Laurentides

Vue de haut, cette véritable mer de crêtes arrondies paraît relativement élevée (600 à 800 m). De l'autre côté du fjord du Saguenay s'étend la Côte-Nord, rive peu peuplée du golfe du St-Laurent. Déployée sur plus de 1 000 km, cette plaine côtière battue par les vents gît face à l'escarpement laurentien, à travers lequel de puissantes rivières ont creusé d'étroites vallées jonchées de rocs.

Le Saguenay – Lac-Saint-Jean

Véritable oasis au sein du Bouclier, la cuvette contenant le lac St-Jean – qui s'écoule, par l'intermédiaire du Saguenay, dans l'estuaire du St-Laurent – possède de vastes étendues fertiles et bénéficie d'un été relativement chaud (même si, comparativement aux régions côtières du sud, il est plus court) ainsi que d'un fort potentiel hydroélectrique, nourri par la présence de nombreuses rivières. Les à-pics rocheux du cap Éternité et du cap Trinité s'élancent, telles les parois d'un canyon, à plusieurs centaines de mètres au-dessus de la surface de l'eau.

LA PLAINE DU SAINT-LAURENT

Située entre le Bouclier canadien au nord et les Appalaches au sud-est, la plaine du St-Laurent épouse la forme d'un triangle, avec la ville de **Québec** à son sommet. Comme elle s'élève progressivement vers le nord-est, les terres situées aux environs de **Montréal** (dont l'altitude dépasse rarement 70 m) sont plus basses que celles de la région de Québec (100 m au-dessus du niveau de la mer).

À l'est, entre Montréal et les premières arêtes des Appalaches, un chapelet de buttes massives et isolées, les **collines Montérégiennes**, domine un paysage uniformément plat. Grâce à un sol fertile et un climat modéré, les basses terres bénéficient d'une réputation agricole bien méritée.

LES APPALACHES

Séparées de la plaine du St-Laurent par la **faille Champlain**, les Appalaches courent vers le nord-est, le long de la frontière américaine, du Vermont et du New Hampshire à la province du Nouveau-Brunswick. Les hauteurs sont couvertes de forêts d'arbres feuillus, tandis que les plus grandes vallées se prêtent à une agriculture mixte.

Vers le nord-est et la **péninsule gaspésienne**, les forêts de conifères prédominent et l'agriculture se fait plus marginale.

ATTENTION DANGER !

Plante des sous-bois particulièrement prolifique au Québec, le **sumac vénéneux** secrète un suc extrêmement toxique qui peut causer démangeaisons, éruptions de boutons et forte fièvre. Ces symptômes sont parfois déclenchés de façon indirecte, en touchant par exemple un objet effleuré par le suc empoisonné. Il convient donc de faire très attention (certains parcs où cette plante est répandue mettent en garde les visiteurs).

Couleurs de l'été indien.
A. Evrard/GPA/Age Fotostock

Les Cantons-de-l'Est et la Beauce

Il s'agit là des deux régions les plus peuplées du Québec appalachien. Les Cantons-de-l'Est occupent la portion sud-ouest, comprise entre la frontière américaine et le bassin de la Chaudière. La Beauce s'étend de part et d'autre de cette rivière. Vergers, vignobles, pâturages et fermes laitières caractérisent la partie ouest du pays beauceron, le reste de la région étant dominé par une forte concentration d'**érablières**.

Les paysages estriens ressemblent à ceux du nord de la Nouvelle-Angleterre. En passant la frontière, les Green Mountains du Vermont se prolongent vers les monts Sutton, eux-mêmes suivis des basses collines du bassin de la rivière Bécancour, près de Thetford Mines.

Le Bas-Saint-Laurent et la Gaspésie

Au nord-est de la Chaudière, la chaîne des Green Mountains et des monts Sutton fait place aux monts Notre-Dame, dont les versants nord descendent jusqu'à une plaine étroite en bordure du St-Laurent. Protégée des vents polaires par le renflement des **monts Chic-Chocs**, la région, autrefois qualifiée de « Québec méditerranéen », est réputée pour son agréable microclimat.

Au sud et à l'est de la Gaspésie, les Appalaches présentent des alignements de schiste et de grès rouge qui forment, dans le golfe du St-Laurent, l'île du Prince-Édouard et les îles de la Madeleine.

Faune

Le territoire québécois, bien qu'immense, possède une faune relativement restreinte, dont la diversité diminue au fur et à mesure que l'on remonte vers le nord. On dénombre tout de même plus de 50 espèces de mammifères, 350 espèces d'oiseaux (dont 5 à 7 % hivernent sur place) et 120 espèces de poissons.

La **partie sud** du Québec est le terrain de prédilection des **chasseurs**. Dans les réserves fauniques abondent toutes sortes d'animaux : orignaux, caribous, cerfs de Virginie, ours noirs, mais aussi oiseaux de proie (buse à queue rousse, faucon émerillon, crécerelle et grand-duc d'Amérique). La province se situe par ailleurs sur la **route migratoire** des bernaches du Canada et des oies des neiges, et beaucoup d'endroits sur les rives du St-Laurent sont renommés pour l'observation des oiseaux.

Plus au nord, la taïga abrite d'importants troupeaux de **caribous**, comme celui de la rivière Georges, au sud de la baie d'Ungava, qui compte à lui seul plus de 300 000 individus. Le plus important demeure le troupeau de la rivière aux Feuilles, estimé au dernier recensement à 628 000 têtes. Une partie de sa migration, et notamment la mise bas, s'effectue dans le **parc national des Pingualuit**, dans le Nunavik, au Nord du Québec. La région est ponctuée d'une myriade de lacs et de cours d'eau riches en saumons, éperlans, brochets, truites et perches. Parmi les espèces animales adaptées aux rudes conditions de vie de la toundra, on trouve le lièvre arctique, le renard et l'ours polaire, ainsi que le faucon gerfaut et le harfang des neiges. De nombreux **mammifères marins** (phoque, béluga, rorqual à bosse, rorqual commun et petit rorqual)

fréquentent les eaux du St-Laurent lors des périodes migratoires. L'**observation des baleines** est d'ailleurs populaire au Québec, surtout sur les rivages de la Côte-Nord et dans la région du Saguenay. Fjord du Saguenay (voir p. 351), Saguenay (voir p. 357), Côte-Nord (voir p. 414).

Flore

La latitude est un facteur important dans la répartition de la couverture végétale, puisqu'elle détermine la durée et la température moyenne de la saison de croissance. Ainsi, dans le nord de la province, la période durant laquelle les conditions météorologiques se prêtent à la croissance des plantes est inférieure à 40 jours, alors qu'elle dure 180 jours dans la région de Montréal. L'altitude par rapport au niveau de la mer, la proximité de l'Océan et les microclimats créés par des reliefs particuliers (comme la cuvette du lac St-Jean) sont autant de facteurs susceptibles de modifier le schéma latitudinaire de la couverture végétale.

La **forêt à feuilles caduques**, essentiellement présente dans la partie sud du Québec, est dominée par toutes sortes d'érables, mais elle comprend aussi d'autres feuillus à bois durs, tels que le hêtre, le caryer, le tilleul d'Amérique, le frêne et le chêne. Répandue des Laurentides

QUESTIONS D'ENVIRONNEMENT

Les espaces naturels représentent la plus grande partie de la surface de la province ainsi que l'une de ses principales sources de richesse. Le Québec est donc naturellement sensible aux enjeux écologiques qui se sont manifestés dès 1979 par la création des **parcs nationaux** (voir p. 22). Actif dans la limitation des gaz à effet de serre, le gouvernement assure se préoccuper du développement des énergies propres et renouvelables, essentiellement l'hydroélectricité et l'éolien, qui produit actuellement 97 % de l'électricité consommée dans la province. En 2010, les Québécois ont par ailleurs fait part de leur inquiétude quant aux projets d'extension de l'exploitation des gaz de schiste.

LE BOULEAU JAUNE

Depuis 1993, le bouleau jaune, ou *Betula alleghaniensis Britton*, constitue l'emblème du Québec. Connu aussi sous le nom de **merisier**, il fait figure de symbole économique, social et culturel.

Économique car, utilisé en ébénisterie et pour le revêtement, il possède une haute valeur commerciale. Et les forêts méridionales québécoises comptent parmi les plus importantes concentrations de merisiers au monde. D'une hauteur moyenne de 28 m, les troncs atteignent généralement 70 cm de diamètre.

Lors des premières colonies déjà, ce bois était exploité : de là vient sa valeur sociale et culturelle. Car depuis cette époque où les hommes ont commencé à le sculpter pour en faire des meubles et divers objets du quotidien (commodes, bols, vases…), le savoir-faire s'est transmis, de génération en génération.

méridionales aux régions côtières de la Gaspésie, cette forêt compte de plus en plus de sapins baumiers et de bouleaux blancs ou jaunes au fur et à mesure que l'on remonte vers le nord ou que l'on prend de l'altitude.

Couvrant les vastes régions d'Abitibi, du Saguenay – Lac-St-Jean et de la Côte-Nord, l'épaisse **forêt boréale** est dominée par des conifères aux troncs droits et élancés. Répartis en masses homogènes, ces arbres aux bois tendres sont adaptés aux saisons de croissance plus courtes. Parmi les espèces communément observées, on notera le sapin, le bouleau blanc, l'épinette noire ou encore le pin de Banks. Afin de protéger cette précieuse ressource naturelle, le gouvernement a lancé, en 1984, un ambitieux programme visant à replanter 36 millions d'arbres par an. Plus au nord commence la **taïga**, vaste formation végétale soumise au climat subarctique et composée d'espèces à bois tendre. Des bouquets d'épinettes noires, de bouleaux blancs ou de mélèzes laricins font peu à peu place à une végétation rampante de lichens et de mousses arctiques.

Deux facteurs restreignent la croissance et la reproduction des arbres : la moyenne très basse des températures estivales et le manque d'eau. Le dégel de l'été n'est que superficiel, car en profondeur, le sol reste gelé en permanence : c'est le **pergélisol**, caractéristique des espaces nordiques.

La **toundra** est la zone de végétation située la plus au nord. Épars entre des affleurements de lits pierreux et des éclats de roches, un fin tapis de mousses, de lichens, de graminées et d'herbes s'accroche au sol. Quelques rares arbrisseaux (saules ou bouleaux) arrivent à survivre dans des endroits abrités des éléments, mais de façon générale, le manque d'humidité et les étés trop courts et trop froids ne permettent pas la croissance des arbres. Ici, le sol – gelé en permanence – empêche l'infiltration des maigres précipitations, ce qui provoque à la surface du sol une couche mal drainée : le « muskeg ». Durant les quelques longs jours d'été, la toundra herbeuse, bouclant son cycle annuel de floraison, explose en une myriade de couleurs intenses.

Architecture et beaux-arts

Le Québec peut se prévaloir d'un patrimoine singulier, fruit des influences françaises et anglo-saxonnes. L'architecture témoigne de manière évidente de ces héritages successifs, parfois imbriqués. Peintures et sculptures s'inscrivent de même dans les grands mouvements de l'histoire de l'art moderne et contemporain, avec une prédilection longtemps conservée pour l'art religieux.

Architecture

Influencé tant par la France que l'Angleterre ou les États-Unis, le paysage architectural du Québec constitue un héritage culturel unique en Amérique du Nord.

LE 17e SIÈCLE

En raison de la nature éphémère des constructions amérindiennes, il ne reste au Québec que très peu de vestiges architecturaux antérieurs aux établissements européens. Les structures les plus anciennes datent par conséquent du milieu du 17e s. La forme simple de ces bâtiments, construits par des ouvriers et des architectes venus de France, fut influencée par des **styles régionaux européens**, plus particulièrement bretons et normands. L'administration coloniale, soucieuse de défendre et de protéger les positions stratégiques de Québec, Montréal et Trois-Rivières, encouragea la construction d'**enceintes fortifiées**. Les bourgs qui se formaient établirent ainsi la trame urbaine qui se développa par la suite. Le vieux magasin à poudre et la redoute du Cap-Diamant, deux bâtiments inscrits dans l'enceinte de la Citadelle de Québec, sont des exemples représentatifs de l'architecture militaire du Régime français. La pénurie d'ouvriers qualifiés généra une **architecture domestique** aux formes simples et à l'ornementation dépouillée. Construite en pierre et surmontée d'une toiture à forte pente, la maison Jacquet, à Québec, illustre bien cette architecture austère.

Vers la fin du siècle, les premiers architectes français, dont **Claude Baillif** et **François de la Joüe**, introduisirent en milieu urbain une architecture classique plus monumentale. Ils construisirent d'imposants bâtiments administratifs et religieux. Le château St-Louis et la cathédrale de Québec figuraient parmi les premiers édifices évoquant la grandeur du règne de Louis XIV en Nouvelle-France. Ces constructions ont malheureusement disparu. L'arrivée de plusieurs ordres religieux (ursulines, augustines et jésuites) donna naissance à une

architecture institutionnelle reflétant l'influence du classicisme français. Les bâtiments les plus notables de cette époque sont le monastère des ursulines de Québec, dont l'agencement évoque un château du 16e s., et le Vieux Séminaire de St-Sulpice, à Montréal. Ces bâtiments, tout comme beaucoup de maisons bourgeoises de l'époque, furent érigés sur des voûtes de pierre.

LA PREMIÈRE MOITIÉ DU 18e SIÈCLE

Plusieurs **incendies** dévastateurs, notamment celui de la Basse-Ville de Québec, poussèrent les administrateurs locaux à créer de nouvelles réglementations visant à « canadianiser » l'architecture. Plus adaptées au contexte climatique nord-américain, ces réglementations donnèrent naissance à une architecture traditionnelle à l'origine de la fameuse **maison québécoise**. De strictes ordonnances imposaient donc l'utilisation de toitures à couverture d'ardoises, de voûtes de pierre, et interdisaient même l'emploi d'ornements de bois, susceptibles de prendre feu. La maison du Calvet, construite en 1798 à Montréal, illustre ce type de maison urbaine en pierre de taille, surmontée d'un toit à deux versants, protégée de ses voisines par des murs coupe-feu et dotée de larges souches de cheminée.

La famille Baillairgé

Une importante famille d'architectes, de peintres et de sculpteurs fit son apparition au 18e s. **Jean Baillairgé** (1726-1805) avait quitté la France pour travailler sur de nouveaux projets canadiens sous la direction de l'ingénieur **Chaussegros de Léry** (1682-1756). Après la Conquête anglaise, Baillairgé fut choisi pour participer à la reconstruction de plusieurs bâtiments, dont la cathédrale de Québec.

Son fils **François** (1759-1830) étudia quelque temps à Paris à l'Académie royale de peinture et de sculpture. Il se rendit à Québec et élabora le décor intérieur de N.-D.-de-Québec et de plusieurs églises de la province. **Thomas** (1791-1859) étudia la sculpture avec son père François. Il dressa non seulement les plans d'une nouvelle cathédrale pour Québec, mais aussi ceux de la plupart des églises québécoises construites entre 1820 et 1850 ; il développa en outre un style original mêlé d'influences néoclassiques venues d'Angleterre. Très vite reconnu comme l'un des plus grands architectes de son temps, Thomas Baillairgé s'associa à son père pour réaliser, entre 1815 et 1825, le très bel intérieur de l'église de St-Joachim. **Charles** (1826-1906), le neveu de Thomas, devint ingénieur de la ville de Québec en 1866. Il fut l'auteur d'édifices monumentaux, dont l'imposant pavillon central de l'Université Laval, et travailla à l'aménagement de parcs, de places et d'escaliers.

LA FIN DU 18e SIÈCLE

La **Conquête anglaise** avait laissé beaucoup de villes et de villages en ruine. Le style traditionnel typique du Régime français réussit tout de même à prévaloir jusque vers 1800, mais l'influence britannique modifia peu à peu le paysage architectural québécois. Le palladianisme anglais (voir p. 68) allait en effet définir de nouveaux critères esthétiques. L'architecture domestique emprunta au modèle anglo-saxon de la **maison unifamiliale**, caractérisée par la présence de cheminées massives s'élevant au-dessus de toits peu pentus à quatre versants. Le développement du commerce et la relative prospérité économique occasionnèrent la création de nouvelles zones urbaines concentrées autour de pôles industriels majeurs tels que Sherbrooke et St-Hyacinthe. Des villages comme Chambly, Sorel et Vaudreuil se développèrent en dehors des enceintes fortifiées. Les Anglais introduisirent également un goût nouveau pour la nature et les compositions pittoresques. À partir des années 1780, les rives du St-Laurent devinrent ainsi des lieux de villégiature appréciés d'une bourgeoisie aisée.

LE 19e SIÈCLE

Le **style palladien** continua à dominer l'architecture québécoise durant le premier quart du 19e s. Avec ses frontons et ses pilastres, ses colonnes doriques et ioniques, ses corniches moulurées et ses chaînages d'angle, ce style – emprunté à l'architecte italien du 16e s. Andrea Palladio – s'inspirait de l'architecture classique de l'Antiquité. Les façades étaient généralement de pierre taillée à assises régulières. La cathédrale anglicane de la Ste-Trinité, à Québec, est, par ses lignes sobres et symétriques, une version coloniale du style palladien. Un **néoclassicisme** plus rigoureux apparut vers 1830. Le marché Bonsecours, à Montréal, en est un bon exemple.

Équivalent au Québec du cottage anglais, la **maison québécoise** s'imposa comme un type architectural original à partir des années 1830-1840. Synthèse harmonieuse entre l'héritage français (la maison de l'habitant) et l'influence anglaise (le style néoclassique), ce type d'habitation présentait une silhouette agréable rehaussée d'ornements, et offrait à ses occupants un confort insoupçonné (grandes fenêtres, balcons, pièces de réception, mode de chauffage, etc.).

L'architecture de la seconde moitié du 19e s. subit l'influence de styles très variés. De nombreuses églises furent ainsi érigées dans le **style néogothique**, déjà populaire en France grâce à l'œuvre de l'architecte et restaurateur Viollet-le-Duc. Selon que l'église à construire était catholique ou protestante, le modèle était français ou britannique. L'architecture intérieure de la basilique Notre-Dame de Montréal, réalisée d'après les plans de l'architecte Victor Bourgeau, et celle de l'église Chalmers-Wesley de Québec, due à John Wells, sont représentatives de ce renouveau stylistique.

Le **style néo-Renaissance**, inspiré des palais et villas italiens, fut adopté par la bourgeoisie aisée et employé dans beaucoup d'édifices à caractère commercial. L'hôtel Ritz-Carlton, à Montréal, est caractéristique de ce style, avec ses larges corniches et son ornementation flamboyante.

Le **style Second Empire**, à la mode durant le règne de Napoléon III, fut adopté à partir des années 1870. L'architecte **Eugène-Étienne Taché** (1836-1912), à la recherche d'un modèle architectural distinct pour les édifices gouvernementaux de la nouvelle province de Québec, s'inspira de ce style français pour créer l'Hôtel du Parlement, à Québec. Ce style, reconnaissable à son toit mansardé percé de lucarnes, introduisit également des fenêtres à linteaux cintrés et d'élégantes crêtes faîtières en fer forgé. Partie intégrante du Centre canadien d'architecture, la maison Shaughnessy, à Montréal, en possède les caractéristiques.

Après avoir créé plusieurs édifices de style néogothique, l'architecte **Victor Bourgeau** (1809-1888) se mit à adopter le **style néobaroque**. Son œuvre majeure, la basilique-cathédrale Marie-Reine-du-Monde, à Montréal, illustre ce style par

Détail de la façade de l'hôtel du Parlement à Québec.
G. Fischer/Age Fotostock

ses proportions massives, son large dôme et son intérieur très élaboré, orné d'un impressionnant baldaquin doré à l'or fin.

Alors qu'il imposait un **style Second Empire** à Québec, E.-É. Taché créait plusieurs œuvres dont le style évoquait l'époque de la Nouvelle-France et de ses découvreurs : Cartier et Champlain. Il dessina à cet effet des édifices monumentaux ornés de tours et de tourelles et coiffés de toits coniques et de mâchicoulis. L'exemple le plus connu du **style château** est bien sûr le célèbre château Frontenac, construit en 1892 par l'architecte américain **Bruce Price** (1843-1903).

Autre interprétation de l'architecture médiévale, le **style néoroman** fut, peu avant 1900, principalement utilisé dans la construction des édifices religieux. Caractérisé par des arcs en plein cintre, des contreforts, des colonnes, des arcades, de profondes fenêtres et un appareil de pierres à bossages rustique et sombre, ce style, développé par l'architecte américain H.H. Richardson, trouve toute son expression dans la gare Windsor, à Montréal.

LE 20ᵉ SIÈCLE

Au début du siècle, de nombreux architectes partirent puiser de nouvelles sources d'inspiration à l'École des beaux-arts de Paris. Le **style Beaux-Arts**, qui mettait à contribution le vocabulaire classique dans des compositions monumentales, devint le style institutionnel par excellence sous le gouvernement de Louis-Alexandre Taschereau. Le musée des Beaux-Arts de Montréal, avec son escalier monumental et son portique-colonnade, illustre particulièrement bien cette influence académique basée sur la symétrie et les effets de monumentalité.

Introduit dans la province durant une période de prospérité économique, ce style allait symboliser au Québec le pouvoir et le faste d'une époque. Somptueux hôtel particulier, le château Dufresne, à Montréal, reflète le goût nouveau d'une bourgeoisie opulente pour les élégantes colonnes jumelées, les balustrades ouvragées et les éléments décoratifs les plus raffinés.

La mise au point, aux États-Unis, d'ossatures métalliques adaptées à la construction, annonça l'ère des gratte-ciel et des immeubles de plus de dix étages. Influencées par l'**École de Chicago**, ces gigantesques structures d'un nouveau genre marquaient une rupture totale avec les courants architecturaux précédents. L'emploi de matériaux nouveaux et le recours à des techniques révolutionnaires permirent aux architectes d'élargir leur champ d'action.

Vint la vogue du **style Art déco** dont l'édifice Price, à Québec, est un exemple éloquent. Né de l'Exposition des arts décoratifs de Paris en 1925, ce style alors osé était caractérisé par l'emploi d'éléments géométriques, gravés sur des matériaux précieux tels le marbre ou le bronze.

Après une période de récession suivie de la Seconde Guerre mondiale, les années 1950 marquèrent le début d'un renouveau urbanistique et la montée d'une **architecture moderniste**, développée par Le Corbusier et Gropius. Des lignes simples et fonctionnelles définirent un style épuré qui ne devait rien aux périodes antérieures. L'architecte Mies van der Rohe,

partisan du **style International**, fit usage dans ses constructions de murs-rideaux en verre et de métal noir. Le complexe de Westmount Square, à Montréal, porte son empreinte. La place Ville-Marie, construite par l'architecte I.M. Pei, et l'ensemble Habitat'67, dessiné par l'architecte **Moshe Safdie**, illustrent également, à Montréal, le courant moderniste des années 1960-1970.

L'architecture ecclésiastique connut elle aussi un nouvel élan grâce à l'œuvre du moine bénédictin **Dom Paul Bellot** (1876-1944), qui tirait son inspiration de l'œuvre de Viollet-le-Duc. Ses recherches, basées sur la modernité en architecture religieuse, introduisirent au Québec un style nouveau : le **gothique moderne**, illustré par l'abbaye de St-Benoît-du-Lac et par l'architecture intérieure de l'oratoire St-Joseph à Montréal.

Plus récemment, le courant **postmoderne** est venu rompre la monotonie architecturale des années 1960-1970. Des frontons, des arcs en ogive et bien d'autres motifs égayent les édifices et les singularisent dans le paysage urbain. La place de la Cathédrale et la maison Alcan, toutes deux à Montréal, sont d'excellents exemples d'une expression architecturale nouvelle. Situé lui aussi à Montréal, le Centre canadien d'architecture, construit par les

LE QUARTIER INTERNATIONAL DE MONTRÉAL

Inauguré en 2004, le quartier international de Montréal (secteur compris entre le square Victoria, le Palais des congrès et la rue Mc Gill) offre un visage à la fois futuriste et respectueux de la ville ancienne. Les travaux de réaménagement lancés en 2000 ont abouti à la couverture de l'autoroute Ville-Marie, à l'agrandissement du Palais des congrès et à la création de la place Jean-Paul-Riopelle. Trottoirs et éclairage public ont été revus et modernisés. Le square Victoria a retrouvé ses proportions originelles. L'ensemble a gagné plusieurs prix de l'ordre des Architectes du Québec. À son image, les anciens quartiers industriels offrent aujourd'hui de fantastiques terrains d'expérimentation architecturale.

architectes **Phyllis Lambert** et **Peter Rose**, est un remarquable édifice contemporain.

Peinture et sculpture

LES 17ᵉ ET 18ᵉ SIÈCLES

Sujets religieux et études topographiques constituent deux des caractéristiques les plus originales de l'art québécois aux 17ᵉ et 18ᵉ s.

L'art religieux

En Nouvelle-France, la religion était le pivot de la vie quotidienne ; aussi chaque village était-il dominé par une petite église, à laquelle on consacrait de grands efforts de décoration. Les toiles arrivaient de France, ce qui explique la production très limitée d'œuvres votives locales. Parmi les exceptions, on notera les tableaux attribués à un célèbre récollet, le **frère Luc** (1614-1685). Au tout début de la colonisation, autels, retables, baldaquins (dais) et statues étaient, comme les tableaux, envoyés de France. Ces pièces étant toutefois plus difficiles à transporter, on forma petit à petit des artisans au Québec. La sculpture, toujours de bois, était travaillée en relief au canif, puis dorée. Elle s'inspirait du style baroque alors en faveur en France, un style qui dura jusqu'au milieu du 19ᵉ s. L'art de la décoration d'église se transmettait de génération en génération, assurant la renommée de certaines familles. Ainsi, dans les années 1650, les **frères Jean et Pierre Levasseur** furent à l'origine d'une véritable lignée de sculpteurs qui se perpétua au 18ᵉ s. avec leurs descendants Noël et Pierre-Noël. Les Levasseur sont avant tout reconnus pour leur œuvre d'inspiration religieuse, mais ils sculptèrent aussi de très belles figures de proue et d'autres décorations pour les navires.

Dans les années qui suivirent la Conquête anglaise (1759), très peu fut accompli dans le domaine de l'art religieux ; mais à la fin du 18ᵉ s., la construction d'églises reprit à un rythme accéléré. À Québec, c'est à cette époque que la famille **Baillairgé** atteignit une grande renommée *(voir p. 67)*. Les trois générations perpétuèrent la tradition de la sculpture sur bois. À cette même époque, **Philippe Liébert** (1733-1804) se faisait un nom dans la région de Montréal, notamment en raison de la décoration de l'église du Sault-au-Récollet, qui abrite aussi les sculptures de son disciple, **Louis-Amable Quévillon** *(voir p. 72)*.

L'art topographique militaire

La période qui suivit la Conquête vit l'arrivée d'officiers de l'armée britannique, chargés de produire des vues topographiques à des fins militaires. Ces soigneux relevés des lieux, inspirés du mouvement romantique qui prévalait alors en Angleterre, dénotent beaucoup de créativité. Parmi les œuvres les plus intéressantes de ces officiers-peintres, notons celles de Thomas Davies (1737-1848), de George Heriot (1759-1839) et de James Cockburn (1779-1847).

LE 19ᵉ SIÈCLE

À la fin du 18ᵉ s., alors que la province jouissait d'une économie florissante, l'art québécois connut son âge d'or. Les artistes, pour la plupart formés en Europe, peignaient des **paysages** et des **portraits**, commandés par une bourgeoisie aisée. Véritables autodidactes, Louis Dulongpré (1754-1843), François Beaucourt (1740-1794) et **Jean-Baptiste Roy-Audy** (1778-1848) créèrent des œuvres un peu naïves.

Cependant, les portraitistes de la génération suivante allèrent généralement en France chercher une formation qui leur donna un style plus classique. Le plus connu de ces artistes est sans doute **Antoine Plamondon** (1804-1895), qui produisit aussi des œuvres sacrées. Il fut suivi de **Théophile Hamel** (1817-1870). À la même époque, **Joseph Légaré** (1795-1855) essayait de rompre avec la tradition des portraitistes en dépeignant des événements contemporains sur fond de paysages dramatiques, comme son *Incendie du quartier Saint-Roch*.

Tout au long du 19ᵉ s., l'influence européenne en peinture demeura forte, avec l'arrivée au Québec d'artistes venus d'outre-Atlantique. Né en Irlande, **Paul Kane** (1810-1871) voyagea beaucoup et développa son talent en Europe. Ses superbes tableaux d'Amérindiens présentent aujourd'hui un grand intérêt historique. **Cornelius Krieghoff** (1815-1872) figure parmi les peintres qui s'intéressèrent particulièrement aux thèmes régionaux. Cet artiste d'origine hollandaise reproduisit des scènes de la vie quotidienne de la région montréalaise avec une précision de détails qui, à l'époque, resta inégalée.

Vers 1860, Montréal était devenue une ville sophistiquée et suffisamment prospère pour prêter son appui financier à une association dont l'objectif serait de promouvoir les arts, d'organiser des expositions et de bâtir une collection permanente. Ainsi naquit l'**Association d'art de Montréal**, ancêtre du fabuleux musée des Beaux-Arts d'aujourd'hui. La fin du 19ᵉ s. vit l'émergence de la photographie. Connu pour ses interprétations du paysage urbain de Montréal, **William Notman** (1826-1891) figure parmi les photographes les plus renommés du Canada.

L'art religieux

Louis-Amable Quévillon (1749-1823), entrepreneur de sculpture ornementale, décora durant le premier quart du 19ᵉ s. plusieurs églises du Québec dans un style Louis XV communément appelé « quévillonage », caractérisé par des rinceaux, des arabesques et des voûtes à petits caissons. Les élèves du maître contribuèrent à la diffusion de son art, formant ainsi l'« École de Quévillon ». Avec les années, une nouvelle forme de statuaire religieuse faite de stuc et produite au moule apparut et ruina le marché traditionnellement détenu par les sculpteurs sur bois. Si les artistes se tournèrent peu à peu vers de nouvelles formes d'art, le sculpteur **Louis Jobin** (1845-1928) fit exception. Il réalisa, en 1881, l'impressionnante statue de bois et de métal de **N.-D.-du-Saguenay**. Créé en 1912, son *Saint-Georges* équestre, dans l'église de St-Georges-de-Beauce, fut la dernière pièce produite par un sculpteur sur bois traditionnel. Toutefois, ce type d'artisanat s'est perpétué dans certains endroits du Québec, notamment à St-Jean-Port-Joli, mais c'est avant tout un art populaire à caractère folklorique, et non plus un art sacré.

LE 20e SIÈCLE

À l'aube du 20e s., l'influence de l'École de Paris commença à se faire sentir dans l'art québécois. Ceci est particulièrement visible dans l'œuvre de **Wyatt Eaton** (1849-1896) et celle du professeur montréalais William Brymner (1855-1925). Ces deux artistes furent suivis par les peintres d'inspiration impressionniste **Marc-Aurèle de Foy Suzor-Côté** (1869-1937), Maurice Cullen (1866-1934), Clarence Gagnon (1881-1942), et par le moderniste à tendance fauviste **James Wilson Morrice** (1865-1924). Les œuvres d'**Ozias Leduc** (1864-1955), natif de Mont-St-Hilaire, offrent un contraste saisissant avec les toiles marquées par l'influence pointilliste lumineuse de l'École de Paris. Ses natures mortes et ses paysages dénotent un symbolisme d'inspiration mystique qui transcende leur sujet, reflétant l'union consacrée par le temps qui, au Québec, lia l'art et la religion. On peut admirer ses fresques dans l'église de Mont-St-Hilaire, et dans le baptistère de la basilique Notre-Dame à Montréal. Ses œuvres figurent également dans plusieurs musées de la province.

Son dernier grand projet est visible à l'église N.-D.-de-la-Présentation de Shawinigan (*voir p. 211*).

Sculpture

La sculpture québécoise perdit peu à peu son caractère exclusivement religieux. L'apparition d'œuvres commémoratives monumentales caractérisa la fin du 19e s. et le début du 20e s. Parmi les sculpteurs dignes d'attention, il faut alors citer l'artiste-architecte Napoléon Bourassa (1827-1916), et surtout le grand **Louis-Philippe Hébert** (1850-1917), dont le monument de Maisonneuve et les statues de Jeanne Mance et

monseigneur Ignace Bourget, à Montréal, révèlent clairement les techniques du réalisme français. Lui emboîtant le pas, **Alfred Laliberté** (1878-1953) tenta d'appliquer à ses sculptures les lignes fluides de l'Art nouveau tout en conservant une facture académique. L'une de ses œuvres les plus connues est le monument dédié à Dollard des Ormeaux. Marc-Aurèle de Foy Suzor-Côté, grand ami de Laliberté, utilisa, pour sa série de bronzes, ces mêmes techniques.

La Contemporary Arts Society

Durant les années 1930, les artistes montréalais s'insurgèrent contre le « nationalisme des paysages sauvages » des peintres torontois du Groupe des Sept. **John Lyman** (1886-1967) tenta un réalignement de l'art canadien sur l'École de Paris, et s'opposa vigoureusement au **Groupe des Sept** dont les membres se considéraient comme les véritables créateurs d'une peinture typiquement canadienne. En 1939, il fonda la Contemporary Arts Society (Société des arts contemporains) et organisa le groupe des modernistes. Parmi ses membres, citons André Biéler, **Marc-Aurèle Fortin** (1888-1970), Goodridge Roberts (1904-1974), Stanley Cosgrove et **Paul-Émile Borduas**. L'influence de l'Art déco se fit aussi sentir dans le domaine de la sculpture, en particulier dans les œuvres de Sylvia Daoust et de Louis-Joseph Parent.

Automatistes et Plasticiens

La rupture provoquée par la Seconde Guerre mondiale marqua un tournant décisif dans l'évolution de l'art au Québec. En 1940, **Alfred Pellan** (1906-1988) retourna au pays après un long séjour en France pour exposer des œuvres fortement influencées par Picasso et le cubisme. **Paul-Émile Borduas** (1905-1960) et plusieurs autres jeunes artistes, dont **Jean-Paul Riopelle** (1923-2002), Pierre Gauvreau, Fernand Leduc et Jean-Paul Mousseau, fondèrent le groupe dit des **Automatistes** dont la peinture s'inspirait d'une volonté surréaliste de transcrire les impulsions du psychisme.

En 1948, ils publièrent leur célèbre manifeste, le **Refus global**, dont les virulentes attaques contre les valeurs et les règles établies de la société québécoise eurent une influence qui déborda largement les milieux artistiques.

En réaction à la spontanéité et au lyrisme des Automatistes, Guido Molinari et Claude Tousignant fondèrent le groupe des **Plasticiens** (1955), libérant la peinture de sa facture surréaliste à l'aide d'un vocabulaire géométrique abstrait. La primauté fut alors accordée à la forme et à la couleur. Cependant, aucune école ne parvint réellement à s'imposer dans le foisonnement des inspirations et la recherche de créativité de l'art contemporain. Plusieurs peintres montréalais, dont Charles Gagnon, Yves Gaucher et Ulysse Comtois, de même que les sculpteurs Armand Vaillancourt, Charles Daudelin et Robert Roussil, ont toutefois élaboré un langage très personnel.

Art actuel

Depuis les années 1970, le Québec a vu un renouveau d'intérêt pour l'art public. Les entrepreneurs sont tenus, par la loi (1978), de consacrer 1 % des coûts de construction de tout nouvel édifice public à des œuvres artistiques dans les villes du Québec. Il arrive fréquemment que les sculpteurs travaillent de concert avec les architectes pour intégrer leurs œuvres dans le plan général. L'exemple le plus remarquable est celui du **métro de Montréal**, dont les stations ont été individuellement conçues par des architectes différents en incorporant art pictural et sculpture. Citons, entre autres, l'œuvre de Marcelle Ferron à la station Champ-de-Mars, et celle de Jordi Bonet (1932-1976) à la station Pie-IX.

Ces dernières années, l'art du Québec s'est inscrit dans les grands courants internationaux, en prenant des distances par rapport à la peinture traditionnelle et en privilégiant des formes et des techniques plus diverses, notamment « l'installation », qui parle un langage sculptural tout en réunissant des prestations d'autres disciplines. Parmi les adeptes de cette tendance, notons Betty Goodwin, Barbara Steinman, Geneviève Cadieux, Jocelyne Alloucherie et Dominique Blain. En ce qui concerne la sculpture, signalons l'important travail de Michel Goulet et de Roland Poulin, et celui de l'architecte-urbaniste Melvin Charney, dont le jardin du Centre canadien d'architecture, à Montréal, est sans doute l'œuvre maîtresse.

Culture

Seul espace francophone d'Amérique du Nord, le Québec a réussi à préserver son identité linguistique à travers la culture. Le théâtre, la littérature, la musique ou le cinéma ont été de puissants vecteurs d'affirmation. Ils reflètent aujourd'hui le dynamisme de la société québécoise qui évolue à la croisée de différentes influences, européenne et américaine notamment. Elles s'ajoutent aux traditions et au folklore local, toujours vivaces, contribuant à faire de la culture québécoise un champ d'expression et de découverte unique.

Littérature

À l'époque de l'exploration et de la colonisation, la littérature de la Nouvelle-France se limite aux récits de voyage (Cartier, Champlain), aux histoires et descriptions (Sagard, Charlevoix) et aux Relations des jésuites, célèbres écrits historiques décrivant la vie et l'œuvre des missionnaires au Nouveau Monde.

LE 19ᵉ SIÈCLE

Deux journaux, *Le Canadien,* fondé à Québec en 1806, et *La Minerve,* fondé à Montréal en 1826, seront d'une importance fondamentale dans le développement de la littérature canadienne française. Puis, en 1837, paraîtra le premier roman québécois, puisé aux sources de la légende : *L'Influence d'un livre,* de Philippe Aubert de Gaspé fils. Les premiers ouvrages de fiction s'inspirent principalement des coutumes rurales, avec *Les Anciens Canadiens* (1863) de **Philippe Aubert de Gaspé** père (1786-1871), et d'une idéologie nationaliste et conservatrice, avec l'œuvre de Pierre Joseph Olivier

Chauveau (*Charles Guérin,* 1846-1853). Cette idéologie s'inscrit dans un courant de conservatisme qui, à compter des années 1860, influencera la littérature en imposant les normes de la morale et de la religion catholique. Le roman historique, inspiré par l'*Histoire du Canada* (publiée dans les années 1840) de **François-Xavier Garneau** (1809-1866), devient très populaire au milieu du 18ᵉ s., tout comme les vers du poète romantique Octave Crémazie (1827-1879). Louis-Honoré Fréchette (1839-1908) publie quant à lui sa célèbre *Légende d'un peuple* en 1887.

LE 20ᵉ SIÈCLE

Le début du 20ᵉ s. est dominé par les œuvres nationalistes de l'auteur et historien **Lionel Groulx** (1878-1967), animateur de l'Action française, et par la poésie d'Émile Nelligan (1879-1941). Dans les romans, le thème de la vie rurale prédomine. En 1916 est publiée l'œuvre posthume du Français **Louis Hémon**, *Maria Chapdelaine, récit du Canada français,* traduite en huit langues. En 1933 paraît *Un homme et son péché,* de **Claude-Henri Grignon**.

L'urbanisation et le traumatisme de la Seconde Guerre mondiale favorisent une plus grande introspection parmi les écrivains québécois qui n'hésitent pas à remettre en question l'ordre établi. C'est dans ce contexte que le romancier **Robert Charbonneau** (1911-1967) abandonne le roman d'inspiration rurale au profit d'une œuvre à caractère psychologique, et que la poésie québécoise se redéfinit sous la plume d'Alain Grandbois (1900-1975) et d'Hector de Saint-Denys Garneau (1912-1943). La parution du roman *Au pied de la pente douce* (1944), de **Roger Lemelin**, marque les débuts du roman urbain qui explore les conditions de vie du prolétariat dans les villes. Le thème de la vie urbaine est perpétué dans les romans de **Gabrielle Roy** (*Bonheur d'occasion*, 1945).

Au cours des années 1950, la transformation de la société québécoise, amorcée dans les années 1940, s'intensifie et culmine, en 1960, avec la Révolution tranquille, qui se manifeste par une prise de conscience de l'identité culturelle distincte du Québec et une remise en question des valeurs et des institutions traditionnelles. Fidèle reflet de l'époque, le domaine littéraire connaît lui aussi un profond bouleversement qui se traduit tant par la multitude des sujets abordés que par la diversité des styles. Ce sont les poètes qui donnent à cette nouvelle littérature québécoise son souffle le plus puissant : **Gaston Miron** (1928-1996), Gatien Lapointe, Jacques Brault et Fernand Ouellette. Les années 1960 auront aussi révélé de nouveaux romanciers ou confirmé l'importance d'auteurs déjà connus, qui figurent désormais parmi les grands noms de la littérature québécoise : mentionnons Hubert Aquin (*Neige noire*), Marie-Claire Blais (*Une saison dans la vie d'Emmanuel*), Roch Carrier (*La Guerre, yes sir !*), Réjean Ducharme (*L'Avalée des avalés*), Jacques Ferron (*L'Amélanchier*), Jacques Godbout (*Le Couteau sur la table*), **Anne Hébert** (*Kamouraska, Les Fous de Bassan*) et Yves Thériault (*Agaguk*). C'est aussi à cette époque que le dramaturge **Michel Tremblay** (*voir p. 78*) fait une entrée en scène très remarquée avec sa pièce *Les Belles-Sœurs*. Bon nombre de ces auteurs occupent toujours une place prépondérante dans la vie littéraire du Québec. Parmi les romanciers anglo-québécois les mieux connus, citons Hugh MacLennan et **Mordecai Richler**, lauréat de plusieurs prix littéraires, dont celui du Gouverneur général. Dans la lignée de l'évolution entamée dans les années 1960, la période postmoderne, qui commence autour de 1980, bouscule l'héritage des aînées. Les auteurs s'affranchissent d'une littérature militante au service de la cause québécoise, interrogent la place des jeunes dans une société vieillissante, explorent le quotidien, l'individualisme et le multiculturalisme propre à un pays d'immigration. Les œuvres reflètent une grande diversité de styles, mélangeant les genres avec un goût particulier pour le roman dit « psychologique ». C'est une période féconde au cours de laquelle émergeront des auteurs tels que Louis Hamelin (*La Rage*), Suzanne Jacob (*Laura Laur*), Claude Jasmin (*La Sablière*), Marie Laberge (*Juillet*), Robert Lalonde (*Le Petit Aigle à tête blanche*), Monique Larue (*Copies conformes*) ainsi que des figures de la littérature « migrante » (auteurs issus de l'immigration) tels que Dany Laferrière (*Comment faire l'amour avec un nègre sans se fatiguer*), Sergio Kokis (*Le Pavillon des miroirs*) ou Ying Chen (*Les Lettres chinoises*). Poursuivant dans la voie ouverte par leurs prédécesseurs,

Musée d'Art contemporain de Montréal.
Atlantide S.N.C./Age Fotostock

plusieurs auteurs sont apparus ces dernières années. Citons Nicolas Dickner *(Nikolski)*, Kim Thuy, *(Ru)*, Gil Courtemanche *(Un dimanche à la piscine à Kigali)*, Yann Martel *(Histoire de Pi)*, Catherine Mavrikakis *(Le Ciel de Bay City)* ou Sylvain Trudel *(Du mercure sous la langue)*.

BANDE DESSINÉE

Apparue sous forme de *comic-strips* dans la presse au début du 20ᵉ s., puis longtemps sous domination religieuse, elle connaît aussi sa « révolution tranquille » à la fin des années 1960. Elle explose vraiment dans les années 1990 avec la création de nombreux fanzines et maisons d'édition, puis au cours de la décennie suivante. Internet révèle des talents et permet la diffusion d'une production riche et variée qui trouve bientôt son public jusqu'en dehors des frontières du Québec. Parallèlement à son côté humoristique qui confine à l'autodérision, la bande dessinée constitue aussi un formidable miroir de la société québécoise. **Michel Rabagliati** en brosse un

portrait en plusieurs volumes en menant son personnage, Paul, de l'enfance à l'âge adulte dans le Québec de l'après-Révolution tranquille. Dans *Le Moral des troupes*, **Jimmy Beaulieu** se penche sur le temps qui passe, les mutations de la ville et de la vie, ainsi que sur les rapports avec la famille. Ce dernier thème se retrouve dans le travail de **Zviane et Iris**. Dans leur roman graphique fleuve *L'Ostie d'chat*, d'abord publié sur Internet, elles explorent la vie urbaine contemporaine à travers les déboires de deux jeunes adultes en quête de repères dans le Montréal alternatif. La série *Magasin général* de **Loisel et Tripp** est un cas à part. Œuvre de fiction située dans le monde rural des années 1930, elle est signée de deux auteurs français installés au Québec depuis plusieurs années. Quant aux chroniques de **Guy Delisle** en Birmanie ou en Corée du Nord, elles mettent en scène le regard distancié et moqueur d'un Québécois sur les endroits les plus ubuesques du monde.

Théâtre

Le théâtre s'avère tardif au Québec : les premières troupes francophones permanentes datent des années 1880. Une dramaturgie durable s'amorce vers 1950, s'appuyant simultanément sur des institutions, un répertoire et une génération de comédiens souvent formés chez les Compagnons de St-Laurent du père Legault. Des troupes de théâtre professionnelles sont fondées : le Théâtre du Rideau vert (1949), le Théâtre du Nouveau Monde (1951), le Quat'Sous (1954), les Apprentis-Sorciers, l'Égrégore et quelques lieux d'avant-garde.

En 1948, **Gratien Gélinas** crée *Tit-Coq*, du nom d'un personnage populaire, faussement naïf, capable d'une solide critique sociale. Il récidivera avec *Bousille et les Justes* (1959) au moment où il dirige la Comédie-Canadienne, dont l'appellation témoigne de la volonté de créer une dramaturgie canadienne française. Familier de Jean Anouilh et d'Arthur Miller, Marcel Dubé (né en 1930) y fait jouer *Un simple soldat* (1958), et s'impose comme un dramaturge explorant des thèmes à caractère universel. En 1973, le comédien **Jean Duceppe** (1923-1990) fonde la compagnie Jean Duceppe, qui acquiert rapidement une excellente réputation.

Michel Tremblay, le dramaturge le plus joué à l'étranger, suit aussi la trame urbaine et populaire de ses prédécesseurs. Depuis *Les Belles-Sœurs* (1968), qui marque un jalon important dans l'histoire du théâtre québécois, jusqu'au *Vrai Monde* (1987), Tremblay créera sa propre comédie humaine peuplée de personnages parlant une langue typique des quartiers populaires québécois et montréalais.

La force et l'originalité du théâtre québécois contemporain se manifestent dans des **pièces expérimentales** dont celles de Jean-Pierre Ronfard (*Vie et mort du roi boiteux*, 1981) au Théâtre expérimental de Montréal, et de Gilles Maheu, à Carbone 14. Le dramaturge Normand Chaurette s'impose à partir des années 1980 avec des pièces telles que *Provincetown Playhouse* et *Fragments d'une lettre d'adieu lus par des géologues* (1986) ; en 1996, son œuvre *Le Passage de l'Indiana* remporte un vif succès au Festival d'Avignon et reçoit le prix du Gouverneur général. Parmi les autres dramaturges qui marquent le théâtre québécois des années 1980-1990, citons Michel-Marc Bouchard (*Les Muses orphelines*, 1989), René-Daniel Dubois (*Ne blâmez jamais les Bédouins*, 1985) et Marie Laberge (*L'Homme gris*, 1986). Révélé dans les années 1990, l'auteur, acteur et metteur en scène d'origine libanaise **Wajdi Mouawad** propose

LE CIRQUE DU SOLEIL

Avec des spectacles novateurs alliant musique, théâtre, danse et numéros de cirque traditionnels, l'incontournable cirque sans animaux enchante aux quatre coins de la planète. Fondée en 1984 en Charlevoix par **Guy Laliberté** et **Daniel Gauthier**, la petite compagnie de jadis est devenue en 25 ans une multinationale du divertissement forte de 4 000 employés, dont une vingtaine de spectacles (en résidence ou itinérants) tournent à travers le monde. Le cirque étend ses activités entre autres à l'événementiel mais cherche avant tout à rester fidèle à ses origines dans les arts de la rue en s'impliquant auprès des enfants défavorisés et des structures culturelles locales.

un théâtre exigeant et parfois inconfortable traversé par les thématiques du souvenir et de la guerre (la trilogie *Littoral/Forêts/Incendies*, 2009-2010). En 2011, son dernier spectacle, *Des femmes,* a été présenté en Avignon.

Il faut également souligner un produit théâtral maintenant exporté, la **Ligue nationale d'improvisation**, spectacle d'improvisation conçu comme une partie de hockey sur glace, le sport national des Québécois.

Danse

Célèbres dans le monde entier pour leur répertoire classique, les **Grands Ballets canadiens de Montréal** *(www.grandsballets. com)* se produisent au Canada comme à l'étranger. Manifestations culturelles et festivals divers permettent par ailleurs d'applaudir des danseurs traditionnels et folkloriques à travers la province.

Musique

SCÈNE CLASSIQUE

L'Orchestre symphonique de Montréal *(www.osm.ca)*, aujourd'hui dirigé par Kent Nagano, et l'**Orchestre symphonique du Québec** *(www.osq.qc.ca)*, le plus ancien du Canada, ont fait connaître le Québec à travers le monde par leurs tournées triomphales et leurs nombreux enregistrements. Depuis 1963, le Concours international de Montréal est ouvert aux jeunes musiciens du monde entier. Le camp musical du mont Orford et celui de Lanaudière sont de dynamiques lieux de formation. Prestigieuse manifestation musicale, le Festival de Lanaudière s'est d'ailleurs acquis une solide réputation dans le monde de la musique.

Compositeurs, chefs d'orchestre et interprètes

L'hymne national du Canada, *Ô Canada*, fut composé par deux Canadiens français : Adolphe-Basile Routhier (1839-1920) pour les paroles, et Calixa Lavallée (1842-1891) pour la musique.

Sous l'influence du chef d'orchestre **Wilfrid Pelletier** (1896-1982), une intense vie musicale s'est développée à Montréal. Compositeur d'une *Symphonie gaspésienne*, **Claude Champagne** (1891-1965) a inspiré de nombreux créateurs. Parmi les compositeurs, citons Alexander Brott, fondateur de l'Orchestre de chambre de McGill, Jean Papineau-Couture et Jean Vallerand. Parmi les créateurs de musique contemporaine, mentionnons Serge Garant, Pierre Mercure, Gilles Tremblay et André Prévost.

Les pianistes Henri Brassard, André Laplante et Louis Lortie ont eu des succès retentissants lors de divers concours internationaux. Par ailleurs, la violoniste Angèle Dubeau et le pianiste Marc-André Hamelin se sont taillé de brillantes carrières ici comme à l'étranger. Kenneth Gilbert est mondialement connu pour ses recherches et ses exécutions, au clavecin, de musiques des 17e et 18e s. Les organistes Raymond Daveluy, Mireille et Bernard Lagacé sont renommés pour leurs interprétations et leur professorat. La maison Casavant Frères de St-Hyacinthe est, bien sûr, reconnue à l'échelle internationale pour sa remarquable facture d'orgues.

Opéra

Depuis Emma Lajeunesse (1885-1958), alias **Albani**, plusieurs voix québécoises se sont fait entendre à Milan, New York, Paris et Londres, parmi lesquelles la soprano Pierrette Alarie, la contralto **Maureen Forrester**, les ténors

Raoul Jobin et Léopold Simoneau, la basse Joseph Rouleau et les barytons Louis et Gino Quilico. Depuis 1980, l'Opéra de Montréal propose chaque année des spectacles du répertoire lyrique.

CHANSON

La musique bat au cœur de la tradition orale québécoise *(voir p. 47)*. Des chansons des Voyageurs au *Canadien errant* (1842), la chanson folklorique d'inspiration française a rythmé le travail et les loisirs des Québécois.

Dans les années 1920-1930, **La Bolduc** (Mary Travers, 1894-1941), avec ses textes cocasses et enlevés, est considérée comme la première chansonnière québécoise. L'essor contemporain de la chanson québécoise est dû à **Félix Leclerc** (1914-1988). Conteur, moraliste, poète de la nature, Leclerc a fait connaître la chanson québécoise dans la France de l'après-guerre, balisant ainsi le chemin pour ses nombreux successeurs. S'inspirant de l'une de ses chansons, des chansonniers et des musiciens forment « les Bozos » à la fin des années 1950. On y retrouve Raymond Lévesque, Clémence Desrochers, André Gagnon, Claude Léveillé *(Frédéric)* – qui travaillera avec Édith Piaf – et Jean-Pierre Ferland *(Je reviens chez nous)*, l'essentiel d'une relève talentueuse à laquelle se joint **Gilles Vigneault**, le poète de Natash-quan qui chanta la Côte-Nord *(Fer et titane)* et les longs hivers du Québec *(Mon pays)*, et dont la chanson *Gens de mon pays* scanda la montée du Parti québécois. Pauline Julien et Renée Claude interprètent brillamment les grands chansonniers québécois. Dans les années 1960, **Robert Charlebois** personnifie une chanson plus critique dont les accords sont ceux du rock. La chanson s'inscrit dès lors dans le monde du spectacle et dans une industrie du disque marquée par la culture américaine. C'est l'époque de la contre-culture californienne, dont on trouve un écho tout québécois dans des groupes tels qu'Harmonium et Beau Dommage. Sans oublier un Montréalais anglophone mondialement célèbre, **Léonard Cohen**, qui ne cesse encore aujourd'hui de remplir les salles.

Diane Dufresne a développé un style dramatique très apprécié, interprétant souvent les chansons de **Luc Plamondon**, l'un des paroliers les plus célèbres du Québec. Fondateur de la Société professionnelle des auteurs et compositeurs du Québec, Plamondon a collaboré, en 1976, à l'opéra rock *Starmania*. **Sylvain Lelièvre** (1943-2002), dont la carrière musicale remonte au début des années 1970, est considéré comme l'un des meilleurs auteurs-compositeurs québécois. D'autres artistes représentent des courants différents dans la chanson des années 1970 : Richard et Marie-Claire Séguin, le groupe rock Offenbach et Claude Dubois. Mentionnons aussi **Ginette Reno**, l'une des plus grandes chanteuses populaires du Québec.

Les auteurs-compositeurs et interprètes Richard Desjardins, Luc de Larochelière et Paul Piché s'illustrent au cours des années 1980-1990, tout comme Jean Leloup dont le titre *En 1990* a remporté un grand succès en France. Au cours de la décennie suivante, **Céline Dion** est devenue célèbre à travers le monde tout comme Laurence Jalbert, Luce Dufault, Isabelle Boulay, Bruno Pelletier et Garou.

MUSIQUES ACTUELLES

Les années 2000 ont vu l'émergence d'interprètes mêlant

accents électroniques alternatifs et textes d'auteurs (Ariane Moffatt et Pierre Lapointe) ou hip-hop (Chromeo). Les DJs et compositeurs Tiga, Akufen, Ghislain Poirier et Millimetrik ont, parmi d'autres, popularisé différentes facettes de l'électro. Mais du creuset montréalais sont aussi sortis des artistes anglophones mondialement célèbres comme Bran Van 3000 et surtout **Arcade Fire**. Sans parler d'une multitude de groupes alternatifs qui écument les petites salles de la ville.

Cinéma

Depuis 1895, la plupart des films projetés au Québec provenaient des États-Unis. Malgré la création de quelques longs métrages entre 1944 et 1952, l'industrie cinématographique québécoise ne fit véritablement son apparition qu'au cours des années 1960. Plusieurs réalisateurs ou directeurs de la photographie feront leur apprentissage à l'**Office national du film** (ONF, www.onf.ca), organisme fédéral créé en 1939 et qui bénéficie d'une solide réputation internationale pour sa production de **films d'animation** : on pense ainsi à Norman McLaren, ou encore à **Frédéric Back** qui reçoit deux Oscars pour *Crac !* (1982) et *L'homme qui plantait des arbres* (1988).

La **tradition documentaire** de l'ONF est à l'origine d'une tendance marquée du cinéma québécois pour le « cinéma direct » ou « cinéma-vérité », personnifié par **Pierre Perrault** (*Pour la suite du monde*, 1963 ; *Un pays sans bon sens*, 1970) et Michel Brault (*Les Ordres*, 1974). Le réalisateur **Claude Jutra** acquiert une renommée internationale, en particulier pour deux de ses films : *Mon oncle Antoine* (1971) et *Kamouraska* (1973), tiré du roman d'Anne Hébert. Le

film de Jean Beaudin, *J.A. Martin, photographe* (1976), sera primé à Cannes.

Denys Arcand a aussi rejoint un public européen et américain avec trois films, *Le Déclin de l'Empire américain* (1986) et *Jésus de Montréal* (1989), mis en nomination à Cannes et à Hollywood. *Les Invasions barbares*, suite du film de 1986, sera sacré par l'oscar du meilleur film en langue étrangère en 2004.

De son côté, *Un zoo la nuit,* de Jean-Claude Lauzon, remporte 13 des 17 « Génies » lors du gala annuel du cinéma canadien en 1987.

En 1995, Robert Lepage réalise *Le Confessional*, film remarquable qui lui vaut le prix Claude-Jutra ; cette même année paraissent *Eldorado*, de Charles Binamé, et *Thirty-two short films about Glenn Gould*, de François Girard.

Dans les années 2000, le cinéma québécois a réussi à grignoter jusqu'à 20 % au concurrent américain sur le marché provincial grâce à des films comme la première réalisation de Luc Picard (*L'Audition*), primée au premier Festival international du film à Montréal en 2005, ou *C.R.A.Z.Y* (2005) de Jean-Marc Vallée, sorti la même année. Plus récemment, *Les 3 P'tits cochons* de Patrick Huard (2007) a fait un très honorable score au box-office. En 2010, le tout jeune réalisateur **Xavier Dolan** crée la surprise à Cannes avec *Les Amours imaginaires*, qui rencontre un grand succès en France. Une carrière commencée l'année précédente avec le très remarqué *J'ai tué ma mère* et qui se poursuivra en 2012 avec *Laurence anyways*. Quant à **Denis Villeneuve**, qui avait tenté en 2009 avec *Polytechnique* de questionner la tragédie qui a frappé cette université de Montréal en 1989, son film *Incendies*, adapté de la pièce de son compatriote Wajdi Mouawad, a manqué de peu l'Oscar du meilleur film étranger en 2011.

3/
DÉCOUVRIR
LE QUÉBEC

Maison colorée des îles de la Madeleine.
SIME/Van Haorick Edmond/Sime/Photononstop

Montréal et ses environs 1

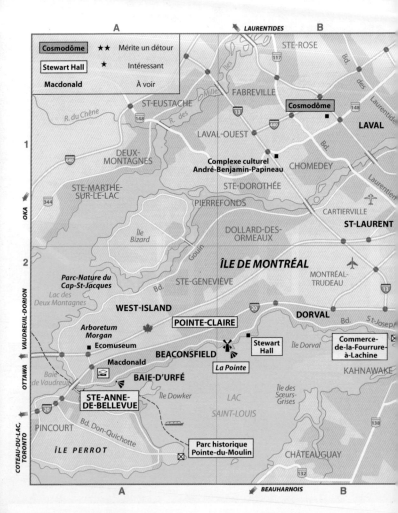

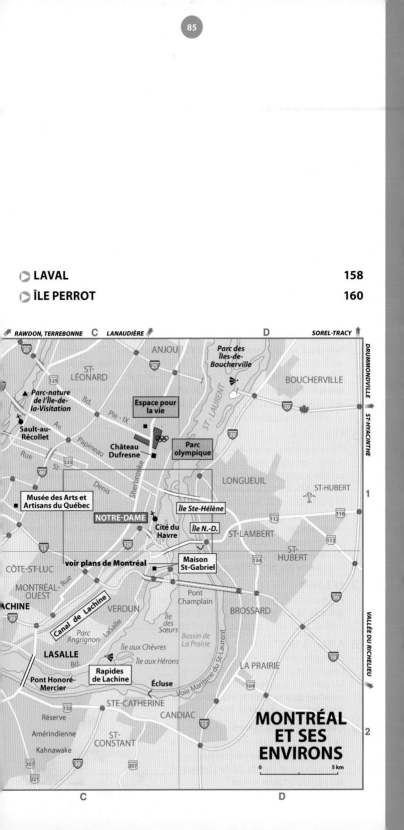

RAWDON, TERREBONNE   **C**   LANAUDIÈRE   **D**   SOREL-TRACY

DRUMMONDVILLE ▶   ST-HYACINTHE ▶

ANJOU

Parc des Îles-de-Boucherville

ST-LÉONARD

BOUCHERVILLE

Parc-nature de l'Île-de-la-Visitation

Espace pour la vie

Sault-au-Récollet

Château Dufresne

Parc olympique

LONGUEUIL   ST-HUBERT

Musée des Arts et Artisans du Québec

NOTRE-DAME

Île Ste-Hélène

Cité du Havre

Île N.-D.

ST-LAMBERT

ST-HUBERT

1

CÔTE-ST-LUC

voir plans de Montréal

Maison St-Gabriel

MONTRÉAL-OUEST

LACHINE

Canal de Lachine

VERDUN

Île des Sœurs

Pont Champlain

BROSSARD

Parc Angrignon

Île aux Chèvres

Bassin de La Prairie

LASALLE

Île aux Hérons

Pont Honoré-Mercier

Rapides de Lachine

Écluse

LA PRAIRIE

VALLÉE DU RICHELIEU ▶

STE-CATHERINE

Réserve

CANDIAC

MONTRÉAL ET SES ENVIRONS

Amérindienne

ST-CONSTANT

Kahnawake

0   5 km

2

C   **D**

Montréal

★★★

1 692 082 habitants

😊 NOS ADRESSES PAGE 140

🛈 S'INFORMER

Centre Infotouriste – *1255 r. Peel, angle r. Ste-Catherine, Montréal (QC) H3A 1X6 - ☏ 514 873 2015, 1 877 266 5687 ou 0 800 90 77 77 (gratuit depuis la France) - www.bonjourquebec.com ; www.tourism-montreal.org - de fin juin à fin août : 9h-19h ; d'avr. à fin juin et sept.-oct. : 9h-18h ; nov.-mars : 9h-17h - fermé 1er janv. et 25 déc.* Outre son comptoir d'information, le centre infotouriste de Montréal fournit un large éventail de services : visites guidées de la ville, librairie, bureau de change, réservation de chambres d'hôtel, location de voitures, etc.

Bureau d'accueil touristique du Vieux-Montréal – *174 r. Notre-Dame Est - ☏ 514 873 2015, 1 877 266 5687 ou 0 800 90 77 77 (gratuit depuis la France) - juin-sept. : 9h-19h ; avr.-mai : 10h-18h ; oct.-nov. 9h-17h.*

www.ville.montreal.qc.ca – Site officiel de la ville de Montréal.

www.montrealinfo.com – Calendrier des événements, recherche par quartiers, transports et loisirs.

◐ SE REPÉRER

Carte de région (p. 84-85). La ville de Montréal se déploie autour du mont Royal. Son cœur historique borde le St-Laurent, au sud de la montagne, tandis que le centre-ville s'intercale entre les deux. À l'est, et notamment l'est du boulevard St-Laurent, s'étendent les quartiers traditionnellement français, autrefois populaires et aujourd'hui à la mode, comme le Plateau ou le Mile End (nord-est de Mont-Royal). À l'ouest, les quartiers huppés anglophones. Sorti du centre-ville, ce ne sont que microvillages aux noms pittoresques : le Quartier latin, la Petite Italie, le Village (quartier gay à l'est de Berri-UQAM). Certains sont en pleine expansion ou rénovation, comme le canal de Lachine, à l'ouest, ou Hochelaga-Maisonneuve à l'est.

🅿 SE GARER

De nombreux parkings permettent de se garer en centre-ville. Comptez environ 18 $ la journée, ou 3 $ de l'heure pour un stationnement au parc-mètre. Si les sites disposent de parkings, beaucoup sont payants.

😊 À NE PAS MANQUER

Une promenade sur le mont Royal, un bagel chaud dans le Mile End, les collections du musée des Beaux-Arts, un coucher de soleil sur le centre-ville vu depuis le quai du Vieux-Port.

◑ ORGANISER SON TEMPS

Les courts séjours privilégieront le Vieux-Montréal et le centre-ville, avec une excursion rapide sur le Plateau et ses restaurants en soirée.

👪 AVEC LES ENFANTS

Les expériences et les jeux du Centre des sciences de Montréal, sur le Vieux-Port, l'histoire de Montréal au Centre d'histoire de la place d'Youville, l'insectarium, les animaux du Biodôme, le musée de l'Environnement.

Située sur la plus vaste des îles de l'archipel d'Hochelaga que longe le majestueux St-Laurent, Montréal offre tous les attraits d'une ville au caractère international. Deuxième agglomération canadienne derrière la métropole torontoise, place financière et commerciale fort active, elle abrite un centre industrialo-portuaire de première importance, sur la longue voie reliant les Grands Lacs à la mer. Montréal est la deuxième ville francophone du monde après Paris, mais la seule grande ville du Canada à réunir deux communautés que l'histoire a longtemps fait s'opposer. Cette coexistence nourrit la créativité culturelle d'une cité où les influences du Vieux Monde et la modernité nord-américaine se mêlent de façon unique. Montréal, c'est aussi une mosaïque de communautés ethniques regroupées par quartiers, ce qui lui donne parfois l'aspect d'un agglomérat de villages culturellement distincts. Autant de facteurs qui l'ont dotée d'une vitalité fascinante.

★★★ Du Vieux-Montréal à la Cité multimédia 1

▶ *Circuit* 1 *tracé en vert sur le plan p. 98-99.*

On appelle Vieux-Montréal le secteur de la ville autrefois entouré de fortifications. L'imposante muraille de 5,4 m de haut et de un mètre d'épaisseur fut construite au début du 18e s. et démolie un siècle plus tard. Elle entourait un quartier aujourd'hui délimité par la rue McGill à l'ouest, la rue Berri à l'est, la rue de la Commune au sud et la rue St-Jacques au nord.

Vers la moitié du 18e s., quelques quartiers commencèrent à se développer hors des murs : le faubourg de Québec vers l'est, des Récollets vers l'ouest, et au nord, le faubourg St-Laurent. Puis, au cours du 19e s., la ville s'étendit au-delà des murs. La population bâtissait de plus en plus loin du fleuve, et le secteur des affaires se déplaça graduellement vers le centre-ville actuel. Des entrepôts remplacèrent alors demeures et jardins. À partir des années 1960, le Vieux-Montréal connut toutefois un certain regain d'intérêt. Les demeures anciennes furent rénovées, les entrepôts convertis en appartements et bureaux, et des restaurants et boutiques s'ouvrirent, redonnant au secteur un second souffle de vie. Aujourd'hui, le développement du Vieux-Montréal est contrôlé par la Commission Viger qui veille au respect de l'héritage du patrimoine historique, architectural et culturel du quartier. De ce fait, il est aussi agréable d'y vivre que d'y travailler, et les touristes viennent volontiers s'y promener.

🔎 **Bon à savoir** – Des calèches partant de la rue Notre-Dame, de la place d'Armes, de la rue de la Commune et de la place Jacques-Cartier, permettent aux visiteurs de découvrir le Vieux-Montréal au rythme des temps passés.

★★★ VIEUX-MONTRÉAL

🚇 *Square-Victoria.*

★ Rue Saint-Jacques

Cette importante artère fut baptisée par Dollier de Casson en 1672, en l'honneur de Jean-Jacques Olier, fondateur de l'ordre de St-Sulpice. Centre financier du Canada jusque dans les années 1970, elle a conservé de beaux

Le carrefour d'enjeux multiples

UN PEU DE GÉOGRAPHIE

Une quinzaine de ponts relient l'**île Jésus** *(voir l'enca-dré p. 159)* et l'**île de Montréal** au continent, dont cinq (pont-tunnel inclus) franchissent le St-Laurent. La communauté urbaine de Montréal comprend depuis 2006 : **19 arrondissements** et **15 villes de ban-lieue** reconstituées. La plus importante municipalité demeure donc la ville même de Montréal qui annexa plusieurs villages et quartiers vers 1880, et qui occupe à elle seule plus d'un tiers de la superficie insulaire.

Se dressant presque au centre de l'île, le **mont Royal** (233 m), aux pentes abruptes, domine la zone urbaine. La « Montagne », comme on l'appelle fami-lièrement ici, est l'une des huit masses rocheuses qui émergent curieusement de la plate vallée laurentienne. Formées pendant le crétacé, ces dernières sont connues sous le nom de collines Montérégiennes. Le mont a influencé l'urbanisme de la ville d'une manière bien particulière : aucun édifice ne doit le dépasser en hauteur.

À Montréal, le soleil se lève au sud

Le **St-Laurent** coule généralement d'ouest en est, et l'on parle de sa rive nord et de sa rive sud. Mais à Montréal, le fleuve fait un crochet vers le nord, ce qui modifie son axe d'orientation dans sa traversée de la métropole. Néanmoins, les artères parallèles au fleuve sont dites est-ouest (au lieu de nord-sud), tandis que celles qui lui sont perpendiculaires sont dites nord-sud (et non est-ouest). Cet usage risque de dérouter le visiteur non averti.

En plus de connaître cette originalité géographique, il est bon de repérer sur une carte le **boulevard St-Laurent**, car cette artère délimite les parties est et ouest de la ville (elle passe à l'est du mont Royal). Demandez toujours par exemple : rue Notre-Dame Ouest ou Notre-Dame Est ? Les numéros croissent de part et d'autre du boulevard. Ce dernier marque la frontière entre les quar-tiers de tradition anglophone, à l'ouest, et la ville francophone à l'est.

UN PEU D'HISTOIRE

L'origine de Montréal

Les Mohawks, de la nation iroquoise, habitaient l'île de Montréal bien avant que les premiers Européens ne viennent s'établir en Amérique du Nord. En 1535, **Jacques Cartier**, à la recherche de mines d'or et d'une route menant vers l'Inde, débarqua dans l'île et visita le village d'**Hochelaga**, au pied du mont Royal. L'histoire veut que Cartier, l'ayant escaladé suivi de sa troupe, soit resté émerveillé devant le panorama qui s'offrait à sa vue et se soit exclamé : « C'est un mont réal. »

La version de l'historien Gustave Lanctot est bien différente. Ce nom aurait été donné à l'endroit par Cartier « en l'honneur du cardinal de Médicis, évêque de la ville de Monreale en Sicile ». En 1611, **Samuel de Champlain**, le « père de la Nouvelle-France », remonta le St-Laurent à partir de Québec, qu'il venait de fonder. Hochelaga n'existait plus, et Champlain envisagea d'établir une colonie sur l'île Ste-Hélène. Mais ce projet ne se concrétisa pas.

Ville-Marie

Le 17e s. fut, en France, une époque marquée par de grands desseins d'évan-gélisation. L'Église catholique espérait recouvrer le terrain perdu lors de la

Place Jacques-Cartier.
J. Heguy/Age Fotostock

Réforme. Certains virent dans la colonisation un moyen de propager la foi. Deux Français, **Jérôme Le Royer de la Dauversière** et **Jean-Jacques Olier** (qui venait de fonder à Paris, en 1641, l'ordre des Sulpiciens), eurent simultanément l'idée d'envoyer une mission sur l'île de Montréal. Ils réunirent des fonds et choisirent **Paul de Chomedey, sieur de Maisonneuve**, pour diriger l'établissement qu'ils décidèrent de nommer **Ville-Marie**. Maisonneuve et une quarantaine de ses compagnons franchirent donc l'Atlantique en 1641. Ils passèrent l'hiver à Québec et débarquèrent sur l'île de Montréal en mai 1642. Bien qu'animés de grands idéaux, ils se heurtèrent à l'hostilité des Amérindiens et durent combattre ceux-là mêmes qu'ils étaient venus évangéliser. Les hostilités durèrent jusqu'à la signature d'un traité de paix avec les Iroquois, en 1701.

Le 18ᵉ siècle

Malgré l'échec de la tentative d'évangélisation, Ville-Marie (appelée par la suite Montréal) se développa grâce au commerce des fourrures. Des explorateurs partirent sur les Grands Lacs et leurs affluents, et revinrent chargés de pelleteries. La demande était très forte en Europe où les peaux d'animaux entraient dans la confection de vêtements de luxe. Les fourrures devinrent ainsi la base du commerce à Montréal, si bien qu'au moment de la **Conquête**, la ville était bien établie et comptait de nombreux marchands et plusieurs fermes.

Après la reddition de Québec en 1759, les troupes anglaises du général Jeffery Amherst marchèrent vers Montréal. En 1760, le chevalier de Lévis s'apprêtait à défendre la ville lorsque son gouverneur, le marquis de Vaudreuil, lui ordonna de se rendre sans combat. Après la Conquête, les membres de la noblesse retournèrent pour la plupart en France. Les premiers anglophones à s'établir à Montréal furent des Écossais, attirés par le commerce des fourrures. Plus tard, après la guerre d'Indépendance américaine, les loyalistes, qui avaient quitté les États-Unis pour rester fidèles au roi d'Angleterre, vinrent grossir la population anglophone.

En 1775 et 1776, Montréal fut de nouveau occupée. Il s'agissait cette fois des troupes américaines commandées par le général Richard Montgomery. Celles-ci venaient dans l'intention de persuader les Montréalais de s'unir aux colonies américaines dans leur lutte contre l'Angleterre. Elles restèrent sept mois durant lesquels de nombreux grands hommes, dont Benjamin Franklin, vinrent à Montréal. Au début de l'année 1776, ces troupes partirent pour Québec où elles furent défaites par l'armée anglaise.

Le 19e siècle

La fin du 18e s. et le début du 19e s. marquèrent l'âge d'or du commerce des fourrures à Montréal. Des comptoirs furent ouverts partout dans le Nord du Canada où les Amérindiens des nations locales apportaient, en échange de marchandises diverses, des peaux qui étaient ensuite expédiées à Montréal par canot. En 1783 fut fondée la **Compagnie du Nord-Ouest**, où se trouvèrent associées quelques-unes des grandes figures de leur temps : Fraser, Frobisher, Mackenzie, McGill, McGillivray, McTavish et Thompson. Avec d'autres, ils fondèrent le **Beaver Club** (Club des Castors), où se réunissaient les négociants en fourrures qui avaient connu les durs hivers du Nord-Ouest.

En 1821, la fusion de la Compagnie du Nord-Ouest et de sa grande rivale, la **Compagnie de la baie d'Hudson**, marqua le début du déclin de Montréal dans ce négoce. Cette dernière exportait ses fourrures en Europe en passant par la baie d'Hudson, de sorte que le rôle joué par Montréal alla s'amenuisant. Montréal n'avait pas participé à la guerre d'Indépendance américaine, mais en 1837, la ville et toute la région se trouvèrent au cœur d'une révolte contre le gouvernement anglais : la **Rébellion des Patriotes**. La colonie était administrée par un gouverneur nommé par le roi d'Angleterre, et par un conseil lui-même nommé par le gouverneur. Il y avait aussi une assemblée élue, mais dont les propositions restaient le plus souvent lettre morte. Chez les Canadiens français, d'éminentes personnalités comme **Louis-Joseph Papineau** et **George-Étienne Cartier** protestèrent contre cette situation. À la suite de nombreuses pétitions, le gouvernement anglais prit acte des causes de la rébellion, et accorda par la suite aux Canadiens français un gouvernement représentatif.

Louis-Joseph Papineau, après plusieurs années d'exil, fit un bref retour à la politique, puis se retira à Montebello. George-Étienne Cartier poursuivit quant à lui sa carrière, et devint un éminent homme politique au Québec et l'un des pères de la Confédération canadienne.

Une industrie en plein essor

Vers 1820 débuta la conversion de l'économie montréalaise vers le commerce et l'import-export. La création de la Banque de Montréal (1817) et celle du Board of Trade (1822) par la communauté anglophone firent de la rue St-Jacques le centre financier de la ville, du Québec et même du Canada, grâce à des investissements dans le secteur des transports. La rue St-Jacques demeurait toujours le centre économique de Montréal, avec les sièges sociaux des institutions financières et bancaires et la Bourse de Montréal. Le dynamisme économique de la communauté anglophone s'était alimenté, depuis 1815, d'une immigration britannique, surtout irlandaise, qui fit de Montréal, entre 1831 et 1865, une ville essentiellement anglophone, avant que l'émigration rurale canadienne française ne lui redonnât son visage francophone.

L'industrialisation s'amorça vers 1840 grâce à l'agrandissement du **canal de Lachine** qui, depuis 1825, permettait à la navigation d'éviter les rapides du même nom. Un système de canalisation, aménagé sur le St-Laurent jusqu'aux Grands Lacs et sur la rivière Richelieu jusqu'à New York via le lac Champlain et l'Hudson, ouvrit de nouveaux axes commerciaux rapidement concurrencés par le chemin de fer. La première et courte ligne de chemin de fer (1836) relia La Prairie, sur la rive sud, à St-Jean-sur-Richelieu. Montréal devint rapidement le lieu de financement, de construction, d'embauche et d'entretien du système ferroviaire. En témoigne l'ouverture (1859) du pont Victoria, qui permet de franchir le fleuve et de développer un axe ferroviaire nord-sud entre Montréal et le Vermont.

Ville de confluence, Montréal le fut encore par son **port** dont l'expansion tint aussi au chemin de fer qui traversa le Canada de l'Atlantique au Pacifique, en 1885. Le développement des provinces des Prairies créa alors un nouveau marché pour la ville : à l'aller, les céréales venaient, par chemin de fer, remplir les silos à grains du port en vue de l'exportation atlantique ; au retour, les wagons apportaient dans l'ouest les produits manufacturés à Montréal.

Le 20e siècle

La crise économique des années 1930 mit fin à la période de croissance qui avait suivi la Première Guerre mondiale. Le manque de ressources financières augmenta le nombre de personnes au chômage, et partout, les silhouettes de projets inachevés se multiplièrent dans Montréal.

Prospérité et dynamisme se retrouvèrent lors des années d'après-guerre, et sous l'administration du maire Jean Drapeau, le centre-ville et l'est de Montréal connurent une restauration complète.

Depuis les années 1960, Montréal est l'hôte d'événements internationaux d'importance, tel **Expo'67** (en commémoration du centenaire de la Confédération canadienne) qu'accueillent entre autres deux grandes salles d'expositions : le **Palais des congrès** et la **place Bonaventure**, l'un des plus vastes bâtiments d'Amérique du Nord (notez qu'au Québec, le mot « place » s'emploie souvent pour décrire des espaces intérieurs ou des centres commerciaux). En 1976, la ville accueille les **Jeux olympiques** d'été et édifie à cette occasion l'imposant **Parc olympique** qui se dresse dans le quartier ouest.

Montréal ne cesse d'évoluer. Le visiteur sera marqué par les zones de travaux qui parsèment la ville, réhabilitant des îlots entiers d'où émergent bientôt de nouveaux quartiers. Celui des Spectacles, dont l'aménagement devrait s'achever en 2012, en est la parfaite illustration. La ville se métamorphose avec le souci de conserver son caractère multiculturel. Une diversité humaine et architecturale si manifeste que souvent les cinéastes tournent ici pour figurer les rues de villes aussi bien européennes qu'asiatiques ou new-yorkaises !

À l'image de son urbanisme, la vie culturelle est en perpétuelle effervescence. La scène musicale a toujours fait preuve de dynamisme (Léonard Cohen est né à Montréal et le groupe Arcade Fire est l'un des fers de lance du rock contemporain), mais cette créativité se retrouve dans bien des domaines. Montréal fut ainsi désignée en 2006 ville du design par l'UNESCO. Tous les ans au printemps, la ville organise un circuit portes ouvertes du design à travers les ateliers et lieux d'expositions, l'occasion de découvrir l'étendue et la variété de l'inventivité dans ce secteur (design graphique, création numérique, textile, objets…).

bâtiments commerciaux de la fin du 19ᵉ s. et du début du 20ᵉ s. qui lui confèrent une remarquable unité architecturale. Citons en particulier l'**édifice Canada Life Assurance** *(n° 275)*, premier gratte-ciel montréalais à la charpente d'acier (1895), et la **Banque de Commerce impériale du Canada** *(n° 265 - lun.-vend. 9h30-16h)*, dont la façade est ornée de colonnes corinthiennes. À l'intérieur s'ouvre une **salle bancaire** monumentale. Le déclin du quartier s'accéléra lorsque les principales institutions financières transférèrent leur siège social au centre-ville de Montréal ou à Toronto. Aujourd'hui cependant, la rue connaît un certain renouveau grâce aux importants bâtiments qui s'y construisent, tandis que ses anciens édifices ont été convertis en logements et en bureaux.

À l'ouest s'élève la **tour de la Bourse★** *(800 pl. Victoria - www.tourdelabourse. com)*. Construite en 1964, cette structure de 47 étages abrite comme il se doit la Bourse de Montréal.

★ Banque Royale du Canada
360 r. St-Jacques - 𝒞 *514 874 2959 -* ♿ *- lun.-vend. 10h-16h - fermé j. fériés.*
Il s'agit du premier édifice (1928) élevé après la modification de la réglementation de zonage de 1924. Inspirée du modèle new-yorkais, elle définissait

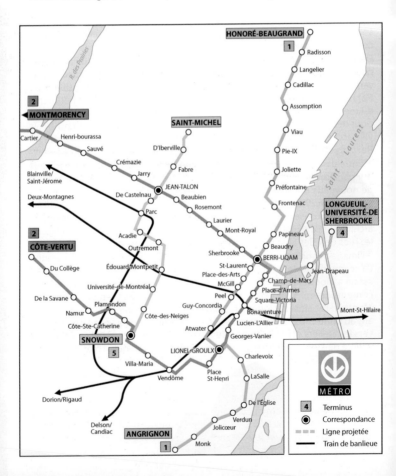

la hauteur et le volume des bâtiments par rapport à la largeur des rues, de manière à éviter que celles-ci ne deviennent trop obscures. Elle autorisait les constructions de plus de dix étages, à condition que les niveaux supérieurs soient bâtis en décrochement.

Avec ses 20 étages, l'édifice de la Banque Royale était, à l'époque de sa construction, l'immeuble le plus élevé de tout l'Empire britannique. D'une majestueuse sévérité, sa partie inférieure, inspirée du style néo-Renaissance, rappelle le théâtre San Carlo de Naples. L'autre côté de la rue St-Jacques offre une vue d'ensemble de cette tour dont le faîte a longtemps dominé le quartier des affaires de Montréal. L'édifice est resté le siège social de la banque jusqu'à l'ouverture de la tour de la Banque royale du Canada, place Ville-Marie, en 1962.

Intérieur – Les portails de bronze s'ouvrent sur un vaste vestibule orné d'un plafond voûté en caissons richement décoré de motifs floraux couleurs bleu, rose et or. Noter aussi les belles portes des ascenseurs situés dans les couloirs à droite du vestibule. Un escalier de marbre mène à l'immense **salle bancaire** de 45 m de long, 14 m de large et 14 m de haut.

Empruntez la rue St-Jacques vers l'est. Tournez à droite dans la rue St-Jean.

DHC/ART - Fondation pour l'art contemporain
451 et 468 r. St-Jean - 𝒫 514 849 3742 - www.dhc-art.org - merc.-vend. 12h-19h, w.-end 11h-18h.

Inauguré en 2007, cet espace a pour objectif la promotion des arts visuels. Photographies, montages vidéo, films invitent le visiteur à entrer dans l'univers des artistes. Les expositions peuvent être thématiques, rétrospectives ou laissées au choix de l'exposant.

Revenez sur la rue St-Jacques et continuez vers l'est.

★ Place d'Armes
🕐*Place-d'Armes.* Lorsqu'il fut nommé supérieur des sulpiciens en 1670, Dollier de Casson établit le plan de la ville de Montréal. Il fixa le tracé des nouvelles rues au nord de la rue St-Paul et dessina une grande place au centre de laquelle il projetait la construction de la basilique Notre-Dame. Selon la légende, c'est à cet emplacement qu'aurait eu lieu, en 1644, la bataille au cours de laquelle Maisonneuve lui-même tua le chef amérindien local et mit en fuite deux cents de ses guerriers.

La place d'Armes, ainsi nommée depuis 1723, servait traditionnellement de terrain de manœuvres pour les troupes qui venaient présenter les armes au souverain ou à son représentant, en l'occurrence les Messieurs de St-Sulpice, seigneurs de l'île de Montréal. En 1775-1776, lors de l'occupation américaine, des vandales mutilèrent le buste de George III qui en ornait le centre. Retrouvée dans l'ancien puits de la place, la statue est désormais conservée au musée McCord *(voir p. 115).* En 1832, la place fut par ailleurs le théâtre d'une émeute électorale contre les Tories, menée par le légendaire **Jos Montferrand**, que Gilles Vigneault immortalisa dans ses chansons. L'endroit, dont les travaux de rafraîchissement devraient être achevés lorsque vous lirez ces lignes, est aujourd'hui entouré d'immeubles prestigieux, érigés pour la plupart par de grandes banques et des sociétés commerciales de renom.

★ **Monument de Maisonneuve** (1) – Au centre de la place d'Armes, un monument est dédié à la mémoire de Paul de Chomedey, **sieur de Maisonneuve** et fondateur de Montréal (1612-1676). Ce chef-d'œuvre de Louis-Philippe Hébert fut réalisé pour célébrer le 250ᵉ anniversaire de la ville en 1892. Il représente Maisonneuve debout, brandissant la bannière de France. À la base du socle

1

figurent les personnages clés de l'histoire de Montréal : Jeanne Mance, fondatrice de l'Hôtel-Dieu ; Lambert Closse, défenseur du fort, et son chien Pilote qui, le premier, entendit l'armée se rapprocher et donna l'alarme ; Charles Le Moyne, dont le fusil et la faucille évoquent la vie des pionniers ; et un guerrier iroquois.

Le bas-relief comporte ces mots inspirés du sermon prononcé par le père Vimont lors de la première messe, dite à Montréal en 1642 : « Vous êtes le grain de sénevé qui croîtra, et multipliera et se répandra dans tout le pays. »

Édifice New York Life Insurance – *Au n° 511.* Pastiche des styles roman et Renaissance, ce bâtiment de grès rouge (1888) fut, avec ses huit étages, le premier « gratte-ciel » de la ville. Alors qu'à cette époque, l'usage de l'acier commençait à se répandre largement comme moyen de support intérieur, la structure des planchers de ce bâtiment était encore portée par les murs.

Édifice Aldred – *Au n° 507.* La forme et l'ornementation de ce gratte-ciel Art déco (1930) s'inspirent du Rockefeller Center de New York, qui était alors en construction.

★ Banque de Montréal
119 r. St-Jacques - lun.-vend. 9h-17h.

La principale succursale de la plus vieille banque du Canada occupe un bâtiment dont l'imposante façade, semblable au Panthéon de Rome, domine le côté nord de la place d'Armes. Avec le marché Bonsecours, c'est l'un des édifices néoclassiques les plus achevés de Montréal. Il fut bâti en 1847. Son intérieur, redécoré en 1905, s'ouvre sur un hall d'entrée situé sous le dôme ; d'énormes colonnes de granit vert mènent à une imposante **salle bancaire** au beau plafond à caissons.

Musée – *À gauche de l'entrée, traversez les portes à tambour -* ℘ *514 877 6810 - lun.-vend. 10h-16h - fermé principaux j. fériés.* Il abrite une exposition sur le patrimoine historique de la banque, ainsi qu'une collection de billets et d'amusantes tirelires mécaniques.

★★★ Basilique Notre-Dame
110 r. Notre-Dame Ouest - ℘ *514 842 2925 - www.basiliquenddm.org - &. - 8h-16h30, sam. 8h-16h, dim. 12h30-16h - 5 $.*

Seigneurs de l'île de Montréal, les **sulpiciens** s'opposèrent longtemps au morcellement de leur territoire au profit d'églises paroissiales relevant de l'évêque de Québec. De peur de voir s'amenuiser leur puissance, ils décidèrent d'édifier ce monument assez grand pour réunir tous leurs fidèles dans une seule église (elle peut contenir quelque 3 500 personnes). Malgré leurs efforts, le diocèse de Montréal fut établi en 1830, et l'île découpée en plusieurs paroisses.

Les tours jumelles de l'édifice religieux le plus célèbre de Montréal s'élèvent à plus de 69 m, à l'angle sud de la place d'Armes. C'est l'architecte John Ostell qui, en 1843, les fit terminer d'après les plans d'origine. Faute de fonds, l'intérieur ne fut achevé qu'après 1870, sous la responsabilité de Victor Bourgeau. Elles dominaient autrefois toute la ville, mais sont aujourd'hui écrasées par la masse imposante des immeubles de bureaux et des établissements financiers environnants.

Première église néogothique du Québec, Notre-Dame fut construite selon les plans de James O'Donnell (1774-1829), architecte irlandais établi à New York, qui en surveilla la construction de 1824 à 1829. Converti au catholicisme, O'Donnell put se faire enterrer dans la crypte. C'est aussi le premier édifice important réalisé en pierre de taille à Montréal. Sa construction nécessita l'ouverture de nouvelles carrières et la formation de nombreux tailleurs de

Basilique Notre-Dame.
SuperStock/Age Fotostock

pierre. Les trois statues de la façade représentent la Vierge Marie, saint Joseph et saint Jean-Baptiste. Œuvres de Baccirini, elles furent achetées en Italie. La tour est (La Tempérance) abrite un carillon à dix cloches. La tour ouest (La Persévérance) contient « Jean-Baptiste », célèbre bourdon de 10 900 kg, fondu à Londres et uniquement utilisé pour les grandes occasions.

Intérieur – L'église est divisée en une nef et deux bas-côtés, chacun dotés de deux étages de galeries. Tout en respectant ces éléments, alors nouveaux au Québec, l'architecte Victor Bourgeau a réaménagé l'intérieur et enrichi le décor entre 1872 et 1880, dans la tradition de l'Église catholique du Québec : abondance de sculptures, boiseries et dorures. Pour bien différencier cette architecture néogothique de celle des églises non catholiques, il s'est inspiré du mobilier et des ornements du gothique français.

Véritable galerie d'art religieux, l'intérieur ne cesse de surprendre par sa beauté et sa richesse. Finement sculpté, peint et doré (or 22 carats), le décor en pin est particulièrement remarquable. La nef, longue de 68 m, large de 21 m, et haute de 25 m, descend en pente douce vers l'autel, suivant ainsi l'inclinaison naturelle du terrain ; l'espace intérieur est illuminé par trois rosaces perçant la voûte polychrome. Le maître-autel et son **retable** ont été dessinés par Victor Bourgeau et sculptés par Henri Bouriché. Les statues centrales en chêne blanc, représentent des personnages de la Bible, contrastent avec le fond bleu ciel. Dans la **chaire★** en noyer noir, entièrement sculptée, sont incorporées de nombreuses statues, œuvres de Louis-Philippe Hébert ; celles d'Ézéchiel et Jérémie, à la base, sont parmi les plus remarquables. Les **vitraux** de la partie basse illustrent des scènes de l'histoire de Montréal ; dessinés par Jean-Baptiste Lagacé et exécutés par la maison Chigot de Limoges, en France, ils furent commandés en 1929, à l'occasion du centenaire de l'église, et installés en 1931. L'**orgue** monumental (1887) – l'un des plus grands du monde – est l'œuvre des frères Casavant de St-Hyacinthe. Il compte 6 800 tuyaux, 84 jeux disposés sur quatre claviers et un pédalier. Le baptistère, à droite de l'entrée, fut construit et décoré par Ozias Leduc en 1927.

LA COMPAGNIE DE SAINT-SULPICE

Cet ordre, fondé en 1641 à Paris par l'abbé Jean-Jacques Olier, vint établir un séminaire à Montréal en 1657. En 1663, la Compagnie de St-Sulpice achetait à la Société de Notre-Dame la mission de Ville-Marie, ses titres de propriété et son pouvoir seigneurial. En leur qualité de seigneurs de l'île, les sulpiciens jouissaient d'une grande autorité sur la population ; c'est ainsi qu'ils construisirent la **basilique Notre-Dame**. Le séminaire fit également office de centre administratif à Ville-Marie. De nos jours, il sert encore de résidence aux sulpiciens.

🙂 **Bon à savoir** – Dotée d'une excellente acoustique, Notre-Dame est un lieu de prédilection pour les concerts, en particulier ceux de l'Orchestre symphonique de Montréal. On y donne également des récitals d'orgue.

Chapelle Notre-Dame du Sacré-Cœur – *Entrée derrière le chœur.* En 1891, une chapelle destinée à la célébration des mariages et aux cérémonies qui réclamaient moins de faste fut ajoutée à l'église. Ravagée par un incendie en 1978, elle fut rouverte en 1982. On notera la profusion de ses ornements, comprenant des éléments de l'ancienne chapelle et d'autres plus récents. La voûte est en acier recouvert de bois de tilleul ; sur les côtés, des lanternaux laissent passer la lumière du jour. Œuvre de Charles Daudelin, un impressionnant **retable** de bronze (fondu en Angleterre) domine la chapelle ; il se compose de 32 panneaux atteignant 17 m de haut, 6 m de large et pesant plus de 20 t, et représente le long et difficile cheminement d'un homme pour atteindre les cieux.

★ Vieux Séminaire de Saint-Sulpice

130 r. Notre-Dame Ouest. Fermé au public.

Ce bâtiment de pierre qui jouxte Notre-Dame est le plus ancien de Montréal. Il fut construit en 1685 à la demande de **Dollier de Casson** (1636-1701), supérieur des Messieurs de St-Sulpice et premier historien de la ville, pour servir de résidence et de centre de formation aux membres de la congrégation.

À l'image de nombreux autres édifices de Montréal, l'architecture du séminaire présente certaines caractéristiques du classicisme français du 17e s. Son plan en U, de style palatial, fut repris par tous les ordres religieux de l'île de Montréal. Le bâtiment principal, surmonté d'un toit mansardé, fut agrandi en 1704 puis en 1712, selon les directives du sulpicien Vachon de Belmont (1654-1732). Deux ailes entourant une cour d'honneur furent ajoutées à cette époque ainsi que des tourelles avec des escaliers, à la jonction des principaux bâtiments. Le séminaire soustrait à la vue le grand jardin qui, jusqu'au 19e s., dégageait une perspective vers le St-Laurent.

L'**horloge** de la façade, créée à Paris, fut installée en 1701 ; son cadran fut gravé par Paul Labrosse et doré par les sœurs de la Congrégation de Notre-Dame. Elle passe pour la plus ancienne horloge publique d'Amérique du Nord (son mouvement, entièrement en bois, fut remplacé par un mécanisme électrique en 1966).

Descendez la rue St-Sulpice.

Cours Le Royer

Quadrilatère formé par les rues St-Dizier, de Brésoles, Le Royer et St-Paul.

Sur le site de l'ancien Hôtel-Dieu de Montréal furent construits à partir de 1861 des entrepôts. Dessinés d'après les plans de Victor Bourgeau, ils furent reconvertis à des fins d'habitation dans les années 1980. Ce projet à grande échelle conduisit à la transformation du Vieux-Montréal en quartier résidentiel. L'architecture proto-rationaliste des immeubles domine une charmante cour agrémentée de jardinières.

Suivez la rue St-Dizier jusqu'à la rue St-Paul, puis tournez à gauche.

★★ Rue Saint-Paul

Tout comme la rue Notre-Dame, cette voie étroite est l'une des plus anciennes de Montréal. C'était à l'origine un sentier reliant le fort à l'Hôtel-Dieu, qui longeait la rive du St-Laurent, ce qui explique son parcours sinueux. En 1672, Dollier de Casson en régularisa le tracé lorsqu'il établit son plan de ville. Il lui donna le nom de rue St-Paul, en l'honneur de Paul de Chomedey, sieur de Maisonneuve. Aujourd'hui, la petite artère est bordée de beaux bâtiments du 19ᵉ s. aux proportions harmonieuses. Dans la section comprise entre le boulevard St-Laurent et la place Jacques-Cartier, les entrepôts d'autrefois ont été transformés en boutiques et ateliers d'artistes.

Petit détour possible pour voir l'**auberge St-Gabriel** *(426 r. St-Gabriel)*, construite en 1754, et aujourd'hui transformée en restaurant.

★★ Place Jacques-Cartier

🕐 *Champ-de-Mars.* C'est en 1847 que le Conseil de la Ville donna officiellement son nom à la place pour honorer la mémoire du célèbre explorateur Jacques Cartier dont le navire aurait mouillé non loin de là, en 1535. Au début du 18ᵉ s., le marquis de Vaudreuil fit construire en cet endroit un château dont l'emplacement est aujourd'hui couvert de parterres fleuris ; le bâtiment fut détruit par un incendie en 1803. On y ouvrit alors un marché aux fruits, légumes et fleurs, qui se tint sur cette place jusqu'à la construction du marché Bonsecours. Aujourd'hui, avec ses terrasses de café, ses artistes ambulants, ses restaurants installés dans nombre des immeubles du début du 19ᵉ s. qui la bordent, la place Jacques-Cartier bénéficie, surtout pendant la période estivale, d'une fabuleuse animation nocturne.

À l'extrémité nord de la place, une colonne de 15 m supporte la statue de **Horatio Nelson** (2). Le monument, érigé en 1809, fut le premier à glorifier l'amiral (1758-1805), vainqueur des Français et des Espagnols à la bataille de Trafalgar (la colonne de Trafalgar Square, à Londres, ne date que de 1842).

Notez à l'angle ouest de la rue Notre-Dame, le **Bureau d'accueil touristique**, installé dans les anciens locaux d'un café autrefois réputé, le Silver Dollar Saloon. Son plancher, incrusté de 300 dollars en argent, faisait dire aux clients « qu'ils marchaient sur une fortune ».

Partant de la place Jacques-Cartier, la petite **rue St-Amable** est bien connue pour ses artistes qui, l'été, y exposent et vendent des œuvres représentant Montréal et son vieux quartier. Elle a hérité du nom de l'épouse de Jacques Viger, premier maire de la ville.

★ Hôtel de ville

275 r. Notre-Dame Est, au nord de la pl. Jacques-Cartier - 🖉 *514 872 3355 - www. ville.montreal.qc.ca -* ♿ *- visite guidée en été (1h) - lun.-vend. 8h30-16h30 - fermé principaux j. fériés.*

Premier de son genre à avoir introduit au Québec le style Second Empire, le bâtiment de l'hôtel de ville fut construit dans les années 1870. Ravagé par un incendie en 1922, il fut reconstruit par Joseph-Omer Marchand qui, réutilisant les murs existants, rehaussa la structure d'un étage. C'est du balcon central, juste au-dessus de l'entrée principale, que le général de Gaulle, en 1967, lança son inoubliable : « Vive le Québec libre ! »

À l'intérieur, près de la porte, sont exposées deux copies en bronze de sculptures d'Alfred Laliberté : *Le Semeur* et *La Femme au seau*. L'élégant **hall**

MONTRÉAL CENTRE-VILLE

0 ——— 400 m
0 ——— 1/4 mi

▬▬ Croisières du port 🚌 Amphibus

▬▬ Expéditions dans les rapides de Lachine

1.....Monument de Maisonneuve
2.....Horatio Nelson
3.....Obélisque: Les Pionniers
4.....Sir Wilfrid Laurier
5.....Sir John A. Macdonald
6.....Régiment canadien de cavalerie de Lord Strathcona
7.....Statue du Lion de Belfort
8.....Robert Burns

Rue Prince-Arthur · Rue Milton · Avenue du Parc · Rue Hutchinson · Rue Jeanne- · Rue Sherbrooke · Bd. R. Ontario · Sherbrin

Place des Arts · Salle Wilfrid-Pelletier · Place des Arts · Complexe Théâtral

138

Musée d'Art Contemporain · Place des Festivals

Av. des Pins · Rue · Parc Rutherford · UNIVERSITÉ · Rue University · Rue McTavish · Rue du President-kennedy · Rue City Councillors · Ste-Catherine · Rue St-Alexandre · de · Bleu

Pavillon des Arts · McGILL · Musée McCord · Musée Redpath · Place Mercantile · McGill · Place de la Cathédrale · Les Promenades de la Cathédrale · La Baie · 10

Portail Roddick · 11 · Ultramar · Eaton Centre · BNP · Phillips Square · Christ Church

Industrielle Vie · Avenue College · McGill · Complexe des Ailes · Beaver

Docteur Penfield · Rue Peel · Rue Stanley · Place Montréal Trust · Metcalfe · Mansfield · Banque Royale · Union · Université

Rue Drummond · Maison Alcan · Peel · Place Ville-Marie · Gare Centrale

Av. du Musée · Ritz-Carlton · Édifice Dominion Square · i · Sun Life · La Reine Elizabeth · Place Bonaventure

Le Pavillon Jean-Noël Desmarais · Mo · Square Dorchester · Windsor · ·8 ·6 ·4 · ·9 · Marie-Reine-du-Monde

Musée des Beaux-Arts · ·5 · Place du Canada · 1000 de la Gauchetière

St. Andrew and St. Paul · Rue · Ogilvy · Banque du Commerce · La Laurentienne · Château Champlain

138 · Concordia University · Bishop · St-George's · Bonaventure · 112 · St-

Rue Guy · Guy-Concordia · Crescent · René-Lévesque · Centre Bell · Lucien-L'Allier · Gare Windsor

Centre canadien d'Architecture

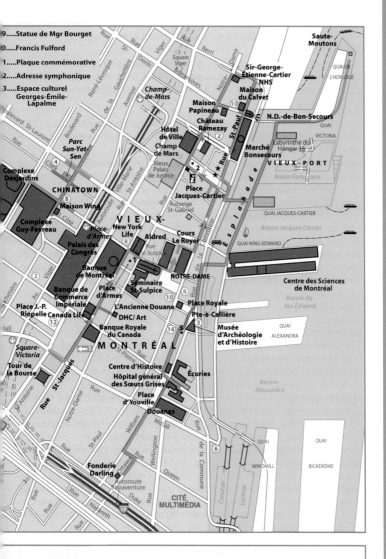

9.....Statue de Mgr Bourget
0.....Francis Fulford
1.....Plaque commémorative
2.....Adresse symphonique
3.....Espace culturel Georges-Émile-Lapalme

SE RESTAURER

Arrivage (L')	③	
Club Chasse et Pêche (Le)	②	
Cristal de Saïgon (Le)	④	
Müvbox	⑥	
Pavillon Nanpic (Le)	⑧	
Petit Moulinsart (Le)	⑩	
Stash Café	⑭	
Toqué!	⑫	

d'honneur (31 m de long sur 12 m de large), au sol et aux murs revêtus de marbre, est éclairé par un lustre de bronze pesant plus d'une tonne. Lorsqu'il ne se tient pas de séances, on peut voir la **Chambre du Conseil** *(accès par le passage sous l'horloge)* dont les vitraux illustrent certains aspects de la vie à Montréal dans les années 1920.

Rendez-vous à l'arrière de l'hôtel de ville où s'ouvre une superbe vue sur le centre-ville. Des fouilles sur le **Champ-de-Mars**, désormais un vaste espace planté de pelouse, ont révélé les bases d'un mur de fortification en pierre.

★ Château Ramezay

280 r. Notre-Dame Est - 🖉 *514 861 3708 - www.chateauramezay.qc.ca -* ✕ ♿ *- juin-sept. : 10h-18h ; reste de l'année : mar.-dim. 10h-16h30 - fermé 1ᵉʳ-2 janv. et 25-26 déc. - 10 $ (5-17 ans 5 $).*

Face à l'hôtel de ville se trouve l'un des plus beaux exemples de l'architecture domestique des débuts du 18ᵉ s. Le bâtiment, caractérisé par une maçonnerie de moellons et par un toit de cuivre percé de lucarnes, fut construit en 1705 pour Claude de Ramezay (1659-1724), onzième gouverneur de Montréal sous le Régime français. Il subit de nombreuses transformations tout en gardant sensiblement le même aspect, exception faite de la tour, qui fut ajoutée au début du 20ᵉ s. En 1745, les héritiers de Ramezay vendirent le château à la **Compagnie des Indes**, qui le fit reconstruire en 1756 par le maître-maçon Paul Tessier, dit Lavigne. L'ancien corps de logis fut doublé, ce qui permit d'y ajouter un « appartement » et de le doter d'imposantes voûtes et de murs coupe-feu.

La maison n'acquit le titre de château qu'après la Conquête, lorsque les gouverneurs britanniques s'y installèrent. Ils occupèrent l'édifice de 1764 à 1849, à l'exception d'une période de sept mois (1775-1776), durant l'occupation américaine, où le château servit de quartier général à l'armée de Richard Montgomery. Benjamin Franklin, envoyé en mission diplomatique, y fit alors un bref séjour. En 1929, le château Ramezay fut l'un des trois premiers monuments à être classés en vertu de la loi relative aux monuments historiques du Québec, avec l'église N.-D.-des-Victoires, à Québec, et la maison des Jésuites, à Sillery.

Musée – Restauré et aménagé en musée en 1895, l'édifice est dédié à l'histoire politique, économique et sociale de Montréal. À l'étage principal, plusieurs salles présentent des objets issus de la collection permanente : mobilier, tableaux, journaux, lettres manuscrites, billets, livres, armes, objets usuels divers illustrant la vie d'Hochelaga, de Ville-Marie puis de Montréal. On remarquera tout particulièrement la salle des **lambris**. Réalisées à Nantes (France), ces boiseries en acajou sculpté ornaient jadis les locaux de la Compagnie des Indes. Elles sont attribuées à Germain Boffrand (1667-1754), architecte français qui instaura le style Louis XV. Envoyées à Montréal pour orner le pavillon français durant l'Expo'67, elles furent finalement installées dans le château Ramezay en raison des liens historiques entre la Compagnie et le bâtiment.

Doté de remarquables voûtes, le sous-sol reproduit un quartier de domestiques (cuisine, salle commune) et aborde certains aspects de l'artisanat traditionnel (outils du bardeleur, reconstitution d'une forge, appareils de fabrication de la fibre textile). Costumes. Des expositions temporaires clôturent la visite.

Continuez vers l'est par la rue Notre-Dame jusqu'à l'intersection avec la rue Bonsecours.

Maison Papineau

440 r. Bonsecours. Ce grand bâtiment fut édifié en 1785 par Jean-Baptiste Cérat, dit « Coquillard ». Avec son toit à forte pente percé de deux rangées de lucarnes et sa porte cochère donnant accès à une arrière-cour, c'est une maison typique du Régime français. Au cours de sa reconstruction, en 1831, les murs

> **PIERRE DU CALVET (1735-1786)**
> Marchand français huguenot arrivé à Montréal en 1758, il fut le plus célèbre occupant de la maison qui porte son nom. Après avoir offert ses services aux Anglais en 1760, il fit de même auprès des Américains en 1775. Ce changement de cap lui valut d'être emprisonné pour trahison en 1780. Libéré en 1784, il s'embarqua pour Londres en 1786 afin d'obtenir réparation. Il périt lors de son voyage de retour au cours duquel son navire sombra.

de pierre d'origine furent revêtus de bois sculpté et peint en imitant la pierre de taille. Ce procédé venait apposer un fini néoclassique sur une construction traditionnelle. La maison resta dans la famille Papineau pendant six générations. **Louis-Joseph Papineau** (1786-1871), chef du parti des Patriotes, y résida périodiquement entre 1814 et 1837.

La charmante **vue** sur la petite chapelle N.-D.-de-Bon-Secours, vers le fleuve, est l'une des plus photographiées de la ville.

Revenez sur vos pas et poursuivez vers l'est jusqu'à l'angle de la rue Berri.

★ Lieu historique national du Canada de Sir-George-Étienne-Cartier (Sir-George-Étienne-Cartier NHS)

458 r. Notre-Dame Est - ℘ 514 283 2282 - www.pc.gc.ca/cartier - ♿ - juin-août : 10h-17h30 ; avr.-mai et sept.-déc. : merc.-dim. 10h-12h, 13h-17h - fermé janv.-mars - 3,90 $ (enf. 1,90 $).

Ce bâtiment en pierre de taille coiffé d'un toit en fausse mansarde se compose de deux maisons indépendantes, reliées l'une à l'autre par un ancien passage cocher servant aujourd'hui d'espace d'accueil. Véritable géant de la vie politique canadienne au 19e s., membre influent du cabinet de Sir John A. Macdonald jusqu'à sa mort, **George-Étienne Cartier** (1814-1873) y résida de façon intermittente entre 1848 et 1872.

Un bref panorama de la société montréalaise au 19e s. précède l'exposition évoquant la vie et l'œuvre de Cartier, son éducation et son rôle dans l'avènement des chemins de fer, la Confédération et l'élargissement du territoire canadien. Méticuleusement restaurée, la maison ouest a pour but de recréer l'ambiance cossue d'une demeure victorienne de la bourgeoisie moyenne plutôt que de reconstituer la demeure des Cartier à proprement parler. Car si beaucoup de ses meubles sont d'époque, très peu leur ont appartenu. Visite guidée par des comédiens en costume en saison.

Descendez la rue Berri et prenez à droite la rue St-Paul.

★ Maison du Calvet

401 r. Bonsecours, à l'angle de la rue St-Paul Est.

Construite en 1725, cette demeure est le meilleur exemple de maison urbaine traditionnelle à Montréal, avec ses murs en pierre sans ornement de bois, ses murs coupe-feu (partie de mur qui protège des étincelles) débordant sur consoles, ses hautes cheminées inscrites dans de larges pignons et sa toiture à pente sans lucarnes. L'attique, percé de trois petites fenêtres, évoque les toits mansardés caractéristiques de l'architecture des loyalistes. À l'intérieur, occupé aujourd'hui par un café, subsiste une intéressante charpente typique du 18e s.

★ Chapelle Notre-Dame-de-Bon-Secours

400 r. St-Paul Est - ℘ 514 282 8670 - www.marguerite-bourgeoys.com - mai-oct. : mar.-dim. 10h-17h30 ; mars-avr. et de nov. à mi-janv. : mar.-dim. 11h-15h30 - fermé de mi-janv. à fin fév. - musée 10 $ (enf. 5 $).

Ce petit édifice est surtout remarquable pour son clocher recouvert de cuivre et sa statue de la Vierge (hauteur : 9 m ; sculpteur : Philippe Laperle). Commandée par Marguerite Bourgeoys en 1657 et inaugurée en 1678, la chapelle d'origine, en pierre, fut détruite par un incendie en 1754. L'édifice actuel date donc du milieu du 18e s. À la fin du 19e s., sa façade fut élevée et son intérieur entièrement redécoré. L'abside fut reconstruite de 1892 à 1894 pour accueillir la statue de la Vierge. Une « chapelle aérienne » et un belvédère furent également ajoutés. Ce dernier, accessible par la tour *(montez 100 marches)*, offre une **vue panoramique★** sur le St-Laurent, l'île Ste-Hélène, le pont Jacques-Cartier et le Vieux-Port.

Notre-Dame-de-Bon-Secours est surnommée « l'église des marins », car en remerciement d'une grâce obtenue ou d'un vœu exaucé, ceux-ci avaient pour coutume d'offrir des ex-voto. La chapelle latérale, à gauche de l'autel, abrite une madone en chêne sculpté, originaire de Belgique, retrouvée intacte après plusieurs incendies et un vol. Sous la nef ont été dégagés les murs de fondation de la première chapelle et les empreintes de pieux d'une palissade de bois datant de 1709, ainsi que des vestiges amérindiens (400 av. J.-C.).

Musée Marguerite-Bourgeoys – Une ancienne école, attenante à la chapelle, ainsi que la tour et la crypte abritent désormais plusieurs salles consacrées à la vie et l'œuvre de **Marguerite Bourgeoys** (1620-1700). Arrivée à Ville-Marie en 1653, elle fut la fondatrice de la première congrégation canadienne de sœurs non cloîtrées, la congrégation de Notre-Dame, et pendant des années, s'occupa des **Filles du Roy**. Les collections du musée, comprenant des scènes naïves qui animent 58 vitrines décorées à la façon des maisons de poupées d'antan, évoquent la vie de la célèbre religieuse canonisée en 1982.

Empruntez la rue St-Paul Est vers l'ouest.

★ Marché Bonsecours

350 r. St-Paul Est - ☎ 514 872 7730 - www.marchebonsecours.qc.ca - ✗ ♿ 🅿 - de janv. à déb. mai et nov.-déc. : 10h-18h ; de mai à fin juin : dim.-jeu. 10h-18h, vend.-sam. 10h-21h ; de fin juin à déb. sept. : 10h-21h ; de déb. sept. à oct. : dim.-mer. 10h-18h, jeu.-vend. 10h-21h, sam. 10h-19h.

Construit pour abriter le premier marché intérieur de Montréal, cet édifice (1845) occupe le site de l'ancien palais de l'intendant, démoli en 1796. Avec sa façade de pierre de taille, longue de 163 m, et sa haute coupole, cette élégante construction est encore plus intéressante du côté du fleuve. Les étals occupaient le rez-de-chaussée et s'ouvraient par de grandes baies sur l'extérieur. Après l'incendie du Parlement en 1849, le marché devint le siège de l'Assemblée du Canada-Uni. De 1852 à 1878, il servit d'hôtel de ville, et se prête aujourd'hui à des locations privées d'espaces (charmantes boutiques d'artisanat, expositions thématiques et autres).

Continuez vers l'ouest par la rue St-Paul Est, en rejoignant la place Jacques-Cartier. Pour entamer la visite du quartier du Vieux-Port, tournez à gauche et traversez la rue de la Commune.

★ VIEUX-PORT

🕘 *Place-d'Armes ou Champ-de-Mars.*

À l'origine, barges et canots étaient halés à la main sur la grève boueuse du St-Laurent. Au milieu du 18e s., plusieurs quais de bois furent aménagés à l'emplacement du port actuel. En 1830, ils furent remplacés par des quais de pierre, des rampes d'accès et une jetée. Des quais de béton, des hangars d'acier, des docks, des jetées et un gigantesque silo (démoli en 1978) furent construits en 1898. Malgré sa fermeture, quelques mois par an, en raison du

Le Vieux-Port.
W. Bibikow/Age Fotostock

gel hivernal, Montréal devint, vers les années 1920-1930, le deuxième port d'Amérique après New York, et le plus grand port céréalier du monde. De nos jours, une bonne partie du trafic maritime contourne Montréal en empruntant la voie maritime du St-Laurent. Malgré tout, la manutention des conteneurs reste la principale activité du port dont la partie la plus ancienne a été convertie en parc récréatif et culturel.

Esplanade du Vieux-Port

Accès : rue Berri, place Jacques-Cartier, boulevard St-Laurent et rue McGill.
Avec ses aires paysagées, ses sentiers de promenade et ses innombrables activités de détente, cet immense espace riverain (superficie d'environ 54 ha) bénéficie, surtout en été, d'une animation quasi permanente.
L'endroit offre de belles **vues★** sur la ville et le fleuve, mais aussi des croisières-excursions sur le St-Laurent, des locations de vélos. C'est là que se trouve, entre autres, le **Centre des sciences de Montréal**.
Remontez l'esplanade, puis dirigez-vous vers le quai de l'Horloge.
À l'extrémité est du quai de l'Horloge, la **tour de l'Horloge** (45 m) fut érigée en 1922 à la mémoire des marins disparus lors de la Première Guerre mondiale.

★★ Saute-Moutons

Quai de l'Horloge - ℘ 514 284 9607 - www.jetboatingmontreal.com - mai-oct. : 10h, 12h, 14h, 16h et 18h - 1h AR - 65 $ (13-18 ans 55 $).
Cœurs fragiles s'abstenir ! Pour la plus amusante, mais aussi la plus arrosée de ces expéditions, les passagers remontent le fleuve jusqu'aux tumultueux rapides de Lachine en bateaux-jets. Ces embarcations originales montent et descendent les rapides plusieurs fois, les embruns n'épargnant ainsi aucun passager. Les **vues★★** sur Montréal et ses environs sont splendides, en particulier si le retour se fait au coucher du soleil.
Rebroussez chemin.

Labyrinthe du Hangar 16

Quai de l'Horloge - 📞 *514 499 0099 - www.labyrintheduhangar16.com - de fin juin à août : 11h-21h ; mai-juin et sept.-oct. : w.-end et j. fériés 11h30-17h30 - le parcours dure entre 1h et 1h30 - les moins de 12 ans doivent être accompagnés d'un adulte - 15 $ (4-12 ans 11,50 $).*

Ce labyrinthe aux murs constitués de bâches en toile cirée occupe un gigantesque hangar jouxtant le bassin Bonsecours. L'idée consiste bien sûr à se perdre avant de retrouver sa route dans un dédale de couloirs ponctués d'obstacles et d'énigmes. Parcours et thématique changent tous les ans.

Remontez l'esplanade par le quai ou par les passages ménagés en bout d'embarcadère, derrière le hangar entre le quai Victoria et celui de Jacques-Cartier. Marchez jusqu'au quai King-Edward.

★ Centre des sciences de Montréal

Sur le quai King-Edward, bd St-Laurent et R. de la Commune. 📞 *514 496 4724 ou 1 877 496 4724 - www.centredessciencesdemontreal.com - 9h-16h, w.-end 10h-17h - 11,50 $ (4-12 ans 10,50 $), forfaits en fonction du nombre d'activités choisies, tarif variable suivant les expositions temporaires.*

👫👤 Les deux niveaux du centre réunissent expositions temporaires et permanentes, mais toutes présentées de manière ludique et didactique. **Mission Gaia** invite à sauver l'humanité au travers d'un vaste jeu interactif. **Science 26** permet d'expérimenter, comme son nom l'indique, pas moins de 26 dispositifs physiques ou mécaniques. **Imagine** vous projette dans l'espace et **Cargo** dans les activités portuaires. Enfin, **idTV★** invite le visiteur à réaliser son propre reportage scientifique, comme un vrai journaliste. Également dans les murs, un cinéma **IMAX-TELUS** en 3D.

★ Croisières du port de Montréal

Quai King-Edward - 📞 *514 842 3871 ou 1 800 563 4643 - www.croisieresaml.com - de mi-mai à mi-oct. : croisière guidée 11h30, 14h et 16h, soupers-croisières 19h, w.-end croisière buffet-déjeuner 11h30 - entre 1h et 4h selon la croisière choisie - croisière guidée 27 $ (6-16 ans 14 $).*

Des promenades en bateau offrent aux visiteurs une belle perspective sur la ville de Montréal vue du fleuve et en particulier sur les installations portuaires, les différents ponts, les îles, la voie maritime du St-Laurent et le Stade olympique.

Amphi-Bus

Billetterie R. de la Commune, à l'entrée de King-Edward - 📞 *514 849 5181 - www. amphitours.ca - juin-août : dép. ttes les heures 10h-22h ; mai et sept.-oct. : dép. 12h, 14h, 16h et 18h - 1h15 AR - 32 $ (6-12 ans 18,25 $).*

L'amphi-bus, spécialement conçu pour cette excursion, permet une visite guidée du Vieux-Montréal avant de descendre le St-Laurent pour un petit voyage en bateau aux abords de la cité du Havre.

Quittez le quai pour rejoindre la rue de la Commune et dirigez-vous vers l'ouest (à gauche) en direction de la place d'Youville.

★ AUTOUR DE LA PLACE D'YOUVILLE

🔽 *Place-d'Armes.*

La rivière St-Pierre coulait autrefois à l'emplacement de l'actuelle place d'Youville, et rejoignait le St-Laurent à la hauteur de la Pointe-à-Callière jusqu'à ce qu'elle soit enterrée dans une canalisation au 19e s.

Venant de la rue de la Commune, la place Royale sera sur votre droite.

Place Royale

En 1645, Maisonneuve fit bâtir sa résidence sur cette place, connue à l'origine sous le nom de place d'Armes. En 1706, elle devint la place du marché public, là où le crieur lisait les proclamations officielles, où les malfaiteurs étaient mis au pilori, fouettés et pendus, et où, occasionnellement, on se battait en duel. Elle fut officiellement baptisée place Royale en 1892. L'**Ancienne-Douane** en occupe le fond *(voir ci-après le musée d'Archéologie et d'Histoire de Montréal)*. *Traversez la rue de la Commune pour entrer dans le bâtiment moderne du musée d'Archéologie et d'Histoire de la Pointe-à-Callière.*

Pointe-à-Callière

C'est dans ce triangle de terre, où la rivière St-Pierre se jette dans le St-Laurent, que naquit Montréal en mai 1642. L'emplacement avait été remarqué et défriché par Samuel de Champlain en 1611, qui y voyait un excellent havre naturel pour les bateaux. Trente et un ans plus tard, Maisonneuve y fit ériger une palissade de bois pour entourer la nouvelle colonie de Ville-Marie. Un **obélisque** (3) de 10 m, *Les Pionniers,* commémore le débarquement de Maisonneuve. L'origine du nom Pointe-à-Callière vient de Louis-Hector de Callière, gouverneur de Montréal de 1684 à 1698, qui s'y fit construire un château.

★★ Musée d'Archéologie et d'Histoire de Montréal

350 pl. Royale - ℘ *514 872 9150 - www.pacmusee.qc.ca -*✗ ♿*- 24 juin-31 août :* *10h-18h, w.-end 11h-18h ; reste de l'année : mar.-vend. 10h-17h, w.-end 11h-17h -* *fermé 1ᵉʳ janv., lun. de Pâques, fête nationale des Patriotes (mai) et de l'Action de* *Grâce (oct.), 25 et 26 déc. - 15 $ (6-12 ans 7 $).*

Ce complexe muséologique fait revivre l'histoire du quartier de la Pointe-à-Callière. Il se compose de trois éléments distincts. L'édifice de l'Éperon, d'aspect très moderne, abrite au rez-de-chaussée une salle multimédia présentant un spectacle sur l'évolution de Montréal. Le premier étage propose des expositions temporaires, tandis qu'au troisième, un belvédère offre de jolies **vues★** sur l'esplanade du Vieux-Port. Le musée gagnera bientôt un nouveau bâtiment de l'autre côté de la rue d'Youville.

Pour se rendre de l'édifice de l'Éperon à celui de l'Ancienne-Douane, on descend au sous-sol où toutes sortes d'objets et de vestiges architecturaux (notamment les restes du premier cimetière catholique de Montréal, datant de 1643) témoignent de plusieurs siècles d'occupation humaine. Après être passé devant un ancien égout-collecteur, correspondant à l'ancienne rivière St-Pierre canalisée, on arrive enfin à la **crypte archéologique**, directement située sous la place Royale. L'endroit renferme des vestiges mis au jour au cours de nombreuses fouilles archéologiques : corps de gardes du 17ᵉ s., fortifications du 18ᵉ s., auberge du 19ᵉ s. Des maquettes, qui reproduisent à même le sol les différentes phases d'occupation de la Pointe-à-Callière, et des personnages virtuels, qui invitent le visiteur au dialogue, offrent de fascinants aperçus du passé. En continuant la promenade, on rejoint enfin l'édifice de l'**Ancienne-Douane** (1838, John Ostell) dont la silhouette néoclassique domine la place Royale. Transformé en centre d'interprétation de l'histoire contemporaine de Montréal, l'édifice propose des expositions aussi bien sur des thématiques des 19ᵉ et 20ᵉ s. que sur des sujets plus actuels, comme par exemple l'image multiculturelle de la ville.

Reprenez la rue de la Commune.

Place d'Youville

La place fut baptisée en l'honneur de **Marguerite d'Youville**, fondatrice, en 1737, de la congrégation des Sœurs Grises. En 1849, elle abrita le Parlement

1

colonial créé après la Rébellion des Patriotes de 1837, avec des représentants du Bas-Canada (Québec) et du Haut-Canada (Ontario). Les conservateurs incendièrent le bâtiment pour montrer leur opposition à une loi dédommageant tous les propriétaires lésés durant la Rébellion (y compris les rebelles). Le Parlement s'installa tour à tour au marché Bonsecours, à Kingston, à Québec, puis à Ottawa, afin de ne jamais plus risquer de siéger à Montréal.

Les bâtiments autour de la place représentent différentes époques de l'histoire montréalaise, depuis l'hôpital général des Sœurs Grises, érigé au 17ᵉ s., jusqu'aux entrepôts du 19ᵉ s. et à l'immense **édifice des Douanes**, construit entre 1912 et 1936 dans le style Beaux-Arts. Aujourd'hui, de nombreuses résidences en cours de restauration ajoutent beaucoup de charme à ce quartier en pleine évolution.

★ Centre d'histoire de Montréal

335 pl. d'Youville - ☎ 514 872 3207 - www.ville. montreal.qc.ca/chm - ♿ - janv.-déc. : mar.- dim. 10h-17h - fermé 25 déc.-2 janv. - 6 $.

👥 Cette ancienne caserne de pompiers (1903) rappelle l'architecture baroque des Pays-Bas, avec son élégant pignon, son imposante lucarne et son décor sculpté. Une haute tour située à l'arrière du bâtiment servait autrefois à faire sécher les tuyaux d'arrosage, et des arcades de pierre, à l'avant, facilitaient la sortie des voitures de pompiers. Aujourd'hui, le bâtiment de brique abrite un centre d'interprétation consacré à l'histoire de Montréal de 1535 à nos jours. Les objets, diaporamas, vidéos, bandes sonores et modules interactifs illustrent de façon vivante les tendances économiques, sociales et urbaines qui ont influencé le riche passé de la ville, et offrent un aperçu de la vie des Montréalais. Des expositions temporaires (environ deux par an) explorent par ailleurs divers aspects de l'histoire montréalaise.

😊 **Bon à savoir** – En été, le centre organise des visites guidées du Vieux-Montréal selon des thèmes choisis chaque année.

Écuries d'Youville

298-300 pl. d'Youville (à droite lorsque l'on regarde le Centre d'histoire).

Disposés autour d'une belle cour intérieure aménagée en jardins, ces bâtiments de pierre furent érigés en 1828 pour servir d'entrepôts aux Sœurs Grises, puis de silos à grains. Ils n'ont donc jamais abrité d'animaux, mais au 19ᵉ s., des écuries se trouvaient à proximité, d'où l'origine du nom. Restaurés en 1967, ils comprennent des bureaux administratifs et un restaurant.

Les bâtiments voisins ont été transformés en appartements. On accède à la cour par une porte cochère centrale.

Hôpital général des Sœurs Grises

Compris entre les rues St-Pierre, d'Youville, Normand et la pl. d'Youville. Entrée 138 r. St-Pierre - ☎ 514 842 9411 - visite sur RV uniquement.

En 1680, les sulpiciens cédèrent les terres marécageuses situées à proximité de la rivière St-Pierre à François Charron de la Barre et à ses frères qui y construisirent un hôpital en 1694. En 1747, Marguerite d'Youville et les Sœurs Grises assumèrent la direction de l'établissement. Lorsqu'en 1765, un incendie le détruisit en partie, elles le firent reconstruire sur ses fondations. La fréquence des inondations et l'activité grandissante du secteur portuaire de Montréal

> **MÈRE D'YOUVILLE**
> En 1737, Marie-Marguerite Dufrost de Lajemmerais (1701-1771), veuve de François d'Youville, fonda un ordre séculier consacré aux vieillards, aux indigents et aux malades de Montréal. Cet ordre devait par la suite donner naissance à la congrégation des Sœurs de la Charité, dont les membres sont plus connues sous le nom de Sœurs Grises. La vie de dévouement de **Marguerite d'Youville** fut reconnue en 1959, lors de sa béatification suivie, en décembre 1990, de sa canonisation par le pape Jean-Paul II.

incitèrent les Sœurs Grises à quitter le lieu en 1871 pour s'établir sur un site plus tranquille à l'ouest du centre-ville. Leur chapelle, située rue St-Pierre, fut démolie, la rue fut prolongée jusqu'aux rives du St-Laurent et l'on y fit construire des entrepôts. En 1980, la congrégation réinstallait – dans l'édifice restauré – l'administration générale de l'Institut des Sœurs Grises, qui sert aussi de lieu de formation pour les novices. De la rue Normand, on peut voir la partie la plus ancienne du couvent.

Quittez le quartier de la place d'Youville en traversant la rue McGill et en continuant tout droit dans la rue William. Tournez à gauche dans la rue Queen, puis à droite, rue Ottawa.

1

CITÉ MULTIMÉDIA

 Square-Victoria.

Le secteur sud-ouest du Vieux-Montréal porte dorénavant le nom de Cité multimédia. Il correspond au faubourg des Récollets, ancien faubourg Ste-Anne ou Griffintown, autrefois quartier de forte immigration irlandaise. Les premiers Irlandais à s'installer travaillaient en effet au percement du canal de Lachine dans les années 1820. Entrepôts et industries métallurgiques, dont un certain nombre de fonderies, ont par la suite investi les rues, les transformant en fourmilière jusqu'à la crise de 1929. Celle-ci marqua le début du déclin, un moment freiné par la production de guerre des années 1940-1945. Il s'accéléra vingt ans plus tard avec la construction de l'autoroute Bonaventure (1966) et la fermeture du canal de Lachine, en 1969. Aujourd'hui, les anciens bâtiments industriels ont été réaménagés ou ont fait place à de nouveaux complexes, particulièrement prisés par les entreprises de nouvelles technologies, ce qui lui vaut son nom actuel. Des designers y installent également leurs ateliers.

Fonderie Darling

745 r. Ottawa - 514 392 1554 - www.fonderiedarling.org - merc.-dim. 12h-19h (jeu. 22h) - 5 $ (gratuit jeu.).

Les frères Darling ouvrirent cette fonderie en 1880. Pièces de métal, appareils de chauffage, pompes, ascenseurs, marches de tramway sortirent de ses moules et lui valurent d'être un temps la deuxième fonderie de Montréal. Revendue, elle subit le déclin de Griffintown de plein fouet et vivota jusqu'à sa fermeture en 1991. Elle doit sa renaissance à l'organisme culturel Quartier Éphémère, qui en a fait un lieu d'expression et d'initiation aux arts visuels.

Les bâtiments de brique et de fonte du début du 20e s. ont conservé tout leur cachet. Les conduits d'aération qui sillonnent son toit lui valent le gentil surnom de « serpent ». À l'intérieur, deux salles accueillent les expositions. L'espace dispose aussi d'ateliers mis à disposition d'artistes émergents. Le Cluny ArtBar *(entrée 257 r. Prince)* achève d'animer l'ensemble, en drainant notamment créateurs et ingénieurs des bureaux alentour à l'heure du déjeuner.

★ Du square Dorchester à l'Université McGill

◗ *Circuit* [2] *tracé en vert sur le plan p. 98-99.*

Cette promenade au cœur du quartier commerçant de Montréal passe devant certains des gratte-ciel les plus marquants de la ville. Les tours qui bordent l'avenue McGill College illustrent les tendances du mouvement postmoderne.

★ Square Dorchester (Dorchester Square)

♦ *Peel*. Longtemps considéré comme le cœur de la ville, même si les gratte-ciel avoisinants lui ont fait perdre de son panache, cet agréable espace public rénové fut rebaptisé en 1988 en l'honneur de Lord Dorchester, gouverneur de l'Amérique du Nord britannique de 1768 à 1778 et de 1786 à 1795.

Situé hors des limites de la ville jusqu'en 1855, l'emplacement servit pendant de nombreuses années de cimetière (surtout pour les victimes de la terrible épidémie de choléra de 1832), avant que les tombes ne soient transférées au mont Royal. Deuxième évêque de Montréal, **Monseigneur Ignace Bourget** (1799-1885) choisit alors d'y faire construire une cathédrale, au grand dam des habitants du Vieux-Montréal qui se plaignaient de la distance à parcourir pour assister à la messe.

De célèbres sculptures viennent agrémenter le square, parmi lesquelles une statue de **Sir Wilfrid Laurier** (4), réalisée par Émile Brunet. Laurier (1841-1919) fut le premier Canadien francophone à devenir Premier ministre du Canada, et ses paroles, restées célèbres, sont gravées sur le socle : « La pensée dominante de ma vie a été d'harmoniser les différents éléments dont se compose notre pays. » La statue de Laurier fait face à celle de **Sir John A. Macdonald** (5), érigée sur la place du Canada, de l'autre côté de la rue. Quant au monument du **Régiment canadien de cavalerie de Lord Strathcona** (6), élevé en l'honneur des Canadiens tombés pendant la guerre des Boers (1899-1901), il fut sculpté par George Hill, à qui l'on doit également la statue du **Lion de Belfort** (7). Le square abrite par ailleurs la statue (8) du grand poète écossais **Robert Burns** (1759-1796), commanditée par ses admirateurs.

★ Édifice Dominion Square

Côté nord du square Dorchester, entre les rues Peel et Metcalfe.

Cet imposant bâtiment d'inspiration néo-Renaissance évoque la grandeur des palais florentins du 15ᵉ s. À l'époque de sa construction, en 1929, il introduisit plusieurs nouveautés : un stationnement souterrain, un centre commercial de deux étages, les premiers escaliers mécaniques en bois de Montréal, et un mélange alors inhabituel de bureaux et de boutiques.

Le Centre Infotouriste *(voir p. 86)* se trouve à l'extrémité est de la galerie reliant les rues Peel et Metcalfe, niveau rez-de-chaussée.

★ Le Windsor

1170 r. Peel. L'hôtel Windsor fut inauguré en 1878 lors d'un bal donné en l'honneur du marquis de Lorne (gouverneur général de l'époque) et de son épouse Louise, fille de la reine Victoria. Gravement endommagée par un incendie en 1906, et détruite par le feu en 1957, son aile principale fut remplacée par la **Banque de Commerce** (1962), qui se repère à ses châssis d'ardoise et à sa façade de verre et d'acier inoxydable.

L'hôtel conserva l'aile restante jusqu'à sa fermeture en 1981. La façade en pierre de taille et en brique est surmontée d'un toit mansardé percé d'œils-de-bœuf et de lucarnes. Lors de la reconversion du Windsor en immeuble de bureaux, parmi les plus originaux de la ville, l'intérieur du rez-de-chaussée, de style Adam, fut préservé. Ses salles de bal sont particulièrement élégantes.

★★ **Édifice Sun Life**

1155 r. Metcalfe. Cet édifice de style Beaux-Arts, à la structure d'acier revêtue de granit blanc, fut construit en 1913. Orné de massives colonnades sur ses quatre façades, le bâtiment occupe tout le côté est du square Dorchester. À l'époque, il contribua à faire de Montréal la plus importante place financière du Canada. Divers agrandissements, réalisés de 1923 à 1933, en firent même « le plus grand édifice de tout l'Empire britannique ». C'est au troisième sous-sol que furent cachés, durant la Seconde Guerre mondiale, les bons du Trésor et la réserve d'or de Grande-Bretagne. Siège canadien de la Sun Life et de célèbres firmes d'assurance et de courtage, le bâtiment accueille aujourd'hui plus de 4 000 personnes.

Traversez le boulevard René-Lévesque et descendez la rue Peel.

Place du Canada

Ⓜ *Bonaventure.* Plusieurs tours dominent cette place verdoyante face au square Dorchester. **La Laurentienne** (1986) dresse sa structure postmoderne, toute de cuivre et de verre, à l'angle sud-ouest de l'intersection Peel-René-Lévesque. Parfois appelé la « râpe à fromage », l'**hôtel Château-Champlain** s'élève au sud de la place. Remarquable par ses fenêtres convexes en demi-lune, cet élégant bâtiment (1967, Roger d'Astous) témoigne de l'influence de Frank Lloyd Wright. Dominant le côté sud-est de la place, la tour de bureaux du **1000 de la Gauchetière** reflète les tendances architecturales des années 1990. Ses 205 m de hauteur en font l'immeuble le plus élevé de la ville.

1

★ **Église anglicane Saint-George** (St-George's Anglican Church)

Accès rue de la Gauchetière. ℘ 514 866 7113 - www.st-georges.org - ♿- *mar.-dim. 9h-16h30.*

Construite en 1870, cette charmante église néogothique est le plus ancien édifice de la place du Canada. L'intérieur, harmonieusement proportionné, présente une étonnante **charpente** double en pin rouge et en épinette, réalisée avec double blochet (pièce de bois retenant la plate-forme qui reçoit les chevrons). On notera tout particulièrement le retable de chêne et sa délicate dentelle ajourée, les stalles du chœur, le jubé et l'orgue Casavant (1896).

★ **Gare Windsor**

Angle R. Peel et R. de la Gauchetière.

Dessinée par Bruce Price, le célèbre architecte du château Frontenac de Québec, cette gare pittoresque (1889) illustre avec brio le style néoroman « richardsonien », avec ses tours, ses créneaux, ses tourelles et ses arcs en plein cintre. Créée pour abriter le centre administratif des chemins de fer du Canadien Pacifique, elle sert aujourd'hui de terminus aux trains de banlieue.

Centre Bell

Ⓜ *Lucien-L'Allier. 1909 r. des Canadiens-de-Montréal - ℘ 514 989 2841 - www. centrebell.ca et www.temple.canadiens.com - ouvert hors matchs mar.-sam. 10h-18h, dim. 12h-17h - visites guidées - 10,50 $ (5-16 ans 7,50 $).*

Inauguré en 1996 sous le nom de Centre Molson, le centre Bell mérite la visite pour son côté mythique. C'est en effet le quartier général du célèbre club de hockey des Canadiens qui fait se déplacer au moins 850 000 spectateurs chaque année !

Temple de la renommée des Canadiens de Montréal – Ce musée retrace sur pas moins de 1 000 m² l'histoire du club, né en 1909, à travers des collections d'objets et des présentations multimédia. On découvre ainsi les vedettes et les coulisses de ce sport (passerelle et salle de conférences de presse, vestiaires…) qui déchaîne les foules lors des grandes compétitions annuelles.

Le centre Bell est aussi l'une des principales scènes montréalaises. La gigantesque **Arena** où se disputent les *games* de hockey devient pour les concerts et autres manifestations la plus moderne des salles de spectacle.

Retournez place du Canada.

★★ Basilique-cathédrale Marie-Reine-du-Monde

Entrée principale bd René-Lévesque - ☏ *514 866 1661 - www.cathedralecatholique demontreal.org -* ♿ *- 7h-18h15, w.-end 7h30-18h15.*

Dessiné par Victor Bourgeau, ce gigantesque édifice de style néobaroque se distingue par de grandes colonnes grecques, une riche ornementation et une corniche décorée de statues. Lorsque la cathédrale St-Jacques, érigée dans le secteur est de Montréal, fut détruite par le feu, Monseigneur Ignace Bourget décida d'en construire une autre dans le quartier ouest, anglophone et protestant, afin d'y affirmer la présence de l'Église catholique. Porte-parole de l'idéologie ultramontaine, l'évêque de Montréal choisit comme modèle l'église mère du catholicisme : St-Pierre de Rome. La taille de l'édifice sera réduite au tiers de la basilique romaine du 16e s. Les travaux ne débutèrent qu'en 1870 et furent interrompus en 1878, faute de ressources financières. Ils reprirent en 1885, et la cathédrale fut consacrée en 1894. Tout d'abord dédiée à saint Jacques le Majeur, elle reçut le titre de basilique mineure en 1919, et adopta son nom actuel en 1955.

Extérieur – Les statues de la corniche, réalisées par Alphonse Longpré (1881-1938), représentent les saints patrons des paroisses qui formaient le diocèse de Montréal en 1890. Le dôme recouvert de cuivre fut installé en 1886, mais la croix d'origine, en fer, fut remplacée en 1958 par une croix d'aluminium. La **statue** (9) de Monseigneur Bourget, à droite de la cathédrale, est l'œuvre du sculpteur Louis-Philippe Hébert. Sur la base du socle, on voit également l'évêque en compagnie de l'architecte de la cathédrale, Victor Bourgeau.

Intérieur – Dans le vestibule sont accrochés les portraits de tous les évêques de Montréal. Coulé dans du cuivre et recouvert de feuilles d'or, le magnifique **baldaquin** (1900) qui domine la nef est attribué à Victor Vincent ; il s'agit de la réplique du chef-d'œuvre créé pour la basilique St-Pierre par le Bernin, sculpteur italien du 16e s. À l'intérieur, de grands tableaux peints par Georges Delfosse représentent des épisodes de l'histoire religieuse du Canada, dont le martyre du prêtre jésuite Jean de Brébeuf et de Gabriel Lalemant, et la noyade de Nicolas Viel, premier martyr canadien, accompagné de son disciple Ahuntsic. Dans la chapelle derrière l'autel, on peut admirer une délicate statue de la Vierge due à Sylvia Daoust, célèbre sculptrice canadienne du 20e s.

À gauche de la nef, une **chapelle mortuaire** (1933) contient les tombes de plusieurs archevêques et évêques.

Traversez le boulevard René-Lévesque.

Entre la rue Mansfield et la rue University s'élève le plus grand hôtel de la métropole, le Reine Elizabeth (1957). En dessous de l'hôtel se trouve la gare centrale, terminus des trains VIA et Amtrak.

Continuez par le boulevard René-Lévesque sur 20 m et coupez à gauche à travers le complexe de tours.

★★ Place Ville-Marie

Ⓜ *Peel. Accès à la ville souterraine par les pavillons de verre en face de la tour de la Banque Royale - www.placevillemarie.com.*

Cœur de la ville souterraine avant l'extension du réseau autour de la station de métro McGill, la place Ville-Marie, premier gratte-ciel érigé à Montréal, amorça la renaissance du centre-ville. Elle fut aussi à l'origine d'aménagements urbanistiques du même genre à travers l'ensemble du pays. Le projet, inspiré du Rockefeller Center de New York, remonte à 1930. Il visait à combler l'énorme trou laissé dans le centre-ville par le percement du tunnel ferroviaire sous le mont Royal avant la Première Guerre mondiale. Les effets désastreux de la crise économique de 1929 retardèrent considérablement les travaux qui ne débutèrent qu'en 1959.

L'ensemble, composé de quatre bâtiments, est dominé par la tour de la **Banque Royale**★ (1962 ; I.M. Pei, Affleck & Associés). Cette structure cruciforme au revêtement d'aluminium offre à chacun de ses 42 étages 3 534 m^2 d'espace de bureaux. Elle s'ouvre sur une esplanade de béton particulièrement animée à la saison estivale. De cette position surélevée, une **perspective**★ unique s'étend sur le nord de la ville, de l'avenue McGill College à l'Université McGill, dominée par la masse du mont Royal. Au premier plan, on aperçoit une fontaine de bronze de Gerald Glaston intitulée *Présence féminine* (1972).

Depuis les **galeries marchandes** situées sous l'esplanade, de larges lucarnes offrent de curieuses vues sur les tours avoisinantes.

De la place Ville-Marie, remontez l'avenue McGill College vers le nord.

Véritable point de mire de l'architecture postmoderne à Montréal, et axe le plus fréquenté de la ville, la belle **avenue McGill College** s'étend de la place Ville-Marie à l'Université McGill. Tracée en 1857 comme prolongement de l'allée centrale du campus universitaire vers le centre-ville, elle a fait l'objet d'importants projets d'aménagements au cours des dernières décennies.

★★ Place Montréal-Trust

1500 av. McGill College - 𝒑 514 843 8000 - www.placemontrealtrust.com - ♿⛶ - 10h-18h (merc.-vend. 21h), w.-end 10h-17h (dim. à partir de 11h) - fermé principaux j. fériés.

Mélange inattendu de marbre rose et de verre bleuté, cet immense édifice construit en 1989 occupe tout le côté gauche de l'avenue McGill College, entre la rue Ste-Catherine et le boulevard de Maisonneuve. Ce véritable cylindre jaillissant d'un socle quadrangulaire doit sa conception aux architectes **E. Zeidler, E. Argun** et **P. Rose**. Un **atrium** aux parois de verre (hauteur : 30 m) s'élève au-dessus du métro, et un ascenseur panoramique permet d'admirer la belle fontaine centrale, en bronze. Avec plus d'une centaine de boutiques, il s'agit d'un des lieux les plus fréquentés du centre-ville à l'heure du déjeuner.

Dirigez-vous vers l'est par la rue Ste-Catherine.

Principale artère commerciale de la ville, la **rue Ste-Catherine** est bordée de **grands magasins** (Ogilvy, Eaton et La Baie), d'énormes centres commerciaux (faubourg Ste-Catherine) et de nombreuses boutiques. Le soir, cette rue animée attire les foules dans ses nombreux bars et boîtes de nuit.

Complexe les Ailes

677 r. Ste-Catherine Ouest - 𝒑 514 288 3759 - 10h-18h (merc.-vend. 21h), w.-end 10h-17h (dim. à partir de 11h).

Fort renommé, ce magasin à grande surface fut acquis en 1925 par Timothy Eaton. Considérablement modifié et agrandi au fil des ans, il forme aujourd'hui – avec le centre Eaton (B), son annexe moderne – un énorme quadrilatère compris entre les rues University et Ste-Catherine, l'avenue McGill College et le boulevard de Maisonneuve.

1

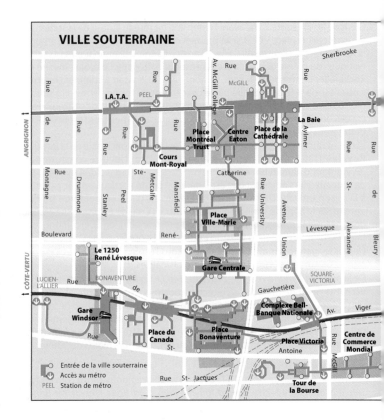

VILLE SOUTERRAINE

★ **Cathédrale Christ Church** (Christ Church Cathedral)
*Entrée rue Ste-Catherine (entre la rue University et l'av. Union) - ℰ 514 843 6577
(poste 371) - www.montreal.anglican.org/cathedral - & - 8h15-17h15.*
Avec son triple portique orné de pignons et de gargouilles, sa façade de pierre
de taille et sa flèche élancée, cette église (1859) est un exemple achevé du
style néogothique. Elle fut construite pour remplacer une première cathédrale
anglicane, détruite par un incendie en 1856. Avant de pénétrer à l'intérieur,

---

UN ÉDIFICE FRAGILE

Très vite, les fondations de la cathédrale Christ Church présentèrent d'énormes difficultés : elles se révélèrent en effet si fragiles que l'on dut, en 1927, démonter la flèche de pierre de 39 m qui surmontait la tour et qui commençait à s'incliner de 1,2 m vers l'est. On la remplaça, en 1940, par une copie en aluminium façon pierre.

Durant les années 1980, le terrain sur lequel repose la cathédrale fut loué à une société de développement qui construisit sous l'église même des galeries marchandes souterraines (*Promenades Cathédrale*) et sauva ainsi l'édifice en empêchant qu'il ne s'enfonçât dans le sol. Une tour moderne (*pl. de la Cathédrale*), juste derrière l'église, vint compléter cet ensemble architectural.

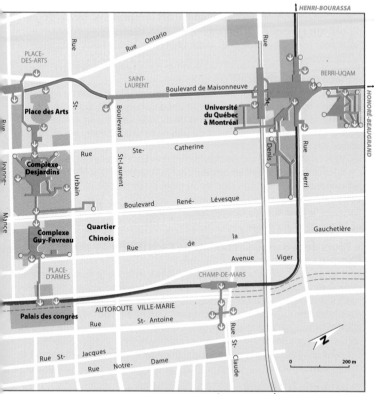

LONGUEUIL-UNIVERSITÉ-DE-SHERBROOKE

notez le **monument** (10 ; *à droite de l'édifice*) dédié à l'évêque anglican Francis Fulford (1803-1868) à l'époque de la construction du bâtiment.

Caractérisée par une nef cintrée et des fenêtres ogivales ornées d'éléments tréflés ou quadrifoliés, la cathédrale Christ Church recèle un intérieur gracieux et serein. Les chapiteaux des arcades de la nef sont agrémentés de feuilles dont le modèle s'inspire d'aquarelles figurant le jardin de la famille McCord. À la voûte, divers motifs décoratifs évoquent notamment l'Ancien Testament et les principes de la foi chrétienne. Le chœur présente un **retable** magnifiquement sculpté. Plusieurs vitraux proviennent de l'atelier londonien de William Morris. Sous la rosace, on remarquera enfin l'orgue, d'inspiration nord-allemande, construit en 1980 par Karl Wilhelm, de Mont-St-Hilaire.

Accédez aux Promenades Cathédrale par les portes situées de chaque côté de l'entrée principale de la cathédrale.

Promenades de la Cathédrale

📞 514 845 8230 - www.promenadescathedrale.com - ✗ ⚐ - 10h-18h (merc. 20h, jeu.-vend. 21h), w.-end 10h-17h (dim. à partir de 11h) - fermé principaux j. fériés.

Liaison entre les grands magasins Eaton Centre et La Baie, cette **galerie marchande** (1988) aménagée sous l'église a donné lieu au chantier le plus spectaculaire que Montréal ait jamais connu. La construction se fit en sous-œuvre, et pendant des mois, Christ Church fut supportée par de minces pylônes tandis que se poursuivaient les travaux d'excavation et de construction. Dans les

allées du centre commercial souterrain, des ornements en forme d'ogives rappellent la présence du monument religieux situé juste au-dessus.
Sortez par le « cloître », joli petit jardin situé entre la cathédrale et la place de la Cathédrale.

★ Place de la Cathédrale

🕐 *McGill.* De conception postmoderne, cet étonnant immeuble de 34 étages aux parois de verre cuivré (1988 ; Webb, Zerafa, Menkès & Houdsen) abrite les bureaux de la cathédrale anglicane et du diocèse. De tous les gratte-ciel du centre-ville, il s'agit certainement du plus remarquable. Avec ses arches en pointe, ses colonnades et ses meneaux profonds, son toit pentu et ses hautes fenêtres en arcs brisés, l'architecture de l'édifice rappelle celle de Christ Church. On pénétrera dans le **hall** en forme de nef pour admirer la splendide vue sur la cathédrale voisine et son clocher, au travers d'un mur de verre incurvé qui s'élève sur une hauteur de cinq étages.
Sortez sur le boulevard de Maisonneuve et dirigez-vous vers l'ouest en direction de l'avenue McGill College.

★ Tours de la Banque nationale de Paris (BNP)/ Banque Laurentienne

1981 av. McGill College. « L'édifice bleu » (1981), comme le surnomment de nombreux Montréalais, est un symbole de la relance économique des années 1980. Il se compose de tours jumelées de 16 à 20 étages communiquant entre elles. Véritable cage de verre réfléchissant, l'ensemble s'ouvre sur une esplanade marquée par la présence originale d'une sculpture en fibre de verre de l'artiste français Raymond Masson, *La Foule illuminée.*
On peut pénétrer dans le hall principal (hauteur : 11 m), décoré de granit et d'acier inoxydable.

Tour l'Industrielle Vie

2000 av. McGill College (à l'angle nord-ouest de l'intersection McGill College-Maisonneuve).
D'allure plutôt conventionnelle, cette tour revêtue de granit (1986) se satisfait de l'ajout de quelques ornements postmodernes. L'énorme fenêtre en forme d'éventail, que l'on remarque à l'entrée, se répète au sommet de l'édifice.
Sur le trottoir, notez une charmante **sculpture** intitulée *Le Banc du secret*, due à l'artiste Léa Vivot. Les inscriptions bilingues qui y sont gravées à même le bronze sont anonymes, à l'exception de l'une d'entre elles, « Montréal, un secret à partager », signée Jean Doré (ancien maire de Montréal).

Maison Ultramar

2200 av. McGill College. Dans cet édifice (1990) ont été intégrés l'ancien University Club *(892 r. Sherbrooke)* et la maison Molson *(2047 r. Mansfield).* L'entrée en retrait, surmontée d'une façade de verre arrondie, démontre l'habileté de l'architecte à traiter ce coin de rue.

Place Mercantile

Face à la maison Ultramar. Entrée au 770 r. Sherbrooke Ouest.
Cet ensemble de verre et d'aluminium (1982) incorpore une rangée d'anciennes façades de pierre grise datant de 1872, qui donnent sur la rue Sherbrooke. L'un de ces immeubles, le Strathcona Hall (1904), fut cédé par l'Université McGill à la condition qu'il soit conservé. L'édifice s'effondra en cours de chantier, mais fut entièrement reconstruit.
Tournez à droite, rue Sherbrooke.

★★ Musée McCord d'Histoire canadienne

690 r. Sherbrooke Ouest - ✆ 514 398 7100 - www.musee-mccord.qc.ca - ✗ ♿ - mar.-dim. 10h-18h (mer. 21h, w.-end 17h) - fermé lun. sf j. fériés et été (17h), 1er janv. et 25 déc. - 13 $ (6-12 ans 5 $), gratuit mer. après 17h et 1er sam. du mois 10h-12h.
Cette institution muséologique se distingue par l'incroyable richesse et la variété de ses collections. Elle vit le jour en 1921, grâce à la générosité d'un certain David Ross McCord (1844-1930) qui, deux ans plus tôt, avait fait don de sa collection personnelle d'objets canadiens à l'Université McGill, dans l'espoir qu'elle constitue la base d'un futur musée. Les expositions, réparties sur deux niveaux, présentent aujourd'hui une sélection d'œuvres issues d'un fonds de quelque 100 000 objets et 750 000 photographies historiques, et offrent un brillant aperçu du patrimoine historique canadien, des premières nations amérindiennes à l'époque actuelle.

Bâtiment – En 1968, le musée s'installa dans ce sobre édifice de pierre calcaire grise qui hébergeait autrefois le Centre universitaire de McGill. Construit en 1906 par Percy E. Nobbs, le bâtiment est orné d'un portail d'entrée baroque flanqué de pilastres toscans. Un projet d'agrandissement, complété en 1992, a permis au musée d'améliorer sa surface d'exposition, pour atteindre 1 650 m^2, tout en se dotant de laboratoires de conservation et d'une bibliothèque. La façade de la nouvelle aile (*sud*) reflète le style raffiné du bâtiment d'origine.

Collections – En se rendant à l'étage supérieur, on notera un magnifique mât de façade haïda en cèdre des îles de la Reine-Charlotte (19e s.).
Le second niveau abrite l'exposition permanente « Simplement Montréal : coup d'œil sur une ville unique ». Celle-ci jette un regard passionnant sur la vie à Montréal du 17e s. à nos jours à travers une gamme hétéroclite d'objets puisés dans les collections du musée : artisanat amérindien, objets d'arts décoratifs (orfèvrerie, mobilier, vannerie, verrerie, céramiques), équipements sportifs, jouets, etc. On remarquera tout un éventail de vêtements illustrant la merveilleuse collection de costumes et textiles du musée, ainsi qu'une sélection de photos issues des fameuses **Archives photographiques Notman**. Cette chronique très complète de la vie au Canada du 19e s. au début du 20e s. se compose de négatifs et épreuves (personnages historiques, événements, scènes urbaines et rurales), dont 400 000 sont l'œuvre de William Notman (1826-1891), célèbre photographe canadien du 19e s.
Traversez la rue Sherbrooke pour accéder à l'entrée principale de l'université.

★ Université McGill

Au bout de l'avenue McGill College. ✆ 514 398 4455 - www.mcgill.ca.
La plus ancienne université de Montréal et du Canada bénéficie d'un magnifique campus en plein cœur de la ville, adossé aux pentes du mont Royal. On y pénètre par le célèbre **portail Roddick**, de style néoclassique grec. Érigé en 1924 à la mémoire de Sir Thomas Roddick, ancien doyen de la faculté de médecine, il est orné d'une horloge offerte par Lady Roddick en hommage à la proverbiale ponctualité de son mari. Les 70 bâtiments du campus offrent une grande variété de styles architecturaux. Avec leurs façades ornées, leurs tours et leurs tourelles, les édifices de pierre de taille construits au début du 19e s. contrastent étrangement avec les bâtiments plus modernes, en béton nu.
À l'ouest de l'avenue principale, remarquez la magnifique fontaine de pierre (1930) réalisée par Gertrude Vanderbilt-Whitney.

Pavillon des Arts – *Au bout de l'avenue principale*. Le corps central et l'aile est (pavillon Dawson) de cet édifice, le plus ancien du campus, furent bâtis par John Ostell de 1839 à 1843. L'aile ouest (pavillon Molson) et les sections de

1

HISTOIRE DE L'UNIVERSITÉ

À sa mort, le négociant de fourrures écossais **James McGill** (1744-1813) avait légué à l'Institution royale pour l'avancement des sciences la coquette somme de 10 000 livres sterling ainsi que son domaine de Burnside, à la condition expresse qu'il y soit fondé un établissement d'enseignement supérieur. En 1821, le tout nouveau « collège McGill » recevait une charte royale de George IV. Les premiers cours débutèrent en 1829, date à laquelle un collège de médecine de Montréal fut rattaché à McGill. Depuis, l'université a connu un essor fulgurant. Elle offre aujourd'hui plus de 22 facultés et écoles professionnelles à ses quelque 33 000 étudiants. Ces derniers sont répartis entre le campus du centre-ville (32 ha) et le campus Macdonald, à Ste-Anne-de-Bellevue.

raccordement remontent aux années 1861-1880. L'intérieur fut entièrement refait en 1924. En gravissant les quelques marches du large escalier menant au portique de pierre (il était à l'origine en bois), on bénéficiera d'une jolie **vue** sur le centre-ville. En face du pavillon des Arts se dresse la tombe de James McGill, fondateur de l'université.

★ **Musée d'Histoire naturelle Redpath** – *À l'ouest du pavillon des Arts. ℰ 514 398 4086 (poste 4094) - www.mcgill.ca/redpath - lun.-vend. 9h-17h, dim. 12h-17h - fermé principaux j. fériés.* Cet édifice néoclassique (1882) doit sa construction à la générosité de Peter Redpath, riche industriel qui établit la première raffinerie de sucre au Canada. Les architectes créèrent une façade éclectique d'inspiration à la fois grecque et Renaissance, sur le modèle d'un temple antique. Sarcophage égyptien, canope funéraire, menaçant squelette d'*Albertosaurus*… Le musée Redpath recèle des trésors d'une étonnante variété. Le rez-de-chaussée abrite des bureaux et des salles de cours ainsi qu'une sélection d'objets issus de ses riches collections de minéraux, de paléontologie et de zoologie. Les deux étages supérieurs logent une stupéfiante collection de fossiles, de mollusques, d'insectes, de minéraux et d'animaux naturalisés, ainsi que des objets d'Afrique et des antiquités égyptiennes, notamment des momies humaines et animales, et de belles pièces de poterie, le tout dans un cadre victorien des plus charmants.

Sortez du campus par le portail Roddick et tournez à droite.

En bordure de la rue Sherbrooke, à l'ouest du portail Roddick, remarquez une **plaque** (11) commémorative marquant l'emplacement (tel qu'on le supposait au 19e s.) du village amérindien d'Hochelaga *(voir p. 52)*, à l'époque de l'arrivée de Jacques Cartier sur l'île en 1535.

★★ Du Quartier des Spectacles au ★ Quartier chinois

▶ *Circuit 3 tracé en vert sur le plan p. 98-99.*

Longtemps négligée, cette partie de la ville connut un brillant renouveau lors de la Révolution tranquille des années 1960. Sous l'administration municipale du maire Jean Drapeau, décision fut prise de construire un gigantesque ensemble culturel dans l'est de la ville, ce qui amorça le rééquilibrage des investissements dans le secteur francophone. À la construction du complexe de la Place des Arts allaient succéder de nombreux projets urbanistiques de grande envergure : le complexe Desjardins, l'Université du Québec à Montréal, le Stade olympique, le complexe Guy-Favreau et le Palais des congrès.

★★ QUARTIER DES SPECTACLES

🕐 *Place-des-Arts. www.quartierdesspectacles.com - Fin des travaux dans le quartier prévue en 2012.*

Côté nord de la rue Ste-Catherine, entre les rues Jeanne-Mance et St-Urbain, ce quartier en constante évolution est dédié à l'art sous toutes ses formes. Il s'articule autour de la Place des Arts qu'encadrent des îlots d'immeubles transformés en espaces publics. En été, la **place des Festivals** devient une gigantesque scène à ciel ouvert animée jour et nuit.

★★ Place des Arts

www.laplacedesarts.com - ✁ ▯ *- billetterie :* 🕽 *514 842 2112 ou 1 866 842 2112.*

Le plus grand centre culturel de la ville, où se côtoient les arts de la scène et les arts visuels, se compose de plusieurs édifices : une imposante salle de concerts (1963), un complexe théâtral (1967) et un musée d'Art contemporain (1992). Sont récemment venus s'ajouter **La Vitrine** (espace d'information et billetterie spectacles de dernière minute), l'**Adresse symphonique** (2011), salle de l'Orchestre symphonique de Montréal, et l'**Espace culturel Georges-Émile-Lapalme** (2011). Ce dernier constitue une place publique intérieure, un lieu de passage équipé de salles d'exposition (dont l'aménagement d'un mur d'écrans pour les œuvres vidéo), de cafés, d'une billetterie et d'accès aux salles de spectacles. Ces bâtiments se rassemblent autour, sur et sous une vaste esplanade aménagée, pleine d'animation : le quadrilatère extérieur. Plusieurs manifestations culturelles se tiennent chaque année dans le quartier de la Place des Arts, parmi lesquelles le célèbre Festival international de jazz.

Salle Wilfrid-Pelletier – Orné d'une élégante façade en ellipse toute en fenêtres et minces colonnes de béton, cet édifice abrite les Grands Ballets canadiens et l'Opéra de Montréal. Son auditorium peut accueillir près de 3 000 spectateurs. L'intérieur, autour du grand foyer central appelé *Piano Nobile*, est décoré d'œuvres d'artistes canadiens renommés : tapisseries flamboyantes de Robert LaPalme et Micheline Beauchemin, imposante sculpture d'Anne Kahane et, dominant le grand escalier du foyer, les *Anges radieux* de Louis Archambault, en feuilles de laiton. On note également, dans le foyer inférieur, une composition murale d'aluminium réalisée par Julien Hébert, des tympans de céramique de Jordi Bonnet, un cygne de marbre de Hans Schleech et une sculpture de l'Inuit Innukpuk. Une peinture de Jean-Paul Riopelle, *La Bolduc*, et une toile de Fernand Toupin apportent au décor sa touche finale.

Complexe théâtral – Ce grand bâtiment rassemble trois salles polyvalentes. Les deux premières, le théâtre Jean-Duceppe et le théâtre Maisonneuve, sont superposées l'une au-dessus de l'autre. Un ingénieux système de ressorts, formant un plancher flottant pour le Maisonneuve à l'étage supérieur et un plafond suspendu pour le Jean-Duceppe à l'étage inférieur, les sépare. Une insonorisation parfaite en permet l'utilisation simultanée. Au niveau du métro, le petit Studio-Théâtre vient compléter l'ensemble.

★★ Musée d'Art contemporain de Montréal

185 r. Ste-Catherine Ouest - 🕽 *514 847 6226 - www.macm.org -* ♿▯ *- mar.-dim. 11h-18h (merc. 21h), nocturne 1ᵉʳ vend. du mois 17h-21h - fermé lun. sf j. fériés et été, 1ᵉʳ janv. et 25 déc. - 10 $ (-12 ans gratuit), nocturne merc. gratuit.*

Érigé sur le côté ouest de la Place des Arts, cet imposant édifice (1992) abrite la seule institution du Canada à être exclusivement vouée à l'art contemporain. Parallèlement à ses expositions temporaires, le musée présente, dans

1

plusieurs salles claires et spacieuses du premier étage, une sélection d'œuvres extraites de la collection permanente (celle-ci rassemble près de 7 000 pièces, dont plus de 60 % d'origine québécoise) : peintures, sculptures, dessins, estampes, photographies et installations conceptuelles.

Les grandes tendances de l'art contemporain québécois, de 1939 à nos jours, y sont représentées à travers les créations de peintres de renom tels Paul-Émile Borduas, Jean-Paul Riopelle, Guido Molinari, Claude Tousignant ou encore Alfred Pellan, et de sculpteurs comme Ulysse Comtois et Armand Vaillancourt. Des œuvres étrangères contemporaines viennent, à un moindre degré, illustrer l'expression artistique internationale.

Du premier étage, on accède au charmant **Jardin de sculptures** *(fermé en hiver)*, d'où l'on aperçoit le complexe de la Place des Arts. Dans ce décor paisible de plantes saisonnières et de bancs en fer forgé au cachet ancien, vous pourrez admirer des expositions temporaires d'œuvres monumentales issues de la collection permanente.

Entre les aires communes intérieures du complexe de la Place des Arts et le hall du musée d'Art contemporain, la **Cinquième salle**, construite en 1992, offre au public un théâtre polyvalent capable de changer de configuration selon la nature du spectacle donné.

Empruntez le passage souterrain qui conduit au complexe Desjardins.

★ Complexe Desjardins

Cet austère ensemble architectural se compose de quatre tours encadrant un immense atrium intérieur de forme polygonale. Protégé des rigoureux hivers montréalais, ce vaste espace central se prête à toutes sortes d'expositions et manifestations culturelles. Il est entouré de trois niveaux de galeries le long desquelles s'alignent de nombreuses boutiques et restaurants.

Empruntez le passage souterrain du boulevard René-Lévesque menant au complexe Guy-Favreau.

Complexe Guy-Favreau

200 bd René-Lévesque. Ainsi nommé en mémoire de **Guy Favreau** (1917-1967), avocat, politicien, procureur général et ministre de la Justice sous l'administration de John Diefenbaker (1957-1963), cet ensemble fut achevé en 1984. Il se compose de six structures communicantes comprenant des bureaux de l'administration fédérale, des appartements et un centre commercial. Le revêtement extérieur du complexe, en brique rouge, fait ressortir la beauté de l'atrium intérieur dans lequel pierre et acier inoxydable créent un harmonieux contraste. Des expositions sont régulièrement organisées dans le complexe. À l'extérieur, un **jardin** parsemé de fontaines et de sculptures offre au passant un endroit où se reposer loin de l'animation des trottoirs.

Sortez rue de la Gauchetière, et dirigez-vous vers le quartier chinois en descendant la rue St-Urbain. Tournez à droite au niveau de la rue de la Gauchetière.

Sur la droite, remarquez le **Palais des congrès de Montréal★**. Construit en 1983, le bâtiment accueille chaque année toutes sortes de conférences et salons, et peut contenir jusqu'à 10 000 personnes. Depuis son agrandissement réalisé en 2002 par l'architecte Mario Saia, sa façade se présente comme un patchwork de 332 panneaux de verre colorés et 58 transparents évoquant la diversité des aspects de la créativité québécoise. Au rez-de-chaussée, côté rue Viger Ouest, le plafond est soutenu par les 52 arbres de béton rose de l'œuvre **Jardin Nature légère / Lipstick Forest** de l'architecte Claude Cormier. Le Palais des congrès est directement relié à la station de métro Place-d'Armes et à la ville souterraine.

★ **QUARTIER CHINOIS** (Chinatown)

Il se trouve au cœur d'un carré délimité par la rue Jeanne-Mance à l'ouest, le boulevard St-Laurent à l'est, et les rues de part et d'autre de la rue de la Gauchetière.

Les premiers ressortissants chinois à s'établir à Montréal arrivèrent dans les années 1860. Fuyant l'impitoyable dureté du travail dans les mines d'or ou les chantiers de construction des chemins de fer de l'Ouest américain, ils donnèrent à ce quartier son cachet ethnique bien particulier. Aujourd'hui, beaucoup d'habitants du secteur ont quitté leur ancien voisinage pour aller s'installer ailleurs en ville. Pourtant, avec ses restaurants odorants et ses étalages garnis de produits exotiques, ce Chinatown fort animé demeure encore, pour la communauté orientale de Montréal, un véritable point de rencontre, et pour le visiteur, un pittoresque but de promenade.

Maison Wing – *1009 r. Côté, donnant sur le Palais des congrès*. Construite en 1826, il s'agit de l'une des plus anciennes maisons du quartier. Elle abrite aujourd'hui une fabrique spécialisée dans les « petits fours horoscope » ; ces biscuits renfermant une devise sont, bien sûr, destinés aux restaurants chinois de la ville.

Rue St-Urbain – *Sur la gauche en descendant vers le sud*. Des compositions murales illustrent de fameuses légendes, comme celle du Roi-Singe.

Rue de la Gauchetière – Remarquez les deux arches élevées en 1963 au-dessus de cette rue, ornée par ailleurs d'une série de médaillons de bronze symbolisant les vertus chinoises.

Parc Sun Yat-Sen – *À l'angle de la rue Clark*. Ce petit parc dédié à **Sun Yat-Sen** (1866-1925), philosophe et révolutionnaire considéré comme le fondateur de la Chine moderne, vient apporter à l'endroit une note de verdure.

★★ Rue Sherbrooke Ouest

◗ *Circuit tracé en vert sur le plan p. 120.* ◑ *Peel. Commencez la promenade à l'angle des rues Sherbrooke Ouest et Peel. Les adresses mentionnées dans les pages suivantes se trouvent, sauf indication contraire, rue Sherbrooke Ouest.*

La rue Sherbrooke, l'une des artères les plus prestigieuses et les plus animées du centre-ville, constitue un secteur commercial très dynamique. Aux architectures victoriennes, néogothiques et néoromanes se mêlent de ternes immeubles de bureaux des années 1950 qui en font le quartier le plus éclectique de la ville. La rue Sherbrooke marque la frontière sud de l'historique **Mille Carré Doré**, délimité par ailleurs par l'avenue des Pins, la rue University et l'angle de la rue Guy et du chemin de la Côte-des-Neiges. À l'origine, ce secteur faisait partie du domaine des sulpiciens. Après la Conquête, il passa aux mains des familles anglaises et écossaises de négociants en fourrures. De riches propriétaires terriens, tel James McGill, y firent bâtir leur maison de campagne, non loin des vergers réputés qui, en ce temps-là, s'étendaient sur le mont Royal. En 1885, une bourgeoisie que l'achèvement de la construction du Canadien Pacifique avait enrichie suivit leur exemple. Vers la fin du 19e s., les résidents du Mille Carré Doré possédaient 70 % des richesses du Canada. À l'ouest du Mille Carré Doré s'étend **Westmount**, charmante enclave résidentielle.

Rue Peel

Cette élégante artère porte le nom de Sir Robert Peel (1788-1850), Premier ministre britannique et fondateur du Parti conservateur qui, par des mesures économiques et financières, favorisa le passage de l'Angleterre à l'ère industrielle. C'est de lui que les fameux *bobbies*, agents de la police londonienne dont il fut le créateur, tiennent leur surnom. Au nord, la rue est bordée d'anciennes demeures appartenant pour la plupart à l'Université McGill.

Retournez rue Sherbrooke et continuez vers l'ouest.

La **rue Stanley** porte le nom de l'ancien gouverneur général du Canada qui créa la fameuse **coupe Stanley** *(voir p. 46)*.

★ Maison Alcan

1188 r. Peel (entrée principale au 2200 rue Stanley). Le siège social de l'importante société Aluminium Alcan Ltée présente un étonnant mélange d'ancien et de moderne. Les architectes de cet édifice (1983) ont suivi avec succès les directives de préservation du patrimoine en englobant dans la façade cinq bâtiments du 19e s. qui formaient la partie sud de la rue Sherbrooke, entre les rues Stanley et Drummond. À l'extrême gauche, la **maison Atholstan** *(n° 1172)* fut construite pour Lord Atholstan (1848-1938), philanthrope réputé

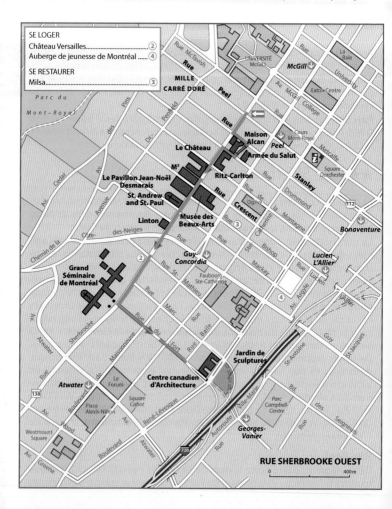

et fondateur d'un journal aujourd'hui disparu. Cet édifice en pierre de taille, réalisé en 1895 dans le style Beaux-Arts, est caractéristique des constructions élevées par l'élite financière de l'époque. Son intérieur est aujourd'hui occupé par les bureaux du président d'Alcan.

Un superbe **atrium** couvert d'une verrière relie les cinq bâtiments à l'édifice Davis, construction moderne au revêtement d'aluminium, dissimulée à l'arrière. Le vaste espace est mis en valeur par plusieurs œuvres d'art. On remarquera particulièrement une statue d'Esther Wertheimer intitulée *Paolo et Francesca* (1985) ainsi que des panneaux textiles colorés et de belles sculptures inuits en stéatite.

Descendez l'agréable ruelle entre les rues Stanley et Drummond, derrière l'édifice, d'où l'on aperçoit la **Citadelle de l'Armée du Salut** *(rue Drummond)*, construite en 1884 selon le style des temples ioniques.

Retournez rue Sherbrooke Ouest.

★ Ritz-Carlton

Dernier survivant des grands hôtels de Montréal, le Ritz-Carlton appelle à la nostalgie des Années folles. Ce luxueux édifice (1912) présente une élégante façade en pierre calcaire de style néo-Renaissance, ornée de détails en terre cuite. Sa marquise en fer forgé est éclairée par de superbes lampadaires. Le bâtiment, agrandi en 1956 dans son style d'origine, comporte dans sa partie ouest des panneaux décoratifs au-dessus des fenêtres. Le hall d'entrée et les salles de réception s'enorgueillissent d'un fastueux décor tout de marbre, de bronze, de cuir et de boiseries. L'établissement a vu défiler un grand nombre de souverains et chefs d'État, dont Charles de Gaulle, et servit de cadre au mariage d'Elizabeth Taylor et de Richard Burton en 1964. Il reste aujourd'hui très apprécié des célébrités.

Traversez la rue de la Montagne.

De l'autre côté de la rue, au n° 1321, l'immeuble d'appartements **Le Château** (1925), surmonté d'un toit en pente, est orné de créneaux et tourelles de pierre. L'édifice fut construit en calcaire fossilisé de Tyndall, le même que celui qui orne l'intérieur du Parlement d'Ottawa.

Rue Crescent

Deux rangées de charmants édifices victoriens longent les deux blocs de cette artère, située entre la rue Sherbrooke et la rue Ste-Catherine. On y trouve un grand nombre de boutiques de mode, de galeries d'art, de magasins de tissus précieux et de restaurants qui, en été, ouvrent balconnets et terrasses, ajoutant ainsi à l'animation du quartier.

★★ Musée des Beaux-Arts de Montréal

1380 r. Crescent - ☎ 514 285 2000 - www.mmfa.qc.ca - ✗ ♿ - mar.-vend. 11h-17h (merc.-vend. 21h), w.-end 10h-17h - fermé 1ᵉʳ janv. et 25 déc. - collections permamentes gratuites, expositions temporaires 15 $ (-12 ans gratuit), nocturnes merc. à moitié prix.

Située au centre du Mille Carré Doré, cette vénérable institution muséologique est née en 1860. Ses collections permanentes comprennent environ 37 000 pièces allant des œuvres des maîtres anciens à celles d'artistes contemporains. Le musée est réputé pour ses collections d'art canadien et inuit, ses objets d'art décoratif (depuis les bronzes archaïques de la Chine ancienne jusqu'à la verrerie du 20ᵉ s.) et sa fabuleuse collection – la plus importante du monde – de plus de 3 000 boîtes à encens japonaises. Elles se répartissent de part et d'autre de la rue Sherbrooke, dans quatre bâtiments reliés par un sous-sol.

Les descriptions suivantes sont données sous toutes réserves, des exigences d'ordres divers occasionnant parfois la fermeture de certaines salles ou le redéploiement de certaines œuvres ou collections. Pour plus de détails, s'informer à l'accueil.

Le Pavillon nord (M²) – Avec son grand escalier et son portique en marbre blanc du Vermont, formé d'une majestueuse colonnade et de hautes portes massives, ce bâtiment, élevé en 1912, est un bel exemple du style Beaux-Arts qui, à l'époque, s'imposait dans la construction des musées. C'est lui qui accueillit les 467 premières œuvres d'art de l'Association d'art de Montréal (AAM). Fondée en 1860, celle-ci fournit le noyau des collections actuelles. L'édifice se partage aujourd'hui entre le **Pavillon Michael et Renata Hornstein**, et le **Pavillon Liliane et David M. Stewart**.

Ces derniers regroupent l'**art canadien** du 18ᵉ s. aux années 1945, avec une sélection régulièrement renouvelée d'œuvres extraites de la collection permanente. On y verra, selon le moment, des sculptures de Louis Archambault et de Robert Roussil, des tableaux d'Antoine Plamondon et de Cornélius Krieghoff, ou encore des œuvres de Paul Kane (1810-1871) et de Suzor-Côté (1869-1937), des toiles du Groupe des Sept et plusieurs œuvres d'artistes montréalais comme James Wilson Morrice (1865-1924), Ozias Leduc (1864-1955) et Alfred Laliberté (1878-1953). Une salle est particulièrement dédiée à la **collection Marc-Aurèle Fortin★**.

On peut aussi admirer la **collection des Arts décoratifs★** qui se trouvait autrefois au château Dufresne puis de l'autre côté de la rue. L'ensemble couvre le 20ᵉ s., de l'Art nouveau au postmodernisme. Déployée désormais sur trois étages, elle présente près de trois cents objets, dont plusieurs acquisitions récentes, et met l'accent sur les créateurs modernes et contemporains. Une galerie a en outre été entièrement consacrée au verre, de l'Antiquité à nos jours. Le pavillon rassemble également les collections des cultures du monde (Asie, Afrique, Amérique centrale et Amérique du Sud), de même que des objets de l'Antiquité classique.

★ La galerie des Cultures anciennes – *Deuxième sous-sol, sous la rue Sherbrooke.* Le réseau de salles souterraines reliant les pavillons nord et sud et le pavillon Claire et Marc Bourgie est consacré à des expositions temporaires d'œuvres de la collection d'art canadien du musée, modernes et contemporaines.

Le pavillon Claire et Marc Bourgie d'art canadien et québécois (M³) – *Du même côté de la rue Sherbrooke et de l'autre côté de la rue du Musée.* Ce nouveau pavillon ouvert en 2011 présente quelque 600 œuvres réparties sur six niveaux, depuis l'art inuit et l'art de la Nouvelle-France jusqu'aux années 1970. Il est accolé à **L'Erskine and American United Church**, bel exemple du style néoroman « richardsonien » construit en 1894. D'abord affectée à deux groupes religieux, l'église Erskine et l'église presbytérienne américaine réunies depuis 1934, elle a été annexée au musée en 2011. L'intérieur présente des caractéristiques dignes d'intérêt : un dôme peint et ornementé reposant sur une corniche finement ciselée, et 24 très beaux **vitraux** Tiffany illustrant divers thèmes bibliques. Elle abrite désormais une salle de concerts.

Le Pavillon Jean-Noël Desmarais – *Côté sud de la rue Sherbrooke.* Ajoutée en 1991, cette annexe est l'œuvre de l'architecte **Moshe Safdie**, célèbre pour ses remarquables réalisations telles qu'Habitat, le musée des Beaux-Arts du Canada, à Ottawa, et le musée de la Civilisation, à Québec. Doté d'une entrée monumentale, le bâtiment englobe la façade en brique de style néo-Renaissance du New Sherbrooke, immeuble d'appartements (1905) qui occupait le site avant sa construction. De grandes baies vitrées et des lucarnes offrent une vue imprenable sur la ville. Face à la rue Bishop, un ensemble de cinq grandes salles voûtées s'ouvre sur une agréable cour intérieure vitrée.

Pour une visite chronologique, commencez par le dernier étage.

L'**art occidental** du Moyen Âge au 19ᵉ s. est présent à travers des sculptures de bois polychrome, triptyques, fresques et vitraux qui témoignent brillamment de la richesse artistique de l'époque médiévale. Les superbes *Judith* et *Didon* d'Andrea Mantegna, et plusieurs œuvres de ses contemporains viennent rappeler la splendeur de la Renaissance. Les Flamands sont à l'honneur avec le *Retour de l'auberge,* de Pierre Bruegel le Jeune, et le *Portrait d'homme,* de Hans Memling. Des œuvres signées Rembrandt *(Portrait d'une jeune femme vers 1665),* Ruysdael, Canaletto et Gainsborough *(Portrait de Madame George Drummond)* évoquent les 17ᵉ et 18ᵉ s. La section consacrée au 19ᵉ s. recèle des peintures de l'École de Barbizon, ainsi que des œuvres impressionnistes et postimpressionnistes.

L'**art du 20ᵉ s.** et l'**art contemporain** international et canadien (depuis 1960) sont illustrés par des œuvres de Picasso, Sam Francis, Christian Boltansky, Gerhard Richter, Rebecca Horn et bien d'autres créateurs de notre siècle. On y trouve par exemple des réalisations d'artistes canadiens célèbres comme Jean-Paul Riopelle, qui a sa propre salle, ou Paul-Émile Borduas *(idem),* Betty Goodwin et Geneviève Cadieux.

Church of Saint Andrew and Saint Paul

(Église Saint-André-et-Saint-Paul)

1431 r. Crescent (entrée visiteurs au 3415 r. Redpath) - ☎ 514 842 3431 - www. standrewstpaul.com - &. - lun.-vend. 9h-17h.

Ce temple presbytérien de style néogothique (1932), flanqué d'une tour commémorative de 135 pieds de haut, est l'église du régiment canadien des Black Watch (régiment du Royal Highland). Construit en acier et béton armé, le bâtiment est revêtu de pierre calcaire de l'Indiana. Un immense vitrail, à la mémoire des victimes de la Première Guerre mondiale, domine le maître-autel. Les deux premiers vitraux à gauche de la nef furent conçus par **Edwin Burne-Jones**, du cabinet William Morris.

De l'autre côté de la rue, une rangée d'anciennes résidences de pierre grise *(nᵒˢ 1400-1460)* abrite de prestigieuses galeries d'art.

Guilde canadienne des métiers d'art

1460 r. Crescent - ☎ 514 849 6091 - www.canadianguild.com - mar.-vend. 10h-18h, sam. 10h-17h.

À la fois galerie et boutique, elle héberge une superbe collection de **sculptures inuit** et d'art amérindien.

Au coin de la rue Simpson se dresse le **Linton** *(nᵒ 1509),* l'un des plus grands immeubles d'appartements à l'époque de sa construction (1907). Son extérieur de brique, d'un style Beaux-Arts très chargé, est doté d'ornements en terre cuite.

Grand Séminaire de Montréal

2065 r. Crescent (à l'angle de la rue du Fort) - ☎ 514 935 7775 - www.gsdm.qc.ca - &. - visite guidée des tours, jardin, bassin et chapelle (1h30) - juin-août : mar.-sam. 13h et 15h - tarif à l'appréciation du visiteur.

Deux **tours** coiffées d'un toit en poivrière marquent l'emplacement d'un petit fort que les sulpiciens avaient établi en 1676 pour défendre leur mission. En 1685, le fort fut reconstruit en pierre et doté de quatre tours et d'une muraille d'enceinte afin de protéger la chapelle, la résidence des prêtres et une grange. Les tours nord furent démolies en 1854 pour faire place au Grand Séminaire (1857). Les deux tours restantes – entre lesquelles des panneaux d'interprétation retracent l'histoire du fort et de la congrégation des sulpiciens – ont été restaurées. Elles figurent, avec le séminaire sulpicien de la rue Notre-Dame, parmi les bâtiments les plus anciens de l'île de Montréal.

À l'intérieur de l'édifice principal, la remarquable **chapelle★** du Grand Séminaire, dessinée en 1904 par Joseph-Omer Marchand, fut achevée en 1907. Son intérieur monumental présente une grande nef à voûte de cèdre, qui prend modèle sur l'architecture paléochrétienne. On notera les mosaïques qui ornent le sol, les stalles de chêne joliment sculptées, en vis-à-vis, à la manière des chapelles collégiales, et dans le portique, la gigantesque *Descente de la croix* de Napoléon Bourassa. La chapelle possède en outre un superbe orgue Guilbault-Thérien, fait dans la tradition classique française du 18e s.

Suivez la rue du Fort jusqu'à la rue Baile.

★ Centre Canadien d'Architecture (CCA)

1920 r. Baile - 𝄞 *514 939 7026 - www.cca.qc.ca -* ♿🅿 *- merc.-dim. 11h-18h (jeu. 21h) - fermé 1er janv. et 25 déc. - 10 $.*

Il est né, en 1989, de la volonté de l'architecte **Phyllis Lambert**, célèbre défenseur de l'environnement et héritière de la fortune de la maison Seagrams, qui souhaitait encourager l'étude et l'appréciation de l'environnement bâti. Reconnu aujourd'hui comme un centre de références et de recherches unique au monde, il renferme plus de 180 000 livres, 65 000 estampes et dessins, 30 000 plans et plus de 50 000 photographies.

Visite – Le CCA constitue un exemple original de l'architecture postmoderne à Montréal. Au début, Phyllis Lambert l'avait conçu pour recevoir sa vaste collection de documents architecturaux. Sur le site qu'elle avait choisi se dressait un manoir (alors délabré) de style Second Empire, dans un quartier du 19e s. en plein déclin. Elle collabora avec un architecte de renom, Peter Rose, afin de restaurer la **maison Shaughnessy** et de l'incorporer au nouveau bâtiment. Cette maison (1874) forme le cœur de l'ensemble. Elle est entourée sur trois côtés par le musée, dont les lignes simples et la façade symétrique s'harmonisent avec l'ancien manoir. La seule décoration de l'édifice moderne est une curieuse corniche d'aluminium qui la recouvre pour faire écho à la crête de fer forgé de la maison Shaughnessy. Le calcaire de Trenton, le granit noir, les boiseries et le parterre en bois d'érable ainsi que les garnitures en aluminium ornent l'intérieur du bâtiment principal. Dans la maison Shaughnessy, les salles de réception, le ravissant **conservatoire** et le **salon de thé**, restaurés dans leur splendeur du 19e s. et meublés d'œuvres contemporaines, sont ouverts au public.

Musée – Il organise des expositions temporaires sur le thème de l'architecture et abrite un laboratoire de conservation ainsi qu'une librairie au choix impressionnant de livres sur l'architecture et le design.

Jardin architectural – Situé de l'autre côté du boulevard René-Lévesque, ce parc urbain original, dessiné par l'architecte Melvin Charney, fut conçu comme un tribut aux bâtiments avoisinants et à l'héritage architectural du monde occidental. Parmi les objets exposés sur cette bruyante esplanade qui domine un enchevêtrement d'autoroutes, se dressent dix sculptures ou « colonnes allégoriques » évoquant divers éléments architecturaux.

★★ Mont Royal et ses environs

▶ *Plan p. 128-129.*

Le mont Royal domine la zone urbaine du haut de ses 233 m. Il restera le point culminant de Montréal puisqu'une loi interdit à tout nouveau bâtiment de le dépasser en hauteur. Outre deux cimetières, plusieurs réservoirs d'eau et la tour de transmission de Radio Canada (1963), il comprend, dans sa partie la plus élevée, par un magnifique parc dont les espaces paysagés attirent un grand nombre de visiteurs et de résidents.

Sur son flanc ouest, au-dessus de Montréal et du St-Laurent, s'étend la municipalité de **Westmount**. Fondée en 1874, cette charmante enclave résidentielle fut longtemps le fief de la bourgeoisie anglophone de Montréal. Elle est parcourue de rues en pente raide, bordées d'imposantes demeures, certaines d'allure ultramoderne, d'autres plus anciennes, en pierre ou en brique. Du **belvédère de Westmount** *(entre les nᵒˢ 18 et 36 Summit Circle)*, la **vue★** plonge sur les toits de belles résidences et, plus bas, sur les trois tours de verre et de métal de **Westmount Square★** *(à l'angle de la rue Ste-Catherine et de l'av. Green)*. Dessinées par Mies van der Rohe en 1966, ces dernières abritent un élégant complexe d'appartements, de bureaux et de boutiques. La silhouette du pont Victoria se profile dans le lointain.

Lieu privilégié d'une certaine élite francophone, la municipalité d'**Outremont** – sur le flanc est du mont Royal – fait pendant à celle de Westmount. Constituée en 1875, elle recèle de somptueuses demeures et de beaux espaces verts.

★★ Parc du Mont-Royal

🕐 *Mont-Royal. À pied : à env. 20mn du centre-ville. Prenez la rue Peel jusqu'à l'avenue des Pins, puis suivez un chemin coupé de petits escaliers ; le dernier escalier, très raide, compte 204 marches. En voiture : accès par la voie Camillien-Houde ou le chemin Remembrance. ℘ 514 843 8240 - www.lemontroyal.qc.ca - ✄ ♿ 🅿 - 6h-0h.*

Très bel exemple du style paysager en vogue au 19ᵉ s., le parc du Mont-Royal fut créé selon les plans du célèbre architecte-paysagiste américain **Frederick Law Olmsted** (1822-1903), à qui l'on doit l'aménagement de Central Park à New York. Ce magnifique espace boisé fut ouvert en 1876, sur des terrains qui coûtèrent la coquette somme d'un million de dollars. Riche d'environ 60 000 arbres et de 650 espèces de plantes et de fleurs, cette véritable réserve naturelle abrite aujourd'hui une faune très variée (oiseaux, écureuils gris, tamias rayés…). On y trouve un lac, deux belvédères d'observation, un chalet d'accueil et de nombreux sentiers à travers bois.

Belvédère du Chalet – *Du terrain de stationnement, prenez le chemin menant au chalet (7mn).* D'ici, la **vue★★★** sur Montréal est splendide. On distingue en contrebas le campus de l'Université McGill et son pavillon des sciences médicales McIntyre, reconnaissable à sa forme cylindrique bien particulière. Plusieurs gratte-ciel du centre-ville se détachent clairement sur l'horizon : l'édifice IBM Marathon, la Banque du Commerce, le 1000 de la Gauchetière, la tour cruciforme de la Banque Royale et la place de la Cathédrale. Au loin se déroule le ruban argenté du St-Laurent, tandis que les collines Montérégiennes apportent à ce décor spectaculaire une touche de mystère.

La croix – *Accessible à pied à partir du chalet.* Illuminée la nuit, l'immense croix métallique (hauteur : 36,6 m) qui se dresse au sommet du mont Royal depuis 1924 est visible à 100 km à la ronde. En décembre 1642, Paul de Maisonneuve, fondateur de Ville-Marie, avait fait le serment de planter une croix sur la montagne si la ville était épargnée de l'inondation qui la menaçait au moment de Noël. La forteresse fut sauvée, et Maisonneuve, fidèle à sa parole, fit ériger, le 6 janvier 1643, une première croix de bois au sommet du mont.

Belvédère Camillien-Houde – *Accessible en voiture par la voie Camillien-Houde.* Excellent point de **vue**★★ sur l'est de Montréal que domine la tour élancée du Stade olympique, cette terrasse d'observation permet aussi de distinguer quelques collines Montérégiennes au sud et, au nord, les contreforts des Laurentides. Le belvédère fut nommé en l'honneur de Camillien Houde (1889-1958), plusieurs fois maire de Montréal entre 1928 et 1954.

Université de Montréal

Ⓜ *Université-de-Montréal. Entrée principale au croisement du bd Édouard-Montpetit et de l'av. Louis-Colin.*

Créée en 1878 comme annexe de l'Université Laval, à Québec, l'université de Montréal devint une institution indépendante en 1919. Elle se situait à l'origine rue St-Denis, où se trouve aujourd'hui l'UQAM *(voir p. 131)*, et n'emménagea sur son site actuel qu'en 1942. La construction du pavillon principal débuta en 1928, mais fut interrompue par la grande crise des années 1930. Les travaux ne reprirent qu'en 1941. Conçu par Ernest Cormier, le corps central est surmonté d'une haute tour et flanqué d'ailes perpendiculaires orientées vers l'avant. La sobriété de l'ornementation, le traitement géométrique des surfaces et les fenêtres fonctionnelles témoignent clairement de l'influence du mouvement Art déco. À l'intérieur du bâtiment, le hall central, la salle de réception et le grand amphithéâtre sont décorés dans le même style.

De nos jours, l'université de Montréal accueille près de 55 000 étudiants, ce qui en fait la plus grande université francophone du monde en dehors de Paris. Elle se compose de treize facultés et de deux écoles affiliées : l'École polytechnique *(au nord-est du pavillon principal)* et l'École des hautes études commerciales, soit HEC Montréal *(av. Decelles).*

★★ Oratoire Saint-Joseph

Ⓜ *Côte-des-Neiges. Entrée par le chemin Queen Mary.* ☎ *514 733 8211 - www.saint-joseph.org -* ✗♿🅿 *- 7h-22h (musée 10h-16h30), 4 $ (2 $ 6-17 ans).*

Érigée sur le versant nord-ouest du mont Royal, cette basilique catholique reçoit, chaque année, des millions de pèlerins. Son dôme gigantesque domine la partie nord de la ville.

★ **Basilique** – Cet édifice de style néo-Renaissance, coiffé d'un dôme massif octogonal au revêtement de cuivre, s'élève à 154 m au-dessus de la ville. Avec ses murs de granit et sa structure de béton armé, il atteint 104 m de long, 64 m de large et 112 m de haut. Le dôme (diamètre : 38 m), surmonté d'une croix de 8 m de hauteur, domine de 44,5 m le toit de la basilique. Ce projet d'envergure,

FRÈRE ANDRÉ

Alfred Bessette (1845-1937) rejoignit la congrégation de Sainte-Croix en 1870 et prit le nom de frère André. Tout en assumant, pendant 40 ans, ses fonctions de portier au collège Notre-Dame *(en face de l'oratoire Saint-Joseph)*, il prêchait une complète dévotion à saint Joseph. En 1904, il érigea une petite chapelle sur le chemin qui conduisait du collège au mont Royal. Nombre de malades qui venaient prier à ses côtés ayant été miraculeusement guéris, frère André acquit bientôt une réputation de thaumaturge et attira tant de pèlerins qu'il fallut, pour les accueillir, construire une église plus vaste. Il fut canonisé le 17 octobre 2010.

Parc du Mont-Royal.
T. Bognar/Age Fotostock

commencé en 1924, connut des difficultés techniques et financières qui interrompirent le déroulement des travaux. En 1936, le célèbre moine bénédictin **Dom Paul Bellot** devint architecte en chef du chantier. Il opta pour l'emploi de béton comme matériau de construction du dôme, et modifia les plans intérieurs en adoptant un style moderne. L'édifice fut achevé en 1967.

L'intérieur, immense, frappe par son austérité. On y remarquera le maître-autel, le crucifix et les statues de bois des douze apôtres sculptés par Henri Charlier *(dans le transept)*. Les vitraux ont été dessinés par Marius Plamondon. Roger Prévost façonna les lourdes grilles de métal, et Roger de Villiers le chemin de Croix grandeur nature *(autour de la nef)*. L'autel de la chapelle du St-Sacrement *(derrière le chœur)* est l'œuvre de Jean-Charles Charuest, et la mosaïque illustrant la vie de saint Joseph provient de l'atelier Labouret, à Paris.

L'ensemble comprend également une **chapelle votive**, qui abrite la tombe du frère André ; un **carillon** dont les 56 cloches, fondues à Paris, étaient destinées à être installées sur la tour Eiffel ; une **crypte**, où se tiennent des messes quotidiennes ; le **musée**, doté d'une collection de photographies, de crèches et des pièces d'art religieux. La **chapelle du Frère André** *(voir l'encadré ci-contre)* se trouve à l'extérieur de la basilique.

Un **chemin de Croix★** a été construit à flanc de montagne. Il est orné de belles sculptures de pierre polie d'Indiana taillées par l'Italien Ercolo Barbieri en 1960, selon les dessins de Louis Parent.

Devant la basilique, la grande terrasse offre une **vue** superbe sur le nord de Montréal et sur les Laurentides qui s'élèvent à l'horizon.

★ Musée commémoratif de l'Holocauste à Montréal

Ⓒ *Côte-Ste-Catherine. 5151 chemin de la Côte-Ste-Catherine -* **℘** *514 345 2605 - www.mhmc.ca - dim.-vend. 10h-17h (dim. et vend. 16h, merc. 21h) - nov.-mars : à cause du Shabbat, téléphonez pour confirmer l'heure de fermeture du vend. - fermé pour les principales fêtes juives - 8 $ (étudiant 5 $) - les moins de 14 ans doivent être accompagnés d'un adulte.*

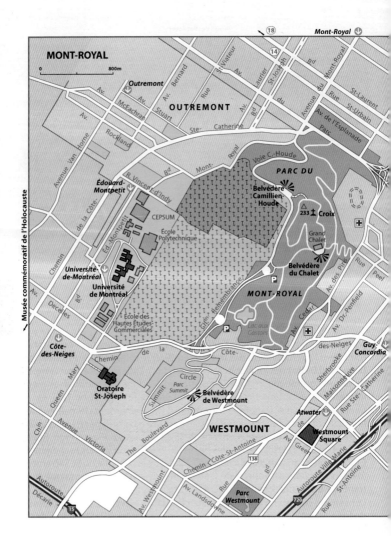

Entre 5 000 et 8 000 survivants de la Shoah se sont établis à Montréal, faisant de la ville la troisième plus forte concentration de survivants au monde. Leurs témoignages et leurs souvenirs constituent la base de ce musée. Ce dernier replace le visiteur dans le contexte social, politique, religieux et culturel des différentes communautés juives à travers l'Europe et le monde avant le conflit. Il l'accompagne ensuite dans la montée du nazisme, des lois antijuives, du quotidien invivable jusqu'à l'horreur des camps. En parallèle, la visite permet de saisir la position officielle du Canada vis-à-vis de la question juive, pendant et après la guerre, les lobbies à l'antisémitisme latent, les lois sur l'immigration appliquées sans exception. Les vidéos des survivants racontant leur histoire rythment le parcours, jalonné d'objets, de films et de panneaux explicatifs. La muséographie, très contemporaine, crée une atmosphère particulièrement recueillie, parfois dramatique.

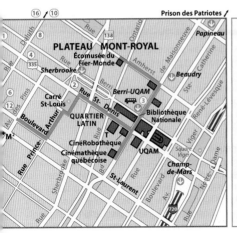

SE LOGER

Anne Ma sœur Anne	①
Pomerol (Le)	③

SE RESTAURER

Banquise (La)	⑯
Café Cherrier	②
Comptoir 21	⑱
Express (L')	④
Moishes	⑥
Pied de cochon (Au)	⑧
Piton de la Fournaise (Le)	⑩
Schwartz's	⑫
Wilenskys	⑭

M²........Musée des Hospitalières de l'Hôtel-Dieu de Montréal

Musée des Hospitalières de l'Hôtel-Dieu de Montréal (M²)

201 av. des Pins Ouest (entre la rue St-Urbain et l'avenue des Pins) - ℰ 514 849 2919 - www.museedeshospitalieres.qc.ca - &. - de mi-juin à mi-oct. : mar.-vend. 10h-17h, w.-end 13h-17h ; reste de l'année : merc.-dim. 13h-17h - fermé 25 déc. - 6 $ (12-18 ans 5 $).

Logé dans une ancienne résidence d'aumôniers (1925), ce musée retrace l'histoire de la communauté des Hospitalières de St-Joseph. Parallèlement à ses expositions temporaires, il présente une sélection de 400 objets tirés de sa collection permanente. Un magnifique escalier de chêne massif (17e s., France) domine, du haut de ses huit mètres, le hall d'entrée de la nouvelle section du musée (1992). Le premier étage, consacré à l'histoire de Montréal et des hospitalières, contient notamment un magnifique retable (1777) orné de feuilles d'or, sculpté par Philippe Liébert. Une aire d'exposition évoque la vie cloîtrée des hospitalières du 19e au début du 20e s. Le second étage se penche plus particulièrement sur l'histoire de l'Hôtel-Dieu de Montréal et sur la vocation médicale des sœurs soignantes. La visite se termine par une présentation vidéo sur le rayonnement de la communauté des Hospitalières dans le monde.

★ LE QUARTIER LATIN

▶ *Circuit tracé en vert sur le plan ci-dessus.* ◑ *Sherbrooke. Descendez le boulevard St-Laurent et prenez la rue Prince-Arthur à gauche, vers l'est.*

Rue Prince-Arthur

Cette petite rue piétonne, dont le nom évoque le souvenir du prince Arthur, troisième fils de la reine Victoria et gouverneur général du Canada de 1911 à 1916, fut le centre très couru de la Révolution tranquille. Ses trottoirs, bordés de restaurants (grecs, italiens) sont animés, à la belle saison, de musiciens, saltimbanques et portraitistes.

La rue aboutit au Carré St-Louis.

★ Carré Saint-Louis

R. St-Denis, entre la rue Sherbrooke et l'avenue des Pins.

Cette pittoresque place ombragée doit son nom à Emmanuel et Jean-Baptiste St-Louis, frères et éminents hommes d'affaires. Vers la fin du 19e s., la bourgeoisie francophone, séduite par le calme de l'endroit, vint s'installer dans le quartier, d'où la présence, tout autour de la place, de belles résidences victoriennes, avec leur toiture aux lignes fantaisistes et leurs pignons. Devenu par la suite lieu de prédilection des artistes et poètes québécois (Louis Fréchette, Émile Nelligan et, plus récemment, Gaston Miron y habitèrent), le Carré St-Louis s'affiche, dans les années 1970, comme centre du mouvement nationaliste. Il continue aujourd'hui d'attirer beaucoup d'écrivains, de musiciens, de cinéastes et de comédiens québécois d'expression francophone.

★ Rue Saint-Denis

Cette rue fut baptisée en l'honneur de Denis-Benjamin Viger, riche propriétaire terrien au milieu du 19e s. Le quartier, jadis occupé par toute une bourgeoisie francophone, a conservé de cette époque de belles maisons victoriennes. Au début du 20e s., plusieurs institutions d'enseignement supérieur telles que l'École polytechnique, l'École des hautes études commerciales (place Viger) et l'université de Montréal s'installèrent ici, et les environs de la rue St-Denis acquirent peu à peu le surnom de **Quartier latin**. Le **théâtre St-Denis** (T) fit son apparition vers la même époque. Pour répondre aux besoins de la population estudiantine, les anciennes demeures bourgeoises furent alors divisées en logements plus petits.

Le transfert de l'université de Montréal sur le versant nord du mont Royal allait avoir de graves conséquences sur l'économie du quartier, mais la Révolution tranquille lui apporta un second souffle de vie. Bistros, restaurants intimes, petites boutiques et librairies proliférèrent, ramenant une clientèle jeune. Aujourd'hui, la rue St-Denis est devenue l'un des lieux favoris de nombreux Montréalais et touristes. Cette artère animée est bordée de galeries d'art, de boutiques à la mode et de restaurants dont les terrasses, à la belle saison, empiètent sur les trottoirs.

Descendez la rue jusqu'au boulevard de Maisonneuve.

CinéRobothèque

1564 r. St-Denis - ☎ 514 496 6887 - www.onf.ca/cinerobotheque - mar.-dim. 12h-21h - tarif variable selon les projections.

Quelque 10 000 films sont à disposition dans ce temple du cinéma canadien, alimenté depuis 13 ans par les collections de l'Office national du film. Le principe est simple : on s'assied, on sélectionne le film à voir sur un écran tactile, et la séance commence. Possibilité de louer les films en VHS ou DVD.

Tournez à droite dans le boulevard de Maisonneuve.

Cinémathèque québécoise

335 bd de Maisonneuve Est - ☎ 514 842 9768 - www.cinematheque.qc.ca - expositions : mar. 12h-18h, merc.-vend. 12h-20h, w.-end 16h-20h (août : mar.-vend. 12h-18h) ; projections : à partir de 17h - expositions gratuites, projections 7 $.

Fondée en 1963, la Cinémathèque québécoise conserve et rend public le patrimoine cinématographique et télévisuel, aussi bien national qu'international. C'est à ce titre qu'elle présente par exemple la **collection permanente Moses Znaimer** (en son temps, ce pionnier lança les premières chaînes indépendantes canadiennes). Il s'agit du plus important fonds de téléviseurs anciens au Québec, soit 96 postes dont une quinzaine datent de l'entre-deux-guerres. Seule une sélection est exposée, réunissant quelques jolies pièces comme ce Komet de la marque allemande Kuba (1957-1962) dans son meuble en bois d'érable au design de voilier, ou l'un des premiers appareils portatifs de forme spatiale (casque de cosmonaute)… Des panneaux présentent en parallèle l'histoire des inventeurs, de John L. Baird (1888-1946) à

Allan B. DuMont (1901-1965). Expositions temporaires sur le cinéma, le film d'animation ou la télévision.

Revenez sur vos pas et continuez sur le boulevard de Maisonneuve en direction de Berri-UQAM. À l'intersection avec la rue Berri, se dresse, sur la gauche, la Bibliothèque nationale du Québec.

Bibliothèque nationale du Québec

475 bd de Maisonneuve Est - ✆ *514 873 1100 ou 1 800 363 9028 - www.banq.qc.ca - mar.-vend. 10h-22h, w.-end 10h-18h - visite guidée 1h30, horaires variables.*

Quatre millions de documents (livres, microformes, revues, journaux, DVD…), 33 000 m^2 : la Grande Bibliothèque impressionne. La visite guidée permet d'en découvrir les recoins et d'en admirer la structure de verre dépoli, de béton, de céramique et de bois. Cinq espaces accueillent des expositions temporaires, réalisées à partir des collections du site.

Sortez boulevard de Maisonneuve et traversez la rue pour aller à l'université.

Université du Québec à Montréal (UQAM)

Traversée par la rue St-Denis, la partie principale du campus s'étend du boulevard de Maisonneuve, au nord, jusqu'au boulevard René-Lévesque, au sud. Fondé en 1969, ce campus universitaire se compose de bâtiments modernes intégrés à des éléments plus anciens. L'un d'entre eux occupe le site de l'ancienne église St-Jacques, édifice de style néogothique dessiné par John Ostell en 1852, dont il ne reste que la façade du transept sud *(rue Ste-Catherine)* et le clocher *(rue St-Denis)*, le plus haut de Montréal (flèche : 98 m). Aujourd'hui, l'université accueille plus de 41 000 étudiants, ce qui l'a conduite à s'agrandir, et notamment à englober l'ancienne École polytechnique qui abrite désormais des bureaux administratifs. Un second campus, situé entre la Place des Arts et la rue Sherbrooke, comprend un énorme complexe des sciences.

Remontez la rue de Maisonneuve et tournez à gauche dans la rue Amhert.

Écomusée du Fier-Monde

2050 r. Amherst (angle Ontario) - ✆ *514 528 8444 - www.ecomusee.qc.ca - merc. 11h-20h, jeu.-vend. 9h30-16h (juil.-août 17h), w.-end 10h30-17h - 6 $ (enf. 4 $).*

Joseph-Omer Marchand se serait inspiré de la piscine de la Butte-aux-Cailles (1927) à Paris pour dessiner **le bain Généreux★** : poutres cintrées, claires-voies, murs latéraux sont en effet similaires. Inauguré en 1927, le bâtiment accueillit les baigneurs jusqu'en 1993. Deux ans plus tard, l'architecte Felice Vaccaro se vit confier sa rénovation et son réaménagement. Après un an de travaux, l'écomusée du Fier-Monde prit possession des lieux.

Son objectif est de sensibiliser le public à l'**histoire industrielle et ouvrière** qui a forgé l'identité du quartier. Entrepôts et manufactures couvraient l'est de Montréal et faisaient vivre une main-d'œuvre aux conditions de vie et de travail précaires. L'exposition permanente « À cœur de jour ! Grandeurs et misères d'un quartier populaire » le rappelle à travers des images, des témoignages, des chiffres. On suit ainsi toute l'évolution du centre-sud, jusqu'à aujourd'hui où le quartier se distingue par son dynamisme, notamment associatif. Les expositions temporaires du rez-de-piscine sont d'ailleurs souvent en lien avec ces associations ou avec l'actualité du quartier.

PLUS À L'EST

La prison des Patriotes

Ⓜ *Papineau. Sortez du métro et suivez à gauche la rue Ste-Catherine. Passez sous le pont Jacques-Cartier et traversez l'avenue De Lorimier, que vous descendrez vers le sud. 903 av. De Lorimier -* ☏ *450 787 9980 ou 1 888 999 1837 - www.mndp. qc.ca - merc.-vend. 12h-17h, w.-end 9h30-17h, horaires sujets à modifications.*

Aujourd'hui occupée par la Société des alcools du Québec (SAQ), l'ancienne prison du Pied-Courant (1831-1840) a conservé sa façade originelle côté St-Laurent. Ne manquez pas d'y jeter un coup d'œil avant de rentrer par le côté ouest du bâtiment.

Le sous-sol de l'édifice néoclassique a été aménagé de façon à présenter le plus clairement possible les enjeux liés au mouvement patriote du Bas-Canada. Après une maquette de la prison, telle qu'elle était lorsqu'elle reçut les quelque 1 300 Patriotes entre 1837 et 1838, l'exposition aborde l'histoire du Bas-Canada, son économie, notamment agraire, la question de l'identité suite à l'incorporation du Canada français à l'Empire britannique, le contexte politique, la montée des revendications, l'insurrection avec ses chefs et ses détracteurs, et le dénouement. Très exhaustifs, les panneaux explicatifs remettent en perspective cet épisode fondateur du Québec contemporain, et cela de manière plutôt objective.

★★ LE PLATEAU MONT-ROYAL

Familièrement appelé « *le Plateau* », il s'étend sur une zone située au nord de la rue Sherbrooke et à l'est du mont Royal. Il se répartit en différents paliers que traverse et relie entre eux le boulevard St-Laurent. Le Plateau est réputé pour être le quartier de Montréal le plus créatif et le plus actif artistiquement. On ne compte plus les salles de concerts programmant des groupes émergents, les ateliers de design, les salons de microédition, les magasins « ethniques », les boutiques tendance, les vendeurs ambulants, les restaurants et les nombreux cafés où se retrouvent les *hipster*, ces jeunes (et moins jeunes) branchés cultivés à l'affût des tendances.

Boulevard Saint-Laurent

Cette voie très populaire, animée en permanence, demeura longtemps la plus importante artère de Montréal, d'où son surnom : « la Main » (la rue principale). C'est à partir d'elle que les rues dites est-ouest ont été numérotées, et c'est elle aussi qui sépare les quartiers anglophones à l'ouest, des francophones à l'est. Son tracé initial, établi en 1672, fut rapidement prolongé jusqu'à la rivière des Prairies, près du Sault-au-Récollet. Après l'incendie de Montréal en 1852, la rue atteignit le Mile End (le dernier mille), qui marquait alors les nouvelles limites de la cité. Elle devint officiellement un boulevard en 1905.

Depuis plus d'un siècle, le quartier accueille traditionnellement les minorités culturelles qui viennent s'établir à Montréal. L'urbanisation du boulevard a donc progressé au rythme des nouveaux arrivants. Des immigrants chinois s'installèrent dans sa partie sud au 19e s. *(voir p. 119)*. Des juifs, arrivés vers 1880, développèrent une industrie textile (aujourd'hui presque disparue) dans la section située au nord de la rue Ste-Catherine. Toute une communauté grecque vint s'établir dans le voisinage mais, vers les années 1940, quitta les lieux pour le nord de l'avenue du Parc. La relève est désormais assurée par une immigration d'origine slave, portugaise et latino-américaine.

Sortez à la station de métro Mont-Royal.

Avenue de Mont-Royal

On y sent l'influence francophone (cafés, croissanteries, librairies spécialisées en littérature) : c'est d'ailleurs dans cette partie de Montréal que choisissent souvent de s'installer les nouveaux arrivants d'origine française. Au sud, la rue Rachel qui lui est parallèle mène à l'est au **parc Lafontaine** réputé pour

ses plans d'eau, l'ombre de ses arbres et son théâtre de verdure. À l'ouest, elle débouche au pied du mont Royal sur le **parc Jeanne-Mance** où se tiennent les dimanches d'été des concerts de percussions.
Remontez le boulevard St-Laurent.

Le Mile End

L'implantation d'entreprises internationales et dynamiques au tournant des années 2000 a donné un coup de jeune à ce quartier jadis populaire. La rue Fermount en marque la limite sud et le viaduc de la voie rapide, contre lequel s'élève un entrepôt de brique coiffé de l'antique **château d'eau** symbole du quartier, sa limite nord. L'essentiel de l'activité se concentre autour des rues St-Viateur (au pied de la surprenante église à dôme St-Michael) et Bernard, et dans les rues perpendiculaires plantées d'arbres dont les maisons arborent les si montréalais escaliers métalliques en spirale. Un quartier qui préserve ses contrastes. La population branchée nouvellement arrivée, issue des milieux du cinéma, de la télévision ou de la musique, y côtoie les représentants de la communauté juive hassidique vêtus de l'habit traditionnel et les Grecs établis sur l'avenue du Parc.
Poursuivez dans le boulevard St-Laurent et passez sous le viaduc.

Plus au nord, la Petite Italie

Autour de la partie supérieure du boulevard St-Laurent, elle est un peu le pendant nord du quartier chinois. De la même façon, son périmètre est marqué de portails qui enjambent les rues. Magasins et cafés côtoient pizzerias et trattorias – où l'italien est de mise – parmi les meilleures de la ville. Son principal attrait demeure l'immense **marché Jean-Talon**, l'un des préférés des Montréalais avec, aux beaux jours, ses étals débordants de fruits et légumes, de charcuteries et de viandes, d'olives et de fromages *(voir « Nos adresses »)*.

★★ Quartier du Parc olympique Carte de région

Situé au cœur de la partie est en pleine évolution, ce vaste secteur est dominé par l'impressionnante structure du **Stade olympique**. On y visitera aussi avec intérêt l'**Espace pour la vie** dédié à l'exploration de l'environnement et de la biodiversité.

★★ PARC OLYMPIQUE C1

🚇 *Viau. Hall touristique (point de départ des visites et du funiculaire) au pied de la tour. Un service de navette gratuit dessert le Jardin botanique et le Biodôme. En voiture : entrée du parc de stationnement au 3200 r. Viau.*

En 1976, pour accueillir les Jeux olympiques d'été, de gigantesques installations sportives, réparties sur un terrain d'une superficie de 55 ha, furent construites au cœur de la partie est de Montréal, dans l'ancienne ville de Maisonneuve. Le complexe olympique, pour avoir été le projet public le plus controversé de la ville, n'en constitue pas moins une remarquable réalisation architecturale. Véritable monument de béton à la gloire du sport, les différents éléments qui le composent présentent une synthèse harmonieuse de la forme et de la fonction.

Le parc comprend un impressionnant complexe stade-tour, un centre sportif (6 bassins aquatiques), une esplanade bétonnée au-dessus d'énormes parkings souterrains (les plus grands du Canada), le centre Pierre-Charbonneau et l'aréna Maurice-Richard (tous deux construits en 1954). Longtemps inutilisé, l'ancien vélodrome sert aujourd'hui de cadre au **Biodôme** *(voir p. 137).*

Depuis 2008, le complexe abrite aussi le stade Saputo, nouveau domicile de l'Impact, l'équipe de soccer de Montréal, tandis qu'à terme, le Planétarium devrait quitter son emplacement du centre-ville pour venir compléter l'offre du parc.

Un audacieux projet

Les travaux d'excavation commencèrent en 1973, mais seuls le stade, le vélodrome et le village olympique furent complétés à temps pour les Jeux de 1976. D'un coût phénoménal (1,2 milliard de dollars), le chantier resta longtemps inachevé. Maintes difficultés techniques retardèrent la construction de la tour. Lorsqu'il devint évident qu'elle serait trop lourde si elle était érigée selon les plans d'origine, un moratoire de quatre années fut nécessaire à la révision du projet. En 1987, une fois la tour et le toit achevés, il fallut encore procéder à une série d'innovations et d'aménagements afin de rentabiliser le parc. Créée en 1975, la Régie des installations olympiques (RIO) est chargée de l'achèvement, de l'administration et de la transformation du complexe en centre de tourisme et de loisirs. Hôte d'événements de toutes sortes (salons, manifestations sportives et culturelles), le parc abrite notamment les **Expos de Montréal**, équipe professionnelle de base-ball de la ville.

Stade

℘ 514 252 4737 - www.rio.gouv.qc.ca - ✗ ♿ 🅿 - visite guidée (30mn) - mars-sept. : dép. réguliers à partir de 10h ; reste de l'année : 11h, 12h, 13h30, 14h30 et 15h30 (bilingue) - 8 $ (6-17 ans 6,25 $). La visite ne comprend pas l'ascension de la tour.

Conçue par l'architecte français Roger Taillibert, cette enceinte de béton s'articule sur 34 énormes consoles en porte-à-faux auxquelles sont accrochés les gradins et l'anneau technique. Le stade est dominé par la plus haute tour inclinée du monde. Partant de son sommet, 26 câbles de suspension retiennent

UN PEU D'HISTOIRE

En 1883, les principales figures de la bourgeoisie canadienne française créèrent la communauté de Maisonneuve à 10 km de Montréal, en vue d'en faire une cité modèle, capable de rivaliser d'importance avec sa puissante voisine, alors dominée par une riche élite anglophone. Après 1896, Maisonneuve connut un formidable essor économique en se spécialisant dans l'industrie de la chaussure et des textiles, dans la boulangerie et la confiserie, et dans la construction navale. Pour ajouter à sa prospérité, la ville lança un ambitieux programme d'urbanisme (reposant sur les canons du mouvement américain « City Beautiful ») dans le cadre duquel furent réalisés l'immense **parc Maisonneuve**, de grands boulevards et de prestigieux bâtiments, dont le fameux château Dufresne. Cependant, le coût exorbitant de son développement, combiné à la récession entraînée par la Première Guerre mondiale, mena Maisonneuve à la faillite et à son annexion, en 1918, à la ville de Montréal.

Le parc Maisonneuve (204 ha) englobe aujourd'hui le **Jardin botanique**, une superbe piste cyclable, une aire de pique-nique et un endroit où se restaurer. En été, c'est un lieu de détente familial, très apprécié pour ses espaces ombragés et ses promenades. En hiver, une patinoire illuminée et cinq longues pistes de ski de randonnée donnent aux plus sportifs l'occasion de pratiquer leurs talents. En face du Jardin botanique, rue Sherbrooke, le **Parc olympique** a grandement contribué au renouveau économique de la partie est de Montréal.

le toit en Kevlar, fibre synthétique ultra-fine. Au moment de sa construction, il s'agissait du plus grand toit mobile du monde.

Le gigantesque intérieur, d'une superficie de 59 307 m², est assez grand pour contenir… le Colisée de Rome ! Il compte 55 147 sièges répartis sur sept niveaux, et un parterre central de 18 950 m². Il accueillit le pape Jean-Paul II au cours de son voyage à Montréal en 1984.

De la passerelle d'accès à l'esplanade au-dessus de la station de métro Pie-IX, on découvre une intéressante perspective sur le stade.

Observatoire de la Tour de Montréal

Accès hall touristique - 🖉 514 252 4737 - www.rio.gouv.qc.ca - ✕ ♿ 🅿 - de mi-juin au 1ᵉʳ lun. de sept. : 9h-19h ; reste de l'année : 9h-17h - fermé de janv. à mi-fév. - 20 $ (5-17 ans 10 $).

Membre de la prestigieuse Fédération des grandes tours du monde, cette immense structure (hauteur : 175 m ; poids : 183 000 t) est l'un des éléments les plus distinctifs du paysage montréalais. Achevée en 1987, elle se compose d'un socle bombé (en béton) destiné à recevoir la charge de la partie supérieure (en acier), inclinée à 45° au-dessus du toit rétractable ; à titre indicatif, la tour de Pise représente un angle d'inclinaison de 5°.

On accède au sommet en deux minutes par un **funiculaire** extérieur. De l'observatoire, situé au sommet même de la tour, le **panorama**★★★ porte, par temps clair, jusqu'à 80 km. L'étage inférieur de l'observatoire comporte un **centre d'interprétation**, dont les expositions sont axées sur l'histoire et la construction du Parc olympique.

Village olympique

Côté nord de la rue Sherbrooke, à l'est de la rue Viau.

Les « pyramides olympiques », comme on les appelle familièrement, sont deux édifices jumeaux de 20 étages qui furent construits lors des Jeux olympiques de 1976 pour loger quelque 11 000 athlètes. Peu adaptés aux rudes hivers montréalais, ces bâtiments, dont l'architecture est inspirée du complexe de la Baie des Anges, dans le Midi de la France, forment aujourd'hui un ensemble résidentiel et commercial.

★★ ESPACE POUR LA VIE C1

🕐 *Pie-IX.* Situé de part et d'autre de la rue Sherbrooke, il comprend le Jardin Botanique et l'Insectarium au nord, et au sud le Biodôme que rejoindra à partir de 2012-2013 le Planétarium lorsque son installation sera achevée.

★★ Jardin botanique de Montréal

4101 r. Sherbrooke Est - 🖉 514 872 1400 - www.museumsnature.ca - ✕ ♿ 🅿 - de mi-mai à fin oct. : 9h-18h (sept.-oct. 21h) ; reste de l'année : mar.-dim. 9h-17h - mai-oct. : 16,50 $ (5-17 ans 8,25 $) ; nov.-mai : 14 $ (5-17 ans 7 $). Un service de navette gratuit dessert le Biodôme, le Parc olympique et le Jardin botanique.

Le Jardin botanique de Montréal, l'un des plus beaux du monde, fut créé en 1931 par le frère Marie-Victorin (1885-1944). Sur un terrain de 75 ha poussent plus de 21 000 espèces de plantes provenant des quatre coins de la planète, dont environ 10 000 arbres et 1 500 types d'orchidées, sans oublier une riche collection de bonsaïs.

Non loin des **Jardins d'accueil**, qui étalent d'avril à octobre les superbes couleurs de leurs fleurs annuelles, se trouve le bâtiment administratif (1937). Orné de fresques et de bas-reliefs, ce bel exemple d'architecture Art déco accueille, depuis 1939, l'Institut de recherche en biologie végétale de l'université de Montréal. Non loin de là, le comptoir de renseignements du **Complexe d'accueil** donne accès à la serre d'accueil Molson.

★ **Serres d'exposition** – Une impressionnante enfilade de serres permet de découvrir en toutes saisons des espèces et variétés du monde entier. Juste après la Grande Serre, consacrée à des expositions saisonnières, le Jardin céleste présente la magnifique **collection Wu** composée d'arbres miniatures chinois ou **penjings**, offerts au Jardin botanique en 1984 par M. Wu Yee-Sun, maître de l'art du « paysage dans un pot ». La reconstitution très réussie d'une hacienda mexicaine sert ensuite de cadre à divers spécimens de cactus et plantes grasses. Plus loin, on découvre la flore des régions tropicales avec la Serre des forêts tropicales humides et surtout celle des **forêts tropicales économiques** (plantes alimentaires, condimentaires, textiles, etc.).

★ **Jardin de Chine** - Plus vaste jardin chinois hors de Chine, cet impressionnant ensemble (1991 ; Le Wei Zhong) est l'authentique reconstitution d'un jardin classique sous la dynastie des Ming (14e-17e s.). Remarquable interprétation artistique de la nature, dans laquelle eau et montagne forment un tout harmonieux, le « Jardin du lac de rêve » incite à la contemplation. Ses sept pavillons, coiffés de toits gris très inclinés et incurvés, ont été préfabriqués en atelier à Shanghaï, puis assemblés sur place par des ouvriers chinois. De l'autre côté du lac s'élève un roc abrupt de 9 m de hauteur, doté d'un escalier de pierre, d'une grotte et d'une cascade. Un autre pavillon renferme une fabuleuse collection de penjings *(ci-dessus)*.

Jardin japonais – Dans ce merveilleux espace paysagé de 2,5 ha (1988 ; Ken Nakajima), l'eau, la pierre (péridotite de la région de Thetford Mines) et la végétation composent un tableau des plus sereins, agrémenté d'un étang, d'une série de cascades et d'une superbe collection de **bonsaïs**. Le **Pavillon japonais**, réalisé à l'image d'une demeure familiale traditionnelle, abrite un jardin zen ou « jardin du silence » et renferme un hall d'exposition.

Jardin des Premières-Nations – Depuis 2001, ses 2,5 ha de feuillus (érables, frênes, ormes), de conifères et de toundra permettent d'appréhender le milieu de vie originel des onze Premières Nations. On découvre ainsi l'agriculture amérindienne, les modes de vie des Algonquiens ou un camp d'automne au milieu de 5 000 arbres et de 300 espèces végétales.

Centre de la Biodiversité – Ce bâtiment de verre écoresponsable comprend trois sections : une salle où sont présentées des expositions temporaires évoquant la biodiversité sous toutes ses formes ; le conservatoire de l'herbier de Marie Victorin où l'on peut voir sur trois niveaux plantes, champignons et insectes *(visite sur RV)* ; et des laboratoires de recherche *(ne se visitent pas)*. Il rassemble en un même lieu les trois missions du Jardin botanique : conservation, animation et recherche.

Le Jardin botanique offre bien d'autres points d'intérêt. Dans ses très beaux jardins d'exposition, aménagés selon les règles de l'art français, se succèdent plantes (médicinales, vénéneuses, aromatiques, annuelles, économiques, à fruits, vivaces, caractéristiques du Québec), arbustes et légumes. La fabuleuse **roseraie** compte 10 000 pieds plantés parmi les arbres et les buissons. Les plantes indigènes et ornementales tels le lotus, le nénuphar et la jacinthe d'eau poussent dans les 110 bassins du **Jardin aquatique**. Le **Jardin du sous-bois** compte à son actif un millier d'espèces de primevères et de bégonias sous une futaie d'érables, de frênes et de tilleuls. On peut également voir le **ruisseau fleuri** de lilas, d'iris, de pivoines et d'asters dans un grand jardin à l'anglaise, ou encore le **Jardin alpin**, avec sa flore agréablement disposée parmi la rocaille. Le **Jardin Leslie-Hancock** est réservé aux rhododendrons et aux azalées. Enfin, l'**Arboretum** occupe 40 ha (soit un peu plus de la moitié

Jardin botanique et tour penchée du stade olympique en arrière plan.
R. Hicker/Age Fotostock

de la superficie totale du Jardin), et regroupe 10 000 spécimens de près de 3 000 espèces et variétés horticoles ; ses collections sont mises en valeur dans la maison de l'Arbre, centre d'interprétation de l'arbre inauguré en 1996.

Insectarium de Montréal

4581 r. Sherbrooke Est - ☎ 514 872 1400 - www.museumsnature.ca - de janv. à mi-mai : mar.-dim. 9h-17h ; de mi-mai. à déb. sept. : 9h-18h ; de déb.sept. à fin oct. : 9h-21h - fermé nov.-déc. - 14 $ (5-17 ans 7 $).

👥 Ce bâtiment épouse, comme il se doit, la forme d'un insecte géant. Il abrite une impressionnante collection d'insectes du monde entier (près de 150 000 spécimens), naturalisés pour la plupart. Expositions thématiques, vitrines d'observation (dont une ruche) et consoles interactives constituent une approche dynamique à l'entomologie, et permettent de mieux comprendre le rôle des insectes dans l'équilibre environnemental. En été, la volière extérieure s'anime sous les délicats battements d'ailes de papillons multicolores. Renouvelée en 2011, l'exposition permanente « Nous les insectes », rassemble pas moins de 2 000 espèces.

★ Biodôme

4777 av. Pierre-de-Coubertin - ☎ 514 868 3000 - www.biodome.qc.ca - ✄ ♿ 🅿 - du 21 juin au 1er lun. de sept. : 9h-18h ; reste de l'année : mar.-dim. 9h-17h - 16,50 $ (5-17 ans 8,25 $), forfait Biodôme + Stade olympique 26,50 $ (5-17 ans 13,25 $), Biodôme + Insectarium + Jardin botanique 28 $ (5-17 ans 14 $).

👥 Construit pour les épreuves olympiques de cyclisme, le **bâtiment★** du vélodrome a la forme d'un casque. Son vaste toit festonné, d'un diamètre de 160 m, repose sur quatre butées. Les six nervures du toit sont composées de 144 voussoirs scellés pesant chacun entre 50 et 100 t. Ces six arcs sont reliés par des membrures transversales qui forment le treillis sur lequel reposent les lucarnes diffusant la lumière naturelle.

Comme le public manifestait peu d'intérêt pour le cyclisme en salle, l'édifice fut converti en musée vivant de l'Environnement et des Sciences naturelles, et ouvrit ses portes en 1992. Un sentier d'interprétation *(500 m)* mène à la découverte successive des milieux de vie de quatre écosystèmes. Équipés de régulateurs climatiques hautement sophistiqués, les habitats reproduits couvrent une superficie de plus de 6 300 m² et contiennent des milliers de plantes indigènes et d'animaux. Végétation luxuriante et faune variée caractérisent la torride **Forêt tropicale humide**, dont le modèle s'inspire de la jungle amazonienne. Dans l'**Érablière des Laurentides**, domaine de l'érable, mais aussi du bouleau, du pin et de l'épinette, s'activent le castor, la loutre et le lynx. D'austères falaises de granit s'élèvent au-dessus du **Golfe du St-Laurent**, d'un réalisme surprenant ; ici, le visiteur peut contempler toutes sortes de poissons et d'invertébrés marins, sous l'œil contemplatif de canards et de pluviers. Peuplés d'oiseaux marins tels le petit pingouin ou le manchot royal, les rivages glacés des **Régions subpolaires** illustrent quant à eux la rigueur des zones arctique et antarctique. Le Biodôme propose par ailleurs une salle de découvertes, Naturalia, où sont expliqués les mécanismes d'adaptation des animaux et des plantes à leur milieu ambiant, ainsi que des projections de films et vidéos, des colloques et des conférences.

CHÂTEAU DUFRESNE C1

2929 av. Jeanne-d'Arc, à l'angle sud de la rue Sherbrooke et du bd Pie-IX - 514 259 9201 - www.chateaudufresne.qc.ca - - merc.-dim. 10h-17h - fermé 24 déc.-1ʳᵉ sem. janv. - 8 $ (6-12 ans 4,50 $).

Le château Dufresne fut construit entre 1915 et 1918 pour deux figures éminentes de la bourgeoisie française canadienne de l'époque : les frères Oscar (industriel de la chaussure) et Marius (architecte et ingénieur civil) Dufresne. Inspirée du style Beaux-Arts alors en vogue en Amérique du Nord, sa façade symétrique est flanquée de huit colonnes ioniques. Le somptueux hôtel particulier, revêtu de pierre calcaire de l'Indiana sur béton, symbolise la politique de grandeur qui devait mener la ville de Maisonneuve à sa faillite et à son annexion à Montréal.

Deux ailes identiques abritent au total 44 pièces, dont une douzaine sont ouvertes à la visite. Les murs lambrissés et le raffinement du décor évoquent la richesse de la bourgeoisie montréalaise des années 1920 et 1930. Nouveauté pour l'époque, beaucoup d'ornements intérieurs, préfabriqués, furent commandés sur catalogue. La **résidence Marius Dufresne** *(partie ouest)* est caractérisée par l'emploi du chêne et de boiseries néoclassiques. Dominée par l'acajou d'Afrique et les marbres d'Italie, la **résidence Oscar Dufresne** *(partie est)* contient des **peintures murales★** de Guido Nincheri (1885-1973). Des placages d'acajou ornés de rinceaux dorés en relief aux plafonds en caissons, en passant par les revêtements muraux inspirés de la Renaissance italienne… chaque pièce révèle ici une incroyable perfection dans les détails. À l'étage, une chambre meublée est ouverte à la visite.

À voir aussi Carte de région

★ ÎLE SAINTE-HÉLÈNE CD1

 Jean-Drapeau. En voiture : pont Jacques-Cartier ou pont de la Concorde.
En 1611, Samuel de Champlain nomma cette île du St-Laurent, à l'est de Montréal, en l'honneur de sa femme, **Hélène Boulé**. Avant 1665, époque à laquelle elle fut intégrée à la seigneurie de Longueuil, cette petite étendue de terre était, pour les Amérindiens alors en lutte contre l'envahisseur européen,

d'une grande importance stratégique. Après la Confédération, en 1867, l'île Ste-Hélène devint la propriété du gouvernement canadien puis, au début du 20e s., de la ville de Montréal qui y aménagea un parc. En 1967, Ste-Hélène fut agrandie afin de recevoir – tout comme sa voisine, Notre-Dame – la fameuse Exposition universelle.

Aujourd'hui, la quasi-totalité de l'île est un jardin public, apprécié pour ses pistes de ski de randonnée en hiver, et pour ses piscines découvertes en été. La route qui longe sa rive ouest offre de très belles **vues★** sur Montréal et sur ses installations portuaires.

★ Musée David M. Stewart

℘ 514 861 6701 - www.stewart-museum.org - ⚒ 🅿 - de fin mai à déb. oct. : 10h-17h ; reste de l'année : merc.-lun. 10h-17h - 10 $ (-6 ans gratuit).

L'île Ste-Hélène fut vendue en 1818 au gouvernement britannique qui y fit construire un arsenal fortifié. Ce dernier abrite le musée David M. Stewart consacré à l'histoire de la colonie européenne du Québec. Rouvert en 2011 après deux années de travaux, le musée présente un parcours muséographique entièrement rénové. Baptisé « Histoires et mémoires », il évoque cinq siècles d'histoire québécoise à travers 500 objets puisés dans une riche collection qui en compte près de 27 000 parmi lesquels quelques magnifiques cartes. L'histoire de Montréal est racontée selon une douzaine d'angles par l'intermédiaire d'une maquette interactive pilotée par des écrans tactiles.

★ Biosphère, musée de l'Environnement

℘ 514 283 5000 - www.ec.gc.ca/biosphere - ⚒ ♿ 🅿 - juin-oct. : 10h-18h ; nov.-mai : mar.-dim. 10h-17h - 12 $ (-17 ans gratuit).

👥 Le dôme géodésique de Buckminster Fuller (diamètre : 76,2 m) constitue un souvenir architectural unique de l'Expo'67. Construite pour recevoir le pavillon des États-Unis, cette immense structure tubulaire était, à l'origine, recouverte d'une enveloppe d'acrylique qui fut malheureusement détruite par un incendie en 1976. Elle accueille aujourd'hui un centre d'observation axé sur le thème de l'eau et de l'écosystème du St-Laurent et des Grands Lacs. Plusieurs expositions permanentes se penchent sur les problématiques environnementales. « +1 °C Qu'est-ce que ça change ? » s'interroge sur les répercussions d'une augmentation de la température mondiale de 1 °C ; « Eau Génie » invite les visiteurs à participer à différentes expérimentations liées à l'eau ; « Trouver l'équilibre » étudie les conséquences de nos actions sur l'équilibre terrestre et explore des pistes pour le préserver ; enfin, l'exposition « O.N.E Objets Non Enfouis », probablement la plus créative et la plus spectaculaire, pose la question du recyclage. Elle présente le travail de 16 artistes qui ont relevé le défi de réaliser une robe à partir de déchets spécifiques : sacs en plastique, cartouches de fusil, peaux de saumon, pièces de voitures, cheveux, vieux tissus.

Montez au belvédère extérieur pour jouir, à travers l'étrange réseau de tubes qui s'entrecroisent, d'une **vue★** sur le fleuve, Longueuil, le pont Victoria et le centre-ville.

La Ronde

℘ 514 397 2000 - www.laronde.com - ⚒ ♿ 🅿 - juin-août : 11h-20h (21h été) ; mai et sept.-oct. : w.-end 11h-18h (horaires donnés à titre indicatif, se renseigner) - 45 $ (-1,37 m 32 $).

Principal parc d'attractions de Montréal, La Ronde bénéficie d'un merveilleux site à l'extrémité est de l'île de Ste-Hélène. De là sont lancés des feux d'artifice à l'occasion de l'International Benson & Hedges.

★ÎLE NOTRE-DAME D1

🕐 Jean-Drapeau. *Service d'autobus gratuit au départ de la station de métro. En voiture : autoroute Bonaventure et pont de la Concorde.*
Créée de toutes pièces en 1959 pour la voie maritime du St-Laurent, l'île Notre-Dame a été agrandie par remblayage pour l'Exposition universelle de 1967 en utilisant la terre d'excavation du métro en construction. L'île actuelle couvre 116 ha. En 1978, le **circuit Gilles-Villeneuve** y fut construit pour le Grand Prix Player's du Canada. De l'Expo'67, il reste l'ancien pavillon de la France. Conçue par l'architecte français Jean Faugeron, cette étonnante structure hérissée de flèches d'aluminium abrite désormais le **Casino de Montréal**. En été, le **lac de l'île Notre-Dame** *(à l'ouest de l'île)* accueille passionnés de voile, véliplanchistes et nageurs sur ses 600 m de plage.
Jardins des Floralies – 📞 *514 872 6120 - www.parcjeandrapeau.com -* ✕ ♿ 🅿 *- 6h-0h.* Ce parc floral abrite de superbes jardins *(floraison mai-sept.)* qui furent aménagés à l'occasion des Floralies internationales de 1980.

CITÉ DU HAVRE C1

Construite à l'origine pour protéger le port, cette péninsule artificielle relie Montréal à l'île Ste-Hélène par le pont de la Concorde. Parmi les constructions édifiées pour l'Expo'67 se trouve **Habitat★**, complexe résidentiel à l'allure futuriste qui lança la carrière internationale de son architecte, Moshe Safdie, également connu pour le musée des Beaux-Arts du Canada, à Ottawa, et le musée de la Civilisation, à Québec.

😊 NOS ADRESSES À MONTRÉAL

INFORMATIONS UTILES

Presse locale – Francophone : *Le Journal de Montréal, Le Devoir, La Presse.* Anglophone : *The Gazette. Museo* : magazine gratuit des musées.
Poste – *www.canadapost.ca.* Services postaux disséminés dans les boutiques de la ville.

TRANSPORTS

En avion
Aéroport international Montréal-Pierre-Elliot-Trudeau – *Voir p. 8.* À 22 km du centre-ville *(env. 35mn).* Service 747 Express Bus *(8 $)* ou taxi *(35 $).*

En train
Gare centrale – *895 r. de la Gauchetière Ouest* (🕐 *Bonaventure) - rens. et réserv. :* 📞 *1 888 842 7245 - www.viarail.ca.*

En autocar
Gare routière / Station centrale – *505 bd de Maisonneuve Est* (🕐 *Berri-UQAM) -* 📞 *514 842 2281 - www.stationcentrale. com.* D'ici partent les compagnies Orléans Express *(www.orleansexpress.com)* et Greyhound *(www.greyhound.ca).*

Location de véhicules
Les principales sociétés de location de véhicules sont représentées à l'aéroport et en plusieurs points de la ville.

Quelques loueurs :
Avis – ☏ 514 387 2847 ;
Budget – ☏ 514 866 7675 ;
Discount – ☏ 514 286 1929 ;
Hertz – ☏ 514 938 1717 ;
National-Alamo –
☏ 514 878 2771 ;
Thrifty – ☏ 514 875 1170.

Transports en commun
STM – ☏ 514 786 4636
(514 288 6287 pour les horaires de bus) - www.stm.info. La Société de transport de la communauté urbaine de Montréal gère métro et autobus. Le service est généralement assuré de 5h30 à 1h (lignes 1, 2 et 4) ou 0h (ligne 5). Cependant, chaque station ou ligne a ses horaires.
Les tickets de métro, valables aussi pour l'autobus, peuvent s'acheter dans les stations de métro à l'unité *(3 $)*, par carnet de six *(14,25 $)* ou encore sous forme de carte touristique *(8 $/j. ou 16 $/3 j.)*. Il existe aussi des cartes hebdomadaires ou mensuelles.
Objets trouvés – Centre de services à la clientèle de la station Berri-UQAM - *niveau mezzanine - lun.-vend. 8h-18h* - ☏ 514 786 4636 + 4 + 2.
♿ *Plan du métro, p. 92.*

À vélo
C'est encore le meilleur moyen d'appréhender la ville.
Bixi – ☏ 514 789 2494 ou 1 877 820 2453 - *montreal.bixi.com.* Le réseau de vélos en libre-service de Montréal. Des bornes de location sont installées dans la rue d'avril à novembre. Abonnement 30 jours *(28 $)*, 72h *(12 $)* et 24h *(5 $)*. On peut louer jusqu'à deux vélos avec la même carte de paiement ; 30 premières minutes gratuites.
Ça roule – ☏ 514 866 0633 - *www.caroulemontreal.com.* Visites guidées à bicyclette ou location de rollers (été).

En taxi
Quelques compagnies :
Royal – ☏ 514 277 2552 ;
Diamond – ☏ 514 273 6331 ;
Champlain – ☏ 514 273 2435.
☺ **Bon à savoir** – Les taxis sont une des rares professions à afficher leurs tarifs taxes incluses. Le prix à régler est donc celui indiqué au compteur.

VISITES

Carte musées Montréal – ☏ 1 877 266 5687 - *www. museesmontreal.org.* Vendue dans les musées partenaires, en ligne et dans les centres d'informations touristiques, elle est valable 3 semaines et donne l'accès à 38 musées pendant 3 jours non consécutifs *(60 $)*. La formule 3 jours consécutifs *(65 $)* offre la gratuité des transports en commun et quelques autres avantages comme une place de cinéma.

HÉBERGEMENT

PREMIER PRIX

À l'ouest
Auberge de Jeunesse de Montréal – *1030 r. Mackay* (🚇 *Lucien-l'Allier*) - ☏ 514 843 3317 ou 1 866 843 3317 - *www. hostellingmontreal.com - 217 lits 35/97 $*. Cette auberge de jeunesse proche du centre-ville offre, dans un environnement non-fumeur, un espace cuisine, une salle de télévision et une laverie automatique. Les dortoirs peuvent accueillir jusqu'à dix personnes. Chambres privées ou partagées (de 3 à 6 lits), avec salle de bains.

Centre-ville
Résidences de l'UQAM Ouest – *2100 r. St-Urbain* (🚇 *Place-des-Arts*) - ☏ 514 987 7747 - *www.*

1

residences-uqam.qc.ca - 295 ch. 62/124 $ en fonction de la formule. Située en bordure de la Place des Arts, cette résidence universitaire pratique des tarifs défiant toute concurrence. Différentes formules, depuis le studio équipé jusqu'aux groupes de 2, 3, 4 ou 8 chambres se partageant cuisine, salle de bain et WC. Le tout fort bien tenu.

BUDGET MOYEN

Quartier latin

Le Pomerol – *819 bd de Maisonneuve Est (☻ Berri-UQAM) - ℘ 514 526 5511 ou 1 800 361 6896 - www.aubergelepomerol.com - 27 ch. 120/330 $ ☐.* À côté de la gare routière et à proximité de l'animation de la rue St-Denis, cet hôtel propose des chambres certes petites mais correctes et agréables. Petit-déjeuner livré dans la chambre et cuisine à disposition en soirée.

Le Plateau

Anne ma sœur Anne – *4119 r. St-Denis (☻ Mont-Royal ou Sherbrooke) - ℘ 514 281 3187 ou 1 877 281 3187 - www. annamasoeuranne.com - 17 ch. 91/222 $ ☐.* Cette adresse occupe une maison typique du Plateau, à deux étages avec un escalier d'entrée. Les microcuisines et les lits encastrables transforment chaque chambre en un petit

studio. L'ensemble est très fonctionnel. Courette intérieure. Certaines chambres disposent d'une terrasse. Accès Wi-Fi gratuit.

POUR SE FAIRE PLAISIR

Centre-Ville

Le Dauphin – *1025 r. de Bleury (☻ Square-Victoria) - ℘ 514 788 3888 ou 1 888 784 3888 - www.hoteldauphin.ca - 72 ch. 153/187 $ ☐.* Voisin du Palais des congrès, cet hôtel se trouve à la croisée de différents quartiers : Chinatown, Vieux-Montréal, les Universités. Chambres confortables et fonctionnelles avec moquette sombre, couettes claires et moelleuses, mobilier contemporain. Salle de gym. Accès laverie.

UNE FOLIE

Vieux-Montréal

Hostellerie Pierre du Calvet – *405 r. Bonsecours (☻ Champ-de-Mars) - ℘ 514 282 1725 - www. pierreducalvet.ca - ✗ 🅿 - 9 ch. 336 $ ☐.* Cette maison abrite le plus vieil hôtel de la ville. Ses chambres, ornées d'antiquités, exhalent un charme désuet. Le petit-déjeuner est servi dans une serre victorienne agrémentée de plantes vertes, tandis que le dîner (mets anciens cuisinés au goût du jour) se tient dans la salle principale, celle du **restaurant « Les Filles du Roy »** *(table d'hôtes 40/48 $)*.

Hôtel Place d'Armes – *55 r. St-Jacques Ouest (☻ Place-d'Armes) - ℘ 514 842 1887 ou 1 888 450 1887 - www.hotelplacedarmes. com - ✗ ♿ 🅿 - 80 ch. 230/285 $ et 53 suites 262/580 $ - ☐ 10 $.* Ce luxueux et élégant hôtel-boutique aux douces couleurs et à l'élégant mobilier en acajou domine, comme son nom le laisse deviner, la place d'Armes de sa haute stature. En plus d'un spa

et d'un bar lounge, **Suite 701**, il comprend un restaurant à l'entrée indépendante, **Aix**, dont la carte revisite le terroir *(www.aixcuisine. com - 45 $).*

Hotel Nelligan – *106 r. St-Paul Ouest (*🕙 *Place-d'Armes) -* 🗗 *514 788 2040 ou 1 877 788 2040 - www.hotelnelligan. com -* ✕ *- 44 ch. 267/329 $ et 61 suites 330/1 700 $ -* ☕ *10 $.* Décoration design, tons chocolat, chaleur de la pierre et de la brique : les chambres de cet hôtel offrent confort et tranquillité. Salle de gym, salon de massage. Deux restaurants : le **Méchant Bœuf** *(www.mechantboeuf.com - 30 $)* et le **Verses** *(www.versesrestaurant. com - plats 15/50 $).*

Centre-Ville

Fairmont Le Reine Elizabeth – *900 bd René-Lévesque Ouest (*🕙 *Bonaventure) -* 🗗 *514 861 3511 - www. fairmont.com/queenelizabeth -* ✕&🅿☕ *- 1 037 ch. dont 100 suites 180/650 $ -* ☕ *16 $.* Cet établissement, très prisé des célébrités en tournée, a entre autres accueilli John Lennon et Yoko Ono. Chambres spacieuses et club de remise en forme, spa et salon de beauté côtoient un salon de thé et trois restaurants dont le célèbre **Beaver Club** *(table d'hôtes midi 35 $)*, réputé pour sa cuisine française raffinée.

À l'ouest

Château Versailles – *1659 r. Sherbrooke Ouest (*🕙 *Guy-Concordia) -* 🗗 *514 933 3611 ou 1 888 933 8111 - www. versailleshotels.com – 65 ch. 180/750 $* ☕. Composé de quatre maisons victoriennes reliées les unes aux autres, cette pension ancienne séduit pour ses prix, le service de son personnel et son emplacement (proche du quartier des musées). Les chambres, très

spacieuses, dégagent un charme anglais. Salle de gym. Sauna.

RESTAURATION

🍴 **Bon à savoir** – Montréal compte plus de 200 « **apportez votre vin** » (**BYOW** ou « *bring your own wine* »). Beaucoup sont installés dans le quartier du Plateau et le Quartier latin.

PREMIER PRIX

Vieux-Montréal

Müvbox – *Quai des Éclusiers, angle des rues de la Commune et McGill - www.muvboxxoncept.com - 1er juil.-15 sept. 11h30-21h.* Plantée sur le Vieux-Port, cette roulotte sert de délicieux sandwichs au homard *(10 $)*, des chaudrées de palourdes ainsi que des glaces du célèbre glacier d'Outremont, le Bilboquet.

L'Arrivage – *350 pl. Royale -* 🗗 *514 872 9128 - lun. 11h30-14h, mar.-dim. 11h30-16h - table d'hôtes à partir de 12 $.* Ce restaurant situé au deuxième étage du musée d'Archéologie et d'Histoire sert une cuisine soignée. Vue sur le Vieux-Port.

Le Plateau

Schwartz's – *3895 bd St-Laurent (*🕙 *Mont-Royal ou Sherbrooke) -* 🗗 *514 842 4813 - www. schwartzsdeli.com - dim.-jeu. 8h-0h30, vend. 8h-1h30, sam. 8h-2h30 - 7 $.* Ouvert en 1928, ce *delicatessen* est une véritable institution. On n'y vient ni pour le décor ni pour le service, mais simplement pour déguster les sandwichs à la viande fumée qui ont fait sa renommée.

La Banquise – *994 r. Rachel Est (*🕙 *Mont-Royal) -* 🗗 *514 525 2415 - www.restolabanquise.com - ouvert 24/24h - poutine à partir de 8 $.* Le temple de la poutine ! Pas moins d'une trentaine de déclinaisons différentes. On y vient à toute heure du jour, mais c'est encore en plein cœur de la

1

nuit qu'on appréciera le plus le célèbre plat québécois.

L'Express – *3927 r. St-Denis (🚇 Mont-Royal ou Sherbrooke) - 📞 514 845 5333 - www. restaurantlexpress.ca - 8h-2h, sam. 10h-2h, dim. 10h-1h - fermé 25 déc. - plats à partir de 15 $*. Chic et indémodable, c'est l'un des bistros les plus prisés de Montréal. Tout ici témoigne d'un grand savoir-faire : un service accompli, une excellente carte des vins et une délicieuse cuisine qui ne déçoit jamais. Bon rapport qualité-prix.

Quartier chinois

Cristal de Saïgon – *1068 bd St-Laurent (🚇 St-Laurent) - 📞 514 875 4275 - lun.-sam. 10h-21h - soupes à partir de 8 $*. L'adresse est célèbre pour sa soupe tonkinoise, un savoureux mélange de bouillon, de nouilles de riz et de viande servi dans un cadre on ne peut plus modeste.

Le Pavillon Nanpic – *75A r. de la Gauchetière Ouest (🚇 Place-d'Armes) - 📞 514 395 8106 - 11h-20h, w.-end 12h-23h - plats 9/15 $*. Ce restaurant en sous-sol propose des mets cantonais et sichuannais dans un décor à la fois sobre et attrayant. Essayez entre autres l'excellent poulet Général Tao ou le canard impérial.

Quartier latin

Café Cherrier – *3635 r. St-Denis (🚇 Sherbrooke) - 📞 514 843 4308 - www.cafecherrier.ca - 7h30-23h, w.-end 8h30-23h - table d'hôtes midi à partir de 17 $*. Du petit-déjeuner au dîner, l'établissement propose depuis plus de 25 ans une cuisine simple et bien réalisée… En été, sa terrasse est l'endroit idéal pour profiter des belles journées et regarder la foule passer.

Mile End

Wilenskys – *34 r. Fairmount Ouest (🚇 Laurier) - 📞 514 271 0247 - fermé w.-end - 5 $*. Dans un décor qui paraît inchangé depuis 1932, la famille Wilensky perpétue les recettes qui ont fait d'elle une institution du quartier : l'accueil chaleureux et le spécial Wilensky, sandwich au salami maison accompagné de sauce bolognaise ou de moutarde.

Comptoir 21 – *21 r. St-Viateur Ouest (🚇 Laurier) - 📞 514 933 7000 - 11h30-23h, w.-end 12h-23h - plats de 4 à 16 $*. En plein cœur du Mile End, cet établissement redore à lui seul le blason des fish & chips. Calmars délicieux *(6 $)*, quelques burgers dont un « végé » *(4-5 $)* et de généreuses crevettes *tempura (10 $)*.

BUDGET MOYEN

Vieux-Montréal

Stash Café – *200 r. St-Paul Ouest, à l'angle de la rue St-François-Xavier (🚇 Place-d'Armes) - 📞 514 845 6611 - www.stashcafe. com - table d'hôtes à partir de 25 $*. Un restaurant polonais fréquenté tant par les Montréalais que par les touristes. À la carte, plats simples et savoureux : *pierogis* (raviolis), saucisses et choux farcis, harengs marinés ou gâteaux au pavot, aux noisettes ou au fromage.

À l'ouest

Milsa – *1445 r. Bishop (⊙ Guy-concordia ou Peel) - ℘ 514 985 0777 - www.lemilsa. com - tlj à partir de 17h30 - plats à partir de 25 $.* Envie d'un barbecue brésilien traditionnel ? Les serveurs viennent à votre table et vous découpent des tranches de toutes sortes de viandes allant du bœuf à l'agneau en passant par la dinde, le tout à volonté. Il s'agit du Tourniquet (*33 $*).

Le Plateau

Le Piton de la Fournaise – *835 r. Duluth Est (⊙ Mont-Royal ou Sherbrooke) - ℘ 514 526 3936 - www.restolepiton.com - mar.-dim. dès 17h30 (service suppl. vend.-sam. à 20h30) - table d'hôtes à partir de 27 $.* Cette adresse régale les amateurs de plats créoles d'une cuisine mâtinée d'influences indienne, africaine et française. Cari de requin, de porc ou de poulet et civet de zourrite (pieuvre) se dégustent dans un décor insulaire. Apportez votre vin.

POUR SE FAIRE PLAISIR

Vieux-Montréal

Le Petit Moulinsart – *139 r. St-Paul Ouest (⊙ Place-d'Armes) - ℘ 514 843 7432 - www.lepetitmoulinsart.com - lun.-vend. 11h30-14h30, 17h-22h, sam. 17h-22h - fermé dim. en hiver - 42 $.* Ce restaurant belge, au décor inspiré de Tintin, est installé là depuis plus de 23 ans ! Savoureuses moules et crème brûlée onctueuse à souhait. Éric sélectionne des centaines de crus pour les accompagner et pas moins de 80 bières. En été, charmante terrasse, située à l'écart de la rue.

Le Plateau

Moishes – *3961 bd St-Laurent (⊙ Mont-Royal ou Sherbrooke) - ℘ 514 845 3509 - www.moishes. ca - ⬥ - 17h30-23h - fermé 1er janv. et 25 déc. - steaks 44/61 $.* Véritable institution vieille de plus de 70 ans, ce *steak house* est renommé pour ses pièces de bœuf (surlonges, filet mignon, aloyau, côte…) grillées au charbon de bois, qui sont encore meilleures accompagnées d'un vin sélectionné par la maison. Service courtois et efficace.

Au pied de cochon – *536 r. Duluth Est (⊙ Mont-Royal ou Sherbrooke) - ℘ 514 281 1114 - www.restaurantaupieddecochon. ca - tlj sf lun. 17h-0h - plats 17/58 $.* Pour pouvoir savourer dans ces murs au décor épuré une poutine au foie gras, du boudin maison ou des tartares de cerf ou de bison… il est impératif de réserver. La cuisine du terroir revisitée par le jeune chef Martin Picard, star montante de la gastronomie québécoise, est délicieuse.

UNE FOLIE

Vieux-Montréal

Le Club Chasse et Pêche – *423 r. St-Claude (⊙ Champ-de-Mars) - ℘ 514 861 1112 - www. leclubchasseetpeche.com - fermé dim.-lun. - midi 63/55 $, soir 57/70 $.* Les tons chocolat et bois de ce restaurant très discret créent une ambiance feutrée adaptée à sa carte contemporaine. Ici, salé et sucré se mêlent en d'heureux mélanges. Les plats suivent les saisons et l'inspiration du chef.

Centre-ville

Toqué ! – *900 pl. Jean-Paul-Riopelle (⊙ Square-Victoria ou Place-d'Armes) - ℘ 514 499 2084 - www.restaurant-toque.com - tlj sf dim.-lun. 17h30-22h30 - plats à partir de 40 $.* De l'avis de tous, ce restaurant postmoderne est l'un des meilleurs de la ville. Le chef,

Normand Laprise, y concocte une cuisine française contemporaine à base de produits locaux de toute première fraîcheur.

PETITE PAUSE

Vieux-Montréal

Olive + gourmando – *351 r. St-Paul Ouest (🔵 Square-Victoria) -* 📞 *514 350 1083 - www. oliveetgourmando.com - mar.-sam. 8h-18h.* Cette boulangerie réinvente la restauration rapide et le salon de thé en proposant sandwichs frais *(10 $)*, soupes et salades, dans un décor coloré au plancher de bois. On peut aussi y boire un thé accompagné d'un biscuit *(3 $)* ou de viennoiseries et repartir avec du granola, des confitures ou du pain cuit au levain.

Europea boutique – *33 r. Notre-Dame Ouest (🔵 Place-d'Armes) -* 📞 *514 844 1572 - www.europea. ca - lun.-vend. 8h-17h.* La boutique du restaurant Europea *(1227 r. de la Montagne)* décline la gourmandise sur tous les plans : macarons, sandwichs, salades et pâtisseries bien dignes du chef Jérôme Ferrer. « Boîtes à lunch » à savourer sur place ou à emporter.

À l'ouest

Le Jardin du Ritz – *1228 r. Sherbrooke Ouest (🔵 Peel) -* 📞 *514 842 4212 - www. ritzmontreal.com.* Cette superbe terrasse, ouverte du petit-déjeuner au dîner, semble bien loin de l'animation du centre-ville, avec son paisible étang. Quel plaisir d'y prendre le thé à l'anglaise, servi avec *scones*, menus sandwichs et petits fours !

Côte-des-Neiges

Le Duc de Lorraine – *5002 chemin de la Côte-des-Neiges (🔵 Côte-des-Neiges) -* 📞 *514 731 4128 - www. ducdelorraine.ca - 8h30-18h, vend. 18h30, w.-end 17h.* Renommée depuis des lustres pour la qualité de ses pâtisseries, pains, fromages et charcuteries, cette adresse est aussi un bon endroit pour déguster d'excellents croissants ou un repas léger, dans un salon de thé proche de l'Oratoire St-Joseph.

Outremont

Le Bilboquet – *1311 av. Bernard ouest (🔵 Outremont) -* 📞 *514 276 0414 - de mars à mi-mai : 11h-21h ; de mi-mai à mi-sept. : 11h-0h ; de mi-sept. à déc. : 11h-20h.* Surveillez la longue file d'attente qui se déroule sur le trottoir. C'est bien là la preuve d'un établissement de qualité. Depuis 1983, le Bilboquet est considéré comme le meilleur glacier (à emporter ou à déguster sur place) de Montréal. Une réputation tout sauf usurpée.

Mile End

🐝 **Bon à savoir** – Toute l'Amérique du Nord reconnaît que les meilleurs **bagels** sont faits à Montréal, voilà ce qu'affirment les Montréalais. Et ils n'auraient pas tort ! Reste à trancher, qui de Bagel Shop ou de Fairmount Bagel remporte la palme. Ces deux maisons se livrent une concurrence acharnée depuis plus d'un demi-siècle.

The Bagel Shop – *263 r. St-Viateur Ouest (🔵 Rosemont) -* 📞 *514 276 8044 - www. stviateurbagel.com - tlj 24h/24h.* La boulangerie ouverte en 1957 par Meyer Lewkowicz perpétue la tradition du bagel au sésame ou au pavot, roulé à la main et surtout cuit au four à bois. Imaginez la bonne odeur de bagel chaud qui s'échappe de la boutique ! Possibilité d'acheter sur place crème de fromage, saumon, etc.

Fairmount Bagel – *74 r. Fairmount Ouest (🔵 Rosemont ou Laurier) - 🖉 514 272 0667 - www. fairmountbagel.com - tlj 24h/24h.* Cette enseigne, fondée en 1919, décline le bagel en une vingtaine de variétés, toutes cuites au four à bois. Les stars demeurent le bagel nature, au pavot ou au sésame. Ils s'agrémentent de crème de fromage, de saumon ou de truite fumée, de beurre et de confiture. Autant de produits que l'on trouve sur place. Bon appétit !

Petite Italie

Le Pick Up – *7032 r. Waverly (🔵 De Castelnau) - 🖉 514 271 9011 - www. depanneurlepickup.com - sam. 9h-19h, dim. 10h-18h.* Assez excentré, c'est la pause idéale après une visite au marché Jean-Talon ou une exploration de la Petite Italie. Ce dépanneur atypique prépare les meilleurs sandwichs de Montréal dont des spécialités végétariennes ainsi qu'un délicieux *pulled pork* à la viande marinée. Spécialité différente chaque jour.

ACHATS

😊 **Bon à savoir** – Chaque quartier a ses spécialités. **Vieux-Montréal :** galeries, boutiques-cadeaux ; **rues Ste-Catherine**, **Sherbrooke**, **Peel**, **Crescent** et **de la Montagne** : habillement, informatique, antiquaires, galeries (certaines boutiques donnent accès à la ville intérieure, *voir ci-après* ; **rue St-Denis** : mode, studios d'art ; **boulevard St-Laurent** : épiceries « ethniques », boutiques branchées ; **Mile End** : fripes, design, antiquités branchées ; **rue du Mont-Royal** : friperies,

librairies, disques et DVD d'occasion ; **rue Notre-Dame Ouest** entre l'avenue Atwater (*ouest*) et la rue Guy (*est*) : brocanteurs, antiquaires.

La ville souterraine

Elle rassemble un grand nombre de centres commerciaux reliés par le métro.
À titre indicatif :

Complexe Desjardins – *170 r. Ste-Catherine Ouest (🔵 Place-des-Arts ou Place-d'Armes).*

Eaton Centre – *705 r. Ste-Catherine Ouest (🔵 McGill).*

Place Montréal-Trust – *1500 av. McGill College (🔵 McGill ou Peel).*

Place Ville-Marie – *1 pl. Ville-Marie (🔵 Bonaventure ou McGill).*

Promenades de la Cathédrale – *625 r. Ste-Catherine Ouest (🔵 McGill).*

Vieux-Montréal

Marché du Vieux – *217 bd St-Laurent (🔵 Champ-de-Mars) - 🖉 514 393 2772 - www.marcheduvieux.ca.* Un café doublé d'un bistro, mais surtout une épicerie fine aux airs de magasin général, où l'on trouvera les meilleurs produits du terroir québécois (fromages, viandes fumées, produits de l'érable).

Mile End

Drawn & Quaterly – *211 r. Bernard Ouest (🔵 Rosemont ou Outremont) - 🖉 514 279 2224 - www.drawnandquarterly.com - lun.-mar. 11h-18h, merc. et dim. 11h-19h, jeu.-sam. 11h-21h.* Le temple de la bande dessinée alternative. Vous trouverez ici ce qui se fait de mieux et de plus avant-gardiste dans le riche domaine de l'illustration et du roman graphique. Les auteurs québécois les plus influents y sont représentés.

1

Monastiraki – *5478 r. St-Laurent (* Rosemont ou Laurier) -* 514 278 4879 - www.monastiraki. blogspot.com - merc. 12h-18h, jeu.-vend. 12h-20h, w.-end 12h-17h.* Ce magasin atypique est spécialisé dans le papier sous toutes ses formes : magazines et papiers anciens chinés pour leur intérêt graphique, posters sérigraphiés, livres et fanzines autoédités.

Le Plateau
Atelier-magasin Kanuk – *2485 r. Rachel Est (* Mont-Royal) -* 514 284 4494 - www.kanuk.com.* Spécialisée dans le vêtement de plein air, Kanuk est célèbre pour ses manteaux d'hiver, chauds, élégants et très résistants. Chaque Québécois, dit-on, possède le sien. Indispensable en tout cas si vous visitez le Québec en hiver.

Les marchés
Bonsecours – *Vieux-Port (* Champ-de-Mars) - voir p. 102.* Vêtements, artisanat, souvenirs.
Jean-Talon – *7070 r. Henri-Julien (* Jean-Talon) - à partir de 8h.* En été, le nombre d'étals donne le vertige : fruits et légumes, vins et boissons, boulangeries, boucheries, charcuteries, poissonneries, fromageries, on y trouve de tout ! Bars et restaurants aux alentours.
Atwater – *138 av. Atwater (* Lionel-Groulx) - à partir de 8h.* Grand marché célèbre pour sa halle Art déco. Épiceries fines et restauration rapide.

BOIRE UN VERRE

Quartier latin
Le Cheval Blanc – *809 r. Ontario Ouest (* Berri-UQAM ou Sherbrooke) -* 514 522 0211 - www.lechevalblanc.ca - à partir* de 15h, dim. à partir de 17h. La microbrasserie artisanale incontournable de Montréal. Ce lieu de référence à l'ambiance plus que détendue héberge aussi expositions, rencontres et concerts. Impossible de ne pas venir y prendre un verre.

À L'ouest
Plateau Lounge – *901 sq. Victoria (* Square-Victoria) -* 514 395 3195 - www. wunderbarmontreal.com - à partir de 16h, dim. à partir de 17h.* Le bar de l'Hôtel W est un véritable salon aux coussins moelleux, à l'atmosphère intimiste et dont le décor évoque un sous-bois à l'automne. C'est d'un chic absolu et les cocktails sont réputés pour être les meilleurs de cette partie du Canada.

Le Plateau
Bily Kun – *354 r. Mont-Royal Est (* Mont-Royal) -* 514 845 5392 - www.bilykun.com - à partir de 15h.* Célèbre pour ses cocktails et ses soirées (du mardi au samedi) où se succèdent jazz et sets de DJs déjantés, l'endroit l'est aussi pour son atmosphère feutrée, voire intimiste, en journée. Décor chaleureux : murs de brique, surprenant carrelage hexagonal et lumières tamisées.

Quartier des Spectacles
Brasserie T – *1425 r. Jeanne-Mance (* Place-des-Arts) -* 514 282 00808 - www. brasserie-t.com - à partir de 11h30.* Le petit frère du Toqué, dans son cube de verre design, est surtout un restaurant, mais on s'y arrête volontiers l'après-midi pour prendre un verre avec une vue imprenable sur l'animation de la place des Festivals.
Café du Nouveau-Monde – *84 r. Ste-Catherine Ouest (* Place-des-Arts) -* 514 866 8669 - lun.*

11h30-20h, mar.-vend. 11h30-0h, sam. 17h-0h. Le café du théâtre du même nom est parfait pour prendre un verre avant ou après le spectacle. Ambiance arty-intello et joli choix de vins. C'est aussi un restaurant.

Mile End

Café Olimpico – *124 r. St-Viateur Ouest (🅜 Laurier) - ☎ 514 495 0746 - 7h-23h30.* On y sert sans doute le meilleur café de Montréal (le quartier de la Petite Italie est à deux pas). Ambiance simple et branchée. Le *latte* est délicieux. Chaude ambiance les soirs de match de hockey.

EN SOIRÉE

🅐 **Bon à savoir** – Consultez les magazines gratuits *Voir* (francophone), *Montréal scope* (bilingue), *Mirror* et *Hour* (anglophones), ainsi que la rubrique Arts et Spectacles des journaux (numéros de fin de semaine).

Pour toutes les activités culturelles, sportives et récréatives, rendez-vous sur : **www.montrealplus.ca**.

La Vitrine – *145 r. Ste-Catherine Ouest - (🅜 Place-des-Arts) - ☎ 514 285 4545 - www.lavitrine. com.* Situé en plein centre-ville, sur la Place des Arts, ce guichet centralise l'offre culturelle montréalaise et permet la réservation des spectacles, y compris en dernière minute.

Ambiance

Deux Pierrots – *104 r. St-Paul Est - ☎ 514 861 1270 - www.2pierrots. com.* Cette boîte à chansons est devenue au fil des ans une véritable institution dans le Vieux-Montréal. Idéale pour découvrir la chanson québécoise dans une ambiance où règne la bonne humeur.

Musique

Le **complexe de la Place des Arts**, qui comporte à lui seul cinq salles polyvalentes, compte parmi ses prestigieux résidents l'**Opéra de Montréal** (*www. operademontreal.com*).

L'**Université McGill** possède un Orchestre de chambre réputé (*☎ 514 487 5190*), qui se produit également Place des Arts. Située sur le campus même, la **salle de concerts Pollack** (*☎ 514 398 4547*) propose des programmes de musique classique, de musique de chambre et de jazz.

Le **Centre Bell** (*www.centrebell.ca*) organise toute l'année différentes manifestations, notamment des concerts de rock.

Dans le Mile End, la **Casa del Popolo** et sa grande sœur la **Sala Rosa** (*4848 bd. St-Laurent - ☎ 514 284 0122 - www.casadelpopolo.com*) sont les temples de la musique indépendante. Toujours dans le même quartier et dans un style proche, surveillez aussi le **Cabaret du Mile end** (*5240 av. du Parc - ☎ 514 563 1395 - www. lemileend.org*).

Un peu plus bas, au niveau de l'avenue du Mont-Royal, le **Divan Orange** (*4234 bd St-Laurent - ☎ 514 840 9090 - www. divanorange.org*) surfe sur la même vague avec un goût prononcé pour l'électro et les musiques émergentes.

Cirque

La Tohu – *2345 r. Jarry Est, angle d'Iberville (🅜 St-Michel) - ☎ 514 376 8648 - www.tohu.ca.* Pour découvrir le dernier spectacle de l'école du cirque ou d'autres artistes tout aussi inventifs et étonnants. Visite guidée du site et du bâtiment possible.

1

Rencontres sportives
Hockey – Les Canadiens de Montréal - *Centre Bell (🕭 Lucien-l'Allier ou Bonaventure)* - ☎ 514 932 2582 - *canadiens.nhl.com*. Saison octobre-mai.
Football américain –
Les Alouettes de Montréal - *Stade Percival Molson (🕭 McGill)* - ☎ 514 871 2255 - *fr.montrealalouettes.com*. Saison de mi-juin à début novembre.

Autres
Cinéma Banque Scotia – *977 r. Ste-Catherine Ouest (🕭 Peel ou Mc Gill)* - ☎ 514 842 5828 - 12,75 $. Diffuse des films en IMAX (+ 6 $).
Casino de Montréal – *Sur l'île Ste-Hélène (🕭 Jean-Drapeau, puis bus 167)* - ☎ 514 392 2746 - *www.casino-de-montreal.com*.

ACTIVITÉS

Patinage
Atrium Le 1000 – *1000 r. de La Gauchetière (🕭 Bonaventure)* - ☎ 514 395 0555 - 11h30 21h (18h lun.), w.-end 12h-21h (dim. 10h30-12h réservé aux enf. jusqu'à 12 ans accompagnés) - 7 $ (jusqu'à 12 ans 5 $). Location de patins (6,50 $) et de casque (1 $) sur place.

AGENDA

Festival Montréal en lumière – *www.montrealenlumiere.com*. 2e quinzaine de février. Ce festival touche tous les domaines : la gastronomie, avec chaque année un pays à l'honneur, la culture, avec l'ouverture de certains sites la nuit, des illuminations, des animations sur le Vieux-Port…
Grand Prix du Canada – *www.grandprix.ca*. En juin. Pendant trois jours, tout Montréal vibre au rythme du circuit Gilles-Villeneuve, sur l'île Notre-Dame.
Francofolies – *www.francofolies.com*. En juin. La déclinaison québécoise du célèbre festival de chanson francophone se déroule pendant dix jours.
Festival Juste pour rire – En juillet. Les humoristes francophones du monde entier ont tous leur chance sur les planches de ce festival.
Festival du nouveau cinéma de Montréal – *www.nouveaucinema.ca*. 10 jours en octobre. Cinéma d'auteur et création numérique sont à l'honneur de ce festival depuis 1971.

L'île de Montréal

Région de Montréal

🛈 S'INFORMER

Région de Montréal – *Voir Montréal, p. 86.*

◐ SE REPÉRER

Carte de région ABC1-2 (p. 84-85). L'île de Montréal (environ 50 km de long sur 17 km de large) est née de la confluence de la rivière des Outaouais et du St-Laurent. Elle concentre à elle seule environ un quart de la population québécoise en raison de l'agglomération montréalaise. Vers l'ouest, au-delà de l'aéroport Pierre-Elliot-Trudeau, se détachent les banlieues cossues du West-Island, desservies par l'autoroute 20 ou la 40.

😊 À NE PAS MANQUER

La vue sur le St-Laurent depuis la Pointe-Claire.

🕐 ORGANISER SON TEMPS

Faire le tour du West-Island nécessite plus d'une journée. Ciblez plutôt la ville ou le site à visiter et passez-y un bon après-midi.

👥 AVEC LES ENFANTS

L'histoire du Commerce-de-la-Fourrure-à-Lachine et les animaux de l'Ecomuseum de Ste-Anne-de-Bellevue.

1

Montréal occupe le centre d'une île dont les berges sont parsemées d'anciens villages, formant aujourd'hui une ligne urbaine presque continue. La verdure n'est jamais très loin et beaucoup de Montréalais s'échappent chaque week-end vers les parcs et les nombreuses baies du St-Laurent. Le canal de Lachine, qui aboutit à l'arrondissement du même nom, ainsi que le West-Island dans son prolongement, sont des promenades dominicales particulièrement courues des insulaires. Ceux du nord se rendent plus volontiers au parc-nature de l'Île-de-la-Visitation. Partout, le programme est le même : vélo, balade, visite culturelle ou ski.

★★ Le sud et l'ouest Carte de région

Commençant à la limite sud-ouest de la ville de Montréal, une **route panoramique★** mène à l'extrémité ouest de l'île. Elle longe les rives aménagées du St-Laurent et du lac St-Louis, et passe par de beaux quartiers résidentiels dotés de nombreux parcs. La route prend successivement plusieurs noms : boulevard LaSalle à LaSalle, boulevard St-Joseph à Lachine, puis chemin du Bord-du-Lac (ou Lakeshore) entre Dorval et Ste-Anne-de-Bellevue.

★ Maison Saint-Gabriel C2

À 4 km du centre-ville de Montréal par la rue Wellington. Tournez à gauche au parc Marguerite-Bourgeoys et suivez les panneaux de signalisation. 2146 pl. Dublin - ☎ 514 935 8136 - www.maisonsaint-gabriel.qc.ca - 🅿 - visite guidée (1h30) de mi-janv. à mi-juin et de sept. à mi-déc. : mar.-dim. 13h-17h ; de mi-juin à déb. sept. : mar.-dim. 11h-18h - 10 $ (enf. 3 $).

En 1668, **Marguerite Bourgeoys** avait acheté, sur ce site, une maison destinée à accueillir les Filles du Roy. Détruit par un incendie en 1693, le bâtiment fut reconstruit cinq ans plus tard sur les fondations d'origine. L'édifice actuel – l'un des plus anciens de l'île de Montréal – date donc de 1698. Restauré en 1965, il abrite depuis un musée d'Histoire. Au rez-de-chaussée, la salle commune et le parloir renferment la plupart des meubles qui s'y trouvaient au 18e s., ainsi que des documents sur Marguerite Bourgeoys et la congrégation de Notre-Dame.

Des appareils ménagers et des ustensiles divers sont exposés dans la cuisine. À l'étage se trouvent le dortoir et la chambre d'une des Filles du Roy. Au grenier, toujours reliée par les chevilles de bois d'origine (1698), la charpente témoigne de l'étonnante solidité de la construction. À l'extérieur, une grange du 19e s. sert de cadre à des expositions temporaires.

Retournez rue Wellington et continuez sur le boulevard LaSalle.

LaSalle C2

Nommée en l'honneur de Robert Cavelier de La Salle (1643-1687), cette ville se détacha de la municipalité de Lachine en 1912.

Au bout de la 6e Avenue, prenez le sentier qui traverse un vieux barrage (1895) pour découvrir une **vue★** superbe sur les **rapides de Lachine**. Au large s'étend l'île aux Hérons. Ces derniers, qui se nourrissent dans les rapides, fréquentent les deux rives du fleuve sur lequel on pourra faire du rafting et de l'hydro-jet.

Le boulevard LaSalle passe sous le **pont Honoré-Mercier** avant d'entrer à Lachine. Inauguré en 1934, cet ouvrage à deux travées fut baptisé en hommage au Premier ministre du Québec de 1887 à 1891.

LACHINE BC2

Ce paisible arrondissement des rives du St-Laurent possède un riche passé étroitement lié au développement de la colonie française et à l'évolution commerciale et industrielle de la province. En 1667, les sulpiciens octroyèrent une seigneurie à l'explorateur Robert Cavelier de La Salle à l'endroit où le fleuve forme le lac St-Louis. Le fief fut bientôt surnommé « La Chine » par dérision, car La Salle avait cru qu'en remontant le St-Laurent, il découvrirait le fameux passage vers l'Asie mystérieuse. Très vite, la localité devint un poste de défense de Ville-Marie, ancien nom de Montréal. Dans la nuit du 4 août 1689, 1 500 Iroquois attaquèrent le village en représailles à l'exécution, deux ans plus tôt, de plusieurs de leurs chefs. Deux cents personnes périrent, et une centaine d'autres furent capturées, dont le sort ne fut jamais connu.

Bureau d'accueil touristique du Pôle des Rapides

500 chemin des Iroquois - ℘ 514 364 4490 - www.poledesrapides.com - de fin juin à mi-oct. : 10h-18h ; reste de l'année (accès par les bureaux à l'arrière du bâtiment) : lun.-vend. 9h-17h.

Installé sur l'écluse n° 5 du canal de Lachine, à l'entrée de l'arrondissement, ce centre fournit toute la documentation touristique nécessaire à la découverte du West-Island : guides pratiques, carte du réseau des pistes piétonnes et cyclables, produits pour les petites réparations de cycles. Boutique et cafétéria.

★ Rapides et canal de Lachine

À la sortie du lac St-Louis, le St-Laurent subit, sur une distance de 2 km, un changement de dénivellation de 2 m. En 1603, Champlain, du haut du mont Royal, avait déjà noté l'existence « d'ung sault d'aue le plus impétueulx qu'il est possible de veoir » juste en amont du fleuve. Aujourd'hui domestiqués, les célèbres rapides n'en sont pas moins impressionnants, et l'on peut imaginer les difficultés qu'ils posèrent jadis aux explorateurs désireux de les franchir.

Dès 1680, le supérieur du séminaire St-Sulpice, Dollier de Casson, suggéra le percement d'un canal pour contourner ces eaux tumultueuses. Ce n'est pourtant qu'en 1821 que le projet fut mis en chantier. Achevé en 1824, cet ouvrage de 13,6 km de long allait relier le lac St-Louis au port de Montréal. Il comportait sept écluses pouvant élever le niveau des vaisseaux de 14 m. Il fut élargi deux fois, de 1843 à 1849 et de 1873 à 1884, et jusqu'à l'ouverture de la voie maritime du St-Laurent en 1959, il demeura la seule voie à contourner les rapides.

Aujourd'hui désaffecté, le canal forme un long couloir récréatif d'une quinzaine de kilomètres. Une piste cyclable très agréable, longeant les anciens entrepôts de Montréal et de Verdun, relie le Vieux-Port à Lachine. L'hiver, elle se transforme en sentier de ski de fond.

🐝 **Bon à savoir** – Des **expéditions**★★ en bateau-jet au départ du Vieux-Port de Montréal promettent une descente palpitante sur le fleuve.

Musée de Lachine

🔵 *Angrignon ; bus n° 120. À l'écart du bd LaSalle, à gauche juste avant de traverser le canal. 1 chemin du Musée - ☎ 514 634 3478 - lachine.ville.montreal.qc.ca/musee - avr.-nov. : merc.-dim. (et mar. en juil.-août) 11h30-16h30.*

Aujourd'hui connu sous le nom de maison Le Ber-Le Moyne, l'édifice qui abrite le musée fut construit entre 1669 et 1671 par Charles Le Moyne et Jacques Le Ber, deux des premiers marchands à s'établir à Lachine pour y pratiquer la traite des peaux de castor. Cette maison en bois, remaniée au 19e s. par les Anglais, est l'une des plus anciennes de Montréal encore intacte. L'intérieur contient des meubles et des outils d'époque et des documents relatant l'histoire de la ville. Une structure moderne adjacente (le pavillon Benoît-Verdickt) propose des expositions itinérantes d'artistes québécois contemporains reconnus.

Musée plein air de Lachine

Commencez la visite par les œuvres visibles autour du musée Lachine.

Ce musée en plein air occupe trois zones d'espaces verts qui se répartissent sur quelque 4 km le long de la berge du lac St-Louis et rassemblent des sculptures contemporaines choisies parmi la cinquantaine que possède le musée de Lachine. Une quinzaine d'œuvres sont visibles sur l'espace qui entoure le musée de Lachine. Une vingtaine sont réunies sur le parc René-Lévesque situé sur la péninsule du lac St-Louis. Autrefois connu sous le nom de « Grande-Jetée », le parc fut rebaptisé en l'honneur du Premier ministre du Québec. De la pointe de la péninsule, admirez le St-Laurent à sa sortie du lac St-Louis, la ville de Lachine, et en aval, les ponts qui traversent le fleuve. Le reste de la collection, une quinzaine de sculptures, est réparti dans neuf parcs riverains qui jalonnent le boulevard St-Joseph.

★ Lieu historique national du Canada du Commerce-de-la-Fourrure-à-Lachine

🔵 *Angrigon, puis bus n° 195 ou n° 173 (lun.-vend.). 1255 bd St-Joseph, face à la 12e Av. et au collège Ste-Anne - ☎ 514 637 7433 - www.pc.gc.ca - juil.-août : 9h30-17h ; de mi-mai à juin et de sept. à mi-oct : merc.-dim. 9h30-17h - 4 $ (enf. 2 $).*

👥 Le vieux hangar de pierre qui servit d'entrepôt à fourrures de 1803 à 1859 fait maintenant revivre l'épopée montréalaise de la fourrure. Le visiteur circule parmi les ballots de fourrure, les caisses de marchandises et identifie les étapes de l'histoire de ce commerce. On y trouve des cartes des territoires de piégeage et des postes de traite qui appartenaient à la Compagnie du Nord-Ouest et à la Compagnie de la baie d'Hudson. Il fut un temps où près de 80 %

des fourrures exportées en Europe passaient d'abord par Lachine, avant la fusion de ces deux compagnies en 1821.

Promenade Père-Marquette

Accès principal par le boulevard St-Joseph, face à la 18e Avenue.

La promenade le long du lac St-Louis fut nommée en l'honneur du père Jacques Marquette (1637-1675) qui, avec Jolliet, découvrit le Mississippi en 1673. Le promeneur peut voir le couvent des sœurs de Ste-Anne qui dirigent d'ailleurs le collège Ste-Anne (1861), en face de l'entrepôt, et plus loin, l'église des Sts-Anges-Gardiens (1919).

Poursuivez vers l'ouest en vous engageant sur le chemin du Bord-du-Lac.

Le **chemin du Bord-du-Lac** débute à Lachine et remonte le St-Laurent jusqu'à Ste-Anne-de-Bellevue, devenant entretemps boulevard Beaconsfield et Lakeshore. Il traverse ainsi tout le West-Island.

WEST-ISLAND AB2

Les municipalités de l'île de Montréal situées à l'ouest de Lachine sont collectivement connues sous le nom de West-Island. Leurs demeures cossues, prolongées par des quais privés, des marinas et de beaux parcs boisés, abritent une importante communauté anglophone. Banlieue très connue pour son aéroport international, **Dorval** doit son nom à Jean-Baptiste Bouchard, natif d'Orval, en France, qui y acquit des terres en 1691.

★ Pointe-Claire

Cette banlieue aisée est située sur les bords du lac St-Louis. Elle tire son nom des belles **vues★** claires que l'on a de la pointe qui s'avance dans le lac.

★ **Stewart Hall** – *À gauche, sur le chemin du Bord-du-Lac, suivez les panneaux indicateurs.* ☎ 514 630 1220 - www.ville.pointe-claire.qc.ca - ♿ ⓟ - 8h-21h *(galerie 13h-17h).* Construite en 1915, cette belle maison de pierre au toit de cuivre est une réplique à plus petite échelle du château de l'île Mull, en Écosse. En 1963, Walter Stewart et son épouse achetèrent l'édifice et en firent don à la ville de Pointe-Claire, afin qu'y soit créé un centre culturel. Aujourd'hui, la demeure renferme une bibliothèque, une galerie d'art et une superbe salle lambrissée où se tiennent réunions, spectacles, concerts et autres activités organisées par le centre culturel. Du jardin, une superbe **vue★** embrasse une grande partie du lac.

★ **La Pointe** – *Du chemin du Bord-du-Lac, prenez la rue Ste-Anne et garez-vous près de l'église.* Au bout de la péninsule qui s'avance dans le lac St-Louis se trouve le couvent des sœurs de la congrégation de Notre-Dame (1867). Derrière, un vieux **moulin à vent** (1709) servit en son temps de refuge contre d'éventuelles attaques amérindiennes. Construite en 1882, l'église St-Joachim jouxte un presbytère dont le porche fait le tour du bâtiment et dont le toit est égayé de nombreuses formes pyramidales. Le site offre une belle **vue**.

Après Pointe-Claire, le chemin du Bord-du-Lac devient boulevard Beaconsfield.

Beaconsfield

Cette riche banlieue fut nommée en l'honneur du Premier ministre britannique Benjamin Disraeli (1804-1880), devenu Lord Beaconsfield en 1876.

Le boulevard porte à nouveau le nom de chemin du Bord-du-Lac lorsqu'il traverse Baie-d'Urfé.

Baie-d'Urfé

Cette banlieue tient son nom de l'abbé François-Saturnin Lascaris d'Urfé qui, en 1686, fonda en ces lieux une mission. Le jardin voisin de l'hôtel de ville de

Sainte-Anne-de-Bellevue.
AGE/Photononstop

Baie-d'Urfé *(20410 chemin du Bord-du-Lac)* offre une superbe **vue** sur le lac et l'île Dowker.

★ Sainte-Anne-de-Bellevue

Située à l'extrémité occidentale de l'île de Montréal, cette municipalité correspondait, au 17e s., à la seigneurie de Bellevue. La paroisse fut consacrée à sainte Anne en 1714, et la ville adopta ce nom en 1878. Son artère principale, la rue Ste-Anne, longe la rivière des Outaouais dont les eaux tumultueuses rejoignent celles du St-Laurent au lac St-Louis après avoir franchi une écluse. Au-dessus, un pont de chemin de fer et la route 20 conduisent à l'île Perrot *(voir p. 160)*. Une charmante **promenade de bois** a été aménagée au bord de l'eau. Elle est jalonnée de nombreux restaurants d'où les gens s'amusent à regarder passer les bateaux.

Campus Macdonald – *Rue Ste-Anne, à l'entrée de la localité*. En 1907, Sir William Macdonald (1831-1917), fondateur de la Macdonald Tobacco Company et recteur de McGill, fit don à l'université d'un terrain de 650 ha. Sur celui-ci furent érigés des pavillons de brique rouge qui abritent aujourd'hui la faculté des sciences de l'agriculture et de l'environnement.

Ferme expérimentale – *21111 chemin Lakeshore - ℘ 514 398 7701 - ✗ ♿ 🅿 - 11h-15h, w.-end 11h-13h*. Elle comprend une étable laitière et une miniferme peuplée de moutons, de chèvres, de cochons, de lapins…

Arboretum Morgan – *Traversez le campus, passez au-dessus de l'autoroute 20 puis de la 40, l'arboretum s'étend à gauche du chemin des Pins - ℘ 514 398 7811 - www.morganarboretum.org - 9h-16h - fermé 1er janv. et 25 déc. - 5 $ (enf. 2 $)*. Cette réserve forestière possède l'ensemble le plus complet d'essences d'arbres indigènes au Canada réparties sur 245 ha. On y pratique la randonnée à pied en été et à ski ou en raquettes en hiver.

Ecomuseum – *Même route que pour l'arboretum, mais au lieu de poursuivre sur le chemin des Pins, tournez à droite sur le chemin Ste-Marie. 21125 chemin Ste-Marie - ℘ 514 457 9449 - www.ecomuseum.ca - 9h-17h - fermé 25 déc. - 15 $ (enf. 9 $)*.

👥 Voilà près de 20 ans que cette structure, indépendante du campus Macdonald, étudie et sauvegarde les amphibiens et les reptiles. Ceux-ci sont visibles dans des vivariums installés au sous-sol. À leur suite, les animaux nocturnes (opossums, mouflettes, polatouches). Dehors, un parcours de 24 étapes permet de voir un couple de martres d'Amérique, un autre de coyotes, de porcs-épics, de loutres, des caribous, des ours noirs, des loups…

Dans Ste-Anne-de-Bellevue, suivez la rue Ste-Anne, puis le chemin Senneville. Ce dernier remonte vers le nord-est en traversant des bois et des champs qui cachent le lac des Deux Montagnes, à gauche. Une fois passé le parc agricole du Bois-de-la-Roche, le chemin rejoint le chemin de l'Anse-à-l'Orme. Continuez tout droit. Le chemin devient le boulevard Gouin. Il longe alors, sur la gauche, le parc-nature du Cap-St-Jacques.

Parc-nature du Cap-Saint-Jacques

Accès par le 20099 bd Gouin Ouest - 📞 514 280 6871 - 🅿 (7 $ la journée) - chalet d'accueil - de fin avr. à mi-juin : 10h-17h ; de mi-juin à fin août : 10h-19h - parc ouvert du lever au coucher du soleil.

Les 288 ha de ce parc, autrefois terres agricoles, regroupent une intéressante palette d'activités de plein air ; 5,7 km de sentiers de randonnée ont été balisés, 8 km pour les vélos. Le site comprend également une plage et une ferme écologique, qui produit des légumes biologiques et abrite quelques animaux. En hiver, place est faite aux pistes de ski de fond, aux sentiers de raquette et, toujours, à la randonnée pédestre. Un sentier d'interprétation permet de découvrir la flore et la faune du parc, qui recense quelque 142 espèces d'oiseaux (hirondelles, sittelles…).

Retrouvez l'autoroute 40 Est (direction Montréal) en suivant le chemin Ste-Marie. Quittez-la à la sortie 62 (chemin de la Côte-Vertu).

Le nord et l'est Carte de région

SAINT-LAURENT B1

🔘 *À 10 km au nord du centre-ville de Montréal par la rue Sherbrooke Est, la route 15 Nord, l'autoroute et le boulevard Décarie.*

Cette banlieue industrielle de Montréal fut fondée en 1687, lorsque les frères Paul, Michel et Louis Descarie s'y établirent pour cultiver la terre qu'ils appelèrent la côte St-Laurent.

★ Musée des Maîtres et Artisans du Québec

🚇 *Du Collège. Sur le terrain du Cégep St-Laurent par l'av. Ste-Croix. En venant du bd Décarie, tournez à droite dans la rue du Collège. Le collège est droit devant, à l'intersection avec l'av. Ste-Croix. 615 av. Ste-Croix - 📞 514 747 7367 - www.mmaq. qc.ca - ♿🅿 - merc.-dim. 12h-17h - 7 $.*

Ce petit musée occupe l'ancienne église presbytérienne de St-André-et-St-Paul (1867), déménagée du boulevard Dorchester en 1931. Cette étonnante structure néogothique servit de chapelle au collège jusqu'en 1975, et fut par la suite transformée en musée. À l'intérieur, on voit encore la voûte de bois finement sculptée et les beaux vitraux.

La collection renferme des objets artisanaux du Canada français (ferblanterie, tissage, céramique, mobilier, orfèvrerie et sculpture sur bois). Un audioguide propose des textes dits par le conteur Fred Pellerin. Le musée propose par ailleurs des expositions temporaires axées sur les arts et métiers d'art contemporains des communautés culturelles du Québec.

SAULT-AU-RÉCOLLET C1

◯ *À environ 12 km au nord du centre-ville de Montréal par les rues Sherbrooke Est (route 138), Cartier, Rachel et l'avenue Papineau.*

Sault-au-Récollet , l'une des plus anciennes communautés de l'île de Montréal, fut annexée à la ville de Montréal en 1916. L'endroit fut tour à tour visité par Jacques Cartier en 1535, puis Samuel de Champlain en 1615. Le toponyme évoque le récollet et son fidèle disciple Ahuntsic noyés par des Hurons dans les rapides de la rivière en 1625. En 1696, les sulpiciens fondèrent ici une mission, qui fut érigée en paroisse en 1736. L'aménagement des rapides est assuré, depuis 1930, par Hydro-Québec.

★ Église de la Visitation-de-la-Bienheureuse-Vierge-Marie

◐ *Henri-Bourassa. De l'avenue Papineau, prenez à gauche le boulevard Henri-Bourassa, puis à droite la rue des Jésuites.*

Construite entre 1749 et 1752, c'est l'aînée des églises de l'île de Montréal. Bordée par deux hautes tours, la **façade** actuelle (1850), de style néoclassique, est l'œuvre de John Ostell, inspirée par l'église de Ste-Geneviève de Pierrefonds (au nord de Montréal).

Le **décor intérieur★★**, très élaboré, illustre l'esthétique de l'École de Quévillon. La voûte turquoise et or, ornée de berceaux en forme de diamants, est d'une rare qualité. Tout comme le décor sculpté du sanctuaire, elle fut mise en place par David Fleury-David, peu avant 1820. Installée en 1837, la magnifique **chaire★** est sans aucun doute l'une des plus belles pièces de mobilier liturgique réalisées au Québec. Elle est due à Vincent Chartrand, de l'atelier de Quévillon. Le tabernacle du maître-autel est attribué à Philippe Liébert (1732-1804). L'autel qui le supporte, tout comme les autels latéraux et leurs tabernacles, sont de Louis-Amable Quévillon (1749-1823). Les deux portails (1771) menant à la sacristie sont ornés de bas-reliefs polychromes inscrits dans des panneaux de style Louis XV.

Parc-nature de l'Île-de-la-Visitation

◐ *Henri-Bourassa. Accès par le 2425 bd Gouin puis, juste à l'est du pont Papineau-Leblanc, tournez à gauche dans la rue du Pont. ☎ 514 280 6733 - 🅿 (7 $ la journée) - Chalet d'accueil ouvert de fin avr. à déb. sept. : 9h30-18h - parc ouvert du lever au coucher du soleil.*

L'île de la Visitation est l'un des six parcs-nature gérés par la communauté urbaine de Montréal. Ses 32 ha de sous-bois et d'étendues vallonnées sont équipés de pistes cyclables, de sentiers pédestre, d'aires de pique-nique, de sites de pêche et de pistes de ski de randonnée *(possibilité de louer des skis sur place)*. Dès le 18ᵉ s., des moulins, dont le dernier fonctionna jusqu'en 1970, se dressèrent sur la chaussée qui relie cette île aux berges de la rivière des Prairies.

Maison du Pressoir – *☎ 514 850 4222 - mai-oct. : 12h-17h.* Avant d'accéder à l'île, visitez cette attrayante maison qui date du début du 19ᵉ s. Le mécanisme original y est montré, et une exposition illustre la méthode de fabrication du cidre.

Maison du Meunier – *☎ 514 850 4222 - mai-oct. : 12h-17h.* Non loin, elle accueille aujourd'hui des expositions d'art.

1

Laval

Région de Montréal

☒ S'INFORMER

Tourisme Laval – *480 prom. Centropolis, Laval (QC) H7T 3C2 - ✆ 450 682 5522 ou 1 877 465 2825 - www.tourismelaval.com - lun.-vend. 9h-17h.*
Région de Montréal – *Voir Montréal, p. 86.*

◐ SE REPÉRER

Carte de région B1 (p. 84-85). Laval se trouve à 12 km au nord-ouest de Montréal, sur la rive nord de la rivière des Prairies. On y accède par la route 15 ou par le métro, stations Cartier, de la Concorde ou Montmorency, le terminus de la ligne orange.

☐ SE GARER

Laval étant une ville étendue, mieux vaut prendre sa voiture pour y circuler. Tout est conçu pour elle.

☺ À NE PAS MANQUER

Le Cosmodôme.

◷ ORGANISER SON TEMPS

En réservant longtemps à l'avance, organisez-vous un voyage dans l'espace au camp spatial du Cosmodôme.

☗ AVEC LES ENFANTS

L'aventure spatiale au Cosmodôme.

Laval jouit d'une situation privilégiée. Le centre-ville de Montréal est en effet directement accessible par le métro, tandis que la vraie campagne ou les Laurentides restent joignables en deux tours de roue. Loin de son image de belle endormie, la ville cultive l'art de vivre en multipliant les occasions de promenades et de sorties culturelles. Le Cosmodôme constitue à cet égard le fleuron de son offre touristique.

Découvrir Carte de région

★★ **Cosmodôme** B1

2150, autoroute des Laurentides (Chomedey). De Montréal, prenez la route 15 Nord (sortie 9) ; suivez les panneaux indicateurs. En métro : terminus Montmorency, puis bus n° 60 ou 61.

☗ Inauguré fin 1994, le Cosmodôme a pour mission de « faire connaître et pratiquer les sciences et les technologies spatiales ». Une reproduction à 80 % de la fusée *Ariane* permet de repérer de loin ce complexe ultramoderne.

Centre des sciences de l'Espace – *✆ 450 978 3600 ou 1 800 565 2267 - www.cosmodome.org - ♿☐ - juil.-août : 10h-17h ; reste de l'année : mar.-dim. et lun. fériés 10h-17h - 11,50 $ (6-18 ans 7,50 $).* Consoles interactives, panneaux muraux, modèles réduits, répliques grandeur nature, simulateurs et vidéos font de cet ensemble un passionnant musée « touche-à-tout ». Cinq étapes principales initient le visiteur aux mystères de l'univers, à commencer par un spectacle multimédia retraçant les progrès de la connaissance humaine dans le domaine de l'espace. Dans la deuxième section, divers instruments scientifiques et répliques d'engins spatiaux permettent de se rendre compte de l'étonnante

L'ÎLE JÉSUS

Au 17ᵉ s., les jésuites nommèrent île Jésus la grande étendue de terre au nord de l'île de Montréal. La première paroisse, St-François-de-Sales, fut fondée en 1702 et rapidement peuplée par les colons attirés par les terres fertiles. Maître-sculpteur et principal entrepreneur d'intérieurs d'églises du Québec au début du 19ᵉ s., Louis-Amable Quévillon (1749-1823) est né et a vécu dans la paroisse St-Vincent-de-Paul. Avec des apprentis, des compagnons et des associés, il forma ce que les historiens ont appelé « l'École de Quévillon ».

Au 20ᵉ s., l'avènement de l'automobile et la construction d'autoroutes et de ponts firent bientôt de l'île Jésus la principale banlieue industrielle et résidentielle de Montréal. En 1965, la fusion des 14 municipalités de l'île donna naissance à la ville de Laval, ainsi nommée en l'honneur de Monseigneur de Laval, ancien seigneur de l'île Jésus. Aujourd'hui, Laval est la troisième ville la plus peuplée du Québec après Montréal et Québec.

évolution des moyens techniques au cours des âges. Entièrement consacrée aux différents modes de communication de la préhistoire à nos jours, la section suivante donne l'occasion de découvrir les principes de la communication par satellite.

La quatrième section aborde la planète Terre. Parmi les thèmes traités, citons l'importance de l'eau, la dérive des continents, les montagnes marines… On y remarquera une représentation murale des continents vus de l'espace. Deux volets thématiques sont ensuite traités. Le premier met l'emphase sur la télédétection et son rôle dans des domaines aussi variés que la météorologie ou l'espionnage. Le second, consacré à la Lune, dévoile les secrets de différentes missions spatiales. On y remarquera une pierre lunaire, donnée au musée par la NASA.

Dans la dernière section, le visiteur explore le système solaire. Notez au passage la représentation holographique du télescope spatial Hubble ainsi que des fragments de météorites. La visite se conclut par l'exposition « Sommes-nous seuls ? », dans laquelle sont détaillées les différentes tentatives d'envoi à travers l'univers de messages binaires et autres.

Camp spatial – ☎ 1 800 565 2267 - www.campspatial.ca - sur réserv. Modelé sur le programme des camps spatiaux américains, le camp spatial propose aux jeunes comme aux adultes des stages d'une durée variable sous la supervision d'animateurs spécialisés. Diverses activités en ateliers et en salles d'entraînement leur donneront l'occasion unique d'effectuer des exercices proches de ceux auxquels seraient soumis de véritables astronautes.

Complexe culturel André-Benjamin-Papineau B1

Quittez la route 13 à la sortie 15 et suivez les panneaux indicateurs. 5475 bd St-Martin Ouest, Chomedey - ☎ *450 688 6558 -* ♿🅿 *- avr.-nov. : 13h-17h.*

Cette maison de pierre agrémentée de hautes cheminées fut construite entre 1818 et 1832 par André Papineau. Elle allait par la suite être habitée par son fils, André-Benjamin. Ce dernier, cousin de Louis-Joseph Papineau et Patriote lui aussi, se fit connaître comme homme politique et comme maire de St-Martin (l'une des municipalités de Laval).

Au moment de la construction de la route 13, la maison dut être déplacée. Devenue un lieu d'animation culturelle et artistique, elle abrite aujourd'hui une galerie où sont présentées les œuvres de peintres professionnels.

Île Perrot

Montérégie

S'INFORMER

Bureau d'information touristique – *190 bd Métropolitain - ☏ 450 453 0855 - www.tourisme-suroit.qc.ca ; www.ile-perrot.qc.ca - de fin juin à déb. sept. : 9h-19h.*

SE REPÉRER

Carte de région A2 (p. 84-85). L'île Perrot se trouve à 45 km au sud-ouest de Montréal par la route 20 (sortie 38). Pour vous y rendre, traversez le pont de la rivière des Outaouais *(sortie du bd Don-Quichotte)*.

ORGANISER SON TEMPS

À visiter au départ de Montréal. Prévoyez une demi-journée.

AVEC LES ENFANTS

Le moulin à vent du parc historique Pointe-du-Moulin.

Située au confluent de la rivière des Outaouais et du Saint-Laurent, cette vaste île – 1 km de long sur 5 km de large – constitue une agréable étape entre Montréal et Gatineau. Ses alentours vous feront découvrir un patrimoine historique important avec, en tête, les vestiges des canaux et du fort de Coteau-du-Lac.

Découvrir Carte de région

Notre-Dame-de-l'Île-Perrot A2

★ **Église Ste-Jeanne-de-Chantal** – *R. de l'Église.* Érigée durant la seconde moitié du 18e s., cette petite église de pierre se trouve dans la partie sud de l'île, plus précisément dans le secteur Village-sur-le-Lac. Très élégant, le décor intérieur (1812-1830) est dû à Joseph Turcaut et Louis-Xavier Leprohon, sculpteurs de l'École de Quévillon. De l'église, **vue** superbe sur le lac St-Louis.

★ **Parc historique Pointe-du-Moulin** – *2500 bd Don-Quichotte - ☏ 514 453 5936 - www.pointedumoulin.com - ✗ & P - de fin juin à fin août : 9h30-20h (visites guidées merc.-dim. 10h-17h) ; de mi-mai à fin juin et de fin août à mi-oct. : 9h30-17h (visites guidées w.-end 10h-17h) - 5 $ en semaine, 3 $ w.-end (-4 ans gratuit).* Situé à la pointe est de l'île Perrot, ce parc de 12 ha environ accueillait autrefois le manoir (aujourd'hui détruit) de Joseph Trottier. De ce site impressionnant, où la terre avance en saillie dans les eaux, la **vue** sur le lac St-Louis et Montréal, au loin, est très agréable. Par temps clair, on aperçoit même les Adirondacks, au sud-ouest. Les nombreux sentiers du parc sont jalonnés d'aires de pique-nique.

Centre d'interprétation – *Mêmes horaires que pour le parc.* Situé non loin de l'entrée, le centre présente des expositions et des films qui retracent l'histoire du domaine et expliquent le système seigneurial et les méthodes traditionnelles de culture du 18e s. À la saison estivale et en fin de semaine, toutes sortes d'activités (démonstrations d'artisanat, concerts et autres) sont proposées au public. On peut également, sous la conduite de guides spécialisés, faire à pied des visites du site, axées sur la géographie, la faune et la flore, et découvrir les fondations de l'ancien manoir seigneurial, dégagées lors de fouilles en 1992 et 1993.

UNE HISTOIRE EN DEMI-TEINTE

L'île fut concédée en 1672 à François-Marie Perrot, gouverneur de Montréal et capitaine du régiment d'Auvergne. Il avait épousé, quelques années plus tôt, une nièce de l'intendant Jean Talon. Grâce à son emplacement stratégique, l'île lui servit de base pour le commerce illégal de fourrures et d'alcool avec les Amérindiens. Il fallut attendre 1703, date de l'acquisition de l'île par Joseph Trottier, sieur Desruisseaux, pour que débutent les travaux de défrichage et de mise en culture du site. Trottier construisit un manoir et un moulin à vent sur sa propriété, dorénavant appelée domaine de la Pointe-du-Moulin.

À l'extrême pointe de l'île se dresse le **moulin** de pierre de Trottier (v. 1705). Les dimanches d'été, son mécanisme (reconstitué) fonctionne comme autrefois, à condition, bien sûr, que le vent souffle. Car le moulin possède un système fort astucieux pour broyer le grain : toute sa partie supérieure peut être orientée en fonction de la direction du vent à l'aide d'une longue perche, ce qui permet aux ailes de suivre la moindre brise, d'où qu'elle vienne. Notez que les murs du moulin sont percés de meurtrières, le bâtiment ayant servi de fortification au 18e s.

À proximité se trouve la **maison du Meunier**, construite vers 1785. On y trouve des explications sur la vie familiale traditionnelle en Nouvelle-France (cuisine, pâtisserie, habillement, ameublement et architecture).

À proximité Carte de région

Vaudreuil-Dorion A2 en direction

◐ *À 15 km au nord de l'île Perrot. Après N.-D.-de-l'Île-de-Perrot, traversez l'île. À Terrasse-Vaudreuil, prenez l'autoroute 20 et entrez dans Vaudreuil-Dorion.*
La seigneurie de Vaudreuil, à l'ouest de l'île de Montréal, fut concédée en 1702 à Philippe Rigaud de Vaudreuil, alors gouverneur de Montréal. Peu développée sous le Régime français, elle passa, en 1763, aux mains de Michel Chartier de Lotbinière. Ce grand propriétaire foncier contribua au développement de la communauté et y établit une paroisse. Il proposa, en 1783, un plan d'urbanisation qui prévoyait la construction d'un réseau de rues perpendiculaires les unes aux autres, regroupées autour d'un point central marqué par une église et une place de marché. Ce plan ne vit jamais le jour, et le village conserva longtemps son caractère rural. Englobées par la métropole montréalaise au cours des années 1970, les villes jumelles de Vaudreuil et de Dorion ont désormais fusionné pour former la municipalité de Vaudreuil-Dorion.

★ **Maison Trestler** – *De la route 20, prenez à droite le boulevard Saint-Henri, puis encore à droite l'avenue Trestler. 85 chemin de la Commune -* ℘ *450 455 6290 - www.trestler.qc.ca -* 🅿 *- lun.-vend. 10h-12h, 13h-16h, dim. 13h-16h - fermé 20 déc.-6 janv. - 4 $.* Cette énorme maison de pierre occupe un site magnifique surplombant le lac des Deux Montagnes. Elle mesure 44 m de long sur 13 m de large, et son toit de bardeaux est percé de 14 lucarnes. La partie centrale fut construite en 1798 par Jean-Joseph Trestler, un Allemand qui fit fortune dans le commerce de la fourrure. Les deux ailes furent ajoutées en 1805 et 1806. À l'intérieur, plusieurs pièces sont meublées de beaux spécimens de mobilier des 18e et 19e s. On peut également visiter la jolie salle voûtée, qui servait jadis d'entrepôt où l'on suspendait les fourrures pour les faire sécher et les exposer aux acheteurs. L'été, des concerts sont offerts sur place.

Parc et maison Valois – *À 1 km de la maison Trestler. De l'avenue Trestler, prenez à droite le boulevard St-Henri, puis encore à droite le boulevard St-Charles. 331 av. St-Charles - ℘ 450 455 5751 - www.tourisme-suroit.qc.ca - de mi-mai à déb. sept. : merc.-vend. 13h-20h, w.-end 10h-17h.* Située dans un parc agréable à côté du lac des Deux Montagnes, la maison Valois (1796) est caractéristique de l'habitat local, avec sa base en pierre et ses murs en bois. Le toit à pente raide, sans surplomb, occupe la moitié de la hauteur de la demeure. Restauré par la municipalité, l'édifice abrite une galerie d'art où sont organisées des expositions temporaires.

Musée régional de Vaudreuil-Soulanges – *431 av. St-Charles - ℘ 450 455 2092 - www.mrvs.qc.ca - ♿ - mar.-vend. 9h-12h, 13h-16h30, w.-end 13h-16h30 - fermé 23 déc.-3 janv. - 5 $.* Consacré à la mise en valeur du patrimoine régional, ce musée occupe l'ancienne école de pierre restaurée (1859) où étudia l'abbé **Lionel Groulx** (1878-1967), grand historien du Canada français. Le bâtiment, coiffé d'un toit mansardé percé de fenêtres et surmonté d'une petite lanterne, est caractéristique de l'architecture religieuse de l'époque. On y voit une exposition permanente évoquant la vie sous le régime seigneurial, et d'autres expositions à caractère ethno-historique. Une salle offre même aux visiteurs la possibilité de faire des recherches généalogiques. Le musée propose également des expositions d'art visuel et diverses activités d'interprétation.

Église St-Michel – *Bd Roche, tout près du musée.* Achevée en 1789, cette église – l'une des plus anciennes de la région montréalaise – fut déclarée monument historique en 1957. La vue, depuis le cimetière, permet de découvrir un chevet harmonieux formé d'une abside et d'une petite sacristie. Une nouvelle façade fut érigée en 1856. L'intérieur possède un mobilier liturgique sculpté par Philippe Liébert à la fin du 18e s. : maître-autel, tabernacles latéraux et chaire. Les boiseries du chœur et les stalles sont de Louis-Amable Quévillon. L'ornementation sculptée de l'église est rehaussée d'un décor en trompe l'œil d'un saisissant réalisme, peint par F.-E. Meloche, élève du célèbre Napoléon Bourassa. Le tableau de St-Michel, au-dessus de l'autel, fut réalisé par William Von Moll Berczy. Dans la crypte repose la dépouille de Jean-Joseph Trestler (*voir p. 161*).

Parc des Ancres

▶ *À Pointes-des-Cascades, à 7 km de l'intersection avec la route 20, par la route 338 à partir de Vaudreuil-Dorion. ℘ 450 455 5310 - www.monteregie-guidetouristique.com - de fin mai à déb. oct. : mar.-dim. 13h-17h.*

Il s'étend tout près de la pointe formée au confluent du St-Laurent et de la rivière des Outaouais, en amont du lac St-Louis.

À proximité se trouve une écluse aménagée sur le canal de Soulanges ; ce dernier faisait autrefois partie du réseau de canaux que remplaça la voie maritime du St-Laurent.

Lieu historique national du Canada de Coteau-du-Lac A2 en direction

▶ *Sortie 17 de l'autoroute 20. 308 A chemin du Fleuve - ℘ 450 763 5631 ou 1 888 773 8888 - www.pc.gc.ca - ♿🅿 - de fin mai à déb. sept. : 10h-17h ; juin-août : 10h-17h ; de déb. sept. à déb. oct. : w.-end 10h-17h - fermé principaux j. fériés sf 1er juil. - 3,90 $ (6-16 ans 1,90 $).*

Située sur la rive nord du St-Laurent, à la sortie du lac St-François, Coteau-du-Lac possède une histoire intimement liée à ses tumultueux rapides. Pour éviter ces derniers et faciliter la navigation, divers systèmes de canalisation y furent construits au fil des ans, avant que la fameuse voie maritime du St-Laurent ne vienne apporter une solution définitive au problème.

À LA CONQUÊTE DES RAPIDES

Pour éviter de se noyer dans les rapides, les Amérindiens « portageaient » leurs canots autour des endroits les plus dangereux. Mais la traite des fourrures amena l'arrivée de nombreux trappeurs munis d'embarcations beaucoup plus lourdes et plus chargées. En 1750, les Français construisirent un canal « rigolet », digue de pierre destinée à faciliter le passage des bateaux de marchandises vers les Grands Lacs. Des traces en sont encore visibles depuis les sentiers du parc.

Après la guerre d'Indépendance américaine, les garnisons britanniques érigèrent des postes le long du St-Laurent et autour des Grands Lacs. Le canal « rigolet » ne suffisant plus à assurer le passage des grands bateaux, les Britanniques bâtirent, en 1779, un nouveau **canal** (environ 300 m de longueur et 2,5 m de profondeur) dont les trois écluses soulevaient les navires de 2,7 m. Mais à l'avènement du premier canal de Beauharnois en 1845, le pauvre ouvrage de canalisation britannique devint à son tour désuet. Une passerelle permet aujourd'hui de longer son lit désormais asséché.

Ce **site** d'une grande beauté, au confluent de la rivière Delisle et du St-Laurent, contient les vestiges de l'un des premiers canaux à écluses d'Amérique du Nord. De nombreux sentiers jalonnés de ruines s'offrent au visiteur, mais avant de les emprunter, ce dernier fera un premier arrêt au centre d'accueil (exposition thématique, maquette du site, collection d'objets de la préhistoire à nos jours).

Jusqu'au 20e s., les rapides du St-Laurent étaient particulièrement dangereux entre Montréal et Kingston. La construction de la centrale hydroélectrique de Beauharnois et de son canal, au cours des années 1920-1930, nécessita l'installation de tout un système de barrages pour détourner le fleuve de son cours naturel. Ce système entraîna un abaissement du niveau du St-Laurent de près de 2,5 m par rapport à ce qu'il était jusqu'au début du 20e s. Depuis, les rapides ont perdu beaucoup de leur impétuosité.

Le fort – Afin de protéger l'importante voie fluviale du St-Laurent et d'assurer le ravitaillement des soldats cantonnés dans la région des Grands Lacs, les Britanniques avaient édifié, sur le site de Coteau-du-Lac, un fort qui fut d'abord un simple poste de péage et un entrepôt. La crainte d'une invasion américaine le fit fortifier. Des fouilles archéologiques ont mis au jour des vestiges d'entrepôts et de bâtiments militaires remontant à la guerre d'Indépendance américaine et à la guerre de 1812.

Le blockhaus octogonal – Ce blockhaus insolite fut construit durant la guerre de 1812. En 1839, il fut incendié afin d'empêcher le fort de tomber aux mains des Patriotes. Reconstruit par Parcs Canada en 1965, c'est un bâtiment de billes équarries reposant sur des fondations de pierre. Il comporte un rez-de-chaussée et un étage en porte-à-faux. Ses murs sont percés de meurtrières et d'embrasures. À l'intérieur, une exposition retrace le transport d'approvisionnements sur le canal.

À l'ouest de Montréal 2

Parc national de la Mauricie.
T. Kitchin & Vict/Age Fotostock

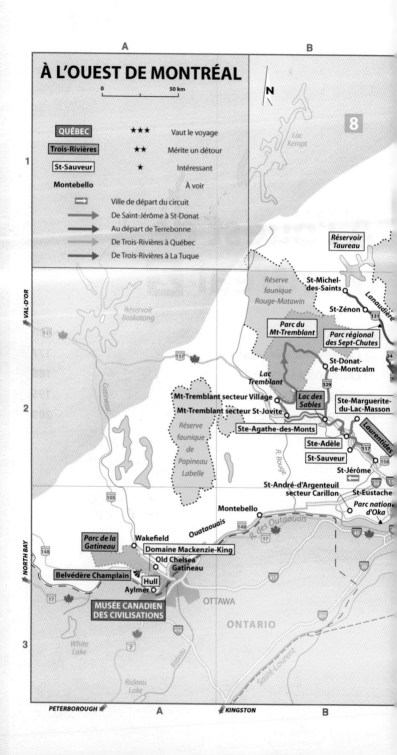

167

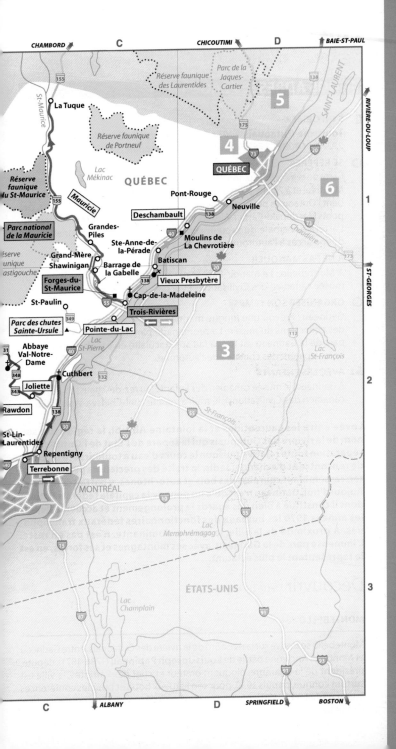

CHAMBORD   C   CHICOUTIMI   D   BAIE-ST-PAUL

155

St-Maurice

La Tuque

Réserve faunique
des Laurentides

Parc de la
Jaques-Cartier

SAINT-LAURENT

RIVIÈRE-DU-LOUP

175

Réserve faunique
de Portneuf

73

70

5

Lac
Mékinac

QUÉBEC

4

72

QUÉBEC

6

1

Réserve
faunique
du St-Maurice

155

Mauricie

Pont-Rouge

Neuville

Chaudière

73

Parc national
de la Mauricie

Grandes-
Piles

Deschambault

138

erve
nique
astigouche

Grand-Mère

Ste-Anne-de-
la-Pérade

Moulins de
La Chevrotière

173

Shawinigan

Barrage de
la Gabelle

Batiscan

20

ST-GEORGES

Forges-du-
St-Maurice

138

Vieux Presbytère

St-Paulin

55

Cap-de-la-Madeleine

349

Trois-Rivières

Parc des chutes
Sainte-Ursule

Pointe-du-Lac

112

Lac
St-Pierre

3

Lac
St-François

40

31

Abbaye
Val-Notre-
Dame

348

Cuthbert

132

2

55

St-François

Joliette

343

Rawdon

138

35

30

20

St-Lin-
Laurentides

Repentigny

Terrebonne

1

40

MONTRÉAL

10

55

Lac
Memphrémagog

15

ÉTATS-UNIS

3

Lac
Champlain

87

C   ALBANY   D   SPRINGFIELD   BOSTON

Outaouais

NOS ADRESSES PAGE 176

S'INFORMER

Tourisme Outaouais – *103 r. Laurier, Gatineau (QC) J8X 3V8 - 819 778 2222 ou 1 800 265 7822 - www.tourismeoutaouais.com.*

SE REPÉRER

Carte de région AB3 (p. 166-167). Montebello se trouve à 130 km à l'ouest de Montréal et à 70 km à l'est de Gatineau par la route 148. Cinq ponts enjambent l'Outaouais pour relier Gatineau à Ottawa. Il s'agit, d'est en ouest, des ponts Macdonald-Cartier, Alexandria, du Portage, Chaudière et Champlain. L'artère principale du secteur Hull est le boulevard Maisonneuve, qui donne accès à l'autoroute de la Gatineau (A-5).

À NE PAS MANQUER

À Montebello : Le Manoir-Papineau ; à Gatineau : la Grande Galerie du musée canadien des Civilisations et le parc de la Gatineau.

ORGANISER SON TEMPS

Gatineau : Prévoir une longue matinée pour une première découverte des collections du musée. La promenade panoramique qui parcourt le parc de la Gatineau est tout à fait spectaculaire en **octobre**, lorsque les bois se parent des couleurs de l'automne.

AVEC LES ENFANTS

À Gatineau, le musée canadien des Enfants (au rez-de-chaussée du musée canadien des Civilisations), le train à vapeur Hull-Chelsea-Wakefield.

Lovée entre les Laurentides et la lointaine Abitibi, la région tire son nom de la rivière des Outaouais qui la sépare de l'État de l'Ontario. Une séparation toute relative puisque le cours d'eau a toujours été un point de rencontre et d'échange. Jadis, la traite des précieuses peaux de castor, rassemblant coureurs des bois et autochtones, y battait son plein. Aujourd'hui, Gatineau n'est qu'à un pont de la capitale fédérale Ottawa dont il constitue à bien des égards le prolongement et accueille depuis les années 1970 les bureaux des fonctionnaires fédéraux francophones. À proximité de la ville, la nature, dominante, n'est pas en reste. L'immense parc de la Gatineau, avec ses montagnes et ses forêts, en est le représentant le plus éclatant.

Découvrir Carte de région

MONTEBELLO B3

Montebello se trouve sur la rive nord de la rivière des Outaouais, entre Gatineau et Montréal. Ancienne patrie de **Louis-Joseph Papineau** (1786-1871), député, président de la Chambre, éloquent orateur et chef des Patriotes, la ville est surtout connue, depuis 1930, pour son luxueux hôtel et pour les conférences internationales qui s'y tiennent. C'est un lieu à découvrir pour qui veut mieux connaître l'histoire du Québec.

En 1674, la seigneurie de Petite-Nation, alors peuplée d'Algonquins, était concédée à Monseigneur de Laval. Le notaire Joseph Papineau, père de Louis-Joseph, en fit l'acquisition en 1801 et y installa les premiers colons. En 1845, au retour de huit ans d'exil à la suite de l'échec de la Rébellion, le chef des Patriotes y fit construire un manoir qu'il nomma en l'honneur d'un ami, le **duc de Montebello**, fils de l'un des généraux de Napoléon Bonaparte. Le petit village qui s'était constitué non loin de là prit son nom en 1878. Montebello fut également la patrie du gendre de Papineau, Napoléon Bourassa (1827-1916), éminent artiste et architecte, et de son illustre petit-fils, Henri Bourassa (1868-1952), homme politique et fondateur du *Devoir*.

★ Château Montebello

Accès par la route 148. Cet énorme bâtiment de bois octogonal flanqué de six ailes occupe, sur les bords de la rivière des Outaouais, une partie du parc de l'ancienne seigneurie de Papineau. Il fut construit en 1930 selon les plans de l'architecte montréalais Harold Lawson, pour le compte du très sélect Seigniory Club. Le projet, réalisé en 90 jours à peine, nécessita l'emploi de quelque 10 000 billes de cèdre rouge. Transformé en hôtel de luxe, Fairmont Le Château Montebello accueillit de nombreux événements internationaux, parmi lesquels le Sommet économique de 1981, en 1983, le Bilderberg Meeting ainsi que la Conférence de l'OTAN, et en 2007, le sommet des chefs de gouvernement nord-américains.

Été comme hiver, ses jardins, en accès libre, offrent d'agréables promenades. Le manoir Papineau se trouve dans le parc du Château.

★ Lieu historique national du Canada du Manoir-Papineau

🌿 819 423 6965 - *www.parcscanada.gc.ca/manoirpapineau - visite guidée (45mn) de fin mai à déb. sept. : 10h-17h ; de déb. sept. à mi-oct. : w.-end et j. fériés 10h-17h - 7,80 $.*

Ce manoir fut construit entre 1848 et 1850 pour Louis-Joseph Papineau. Il s'agit d'un étonnant édifice revêtu de stuc couleur corail et flanqué de tours de pierre, de style « château ». La propriété fut vendue au Seigniory Club en 1929. Si au fil du temps, l'intérieur a subi de nombreuses modifications, il reste une partie du mobilier massif ayant appartenu à la famille Papineau, notamment dans la salle à manger et le grand salon.

Une bibliothèque ignifugée (nouveauté à l'époque !) fut construite dans une tour de quatre étages ; elle contenait quelque 6 000 volumes.

Du manoir, on aperçoit, à travers un rideau d'arbres, les eaux paisibles de l'Outaouais.

★ GATINEAU - SECTEUR HULL A3

2

Le secteur Hull, partie intégrante de la grande ville de **Gatineau** depuis la fusion municipale en 2002, se trouve face à la capitale fédérale, Ottawa. Au bord de la rivière des Outaouais, Hull dresse ses tours et ses immeubles ultra-modernes. D'importants changements ont eu lieu au cours des dernières années, notamment la construction de deux vastes complexes fédéraux (la Place du Portage et les Terrasses de la Chaudière) et l'établissement d'un campus de l'Université du Québec en Outaouais. De plus, une énorme structure avant-gardiste (23 400 m²), bâtie au bord du lac Leamy, accueille désormais le **casino de Lac-Leamy**.

Du parc Jacques-Cartier *(par la rue Laurier)*, la **vue★** embrasse sur l'autre rive, à Ottawa, la colline du Parlement, le musée des Beaux-Arts du Canada et le Fairmont Château Laurier *(pour plus de détails, voir* Le Guide Vert Canada*)*.

SECTEUR HULL : UNE ANCIENNE COLONIE

En 1800, soit 26 ans avant la création de Bytown (future Ottawa), des Américains dirigés par le loyaliste **Philemon Wright** s'installèrent près des chutes de la Chaudière. Un moulin y fut érigé et une petite colonie se développa. Cultivateurs, les premiers colons se firent également bûcherons ; car la superbe forêt qui couvrait la région, constituée de pins rouges et blancs aujourd'hui disparus, se prêtait fort bien à la construction de bateaux. Les grands troncs droits étaient donc expédiés par cage flottante jusqu'à Montréal, puis Québec d'où ils partaient pour l'Angleterre. Ainsi naquit une industrie forestière qui devait connaître une certaine prospérité tout au long du 19e s.

Un autre Américain, **Ezra Butler Eddy**, s'établit dans le secteur Hull en 1851 et y monta une fabrique de pinces à linge et d'allumettes. Ses produits connurent vite un grand succès, et de nos jours encore, ses allumettes sont vendues à travers le continent. L'ancienne usine de pâte à papier d'Eddy domine aujourd'hui une partie des berges du secteur Hull.

Bon à savoir – Des pistes cyclables ont été aménagées le long de la rivière et le secteur Hull a mis en place un système de prêt de vélo, par l'intermédiaire de la **Maison du vélo** (819 246 3652 - tlj de mi-mai à mi-oct.).

Maison du Citoyen, secteur Hull

25 r. Laurier (entre les rues Victoria et Hôtel-de-Ville) - 819 595 7488 - juil.-août : 8h30-12h, 13h-16h (jusqu'à 16h30 le reste de l'année).

Ce complexe à la fois administratif (c'est en fait l'hôtel de ville), culturel et sportif fut inauguré en 1980. Il réunit autour de l'**Agora Gilles-Rocheleau** – énorme espace intérieur surmonté d'une verrière de près de 20 m de haut – la galerie d'art Montcalm, une bibliothèque, une salle de presse, la salle de spectacles Jean-Despréz et plusieurs salles de conférences. Le Hall des nations regroupe une douzaine d'objets d'art offerts par divers pays au fil des années. Des galeries relient la maison du Citoyen au Palais des congrès de Gatineau et à un centre commercial. À l'extérieur, un agréable parc se transforme, l'hiver, en une vaste patinoire.

★★★ Musée canadien des Civilisations

100 r. Laurier (entre le pont Alexandria et la rue Victoria) - 819 776 7000 ou 1 800 555 5621 - www.civilisations.ca - - mai-juin : 9h-18h (jeu. 20h) ; de juil. à déb. sept. : 9h-18h (jeu. et vend. 20 h) ; de déb. sept. à déb. oct. : 9h-18h (jeu. 20h) ; de déb. oct. à fin avr. : mar.-dim. 9h-17h (jeu. 20h) - 12 $ (3-12 ans 8 $) - entrée libre jeu. 16h-20h et certains j. fériés. Le restaurant du musée, Le Café du Musée, sert une cuisine française actuelle (819 776 7009).

Inauguré en juin 1989, ce vaste complexe est consacré à l'histoire du Canada depuis la venue des Vikings, ainsi qu'à l'art et aux traditions des peuples autochtones et des divers groupes ethniques du pays. Il abrite une impressionnante collection de 3,5 millions d'objets, des systèmes de projection de haute technologie et des expositions interactives novatrices.

Architecture – Le musée se compose de deux édifices dont l'architecture, due à **Douglas Cardinal**, symbolise le paysage canadien. Des courbes majestueuses évoquent l'émergence du continent nord-américain, façonné sous l'action érosive du vent, de l'eau et des glaciers, tandis que le revêtement mural, en calcaire de Tyndall, révèle ici et là des traces de fossiles. À gauche de l'entrée principale, le **pavillon du Bouclier canadien** abrite les réserves

Musée canadien des Civilisations.
J.-P. De Mann/Age Fotostock

du musée. À droite, le **pavillon du Glacier** accueille les visiteurs dans un vaste espace de 16 500 m², dont environ 3 300 m² sont réservés à des expositions temporaires.

Théâtre IMAXmd – *Niveau principal. Les films à l'affiche changent régulièrement. Versions française et anglaise présentées en alternance. Rens. et réserv. (conseillée) - ℘ 819 776 7010 - billets en vente au guichet du musée ou par téléphone - 9 $ (3-12 ans 6 $).* Projection des films en 3D sur l'Écran IMAX et en 2D sur le Dôme IMAX.

Musée canadien des enfants – 👥 *Niveau principal.* Fascinant lieu d'apprentissage et de découverte, ce charmant musée propose des activités variées. Le **Kaléidoscope** présente diverses expositions temporaires conçues à l'intention des enfants ; le **Carrefour** emmène les jeunes visiteurs en voyage imaginaire dans huit pays du monde. **La Grande Aventure** propose de visiter le Village international, véritable microcosme de notre planète, et de s'embarquer vers des destinations passionnantes. Le **Monde de l'aventure** donne enfin la possibilité de monter à bord d'un vrai remorqueur, de jouer aux échecs sur un échiquier géant et de prendre place dans le cockpit d'un Cessna 150.

Musée canadien de la Poste – *Niveau principal.* Il raconte l'histoire du patrimoine postal au Canada et ailleurs grâce à 49 000 et 300 000 articles philatéliques, des tablettes d'argile mésopotamiennes (2043 av. J.-C.) aux marteaux d'oblitération, en passant par des cartes de la St-Valentin.

Grande Galerie – *Niveau inférieur.* Elle est consacrée au riche patrimoine culturel et artistique des Amérindiens de la côte ouest du Canada, et s'ouvre par une paroi de verre sur la rivière des Outaouais et le Parlement canadien. Six façades de maisons de chef symbolisent un village traditionnel amérindien. Chacune évoque une culture particulière : Salish de la Côte, Nuu-chah-Nulths (Nootkas), Kwakwaka'wakws (Kwakiutls), Nuxalks, Haïdas et Tsimshians. Notez le **mât totémique de Wakas** de 1893, haut de 12 m, qui trôna pendant plus d'un demi-siècle dans le parc Stanley, à Vancouver.

Salle des Premiers Peuples – *Niveau inférieur.* Elle est consacrée aux réalisations culturelles et artistiques des populations autochtones du Canada, à leur histoire et à leur rôle dans la société d'aujourd'hui, illustrés par 10 000 tableaux, gravures, sculptures, photographies et objets d'artisanat divers.

Salle du Canada – *Niveau supérieur.* Une voûte de 17 m de hauteur coiffe cette gigantesque salle d'exposition. Des reconstitutions historiques grandeur nature, accompagnées d'effets visuels et sonores, évoquent mille ans du patrimoine social et culturel canadien, depuis l'arrivée des Vikings à Terre-Neuve vers l'an 1000.

Tête-à-tête – *Mezzanine du niveau supérieur.* Cette exposition place les visiteurs en tête-à-tête avec 27 personnalités fascinantes dont les décisions, les actions et les réalisations ont contribué à façonner le Canada.

LES AUTRES SECTEURS DE GATINEAU A3

Secteur Gatineau

▶ *À 4 km au nord-est par la route 148 (pont Lady-Aberdeen).*

C'est dans le secteur de Pointe-Gatineau, à la confluence de la rivière Gatineau et de la rivière des Outaouais, que Philemon Wright, fondateur du secteur Hull, faisait assembler au 19e s. ses énormes radeaux de bois flottés.

Secteur Aylmer

▶ *À 12 km à l'ouest par la route 148.*

C'était la capitale du canton de l'ancienne ville de Hull. Charles Symmes, neveu de Philemon Wright, fut l'un des premiers à venir s'établir ici, sur les bords du lac Deschênes. L'endroit, d'abord connu sous le nom de Symmes Landing, reçut plus tard le nom d'Aylmer en hommage au cinquième baron Aylmer, gouverneur en chef de l'Amérique du Nord britannique de 1831 à 1835. L'auberge Symmes (1832), magnifiquement restaurée, domine le lac Deschênes. La monumentale structure de pierre a inspiré le peintre Cornelius Krieghoff. Aujourd'hui, la rue Principale est bordée de somptueuses résidences et terrains de golf.

★★ PARC DE LA GATINEAU A3

▶ *Carte p. 174.*

🚹 **Centre des visiteurs** – *33 chemin Scott, Old Chelsea -* 📞 *819 827 2020 ou 1 800 465 1867 - www.capitaleducanada.gc.ca/gatineau -* △ ♿ 🅿 *- 9h-17h - 10 $/ voiture - certaines routes sont fermées de la première neige jusqu'à début mai.*

Montagnes et forêts couvrent ce territoire de 361 km² compris entre la vallée de la rivière des Outaouais et celle de la rivière Gatineau. Administré par la Commission de la capitale nationale, le parc, doucement ondulé et parsemé de lacs, renferme quelques édifices fédéraux, dont la résidence d'été du Premier ministre du Canada (au lac Mousseau) et le pavillon des rencontres officielles ou maison Willson (au lac Meech). Sans être un « officiel », chacun peut venir profiter de ses charmes, été comme hiver.

WILLIAM LYON MACKENZIE KING

Premier ministre de 1921 à 1930, puis de 1935 à 1948, ce grand homme d'État gouverna le Canada pendant 22 ans, record d'ailleurs inégalé. C'est pour échapper aux exigences de sa fonction qu'il venait se retirer sur ces terres. À sa mort en 1950, il légua un domaine de 231 ha qui comprend plusieurs bâtiments et des sentiers aménagés par ses soins.

Découpé dans un ancien territoire algonquin et iroquois, le parc fut créé en 1938 à l'initiative de William Lyon Mackenzie King. L'endroit fut nommé en l'honneur de Nicolas Gatineau. Ce dernier, négociant en fourrures de Trois-Rivières, disparut en 1683 au cours d'une expédition sur la rivière qui porte aujourd'hui son nom.

Promenade panoramique

51 km AR au départ de Gatineau par la route 148.

Cette superbe route sinueuse longe de hautes parois de granit rose, puis s'élargit par les belles forêts de feuillus des collines de la Gatineau. Le plateau, raclé par les glaciers, se termine abruptement dans le parc par l'escarpement d'Eardley, qui délimite le Bouclier canadien.

De nombreux postes d'observation permettent d'admirer la vallée de l'Outaouais, ses lacs miroitants et ses fermes cossues.

★★ Belvédère Champlain

6 km AR à partir du croisement de la promenade Champlain et de la promenade du lac Fortune.

Du haut de l'escarpement d'Eardley, à 335 m d'altitude, on a une **vue** extraordinaire sur la vallée de l'Outaouais, point de contact entre le Bouclier canadien et les basses terres du St-Laurent.

Sous le belvédère, un **sentier naturel**, doté de huit stations d'observation, invite le visiteur à se familiariser avec la végétation propre au parc.

★ Domaine Mackenzie-King

3 km AR à partir de la promenade de la Gatineau ; en empruntant le chemin Kingsmere. ☎ 819 827 2020 ou 1 800 465 1867 - ✗ ⚹ 🅿 - domaine ouvert tlj - musée : 10 mai-1ᵉʳ sept. : merc.-lun. 9h30-16h30 ; de déb. sept. à mi-oct. : merc.-lun. 10h30-16h30 - accès en voiture 8 $.

Au cœur du parc de la Gatineau s'étend l'ancienne propriété de William Lyon Mackenzie King *(voir l'encadré ci-contre)*.

Kingswood – Cette petite maison rustique fut la première résidence d'été que construisit Mackenzie King en 1903. Il la fit agrandir en 1924, et y vécut jusqu'en 1928. À côté se trouve le chalet des invités.

Une agréable promenade mène au bord de l'eau, d'où l'on aperçoit l'ancien hangar à bateaux reconstitué (1).

Moorside – Mackenzie King vécut ici de 1928 à 1943. Dans cette charmante villa de bois, qu'il avait achetée en 1924, les pièces de l'étage ont conservé l'aspect qu'elles avaient à l'époque. Le rez-de-chaussée abrite un ravissant salon de thé. Dans l'ancien garage (4), des photographies et un montage audiovisuel présentent la vie et l'œuvre de l'ancien Premier ministre.

Les Ruines – Mackenzie King décora ses jardins d'éléments architecturaux divers (piliers, pierres et autres) provenant de sites voués à la démolition. C'est ainsi qu'il récupéra des morceaux du Parlement d'Ottawa, détruit par les flammes en 1916, et quelques pierres du Parlement de Londres, bombardé en 1941.

De 1943 à sa mort, Mackenzie King habita une troisième maison, la Ferme (5), désormais occupée par l'orateur de la Chambre des communes *(fermé au public)*.

En **été**, on peut s'adonner à toutes sortes d'activités dans le parc : cyclisme, randonnée pédestre, natation, canotage, pêche et camping. En **hiver**, le parc devient le paradis des skieurs : il offre plus de 200 km de pistes de ski de fond et la station de ski alpin à Camp Fortune.

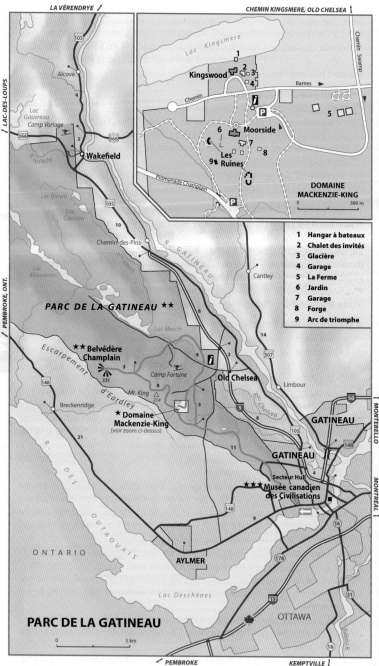

1 Hangar à bateaux
2 Chalet des invités
3 Glacière
4 Garage
5 La Ferme
6 Jardin
7 Garage
8 Forge
9 Arc de triomphe

LE TRAIN À VAPEUR DE HULL-CHELSEA-WAKEFIELD

Partez pour une balade de 64 km dans l'un des plus vieux trains à vapeur du Canada encore en activité. Guides et musiciens vous accompagnent tout au long de cette délicieuse promenade. Que diriez-vous d'un dîner à bord pour admirer le coucher de soleil ? Prenez alors le « Train des saveurs ». Dans un wagon-restaurant du temps jadis, vous serez émerveillé tout en savourant une bonne cuisine truffée de produits régionaux !

Voir « Nos adresses ».

Old Chelsea

À partir de Gatineau (côté secteur Hull), empruntez la route 5 sur 8 km au nord jusqu'à la sortie 12 (Old Chelsea/Gatineau Park), tournez à gauche (vers l'ouest) pour prendre le chemin Old Chelsea.

Au début du 19e s., ce village paisible constituait une halte pour les bûcherons qui voyageaient vers les forêts de l'arrière-pays. Les colons comprirent que le petit cours d'eau de Chelsea pourrait fournir l'énergie nécessaire pour alimenter les scieries et les moulins à blé. Ainsi le hameau se développa-t-il pour devenir par la suite un centre de services. Dans les années 1870, quatre hôtels, tous gérés par des Irlandais, prospéraient en grande partie… grâce à leur bar !

Cette localité, qui reste une étape incontournable pour les visiteurs et les excursionnistes, abrite le **centre d'information** du parc de la Gatineau ainsi que des boutiques, des galeries d'art, des petits restaurants et des boutiques de location d'équipement de plein air pour les amoureux de la nature.

Des pionniers de la Nouvelle-Angleterre attirés dans la région pour y travailler la terre ou exploiter le bois sont enterrés dans le **vieux cimetière protestant**. On y trouve la tombe d'Asa Meech, pasteur, médecin, instituteur et fermier, à qui le lac voisin (Meech Lake – celui des accords du lac Meech) doit son nom. L'église et le cimetière St-Stephen, qui renferme des pierres tombales datant du 18e s., sont particulièrement appréciés des généalogistes.

Wakefield

Quittez le parc (côté Old Chelsea). Suivez la route 5 sur 10 km au nord, puis prenez la route 105 jusqu'à Wakefield (10 km). En venant du secteur Hull, prenez la route 5, puis la route 105 sur 32 km.

Cette petite ville occupe un **site★** splendide au bord de la rivière Gatineau qui serpente à travers les collines. Au début du 19e s., les premiers colons baptisèrent leur village du nom de la ville anglaise de Wakefield, dans le Yorkshire. La localité compte quelques exploitations minières, mais reste avant tout un centre agricole et forestier, desservi par le chemin de fer qui longe la rivière Gatineau.

NOS ADRESSES DANS L'OUTAOUAIS

RESTAURATION

PREMIER PRIX

Gatineau - secteur Hull

Twist Café Resto Bar – *88 r. Montcalm -* 819 777 8886 - *www.letwist.com.* Pour les plus pressés, ce café propose une restauration rapide et bon marché dans une ambiance décontractée : croque-monsieur et burgers. Commandez le *cream cheese and bacon.*

Parc de la Gatineau

Café Soup'Herbe – *168 chemin Old Chelsea -* 819 827 7687 - *www.souperhe.com - 13h-21h, dim. 9h30-20h.* Ce café régale ses visiteurs de délicieux plats végétariens dans une ambiance des plus chaleureuses. Magnifique terrasse en été et soirées jazz certains mercredis.

BUDGET MOYEN

Parc de la Gatineau

Les Fougères – *783 rte 105, Tenaga-Chelsea -* 819 827 8942 - *www.fougeres.ca - 11h-21h30, w.-end 10h-21h30 - midi 30 \$/38 \$, soir 51 \$/78 \$.* Le chef des Fougères prépare une cuisine traditionnelle appréciée des habitants d'Old Chelsea qui viennent y déguster du poisson fumé et d'autres spécialités. Essayez le poisson du jour ou le confit de canard, qui compte parmi les plats québécois les plus prisés.

ACHATS

Old Chelsea Gallery – *10 chemin Scott -* 819 827 4945 - *tlj sf mar. 10h-17h.* Non loin du Café Soup'Herbe *(voir ci-contre),* cette coopérative expose et vend les réalisations de nombreux artistes locaux.

ACTIVITÉS

Greg Christie's – *148 chemin Old Chelsea -* 819 827 5340 - *www. gregchristies.com.* Loue des vélos, skis et autres équipements pour des activités de plein air.

Train à vapeur de Hull-Chelsea-Wakefield – *165 r. Deveault -* 819 778 7246 - *www.trainavapeur.ca -* . Durant une demi-journée, au départ de Gatineau, vous longerez les méandres de la rivière Gatineau pour arriver jusqu'à la pittoresque petite ville de Wakefield.

Laurentides

★★

🙂 NOS ADRESSES PAGE 187

🅘 S'INFORMER

Tourisme Laurentides – *14142 r. de la Chapelle, RR 1, Mirabel (QC) J7J 2C8 -*
📞 450 224 7007 ou 1 800 561 6673 - www.laurentides.com - 8h30-17h.

🅒 SE REPÉRER

Carte de région AB2-3 (p. 166-167). La région s'étend au nord-ouest
de Montréal. St-Jérôme, porte d'entrée des Laurentides, est à 60 km de
Montréal, Ste-Anne-du-Lac, qui « ferme » la route 309, à 266 km.

🙂 À NE PAS MANQUER

Le parc du Mont-Tremblant.

🕐 ORGANISER SON TEMPS

Le circuit que nous proposons peut se faire en deux jours et vous permet
de découvrir les Basses-Laurentides.

👫 AVEC LES ENFANTS

Le parc linéaire le P'tit Train du Nord et le parc Carillon.

**Les Laurentides sont certainement l'endroit le plus réputé et le plus fré-
quenté du Québec. Été comme hiver, les Montréalais empruntent en masse
l'autoroute 15 pour profiter des 7 000 lacs de cette vaste et belle zone de
détente et de loisirs, située à seulement quelques dizaines de kilomètres
de la métropole québécoise. Du moins pour ce que l'on appelle les Basses-
Laurentides. Car la région des Laurentides est beaucoup plus grande
et s'étend au nord-ouest du Mont-Tremblant. Les Hautes-Laurentides,
densément boisées et peu peuplées, constituent une immense réserve
de nature à l'état pur. à Ste-Anne-du-Lac, la route s'arrête…**

Circuit conseillé Carte de région

DE SAINT-JÉRÔME À SAINT-DONAT AB2

🅒 *Circuit de 177 km tracé sur la carte p. 178.*

Saint-Jérôme

À 60 km de Montréal par l'autoroute 15 (sortie 43, rue de Martigny-Est).
Important centre administratif, la « Porte des Laurentides » occupe un joli site
au bord de la rivière du Nord. La ville fut fondée en 1830, et, grâce aux efforts
du curé Labelle, connut un rapide essor.
Cathédrale – *355 r. St-Georges*. Ses hautes flèches dominent St-Jérôme de
toute leur hauteur. Construite entre 1897 et 1900, l'imposante église devint
cathédrale en 1951. Les formes arrondies du portique et des clochetons ainsi
que le monumentalisme du décor évoquent le style romano-byzantin. À l'intérieur, les vitraux ont été réalisés par D.A. Beaulieu, de Montréal.
La cathédrale se dresse en face d'une jolie place au centre de laquelle une **statue** de bronze d'Alfred Laliberté a été érigée à la mémoire du curé Labelle.

2

Musée d'Art contemporain des Laurentides – *Sur la place, côté nord.* ✆ *450 432 7171 - www.museelaurentides.ca - mar.-dim. 12h-17h - 2 $.* Il occupe l'ancien palais de justice et propose deux belles salles d'exposition d'art contemporain.

Promenade – Située entre la rue de Martigny et la rue St-Joseph, cette promenade *(610 m)* est jalonnée de panneaux descriptifs qui font revivre l'histoire de la ville. Agréable vue sur la rivière du Nord.

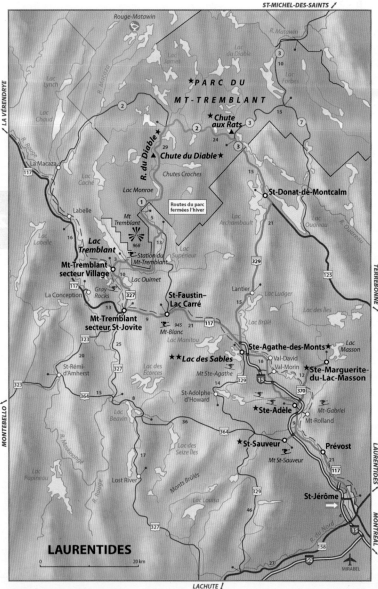

LAURENTIDES

Du centre de St-Jérôme, prenez la rue de Martigny Est vers la route 117 (bd Labelle), et continuez en direction du nord.

La route passe par **Prévost** où habita longtemps **Hermann Johannsen**, plus connu sous le nom de « Jackrabbit ». Cet intrépide sportif introduisit le ski de fond dans les Laurentides, et traça de nombreuses pistes, parmi lesquelles la célèbre Maple Leaf, qui va de Prévost au mont Tremblant. En 1932, c'est dans cette région qu'on installa en outre le premier remonte-pente. Pour la modique somme de cinq cents, le skieur était tracté jusqu'en haut de la colline par un système de poulies, de cordes et d'agrès mû par un moteur de voiture.

Prenez à gauche la route 364 et suivez-la sur 2 km.

★ Saint-Sauveur

Voici l'un des plus anciens centres de villégiature de la région puisque les visiteurs s'y rendaient déjà en 1930. Cette petite ville blottie au creux des montagnes jouit d'une multitude de restaurants, de boutiques, de cafés et de discothèques, presque tous situés le long de la rue Principale, à proximité de l'église de St-Sauveur (1903).

À moins de 3 km du village, la station de ski de **Mont-St-Sauveur** est l'une des stations les plus importantes des Laurentides : 38 pistes, dont 27 éclairées pour le ski de soirée, et huit remontées mécaniques.

★ **Pavillon 70** – *Au bas de la pente nᵒ 70. De la rue Principale, tournez à gauche dans la rue St-Denis et continuez sur 1 km vers le mont St-Sauveur.* Construit en 1977, ce pavillon d'accueil pour les skieurs, tout de bois, est doté d'une façade monumentale surmontée de deux cheminées massives. Cette œuvre de Peter Rose a introduit l'architecture postmoderne au Québec.

Revenez à la route 117.

2

★ Sainte-Adèle

Nichée au cœur des Laurentides, autour du petit lac Rond, Ste-Adèle occupe un très beau **site★**. En 1834, Augustin-Norbert Morin (1803-1865), avocat et homme politique, fonda le village et lui attribua le nom de sa femme, Adèle. Prisée des artistes et des écrivains, cette ville moderne, qui compte un centre de ski alpin, est dotée de nombreux restaurants et d'auberges charmantes.

★ Sainte-Marguerite-du-Lac-Masson

Environ 24 km AR. Du centre de Ste-Adèle, prenez à droite la route 370.

Après 4 km, la route traverse la rivière du Nord et passe devant un imposant ancien hôtel en rondins, l'Alpine Inn, construit en 1934 dans un style rustique. Plusieurs lacs se laissent entrevoir avant l'arrivée à Ste-Marguerite-du-Lac-Masson, joli village situé sur les rives du **lac Masson** qu'encercle une petite route panoramique.

De part et d'autre de la route 117, on notera un grand nombre de stations de sports d'hiver. Val-Morin et Val-David sont renomméEs pour leurs hôtels.

CLAUDE-HENRI GRIGNON

Originaire de **Ste-Adèle**, l'écrivain et journaliste Claude-Henri Grignon (1894-1976) publia en 1933 son célèbre roman *Un homme et son péché*, dont l'action se déroule dans le village de Ste-Adèle. Cette histoire de l'avare **Séraphin Poudrier**, qui valut à son auteur le prix Athanase David en 1935, nous ramène au temps de la colonisation des « Pays d'en Haut ». Elle fut adaptée pour la radio, la télévision et le cinéma. L'œuvre de Grignon, écrite dans un style réaliste et naturaliste, demeure un classique de la littérature québécoise.

Loisirs et activités sportives

Les Laurentides traversent le Québec d'est en ouest. Formées à l'ère précambrienne, il y a plus d'un milliard d'années, elles font partie du **Bouclier canadien**, vaste plateau en fer à cheval qui encercle pratiquement toute la baie d'Hudson. Ce sont des montagnes peu élevées dont le sommet, le **mont Tremblant**, atteint 968 m.

LE CURÉ LABELLE

Les Laurentides n'étaient que très faiblement peuplées avant l'arrivée du curé **Antoine Labelle** (1833-1891), personnage légendaire qui fut en son temps sous-ministre de l'Agriculture et de la Colonisation. Il consacra sa vie entière à persuader ses compatriotes canadiens français de coloniser cette région encore sauvage plutôt que d'aller chercher fortune dans les filatures des États-Unis, pays de foi protestante. Voyageant à pied ou en canot, il choisissait des sites propices à l'établissement de nouvelles colonies et fonda plus de 20 paroisses dans la région. Aujourd'hui, bon nombre de ces villages portent encore le nom du saint de la paroisse, surtout dans la région du nord de Montréal ; la partie qui longe la rivière du Nord est surnommée la **vallée des Saints**.

UNE VILLÉGIATURE D'ÉTÉ ET D'HIVER !

Malgré les efforts de Labelle pour encourager l'agriculture, l'exploitation des fermes s'avéra peu rentable. Le tourisme allait prendre la relève, beaucoup de Montréalais en quête d'activités récréatives appréciant ce que la région avait à offrir. De nos jours, plaisanciers, baigneurs et pêcheurs se partagent les nombreux lacs des lieux, tandis que les montagnes accueillent les amateurs d'équitation ou de randonnée pédestre et les adeptes du golf.

Les Laurentides possèdent en outre le plus grand nombre de stations de sports d'hiver d'Amérique du Nord, et les principaux centres de villégiature attirent une clientèle internationale. L'été marque l'ouverture de la saison théâtrale, alors qu'en automne, les forêts se parent de splendides couleurs pour le plus grand plaisir des visiteurs.

PARC LINÉAIRE LE P'TIT TRAIN DU NORD

▷ *Autoroutes 15 et/ou 117 à partir de Bois-des-Filion, ou de l'un des villages riverains du parc, jusqu'au mont Laurier -* ☏ *450 224 7007 - www.laurentides. com.*

👥 Depuis le début du 20ᵉ s., la ligne de chemin de fer Le P'tit Train du Nord conduit les amoureux de la nature vers les nombreux parcs et stations de sports d'hiver des Laurentides. Aujourd'hui, suivant le tracé de l'ancienne voie désaffectée, randonneurs, cyclistes, skieurs et même amateurs de motoneige apprécient tout particulièrement « le parc linéaire », pour ses 230 km de pistes balisées. Parmi les villages constituant les points d'accès au parc, **Val-David** et **Mont-Tremblant** sont les plus connus. D'anciennes gares ont été converties en centre de services (informations sur le parc, cafés, stands de réparation de vélos, toilettes et douches). Des circuits de différents niveaux permettent à tous de admirer les champs, forêts, lacs et rivières qui ponctuent la région. Les excursionnistes se dirigeront de préférence vers la section St-Faustin-Lac Carré/Mont-Tremblant.

★ Sainte-Agathe-des-Monts

Située sur les rives du lac des Sables et entourée de montagnes atteignant 580 m d'altitude, Ste-Agathe-des-Monts est la plus ancienne station touristique régionale. Sa fondation remonte à 1849, lorsque les premiers colons y installèrent des scieries. La construction du chemin de fer Montréal et Occidental (1892) favorisa la transformation de la région en une zone de villégiature fort appréciée du public. La capitale des Laurentides se distingue aujourd'hui par ses petites auberges et ses restaurants, et surtout par son fameux théâtre d'été : le Patriote.

★★ Lac des Sables

Au pied de la rue Principale, le **parc Lagny** offre d'excellentes **vues**★ sur le lac des Sables, dont les eaux émanent de sources naturelles. Atteignant par endroits 25 m de profondeur, il la forme d'un H ondulé et est bordé de plus de 13 km de plages publiques et privées.

Croisière panoramique – Les croisières Alouette - ☎ 819 326 3656 - www. croisierealouette.com - ♿☐ - dép. du quai de la rue Principale de mi-mai à fin oct. : 10h30, 11h30, 13h30, 14h30 et 15h30 - dép. suppl. de fin juin à fin août : 17h (19h30 de fin juin à mi-août) - AR 50mn - commentaire à bord - 16 $ (5-15 ans 6 $). Elle permet d'apprécier cette très belle étendue lacustre et les résidences qui l'entourent. Parmi les célébrités qui ont séjourné en ces lieux, mentionnons Jacqueline Kennedy, la reine Elisabeth II et le baron von Ribbentrop. On remarquera tout particulièrement une élégante demeure transformée par les pères oblats en hôpital et maison de repos pour leurs missionnaires. Ancienne résidence du milliardaire Lorne McGibbon, elle fut mise en vente par la municipalité après le krach boursier de 1929.

★ **Tour du lac** – Environ 11 km. À partir de la rue Principale avant le quai, prenez à droite la rue St-Louis, puis à gauche le chemin Tour-du-Lac. La route croise un affluent de la rivière du Nord avant d'atteindre un petit poste de guet (7 km) d'où la vue sur le lac est splendide. On revient au village après être passé devant de belles propriétés sises au bord de l'eau, un parc et une grande plage de sable.

Entre Ste-Agathe-des-Monts et **St-Faustin-Lac-Carré**, la route croise à plusieurs reprises une ancienne voie ferrée. Il s'agit là des voies aujourd'hui désaffectées du fameux « P'tit Train du Nord », immortalisé par la chanson de Félix Leclerc. En hiver, le train faisait – bien avant l'arrivée des stations de ski – le trajet entre Montréal et les Laurentides, et desservait ainsi les villages agricoles de la région. L'avènement de l'automobile entraîna sa disparition.

Au sud de St-Faustin-Lac-Carré, on aperçoit la station de sports d'hiver du **Mont-Blanc** (945 m).

Mont-Tremblant, secteur Saint-Jovite

Ce petit centre touristique se trouve dans la vallée de la rivière du Diable. Les visiteurs y trouveront toutes sortes de restaurants, d'antiquaires et de boutiques d'artisanat.

De la rue Ouimet, tournez à droite dans la rue Limoges (route 327).

Le charmant **lac Ouimet** se prélasse dans un joli paysage encerclé de collines. Il est dominé par l'ensemble hôtelier Gray Rocks qui gère à la fois pistes de ski et terrain de golf. La longue silhouette du mont Tremblant se profile au nord.

Poursuivez vers le nord par la route 327. Le lac Mercier marque l'entrée du village. La route continue ensuite vers le lac Tremblant (3 km) et la station de ski de Mont-Tremblant.

2

Mont-Tremblant, secteur Village

Situé sur les bords du lac Tremblant, ce ravissant village attire, été comme hiver, toutes sortes de visiteurs charmés par la beauté des lieux, les petits restaurants locaux et le grand nombre d'activités récréatives et de plein air qui s'offrent à eux.

Lac Tremblant

Près du quai, la Décharge-du-Lac (affluent de la rivière du Diable) s'échappe en cascades et tourbillons. De luxueuses résidences bordent les rives montagneuses. La haute silhouette du Sleeping Giant se dessine à l'extrémité nord du lac, tandis que l'imposant mont Tremblant se profile à l'est. L'extrémité nord du lac est encore inaccessible en voiture – au début du 20ᵉ s., cette région était un centre forestier totalement dépourvu de routes – et les résidents doivent rejoindre leurs demeures en bateau l'été, et en motoneige l'hiver. Le lac est réputé pour ses poissons (ouananiche, truite) et ses eaux pures. Il offre plusieurs plages et centres de sports nautiques.

Promenade en bateau – *Croisières Mont-Tremblant -* 🖉 *819 425 1045 -* ♿🅿 *- dép. quai Fédéral : de juin à mi-oct. : 10h-16h ; téléphoner pour savoir si d'autres heures de départ sont prévues - AR 1h10 - commentaire à bord - 18 $ (5-12 ans 5 $).* Une agréable découverte de ce lac long de 10 km et relativement étroit (1 km de large).

Station Mont-Tremblant

La station est dominée par de belles hauteurs montagneuses. En été, on peut monter en **télésiège** au sommet du mont Tremblant (875 m) et par temps clair, la **vue★** sur le lac et les montagnes alentour est magnifique.

Avec ses sentiers de randonnée, ses pistes cyclables, ses cours de golf et l'organisation de nombreux événements, la station du Mont-Tremblant offre un choix considérable d'activités durant l'été. En hiver, les visiteurs ne seront pas en reste pour autant, avec à leur disposition une centaine de pistes de ski alpin et de multiples activités de détente *(voir « Nos adresses »)*.

La minuscule église catholique romaine, avec son toit rouge vif, est une réplique de l'église construite à St-Laurent, sur l'île d'Orléans.

★ Parc du Mont-Tremblant

À partir du lac Tremblant, suivez le chemin Duplessis sur 13 km jusqu'à sa jonction avec la route de St-Faustin, puis continuez sur 5 km au nord de cette jonction.
🄸 *4456 chemin du Lac-Supérieur -* 🖉 *819 688 2281 - www.sepaq.com -* ⛺🍴♿🅿 *- 5,50 $ - le parc comprend trois secteurs ayant des horaires spécifiques : La Diable, la Pimbina et l'Assomption, chacun doté d'un centre d'accueil. Celui du secteur de la Diable fait office de bureau d'accueil principal (de mi-mai à mi-oct.). Certaines routes du parc sont fermées en hiver.*

UNE TOPONYMIE AUX ORIGINES INCERTAINES

Selon la légende, des Algonquins auraient baptisé l'endroit *manitou ewitchi saga* (« montagne du redoutable Manitou »), en référence au dieu de la nature qui faisait trembler la montagne lorsque l'homme venait en troubler la tranquillité. Pour d'autres, le mont Tremblant tirerait plutôt son nom d'une expression elle aussi amérindienne, *manitonga soutana* (« montagne des esprits »), évoquant le tremblement causé par les torrents alors qu'ils dévalent les pentes en cascade.

Site de Mont-Tremblant.
R. Heinl/Age Fotostock

Cet espace regorge de lacs (plus de 400) et de rivières dont les plus notables sont celles du Diable et de l'Assomption, avec leurs magnifiques cascades et leurs chutes tumultueuses. Parcourus de montagnes dont les sommets dépassent les 900 m, ces 1 510 km² de paysages d'une grande beauté abritent une faune abondante (orignaux, ours bruns, castors et toutes sortes d'oiseaux, parmi lesquels le grand héron bleu). Des kilomètres de routes sinueuses et de pistes attirent les randonneurs, surtout à l'automne où les rouges vifs de l'érable se mêlent aux tendres jaunes des bouleaux.

À partir de l'entrée côté lac Supérieur, prenez la route du parc n° 1.

Très pittoresque, la route remonte le long de la **rivière du Diable★**, de la station de ski du Mont-Tremblant jusqu'aux chutes Croches.

La Monroe – *À 11 km de l'entrée.* Il s'agit d'un agréable plan d'eau doté d'une plage, de terrains de camping et de sentiers de randonnée *(location de canots et bicyclettes)*. Vous aurez de très belles vues en suivant la route qui longe le lac. De l'autre côté de la route, **un sentier de nature** (🚶 *2,7 km*) mène au lac des Femmes. Un peu plus loin se trouve le lac Lauzon.

Continuez par la route n° 1.

★ **Chute du Diable** – *À 8 km du lac Monroe. Garez votre voiture et suivez le sentier* (🚶 *0,8 km*). Les eaux sombres de la rivière du Diable dévalent en pente raide et changent brusquement de direction, laissant au pied de la chute un amas de roches fracassées.

Environ 10 km après les chutes, prenez la direction est vers St-Donat et la chute aux Rats par la route n° 2, et continuez sur 24 km.

★ **Chute aux Rats** – Le **ruisseau du Pimbina** dévale une falaise étagée de plus de 18 m en formant une majestueuse chute, l'une des plus jolies de la région de Lanaudière. Des tables de pique-nique ont été installées à proximité de la zone de baignade. Un escalier de bois mène au sommet des chutes.

Continuez par la route n° 3 jusqu'à la sortie (5 km). En été, quand toutes les routes du parc sont ouvertes, sortez par l'accès St-Donat et continuez jusqu'à St-Donat. Le reste de l'année, le visiteur devra revenir à l'entrée du lac Supérieur (St-Faustin).

Saint-Donat-de-Montcalm

À 10 km de l'entrée du parc. Ce village, situé dans la région de Lanaudière, *(voir p. 188)* à 472 m d'altitude, est entouré de montagnes s'élevant à 900 m. Il est établi sur les bords du lac Archambault, mais s'étend à l'est jusqu'au lac Ouareau.

Continuez par la route 329 Sud en direction de Ste-Agathe-des-Monts.

Cette jolie route traverse les montagnes et passe devant plusieurs lacs. Juste après St-Donat, la route offre d'agréables vues sur le lac Archambault, dominé par la montagne Noire.

À voir aussi Carte de région

Saint-Eustache B3

À seulement 30 minutes du centre-ville de Montréal, St-Eustache est située sur la rivière des Mille-Îles, au point où celle-ci quitte le lac des Deux Montagnes pour se joindre à la rivière du Chêne. Elle fut fondée en 1768 et baptisée en l'honneur du seigneur des Mille-Îles, Louis-Eustache Lambert-Dumont. C'est aujourd'hui la ville la plus peuplée des Laurentides, l'une des plus connues du pays aussi grâce à son passé historique.

★ **Église St-Eustache** – *123 r. St-Louis -* ✆ *450 473 3200 -* ♿🅿 *- visite guidée (30mn) sur réserv. - contribution requise.* L'imposante église, construite en 1783 et agrandie en 1831, est couronnée de deux élégants clochers. Gravement endommagée lors de la bataille des Patriotes *(voir l'encadré ci-contre)*, elle fut reconstruite à partir de ses ruines ; sa façade porte encore les traces de boulets de canon. L'intérieur, clair et spacieux, présente une voûte en berceau richement décorée. La qualité acoustique est telle que l'Orchestre symphonique de Montréal y a tenu des séances d'enregistrement. À droite se trouve le presbytère et à gauche, un ancien couvent qu'occupe aujourd'hui l'hôtel de ville.

Derrière l'église, un **agréable parc** donne sur la rivière des Mille-Îles.

Maison de la Culture et du Patrimoine – *235 r. St-Eustache -* ✆ *450 974 5170 - de mi-juin à fin août : 10h-17h - 5 \$.* Un portique monumental domine la façade de cette belle maison victorienne (1903) qui appartint jadis à Charles-Auguste Maximilien Globensky, dernier seigneur de la rivière du Chêne. Après sa mort, deux maires de St-Eustache y établirent leur résidence. Le manoir devint hôtel de ville en 1962 et abrite maintenant une exposition permanente sur la bataille des Patriotes de 1837.

Moulin Légaré – *232 r. St-Eustache, en face de la maison de la Culture -* ✆ *450 974 5170 -* ♿🅿 *- de mi-juin à fin août : 10h-17h - 5 \$.* Ce moulin seigneurial, situé sur la rivière du Chêne, fut l'un des rares bâtiments à être épargnés lors de la terrible « nuit rouge ». Construit en 1762, il n'a cessé de fonctionner depuis. Il tient son nom de la famille Légaré qui en assura l'exploitation de 1908 à 1978. À l'intérieur, on peut encore voir les mécanismes et l'équipement d'origine. Les visiteurs pourront y acheter de la farine de blé et de sarrasin moulue sur place. De la passerelle, située derrière le moulin, on aperçoit la vanne du moulin, la rivière et les clochers de l'église.

Rue St-Eustache – La rue principale de la ville compte d'autres bâtiments d'intérêt historique. Construite en 1910, l'ancienne église presbytérienne *(n° 271)* abrite une galerie d'art où sont organisées des expositions temporaires. Bâtiment de brique rouge orné de pignons, la maison Plessis-Bélair *(n° 163)* a été transformée en restaurant. La maison aux larmiers remarquables *(n° 64)* date

LA « NUIT ROUGE »

En 1837, St-Eustache a été le théâtre d'une des plus cruelles défaites essuyées par les **Patriotes**. En effet, le 14 décembre, 150 « rebelles » francophones, dirigés par **Jean-Olivier Chénier**, affrontèrent 2 000 soldats britanniques sous les ordres du général John Colborne. Les insurgés se réfugièrent dans l'église qui fut bombardée et incendiée. Soixante-dix Patriotes périrent à cette occasion, dont Chénier lui-même. Les survivants furent emprisonnés dans la maison de Chénier, puis Colborne incendia le village durant la nuit qu'on appela par la suite « la nuit rouge ». Cet événement valut à Colborne le surnom de « vieux brûlot ».

de 1832 ; elle appartenait autrefois à Hubert Globensky. Quant à l'ancienne maison Paquin (n° 40), bâtie en 1889, elle abrite aujourd'hui un magasin.

Parc national d'Oka B3

▶ *À 14 km au sud de St-Eustache par les routes 148 et 640.*
🚩 *Entrée principale à la fin de la route 640. 2020 chemin d'Oka - ☎ 450 479 8365 - www.sepaq.com - △ ⚒ ♿ 🅿 - 8h-coucher du soleil - 5,50 $.*

Cette étendue boisée au bord du **lac des Deux Montagnes** couvre une superficie de 24 km² correspondant à l'ancienne seigneurie des sulpiciens. Créé en 1962, le parc offre une belle plage ainsi qu'une superbe forêt de feuillus. En été, vous y pratiquerez la marche à pied (🚶 *22 km de sentiers pédestres)* ; en hiver, le ski de fond *(50 km)*.

Abbaye cistercienne – *À 3 km à l'ouest de l'intersection de l'autoroute 640 et de la route 344. Parc de stationnement après l'entrée principale, avant le Calvaire.* En 1881, les sulpiciens d'Oka firent don d'un terrain à un groupe de moines cisterciens venus de l'abbaye de Bellefontaine (France). Ceux-ci érigèrent un grand monastère, la Trappe d'Oka, et se lancèrent dans la production agricole et fromagère. Leur fromage d'Oka (qu'ils ne fabriquent plus depuis les années 1970) devint rapidement un des fleurons de la gastronomie québécoise. Prévue pour 200 pensionnaires, l'abbaye était devenue trop grande pour les 24 moines restants qui la quittèrent en 2009 pour une nouvelle résidence *(voir p. 192).* Le site, aujourd'hui fermé, servi en 2010 de décor à *Hidden*, premier film québécois tourné en 3D (mais en anglais).

★ **Calvaire d'Oka** – *À 4 km de l'abbaye par la route 344.* Sur les versants de la colline d'Oka (150 m), une série de sculptures de pierre blanchie à la chaux représentent le chemin de Croix et le Calvaire. Les quatre oratoires et les trois chapelles furent érigés entre 1740 et 1744 par le sulpicien breton Hamon Le Guen dans le but d'évangéliser la population autochtone. L'endroit offre une belle **vue** sur le parc et le lac des Deux Montagnes.

Continuez par la route 344 jusqu'à Oka.

Oka – *À 1 km du calvaire.* La municipalité, sise sur le bord du lac des Deux Montagnes, tire son nom d'un terme algonquin signifiant « doré », nom du poisson qui, à une certaine époque, abondait dans les eaux du lac. En 1717, les sulpiciens fondèrent une mission amérindienne pour accueillir les Iroquois, les Nipissings et les Algonquins. Il y existe toujours une réserve.

Durant l'été 1990, la communauté acquit une notoriété internationale avec la « crise d'Oka », soulèvement amérindien sur le thème des revendications territoriales et séparatistes des Premières Nations du Canada.

Un **traversier** quitte le quai, tout près de l'église, à destination d'**Hudson**, de l'autre côté du lac des Deux Montagnes.

CARILLON : LIEU D'UNE BATAILLE HISTORIQUE

Le village de Carillon doit son nom à l'officier français Philippe Carrion de Fresnay, qui se rendit dans la région en 1671 pour y faire le commerce des fourrures. Intégré en 1682 à la seigneurie d'Argenteuil, concédée à Charles-Joseph d'Ailleboust, Carillon conserva sa vocation de poste de traite tout au long de la turbulente époque du commerce des fourrures. Au 19e s., l'endroit devint un poste militaire voué à la protection du système de canaux érigé afin de contourner les rapides.

Mais Carillon doit surtout sa renommée à un acte accompli sur les lieux en 1660. Depuis sa fondation en 1642, Montréal vivait sous la menace constante d'une attaque des Iroquois. En mai 1660, l'existence même de cette petite ville située à l'est de Carillon fut sauvée grâce à l'intervention d'Adam **Dollard des Ormeaux** (1635-1660). Celui-ci, accompagné de 17 autres Canadiens français et de 40 Hurons, repoussa pendant une semaine entière les attaques de quelque 300 guerriers iroquois. Dollard et ses compagnons périrent, cependant devant tant de bravoure, les Iroquois abandonnèrent leur plan d'attaque. Le mois suivant, le premier arrivage de peaux atteignait sans incident Montréal, marquant le début d'un florissant commerce de fourrures. C'est ainsi que Dollard des Ormeaux est passé à la postérité en tant que sauveur de la colonie.

Saint-André-d'Argenteuil, secteur Carillon B3

À 52 km à l'ouest de St-Eustache, sur l'autoroute 344. Pour rejoindre Carillon, suivez après St-André l'autoroute 40 (sortie 2). Possibilité d'accéder à Carillon par traversier au départ de Pointe-Fortune, à la frontière ontarienne.

La municipalité de St-André-d'Argenteuil abrite la petite ville de Carillon, située au bord de la rivière des Outaouais, à proximité des redoutables rapides du Long-Sault.

Lieu historique national du Canada du Canal-de-Carillon – *210 r. du Barrage - ℘ 450 537 3534 - www.pc.gc.ca/canalcarillon - de mi-mai à fin juin et de déb. sept. à mi-oct. : 9h30-16h30, vend.-dim. et j. fériés 9h30-17h30 ; de fin juin à mi-août : 8h30-19h30 ; de mi-août à déb. sept. : 9h30-17h30, vend.-dim. et j. fériés 9h30-18h30 - se renseigner pour la visite de l'écluse (pièce d'identité obligatoire).* Utilisé désormais presque exclusivement pour la navigation de plaisance, le canal de Carillon a été construit en 1833 pour contourner les rapides. Longue de 60 m, l'unique **écluse** qui perce le barrage permet aux bateaux de remonter de 20 m en une seule fois. En amont, la navigation se poursuit sans obstacle jusqu'à Ottawa. La **maison du Collecteur**, dont la fonction était de percevoir le droit de passage des barges et autres embarcations, fut construite en pierre en 1843. À côté subsistent les vestiges de l'ancien canal.

Musée régional d'Argenteuil – *Sur la route 344, à droite du quai pour le traversier. ℘ 450 537 3861 - www.museearg.com - - juin-sept. : mar.-dim. 10h-17h - 3,50 $.* Construit entre 1834 et 1837, ce beau bâtiment de pierre servit d'abord de caserne pour la protection du canal. Pendant la **Rébellion des Patriotes** (1837-1838), il abrita une centaine d'officiers et de soldats britanniques. Depuis 1938, l'édifice accueille un musée consacré à l'histoire de la région. Diverses expositions y sont présentées, dont une consacrée à Dollard des Ormeaux et une autre à Sir John Abbott (1821-1893), tour à tour député fédéral du comté d'Argenteuil, puis Premier ministre du Canada de 1892 à 1893. La plupart des instruments de musique (des 18e et 19e s.), les horloges et les meubles canadiens et français furent légués au musée par des villageois.

Centrale hydroélectrique de Carillon – *Accès par la route 344. ✆ 1 800 365 5229 - www.hydroquebec.com - &⚡🅿 - visite guidée (1h15) de fin mai à fin juin : lun.-vend. à 9h, 10h30, 12h, 13h30 et 15h ; de fin juin à fin août : merc.-dim. 9h30, 11h, 12h30, 14h et 15h30.* Construite au pied des rapides du Long-Sault entre 1959 et 1964, cette centrale au fil de l'eau a une puissance installée de 752 000 kW, ce qui en fait la plus puissante de la rivière des Outaouais. Il faut 14 turbines pour maîtriser le cours de la rivière, dont le débit moyen est de 2 000 m³/s. Le barrage et le déversoir bloquent complètement la rivière. Au cours de la visite guidée, on peut voir un petit film et se rendre dans la chambre des turbines, la salle de contrôle et sur le toit, d'où l'on aperçoit le réservoir et les lignes qui acheminent le courant électrique.

Parc Carillon – *En amont de la centrale. ✆ 450 537 7272 - www.parccarillon.ca - de mi-juin à fin août : 10h-18h30 - parc de loisirs : 12,50 $ (enf. 15 $).* 👥 Longeant sur environ 3 km les rives du réservoir, le parc offre des aires de pique-nique au bord de l'eau. On y trouve un **monument** érigé en 1960 à la mémoire de Dollard des Ormeaux et de ses compagnons : œuvre de Jacques Folch-Ribas, 18 monolithes de granit, hauts de 8 m, commémorent leur vaillante bataille contre les Iroquois.

😊 NOS ADRESSES DANS LES LAURENTIDES

RESTAURATION

PREMIER PRIX

Cabane à sucre Millette – *1357 r. St-Faustin, St-Faustin-Lac-Carré - ✆ 819 688 2101 - www.tremblant-sugar-shack.com - & - menu traditionnel mars-avr. : 18/25 $, mai-nov. : 30 $ avec musicien et visite.* Du matériel servant à la fabrication du sirop d'érable – comme les outils à marquer le bois – et un nid de guêpes agrémentent cet intérieur habillé de lambris. Tout en écoutant de la musique folklorique, on savoure les copieux plats traditionnels tels que la soupe aux pois des Laurentides, l'omelette de grand-mère Millette, le jambon fumé et les saucisses au sirop d'érable. Le tout couronné par les crêpes au sucre… au sirop d'érable chaud. Réservation obligatoire.

ACTIVITÉS

Station Mont-Tremblant
Informations – *✆ 819 686 4848 - www.tremblantactivites.com.* Piscine couverte avec cascades, excursions en raquettes, randonnées en traîneau à chiens ou encore expérience insolite au **Scandinave Spa** *(www.scandinave.com).*

Lanaudière

S'INFORMER
Tourisme Lanaudière – *3568 r. Church, C.P. 1210, Rawdon (QC) J0K 1S0 - ✆ 450 834 2535 ou 1 800 363 2788 - www.lanaudiere.ca.*

SE REPÉRER
Carte de région BC1-2 (p. 166-167). Située à la limite sud du bouclier laurentien, aux portes de Montréal, la région de Lanaudière forme un couloir de plaines fertiles qui s'étend du St-Laurent au sud jusqu'au réservoir Taureau au nord, et des Laurentides à l'ouest jusqu'à la Mauricie à l'est.

À NE PAS MANQUER
Le site historique de l'Île-des-Moulins à Terrebonne, le parc régional des Sept-Chutes, le réservoir Taureau et Rawdon.

ORGANISER SON TEMPS
Comptez deux jours pour effectuer le circuit.

Autrefois pays des fourrures, la région de Lanaudière, voisine des Laurentides et de la Mauricie, est devenue une terre agricole. Grâce à ses lacs et ses rivières, ses forêts sauvages et ses grands espaces plus au nord, elle offre une profusion d'activités de plein air : canotage et randonnées pédestres en été, ski et motoneige en hiver. Elle présente également un héritage architectural important, car elle fut l'une des premières zones de colonisation de la Nouvelle-France. Le prestigieux Festival de Lanaudière à Joliette, et les fêtes gourmandes de Lanaudière attirent aussi de très nombreux visiteurs.

Circuit conseillé Carte de région

AU DÉPART DE TERREBONNE BC2

Circuit de 305 km tracé sur la carte p. 166-167.

★ Terrebonne C2

Terrebonne longe la rivière des Mille-Îles sur près de 12 km. Dotée d'un secteur historique restauré, cette ville attrayante offre aux visiteurs le prétexte d'une agréable promenade dans le vieux quartier. Celui-ci, délimité par les rues St-Louis et St-Pierre, est ponctué de charmants édifices de pierre et de bois, dont beaucoup abritent restaurants, cafés, boutiques et galeries. Surplombant la rivière, la **rue St-Louis** est bordée de jolis bâtiments de pierre surmontés de toits très pentus. Au n° 901, on aperçoit l'ancien manoir Masson (1850) de style néoclassique et doté d'une façade symétrique à frontons : ancienne résidence de Geneviève Sophie Raymond, il est aujourd'hui converti en école. L'église St-Louis-de-France (1878) se dresse non loin de là, avec son haut clocher central flanqué de deux tours.

TOPONYMIE

La région tire son nom de Marie-Charlotte de Lanaudière, fille du seigneur de Lavaltrie et femme du notaire Barthélemy Joliette, qui construisit plusieurs moulins dans la région et finança le premier chemin de fer, au milieu du 19e s.

★ **Site historique de l'Île-des-Moulins** – *Du boulevard des Seigneurs, tournez à droite dans l'avenue Moody, à gauche dans la rue St-Louis et à droite dans la rue des Braves. 866 r. St-Pierre - ☎ 450 471 0619 - www.ile-des-moulins.qc.ca/ fr. - ✗ - site ouvert 7h-23h ; expositions : de fin juin à déb. sept. : merc. 13h-18h, jeu.-sam. 13h-21h, dim. 12h-21h ; hors saison : activités sur réserv. - spectacles au théâtre de verdure et sur la scène de l'ancienne boulangerie en été - expositions 3 $.* Remarquable complexe préindustriel, l'Île-des-Moulins rassemble un grand nombre de bâtiments du 19e s. ; restaurés par le gouvernement provincial, ils sont particulièrement bien visibles de la rue des Braves, de l'autre côté de l'écluse des Moulins qui servait autrefois de réservoir.

Le premier bâtiment que l'on rencontre sur la chaussée est le **moulin à farine**, reconstruit en 1846 sur le site du moulin seigneurial de 1721. Ce moulin et le **moulin à scie** voisin (1804) abritent aujourd'hui la bibliothèque municipale et représentent un exemple achevé de réhabilitation de bâtiments historiques. L'intérieur, aménagé de façon plaisante et audacieuse, présente les vestiges des moulins. En regardant par les larges fenêtres à l'arrière, on peut observer l'eau qui se déverse du mécanisme de la roue et coule sous le bâtiment.

Sur l'île même, on trouve d'abord le **bureau seigneurial**, construit vers 1850 pour le contremaître de la veuve du seigneur Masson.

À côté s'élève l'**ancienne boulangerie** où étaient faits, avec la farine produite sur l'île, des biscuits très prisés des voyageurs. Construite en 1803 pour Simon McTavish, cette structure massive rappelle l'architecture traditionnelle française. Au dernier étage, une salle présente différentes expositions temporaires.

On arrive enfin au **moulin neuf** qui fut érigé en 1850. Ce bâtiment de trois étages abrite l'exposition permanente « Les moulins de Terrebonne, le pouvoir de l'eau », ainsi que des expositions temporaires.

Le reste de l'île est un charmant parc, ponctué de sculptures modernes, de bancs, et d'aires de pique-nique. Il est également possible de faire des tours de bateau-ponton sur l'écluse des Moulins et d'assister à des spectacles en plein air.

Prenez la route 125 en direction de la route 25. Sortez par la route 640. À la sortie 22 Est, prenez la route 138 vers l'est.

> **VIEUX MOULINS**
> Les moulins du Régime français étaient souvent construits sur une chaussée ou un pont dont les hautes travées permettaient d'actionner les roues du moulin. Dès la fin du 18e s., la technologie anglaise établit les moulins sur la terre ferme, en utilisant des canaux de dérivation pour augmenter le débit de l'eau. Le visiteur verra ici ces deux types de moulins qui prévalurent au Québec aux 18e et 19e s.

Repentigny C2

Baptisée en l'honneur de Pierre Le Gardeur de Repentigny, à qui cette seigneurie fut octroyée en 1647, la ville se situe sur les rives du St-Laurent, au confluent de la rivière des Prairies et de la rivière l'Assomption.

Église de la Purification – *445 r. Notre-Dame, entre les rues Hôtel-de-Ville et Brien.* Ses deux tours furent construites en 1723, sous le Régime français. L'église fut agrandie et décorée à plusieurs reprises, notamment en 1850, par Louis-Xavier Leprohon, et fut gravement endommagée par un incendie en 1984. Le maître-autel possède un retable (1761) attribué à Philippe Liébert et un tombeau (1808) réalisé par Louis-Amable Quévillon. Au-dessus du maî-tre-autel trône une *Présentation de Jésus au Temple* peinte par Pierre Lussier en 1992. Les autels latéraux (1747-1759) seraient les seules œuvres existantes d'Antoine Cirier. Noter aussi deux verrières (1994) dues à l'artiste-peintre Marcel Chabot.

Prenez la route 138 (chemin du Roy) vers le nord-est, et continuez sur 1 km après la jonction avec la route 158 Ouest.

La route suit la rive du St-Laurent sur lequel elle offre de nombreux points de vue.

Chapelle des Cuthbert C2

À 46 km au nord de Repentigny. 461 r. de Bienville, Berthierville - ☏ 450 836 7336 - ♿ ⃝ - de déb. juin à fin juin : 10h-18h ; de fin juin au 1er lun. de sept. : 9h-19h.

En 1765, James Cuthbert, aide de camp du général Wolfe, acheta la seigneurie de Berthier. Son épouse Catherine repose dans la chapelle qu'il fit construire à sa mémoire en 1786. L'édifice, dédié à saint André, devint le premier lieu de culte prostestant de la province, et fut utilisé jusqu'en 1856.

Retournez à la jonction avec la route 158 Ouest et continuez vers l'ouest.

★ Joliette C2

Joliette s'est fait un nom grâce à son festival de musique classique, le **Festival de Lanaudière**, l'un des plus importants du Québec. À une heure seulement de Montréal, on y vient aussi pour profiter de son musée d'Art.

★ **Musée d'Art de Joliette** – *145 r. du Père-Wilfrid-Corbeil - ☏ 450 756 0311 - www.museejoliette.org - ♿ ⃝ - tlj sf lun. 12h-17h - fermé 1er janv., 24 juin, 1er juil. et 25 déc. - 10 $ (6-12 ans 6 $).* Inauguré en 1976, ce musée possède une collection sans cesse grandissante de près de 9 000 œuvres. L'exposition permanente « Les siècles de l'image » permet de découvrir le travail fascinant d'artistes tels qu'Ozias Leduc, Suzor-Côté, Emily Carr, Alfred Pellan, Jean-Paul Riopelle, Guido Molinari, Henry Moore et Arman. Le musée donne également à voir des œuvres d'art du Moyen-Âge et de la Renaissance.

Le musée organise par ailleurs des expositions temporaires d'art contempo-rain et propose un voyage sur les chemins de l'art ancien et contemporain qui regroupent des artistes québécois, canadiens et internationaux. Le musée organise aussi des activités culturelles et éducatives (projection, conférences, causeries, ateliers, visites guidées).

UNE VILLE PLACÉE SOUS LE SIGNE DES ARTS

En 1828, le notaire **Barthélemy Joliette** fit construire un moulin sur les rives de la rivière Assomption. C'était le descendant du célèbre explora-teur Louis Jolliet qui, avec Jacques Marquette, découvrit le Mississippi en 1673. Connue à l'origine sous le nom de L'Industrie, la ville prit son appellation actuelle en 1863, lors de son incorporation. Joliette et sa femme, Marie-Charlotte de Lanaudière, furent les premiers bienfaiteurs de la ville, à laquelle ils cédèrent les terrains où se dressent aujourd'hui l'église ainsi qu'un collège.

Très vite, Joliette acquit la réputation d'une cité des arts et de la culture, sous l'influence des communautés religieuses locales, en particulier celle des clercs de St-Viateur. Grâce aux efforts du père **Wilfrid Corbeil** (1893-1979), le musée d'Art de Joliette devait ainsi voir le jour. Un autre religieux, le père Fernand Lindsay, fonda quant à lui le célèbre **Festival de musique de Lanaudière** *(voir p. 31).*

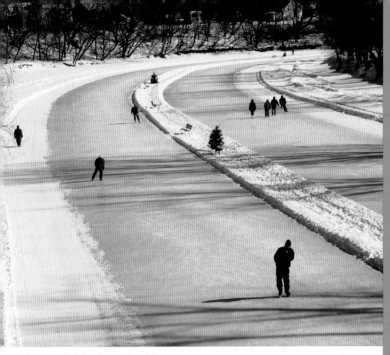

Patineurs sur la rivière Assomption, Joliette.
Sime/Photononstop

Source d'eau de Pit – *À proximité du musée d'Art, dans le parc Renaud, à l'angle de la rue De Lanaudière et de la rue St-Charles-Borromée.* Habitants et visiteurs viennent se désaltérer et s'approvisionner à cette source d'eau sulfureuse qui fut découverte en 1881 par Pierre Laforest, mieux connu sous le sobriquet de « Pit ». Tout près, on remarquera une statue de Barthélemy Joliette.

Cathédrale de Joliette - *2 r. St-Charles-Borromée Nord -* 📞 *450 753 7596 -* ♿🅿 *- lun.-vend. 11h30-15h - fermé j. fériés.* Construite entre 1888 et 1892, cette spacieuse église de style romano-byzantin est consacrée au cardinal-archevêque italien du 16e s., Charles Borromée, qui joua un rôle majeur dans la réforme du clergé au concile de Trente (1545-1563). Elle devint cathédrale en 1904 et se signale en différents endroits de la ville par son haut clocher.

À l'intérieur, des vitraux réalisés en 1912 par Henri Perdriau illustrent des épisodes de l'Ancien Testament. Remarquez également, de la même époque, les stations du chemin de la Croix, dues à Georges Delfosse (1869-1939), et au-dessus du maître-autel, une toile d'Antoine Plamondon représentant saint Charles Borromée. Quant aux tableaux d'Ozias Leduc, qui ornent la voûte du transept, ils racontent la vie de Jésus et les mystères du Rosaire.

Derrière la cathédrale, une section de la rivière Assomption est transformée, l'hiver, en **patinoire**. Cette piste de 4,5 km attire foule.

Maison provinciale des Clercs de St-Viateur – *132 r. St-Charles-Borromée Nord.* À côté de la cathédrale, on distingue l'ancien noviciat de Joliette, remarquable ensemble de bâtiments surmontés d'une tour massive. Cette version moderne de l'abbaye normande de St-Georges de Boscherville (13e s.) fut construite de 1939 à 1941 sous la direction du père Wilfrid Corbeil. Elle abrite l'infirmerie et la maison-mère des Clercs de St-Viateur, congrégation religieuse fondée en France en 1831 par le père Louis-Marie Querbes. La **chapelle★** *(9h-16h - sur réserv.),* édifice d'inspiration allemande, a conservé son intérieur d'origine. Il fut décoré de 1940 à 1945 par un descendant d'Antoine Plamondon, Marius Plamondon, à qui l'on doit notamment le chemin de Croix sculpté, une partie du mobilier, et surtout les vitraux.

Dirigez-vous vers St-Charles-Borromée, à 2 km au nord du centre de Joliette. Prenez la rue St-Charles-Borromée (qui devient rue de la Visitation) jusqu'à l'angle de la rue Davignon.

Maison Antoine-Lacombe C2

℘ 450 755 1113 - www.maisonantoinelacombe.com - merc.-dim. 13h-17h.
Cette belle demeure de pierre, bâtie en 1847 et rénovée en 1968, appartient aujourd'hui à la municipalité et sert de lieu d'animation culturelle : expositions d'œuvres d'art, conférences, concerts.
De St-Charles-Borromée, continuez vers le nord par la rue de la Visitation (route 343 Nord), et prenez à droite la route 348 Est qui suit la rivière Assomption et traverse Ste-Mélanie, jusqu'au croisement avec la route 131 Nord (26 km). Tournez à gauche route 131 et continuez sur 4,5 km.

Abbaye Val-Notre-Dame C2

250 chemin de la Montagne-Coupée - ℘ 450 960 2889 - www.abbayevalnotre-dame.ca - P - église 3h45-20h, accueil 9h15-20h.
La construction d'un monastère est un fait suffisamment unique au Québec pour être signalé. Plus encore lorsque les moines confient leur destin à un concours d'architectes. Le 1er mars 2009, les 24 moines de l'abbaye cistercienne d'Oka *(voir p. 185)*, ont pris leurs quartiers dans leur toute nouvelle demeure conçue par l'architecte québécois Pierre Thibault. Fidèle au plan des abbayes médiévales qui s'articulent autour du cloître, le bâtiment présente une architecture dépouillée, très contemporaine et respectueuse de l'environnement, où dominent le bois et le verre. L'intégration dans le magnifique paysage est d'une harmonie parfaite. Le projet fut sélectionné parmi 60 autres, présentés dans un livre vendu au magasin à côté des cakes aux fruits, caramels et chocolats confectionnés par les moines qui perpétuent la tradition de travail manuel de leur ordre. Seule l'église se visite et la porterie abrite le hall d'accueil.
Bon à savoir – Possibilité de loger à l'hôtellerie qui dispose de 14 chambres. Réservation 6 mois à l'avance fortement conseillée.
Revenez sur la route 131 que vous prendrez vers le nord en direction de Ste-Émélie-de-l'Énergie.

Le paysage devient plus montagneux et la route 131 Nord pénètre dans l'étroite vallée de la rivière Noire, traversant à maintes reprises la sombre et profonde rivière ponctuée de splendides cascades.

★ Parc régional des Sept-Chutes B2

℘ 450 884 0484 - www.parcsregionaux.org - P - de mi-mai à fin juin et de fin août à mi-oct. : vend.-dim. 8h30-16h30 ; de fin juin à mi-juil. : jeu.-dim. 8h30-16h30 ; de mi-juil. à mi-août : 8h30-16h30 ; de mi-août à déb. sept. : merc.-dim. 8h30-16h30 ; nov. : 9h-17h - 5 $.
Vous pourrez y admirer la chute du « Voile de la mariée » (hauteur : 60 m, 200 pieds environ), particulièrement spectaculaire en période de crue. Un solide escalier de bois permet l'ascension jusqu'au sommet des chutes et conduit au lac Guy. De là, le sentier *(15mn)* serpente à travers les bouleaux et les rochers moussus vers des cascades avant et vers le paisible lac Rémi. Sur l'autre rive, une impressionnante falaise se dresse à pic.
Ceux qui souhaitent prolonger la randonnée peuvent revenir au lac Guy et suivre le circuit du mont Brassard qui aboutit à un belvédère (150 m) offrant une **vue★** merveilleuse sur la vallée de la rivière Noire au sud. La piste traverse une luxuriante forêt de bouleaux et de pins. Avant d'arriver à la descente abrupte qui mène aux cascades, le belvédère du Mont-Brassard offre une large **vue** sur le lac Rémi et les Laurentides, à l'ouest.

Continuez par la route 131 Nord.

Saint-Zénon B2

C'est l'un des trois plus hauts villages du Québec. Encerclé de montagnes, il surplombe la vallée de la rivière Sauvage. De l'église, en regardant au nord, on a une belle **vue** de la vallée connue sous le nom de « Coulée des Nymphes ».

Saint-Michel-des-Saints B2

Ce village se situe en bordure de la rivière Matawin, juste avant que ses eaux trépidantes ne se déversent dans le paisible réservoir Taureau. Fondée en 1862 par le curé Léandre Brassard et deux confrères, la petite localité se trouvait à l'époque à 80 km au nord de tout lieu habité. Elle ne fut baptisée qu'en 1883 par Monseigneur Ignace Bourget. L'industrie du bois, mais aussi le tourisme, la pêche, la chasse et les sports nautiques constituent aujourd'hui l'essentiel de l'économie régionale.

★ **Réservoir Taureau** – Cet immense réservoir artificiel, appelé lac Toro par les Atikamekw, fait près de 700 km de circonférence. Achevé en 1931, il sert à contrôler les flots tumultueux de la rivière St-Maurice et à alimenter la centrale électrique de Shawinigan. Son barrage est situé à l'endroit où se trouvaient autrefois les rapides Taureau de la rivière Matawin.

Dotée de nombreuses plages de sable fin, cette vaste étendue d'eau se prête fort bien à la pratique des sports nautiques.

La route 131 Nord continue jusqu'à la réserve faunique Mastigouche (1 547 km²). Cette dernière abrite une grande variété de gibier et de poissons, dont l'omble de fontaine. Chasse, pêche, canotage, ski de randonnée et observation de la nature y feront le bonheur des amateurs de plein air.

Revenez à St-Michel-des-Saints. Prenez la route 131 vers le sud en direction de Ste-Émélie-de-l'Énergie (47 km), puis la route 347 vers St-Côme.

Avec plus d'une vingtaine de pistes, la **station de ski de Val St-Côme** *(à 12 km de la jonction des routes 347 et 343)* est l'un des plus grands centres de sports d'hiver de la région.

Continuez vers le sud par la route 343, puis par la route 337.

★ Rawdon C2

Ce territoire faisait jadis partie des terres concédées aux loyalistes en 1799, mais ce n'est qu'à la fin des années 1810 que Rawdon fut colonisée par des immigrants irlandais, avant que s'y installent des Écossais, des Canadiens français (surtout des Acadiens) et, au 20e s., bon nombre d'Européens de l'Est. Rawdon a un cachet particulier, lié à la véritable mosaïque de cultures qui a façonné son histoire. En témoignent la multiplicité et la diversité des **édifices religieux**. Une église orthodoxe russe se trouve à l'angle de la rue Woodland et de la 15e Avenue. Les offices y sont célébrés en français, en anglais et en slavon, la langue liturgique des Slaves orthodoxes. L'église anglicane *(à l'angle de la rue Metcalfe et de la 3e Av.),* en pierre (1861), est surmontée d'un beffroi en bois et bordée sur un côté par un petit cimetière. C'est peut-être le plus charmant site de la ville.

Centre d'interprétation multiethnique – *3588 r. Metcalfe -* ℘ *450 834 3334 - w.-end 13h-16h.* Ce centre organise régulièrement des spectacles et expositions rendant compte de la diversité ethnique de la région.

★ **Parc des Chutes-Dorwin** – *À l'entrée de Rawdon.* ℘ *450 834 2282 -* ✕ ♿ 🅿 - *mai-oct. : 9h-19h - 4 $.* Dans un cadre boisé, la rivière Ouareau court en cascades sur des rochers, effectue une chute de 30 m de haut dans un petit bassin, puis bifurque avant de s'engouffrer dans une étroite gorge escarpée. Selon une légende amérindienne, la chute surgit lorsque le sorcier maléfique Nipissingue poussa dans un gouffre la belle Hiawitha. Cette dernière se transforma en chute, et Nipissingue fut pétrifié par un coup de tonnerre. Le profil sculpté dans la roche qui borde les chutes *(visible de la plate-forme d'observation située en contrebas)* est, dit-on, celui du méchant sorcier…

★ **Parc des Cascades** – *De la rue Queen, prenez la route 341 en direction de St-Donat.* ☎ *450 834 8121 - ♿🅿 - de mi-juin à déb. sept. : 9h-18h ; de mi-mai à mi-juin et de déb. sept. à mi-oct. : w.-end 9h-18h - 6 $/voiture.* À la pointe nord du lac Pontbriand, sur la rivière Ouareau, de magnifiques cascades dévalent un escalier de rochers. L'été, on peut s'avancer au milieu du courant et profiter de la fraîcheur de l'eau.

🍃 Des sentiers à travers la forêt de pins et des aires de pique-nique font de ce site une halte très agréable.

Saint-Lin-Laurentides C2
C'est dans ce petit centre industriel et commercial que naquit **Sir Wilfrid Laurier** (1841-1919).

Lieu historique national du Canada de Sir-Wilfrid-Laurier – *À l'angle de la 12ᵉ Av. (route 158) et de la route 337.* ☎ *1 800 463 6769 - www.pc.gc.ca/laurier - ♿🅿 - visite guidée (1h) de déb. mai à mi-mai : lun.-vend. 9h-17h ; de mi-mai à mi-juin : merc.-dim. 9h-17h ; de mi-juin à déb. sept. : 9h-17h - 3,90 $.* Un centre d'interprétation évoque la vie et l'œuvre de celui qui fut avocat, homme politique et le premier Canadien français à occuper le rôle de Premier ministre, de 1896 à 1911. Une modeste maison de brique rouge, tout à côté, recrée l'atmosphère d'un logis québécois vers 1850, époque à laquelle Laurier était encore enfant.

Trois-Rivières

★★

130 128 habitants – Mauricie

😊 NOS ADRESSES PAGE 207

S'INFORMER

Bureau d'information touristique – *1457 r. Notre-Dame Centre - ✆ 819 375 1122 ou 1 800 313 1123 - www.tourismetroisrivieres.com - juil.-août : 9h-20h ; reste de l'année : lun.-vend. 9h-17h.* Des itinéraires ont été conçus pour parcourir Trois-Rivières selon plusieurs thématiques : le patrimoine, la poésie (300 extraits de poèmes jalonnent les rues) et un rallye ludique à faire en famille. Brochures disponibles sur place.

SE REPÉRER

Carte de région C2 (p. 166-167). La ville de Trois-Rivières se trouve à peu près à mi-chemin entre Montréal (142 km) et Québec (130 km). Elle est connectée aux routes 40 (sortie centre-ville) et 138. Le **pont Laviolette** (1967), seul pont entre Montréal et Québec, la relie à la rive sud du St-Laurent. Suspendu à 46 m au-dessus du fleuve, il fait 3 km de long.

SE GARER

Stationnement payant en ville (durée maxi 3h). Des parkings se trouvent au niveau du parc Champlain, près de la maison de la Culture ou encore en bordure de fleuve, contre le parc portuaire.

2

À NE PAS MANQUER

Le centre d'exposition Boréalis, la visite de la prison et celle du musée québécois de Culture populaire.

ORGANISER SON TEMPS

Vous pouvez faire le tour des musées de la ville et profiter aussi des berges du St-Laurent en un week-end. Les excursions au Cap-de-la-Madeleine, à la Pointe-du-Lac ou aux Forges-St-Maurice impliquent de prolonger le séjour d'un jour ou deux.

AVEC LES ENFANTS

Boréalis, le musée québécois de Culture populaire, la vieille prison, l'île St-Quentin, le musée du Centre thématique sur le poulamon.

La capitale de la Mauricie s'élève sur la rive nord du St-Laurent, au confluent de la rivière St-Maurice. Deux îles émergent de cet affluent, à son embouchure avec le fleuve : les trois bras ainsi formés ont donné son nom à la ville. Si Trois-Rivières vit encore de l'industrie papetière, dont elle a été la capitale mondiale, elle propose aujourd'hui toutes sortes de mani-
festations d'envergure parmi lesquelles
le Festival international de la poésie ou
des Biennales de sculpture et d'estampe
contemporaines. Ce dynamisme culturel
en fait une étape idéale avant de partir à
la découverte de la région.

Se promener Plan de ville

◗ *Circuit tracé en vert sur le plan ci-dessous.*
En 1908, un incendie détruisit et endommagea le cœur de la ville. Les quelques constructions anciennes qui subsistent ont été soigneusement restaurées. *Commencez la promenade au manoir Boucher de Niverville.*

★ **Manoir Boucher de Niverville**

168 r. Bonaventure - ☎ 819 372 4531 - www.manoirdeniverville.ca - mai-sept. : 10h-18h ; reste de l'année : 10h-17h, w.-end 12h-17h.

Ce manoir en pierre blanchie à la chaux et aux volets rouges fut construit vers 1729 par François Châtelain. Son gendre, Claude-Joseph Boucher, sieur de Niverville, donna son nom au manoir lorsqu'il en hérita en 1761. L'édifice fut restauré en 1971.

Dressée sur le terrain du manoir, la **statue** (1) de Maurice Duplessis (1890-1959) rappelle que ce Premier ministre du Québec (de 1936 à 1939 et de 1944 à 1959), né à Trois-Rivières, habita à quelques pas du manoir *(240 r. Bonaventure)* et fit ses études au séminaire de Trois-Rivières.

Traversez la rue Bonaventure et marchez vers le sud.

Le Flambeau

Pl. Pierre-Boucher. L'étonnant obélisque au centre de la place Pierre-Boucher fut érigé pour célébrer le 325ᵉ anniversaire de la ville. Boucher, sieur de Grosbois (1622-1717), fut gouverneur de Trois-Rivières en 1654, lorsque la

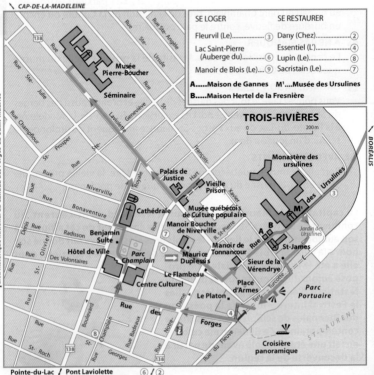

ville fut attaquée et presque entièrement détruite par les Iroquois. Plus tard, il fonda Boucherville.

Continuez vers le sud puis tournez à gauche dans la rue des Ursulines.

Les plus anciennes constructions de la ville à avoir échappé à l'incendie de 1908 se trouvent dans la charmante **rue des Ursulines★**.

★ Manoir de Tonnancour

864 r. des Ursulines - ℘ 819 374 2355 - www.galeriedartduparc.qc.ca - mar.-vend. 10h-12h et 13h30-17h, w.-end 13h-17h (visite guidée sur réserv. 2 $).

René Godefroy de Tonnancour, seigneur de Pointe-du-Lac, fit bâtir cette résidence en 1725 et le juge Pierre-Louis Deschenaux la fit reconstruire en 1795, à la suite d'un incendie. Le manoir servit tour à tour de caserne d'officiers, de presbytère et d'école. L'édifice est remarquable par son toit mansardé dont le style dénote l'influence des loyalistes. Ses fondations et ses murs sont d'origine, et sont visibles sur demande, comme le grenier et sa charpente d'inspiration française. Le bâtiment, restauré dans les années 1970, héberge une galerie d'art contemporain qui organise une dizaine d'expositions par an, invitant des artistes tels que Valérie Guimond (2006), Roberto Rodriguez (2007), Marylise Goulet (2008) ou encore suzanne Lafrance (2011). Le bâtiment accueille également, comme d'autres sites de Trois-Rivières, la Biennale internationale d'estampe contemporaine ou la Biennale nationale de sculpture contemporaine *(voir « Nos adresses »)*.

Face au manoir se trouve la **place d'Armes**. Avant 1800, elle servait aux Algonquins qui y campaient lorsqu'ils venaient au fort vendre leurs fourrures. Réservée à des fins militaires de 1751 à 1815, la place est aujourd'hui un joli parc. Un canon de bronze coulé en Russie en 1828 commémore la guerre de Crimée (1853-1856).

2

Église anglicane Saint-James

787 r. des Ursulines - ℘ 819 378 2071 - visite guidée (1h) sur RV uniquement.

Les récollets (religieux franciscains réformés) entreprirent ici la construction d'un monastère et d'une chapelle en 1693. L'ensemble fut complété en 1742. Ajoutée en 1754, l'aile adjacente est aujourd'hui intégrée à la structure. Après la Conquête, le complexe fut utilisé comme hôpital, comme palais de justice et même comme prison. Il devint un lieu de culte anglican en 1823.

En face de la chapelle, au n° 834, la **maison de Gannes** (A), construite en 1756 par un officier français, est la dernière construction d'inspiration française du vieux quartier. Au n° 802, notez aussi la **maison Hertel de la Fresnière** (B), achevée en 1829.

★ Monastère des ursulines

784 r. des Ursulines. Ce joyau du vieux quartier se distingue par son dôme gracieux et son grand cadran solaire mural (1860) sur lequel est inscrit : *Dies Sicut Umbra* (les jours s'enfuient comme des ombres). En 1639, des ursulines venues de Tours (France) arrivèrent au Québec, mais ne furent convoquées à Trois-Rivières qu'en 1697. Le premier monastère, achevé en 1700, fut agrandi d'une chapelle en 1714 et reconstruit après un incendie en 1752. Un second incendie ravagea les lieux en 1806, mais le style des bâtiments du Régime français fut préservé lors de la reconstruction. De 1835 à 1960, six nouveaux bâtiments furent construits. Plusieurs dizaines d'ursulines y vivent encore.

Musée des Ursulines (M¹) – *℘ 819 375 7922 - www.musee-ursulines.qc.ca - mars-avr. : merc.-dim. 13h-17h ; de déb. mai à fin juin et du 1er lun. de sept. à fin nov. : mar.-dim. 10h-17h ; de fin juin au 1er lun. de sept. : 10h-17h - 4 $.* Il possède de belles collections (environ 15 000 pièces de céramique, orfèvrerie, livres,

De multiples atouts

PREMIÈRE COLONISATION

En 1634, Samuel de Champlain chargea Nicolas Goupil, sieur de Laviolette (1604-v. 1660), d'établir en ces lieux un poste de traite des fourrures. Trois-Rivières devint ainsi la colonie la plus ancienne de la Nouvelle-France, après la ville de Québec. Laviolette choisit pour son fort un emplacement surélevé, dit le Platon (déformation de « peloton »), au-dessus du St-Laurent. Le transport des fourrures se faisait alors par la rivière St-Maurice et, à partir de 1737, par le chemin du Roy reliant la colonie à Québec.

À l'apogée de la Nouvelle-France, plusieurs grands explorateurs vécurent à Trois-Rivières, notamment Jean Nicolet et Nicolas Perrot. Les conquêtes conjointes de **Pierre Radisson** et du **sieur des Groseilliers** aboutirent à la fondation de la Compagnie de la baie d'Hudson en 1670, et le célèbre **sieur de la Vérendrye** fut le premier Européen à atteindre les montagnes Rocheuses.

LA CAPITALE DU PAPIER...

Au cours des années 1850, des scieries s'établirent à Trois-Rivières, marquant ainsi les débuts de l'exploitation des ressources forestières de la vallée de la St-Maurice. On y construisit un port pour l'exportation du bois, et, plus tard, des installations hydroélectriques. Avec le perfectionnement des techniques de fabrication du papier à partir de fibres de bois, une grande industrie de pâte à papier et de papier vit le jour. En 1936, l'installation de silos à grains et d'usines de textile favorisa la croissance de la ville. Dès les années 1930, Trois-Rivières fut consacrée capitale mondiale de production du papier journal, titre qu'elle détient encore. Deux grandes usines de papier y sont toujours en activité.

Avec ses cinq hangars et ses quinze réservoirs, sans compter les silos à grains, le port constitue un autre atout économique pour Trois-Rivières.

Enfin, soucieuse d'améliorer la qualité de vie de ses citoyens et de ses visiteurs, l'ancienne ville papetière gère au plus près son développement en favorisant dorénavant l'environnement, comme en témoigne la réhabilitation réussie de l'**île St-Quentin**. Les travaux d'aménagement des berges du St-Laurent (piste cyclable, promenade riveraine, centre de foires…), encore en cours par endroits, devraient ajouter un nouvel attrait à une liste déjà bien remplie.

ET DE LA POÉSIE

La cité industrielle bénéficie par ailleurs d'un rayonnement culturel certain. Depuis 1969, elle abrite le campus de l'**Université du Québec à Trois-Rivières** (UQTR), connue notamment pour son département de chiropractie, la formation des sages-femmes et pour son institut de recherche sur l'hydrogène. Pour le plus grand nombre, la ville a aussi beaucoup étoffé son calendrier festif, avec notamment un événement phare qui lui vaut aujourd'hui son nouveau titre : le Festival international de la poésie *(voir p. 208)*. Trois-Rivières fut capitale culturelle du Canada en 2009.

gravures, mobilier et arts décoratifs) qu'il met chaque année en valeur à travers des expositions thématiques. Une maquette représente le monastère tel qu'il était au 19ᵉ s.

🐦 **Bon à savoir** – Pendant le Festival international de la poésie, à l'automne, des expositions temporaires d'art sont organisées dans le réfectoire.

★ **Chapelle** – *Accès par le musée.* La chapelle est surmontée d'un superbe dôme (1897), œuvre des architectes Joseph et Georges Héroux. Luigi Capello y exécuta les fresques et François Normand, l'autel (début 19ᵉ s.) au-dessus duquel se trouvent des tableaux peints en 1840 par les artistes canadiens français Antoine Plamondon *(à gauche)* et Joseph Légaré *(à droite).* L'orgue date de 1840.

Poursuivez le long de la rue des Ursulines, traversez la voie ferrée, puis le terrain vague en direction du bâtiment dont on aperçoit la tour de briques.

★★ Boréalis - Centre d'histoire de l'industrie papetière

200 av. des Draveurs - 📞 *819 372 4633 - www.borealis3r.ca - juin-sept. : 10h-18h ; reste de l'année : mar.-dim. 10h-17h - 13 $ (6-18 ans 10 $).*

👥 Le bâtiment qui héberge aujourd'hui ce centre abritait jadis la station de pompage et de filtration d'eau de l'immense usine de pâte à papier installée jusqu'en 2006 sur le terrain vague tout proche. Il constitue un remarquable exemple de réhabilitation d'un édifice industriel. Dans un décor de béton, de tuyauteries et de machines, vous découvrirez l'industrie qui donna à Trois-Rivières son titre de capitale mondiale du papier. Un parcours jalonné de maquettes, de photographies, de vidéos et d'objets mis en scène aborde le secteur sous tous les angles, depuis l'aspect technique jusqu'au volet social (quartier ouvrier, clubs sportifs, vie à l'usine), en passant par le travail des bûcherons et des draveurs. La visite s'enrichit de témoignages dont les plus poignants sont projetés sur les murs et les piliers de l'ancienne citerne souterraine. La visite se clôt par un atelier de fabrication de papier qui intéressera les plus jeunes.

Revenez devant le monastère des ursulines, puis traversez le Jardin des ursulines en face.

À la sortie est du parc portuaire se trouve un **monument** (2) dédié à Pierre Gaultier de Varennes, **sieur de la Vérendrye**.

★ Parc portuaire

Cette agréable terrasse offre de belles **vues** sur le St-Laurent. Elle faisait jadis partie du domaine du maire Joseph-Édouard Turcotte qui en fit don à la ville en 1857 afin qu'elle soit transformée en espace public.

Continuez dans le parc portuaire vers l'ouest.

Le Platon

C'est sur ce plateau, qui s'élevait autrefois à 35 m au-dessus du fleuve, que le sieur de Laviolette construisit son fort en 1634. En 1934, le **buste** (3) de Laviolette et une plaque y furent placés à l'occasion des fêtes du tricentenaire de Trois-Rivières.

★ Croisière panoramique

Embarcadère au bout de la rue des Forges. Navire M/V Le Draveur Inc. - 📞 *819 375 3000 - www.croisieres.qc.ca. -* 🍴 *- 1h30 AR avec commentaire à bord - de mi-mai à fin sept. : dép. 10h30-15h - sur réserv. - 22/26 $.*

Cette croisière offre une **vue** sans pareille sur le port de Trois-Rivières et l'estuaire de la St-Maurice, avec l'île St-Quentin et les fumées de l'usine à papier. Elle permet également de voir le sanctuaire de Cap-de-la-Madeleine et l'imposant pont Laviolette.

La famille Harvey organise aussi des croisières à la journée ou encore en soirée sur le *M/S Jacques Cartier*.

Rue des Forges

Restaurants et boutiques bordent cette rue animée où se mêlent l'atmosphère du vieux port et celle d'une ville universitaire pleine de vie.

De la rue des Forges, tournez à droite entre l'hôtel de ville et le centre culturel, puis montez l'escalier jusqu'au parc Champlain.

Parc Champlain

Les structures de béton ultramodernes de l'**hôtel de ville** et du **centre culturel** encadrent ce square agrémenté de fontaines et d'arbres. Le centre abrite un théâtre, une bibliothèque et une galerie d'art. Construit en 1967 pour fêter le centenaire de la Confédération canadienne, cet ensemble est célèbre pour sa conception architecturale. Dans le square, on remarquera un **monument** (4) élevé en l'honneur de **Benjamin Sulte** (1841-1923), historien renommé du Canada français.

★ Cathédrale de Trois-Rivières

362 r. Bonaventure (au bord du parc Champlain) - ℰ 819 374 2409 - 9h-11h30, 13h30-17h30, sam. 9h-11h, 13h30-17h15, dim. 9h30-12h, 14h-18h.

Cette cathédrale, dotée d'un clocher recouvert de cuivre, est d'inspiration gothique. Conçue par Victor Bourgeau, elle fut consacrée en 1858, mais, faute de fonds, ne se para de son clocher qu'en 1905. L'intérieur possède des **vitraux** richement colorés, dus à Guido Nincheri. Réalisés entre 1935 et 1954, ils illustrent les « litanies de Lorette » de la Vierge Marie.

À côté de la cathédrale se dresse une statue de Louis-François Laflèche, évêque de Trois-Rivières de 1870 à 1898.

Prenez le boulevard Royale. Tournez à gauche dans la rue Laviolette, et continuez sur 400 m.

Séminaire de Trois-Rivières

858 r. Laviolette. Fondé en 1860, le séminaire St-Joseph fut reconstruit après avoir subi les ravages du feu en 1929. La longue structure de pierre à chaux est coiffée d'un dôme massif en cuivre, au-dessus de l'entrée qui, elle, est dotée de colonnes et d'une statue de saint Joseph. Épargnée par l'incendie, la chapelle *(derrière le bureau de réception)*, de style roman, est ouverte aux visiteurs. On y expose une collection d'objets religieux et des œuvres de l'artiste Jordi Bonet (1932-1979).

Musée Pierre-Boucher – *ℰ 819 376 4459 - www.museepierreboucher.com - mar.-dim. 13h30-16h30, 19h-21h.* Situé dans les galeries autour de l'entrée, il présente des expositions sur le patrimoine historique, ethnographique et artistique de la région. On y verra des œuvres d'Antoine Plamondon, Roy-Audy, Berczy, mais aussi d'Ozias Leduc, Suzor-Côté, Rodolphe Duguay, Gaston Petit et Raymond Lasnier.

Redescendez la rue Laviolette vers la rue Hart.

L'ancien **palais de justice** se dresse à l'angle des rues Laviolette et Hart. Construit selon les plans de François Baillairgé en 1823, l'édifice fut agrandi et en partie restauré en 1913.

Continuez dans la rue Hart.

★ Musée québécois de Culture populaire (M³)

À l'angle des rues Hart et Laviolette. 200 r. Laviolette - ℰ 819 372 0406 - www. culturepop.qc.ca - ✗ ⅋ - de mi-juin au 1ᵉʳ lun. sept. : 10h-18h ; reste de l'année :

mar.-dim. 10h-17h - fermé 1ᵉʳ-2 janv., 24-26 et 31 déc - billet simple 10 $ (5-17 ans 9 $ ou 6 $), billet combiné musée + vieille prison 16 $.

L'ancien musée des Arts et Traditions populaires, rebaptisé en 2003, propose des expositions permanentes et temporaires destinées à faire découvrir la culture québécoise d'hier et d'aujourd'hui. Les plus courtes durent six mois, les plus longues deux ans. Ce rythme permet d'exploiter au mieux la riche collection ethnologique qui se compose de près de 80 000 objets (outils, mobilier, textiles, jouets, etc.). Elle illustre non seulement l'art populaire québécois, mais aussi les coutumes et les mœurs de la province, les métiers traditionnels, les travaux agricoles, la vie domestique. Le musée possède également une riche collection d'archéologie amérindienne et de préhistoire européenne, soit un total de quelque 20 000 objets. Il est possible de visiter la **réserve** afin de comprendre comment l'on conserve et référence ces précieuses collections.

👥 Le musée veille toujours à concevoir au moins une exposition pour les enfants, avec un parcours ponctué d'expériences ludiques.

★ Vieille prison

Mêmes adresse et horaires que pour le musée québécois de Culture populaire. Reliée au musée par un passage couvert.

👥 Œuvre de François Baillairgé, cette imposante structure de pierre, construite entre 1819 et 1822, constitue le plus bel exemple de style palladien au Québec. Son plan massif, son élévation à trois étages, son portail sobre et le large fronton qui domine la façade centrale révèlent une influence britannique. La toiture est surmontée de neuf souches de cheminées dénotant la recherche d'un certain confort pour les prisonniers. L'édifice cessa de fonctionner en tant qu'établissement pénitentiaire en 1986, pour cause d'insalubrité et de mauvais traitements.

Son intérieur abrite aujourd'hui un centre d'interprétation de la vie carcérale. Transformées en salles d'exposition, vingt cellules présentent la vie quotidienne des détenus à travers différents thèmes : discipline, hygiène, contacts avec l'extérieur, travail, etc. La visite guidée est parfois assurée par d'anciens détenus, qui transmettent ainsi leur expérience et font le lien avec le monde carcéral d'aujourd'hui.

À voir aussi

Île Saint-Quentin

Accès par le bus 2 (en été) ou en voiture (2,50 $), direction Québec par la route 138. ☎ 819 373 8151 - www.ile-st-quentin.com - de fin déc. à fin mars : 11h-16h30, w.-end 9h-16h30 ; mai-oct. : 9h-22h ; 4,50 $ (3-12 ans 1,50 $) ; reste de l'année : accès libre et gratuit (pas d'activités).

LA RENAISSANCE D'UNE ÎLE

L'histoire raconte que Jacques Cartier planta une croix, le 7 octobre 1535, sur une île du St-Laurent : l'île St-Quentin. Territoire agricole jusque dans les années 1930, elle devint ensuite un site de plein air très prisé. Mais la pollution bactériologique liée à la drave sur la rivière St-Maurice affecta la qualité des eaux, au point que la baignade fut interdite au début des années 1970. L'île servit alors de dépôt à des déchets solides. La Corporation du développement du parc de l'île St-Quentin, créée en 1982, décida sa dépollution et organisa son réaménagement.

👥 Les habitants de Trois-Rivières profitent toute l'année des 46 ha de l'île. Une passerelle d'interprétation de 750 m mène à sa pointe nord-ouest, à travers une érablière argentée et des marécages *(période de crues, avr.-mai)* dont les eaux sont particulièrement recherchées par les brochets. Dans les arbres : le pic flamboyant, des mésanges, l'oriole du Nord… 🚶 4 km de sentiers et une piste cyclable de 3,5 km sillonnent aussi l'île. En hiver, ils se transforment en itinéraires de ski de fond ou en patinoire. L'été, la plage, les terrains de volley et de pétanque, ainsi que les jeux pour enfants, assurent une affluence constante.

À proximité Carte de région

★ Pointe-du-Lac C2

▶ *À 20 km au sud de Trois-Rivières par la route 138, au bord du lac St-Pierre.*
★ **Moulin seigneurial de Pointe-du-Lac** – 📞 *819 377 1396 - www.moulin-pointedulac.com - de fin mai à déb. oct. : 10h-17h - 3,50 $.* En 1721, René Godefroy de Tonnancour fit construire ce moulin sur la rivière St-Charles. Reconstruit entre 1765 et 1784, ce moulin à farine devint le sixième plus productif du Québec. On y moulut le grain jusqu'en 1965. Quant à sa scierie, elle fonctionna jusqu'en 1986.

Restauré en 1978, le bâtiment abrite désormais deux expositions : l'une sur la farine (on peut encore voir le mécanisme des meules en fonte et en bois) et l'autre sur la scierie, qui fut ajoutée dans les années 1940. Les machines sont encore en place et en état de marche. Le grenier accueille des expositions temporaires.

Tout près se trouve l'église Notre-Dame-de-la-Visitation (1882), reconnaissable à son petit clocher.

★ Parc des chutes Sainte-Ursule C2

▶ *À 36 km au sud-ouest de Trois-Rivières par la route 138, puis à 11 km au nord-ouest par la route 348 Ouest et le chemin des Chutes.* 📞 *819 228 3555 - www.chu-tes-ste-ursule.com -* 🍴 🅿 *- juin-sept. : 8h-19h ; reste de l'année : 8h-16h - 6,25 $.*
Au point de rencontre du bouclier laurentien et des basses terres du St-Laurent, la rivière Maskinongé subit une dénivellation de 270 m. En 1663, un tremblement de terre changea le cours de la rivière qui creusa cette belle gorge dans le gneiss et le granit rose. 🚶 Des sentiers d'interprétation suivent la rivière et mènent au site d'une pulperie du 19e s. dont il ne reste plus que les fondations. Un pont suspendu permet d'admirer les chutes sur une hauteur de 45 pieds. Possibilité de louer des chalets tout confort situés en pleine nature.

Saint-Paulin C2

▶ *À 36 km à l'ouest de Trois-Rivières par la route 138, puis à 21 km au nord par la route 349.*
Seigneurie Volant - Auberge Le Baluchon – *3550 chemin des Trembles -* 📞 *819 268 2555 ou 1 800 789 5968 - www.baluchon.com -* 🍴 🅿. Visitez le manoir, la forge, le moulin, la chapelle et la cabane à sucre construits pour le tournage de la célèbre série télévisée *Marguerite Volant*, une fresque historique évoquant les aventures de la Seigneurie Volant dans la Nouvelle-France du 18e s. Différentes activités sont proposées : promenade à cheval, VTT, kayak, ou en hiver, ski de fond, traîneau à chiens, sans oublier les dégustations de bières élaborées à partir d'anciennes recettes. Le restaurant soigne particulièrement sa cuisine. Une adresse idéale pour une journée clés en main.

Circuit conseillé Carte de région

DE TROIS-RIVIÈRES À QUÉBEC CD1-2

▶ *Circuit de 130 km tracé sur la carte p. 166-167, par la route 138 qui longe la rive nord du St-Laurent.*

Cap-de-la-Madeleine C2

Cap-de-la-Madeleine se trouve à l'embouchure de la rivière St-Maurice, en face de la ville de Trois-Rivières dont elle fait dorénavant partie. La ville est surtout connue pour le sanctuaire de Notre-Dame-du-Cap, érigé en 1714 et devenu le troisième lieu de pèlerinage du Québec.

★★ **Sanctuaire Notre-Dame-du-Cap** – *R. Notre-Dame, à l'est de la ville. Suivez les panneaux indicateurs.* ☏ *819 374 2441 - www.sanctuaire-ndc.ca -* ♿🅿 *- de mi-mai à déb. sept. : 8h-21h (mi-août 22h) ; reste de l'année : 8h-17h.* Ce bel édifice octogonal fut conçu par l'architecte Adrien Dufresne. Commencé en 1955, il fut inauguré en 1964. La tour centrale s'élève à 78 m. Une statue en pierre de la Vierge (hauteur : 7 m) orne la façade. D'apparence plutôt massive, le monument révèle un intérieur élégant aux couleurs de la Vierge, bleu et or. Plus de 1 800 personnes peuvent s'asseoir sous la voûte, d'où la vue sur le maître-autel n'est obstruée par aucune colonne. Le magnifique **orgue Casavant**, construit à St-Hyacinthe en 1963-1965, comprend 75 registres et plus de 5 500 tuyaux. L'autel est fait de marbre d'origine italienne.

L'intérieur de la basilique est en outre renommé pour ses **superbes vitraux**, œuvres de **Jan Tillemans** (1915-1980). Ce dernier, père oblat d'origine hollandaise, les réalisa de 1956 à 1964 selon la tradition médiévale. Chacun comprend une rosace de près de 8 m de diamètre et cinq lancettes.

Petit sanctuaire et parc – Près de la basilique se trouve l'ancienne église (1717), devenue chapelle votive. Avec l'église de St-Pierre, sur l'île d'Orléans, ce petit monument fait partie des églises les plus anciennes du Québec. La statue miraculeuse se dresse au-dessus d'un autel de bois peint et doré.

LES MIRACLES DE CAP-DE-LA-MADELEINE

Vers le milieu du 17e s., des colons européens érigèrent sur ce site une première chapelle dédiée à Marie-Madeleine. En 1850, le père **Luc Désilets** prit en charge la paroisse et la développa, tant et si bien qu'en 1878, il fallut envisager une église plus grande. La pierre nécessaire à sa construction devant être extraite de la rive opposée du St-Laurent, Désilets entreprit de la faire transporter en utilisant un pont de glace. Malheureusement, le temps était, cette année-là, exceptionnellement doux, et le fleuve ne gela pas, ce qui amena le curé à faire le vœu de conserver l'église du 18e s., si un miracle permettait le transport de la pierre. Le 16 mars 1879, le temps se refroidit, et un pont de glace se forma assez longtemps pour que les paroissiens effectuent le transport de la pierre. Attribuant ce miracle à Notre-Dame du Rosaire, le père Désilets tint sa promesse et conserva l'ancienne église, y installant une statue de la Vierge offerte par un paroissien. Un second miracle se produisit lorsque le père Désilets consacra le sanctuaire, en juin 1888. La nuit de la consécration, la statue de Notre-Dame ouvrit les yeux en présence des trois hommes. Dans les années 1950, une nouvelle basilique fut édifiée. Aujourd'hui, des milliers de croyants effectuent chaque année le pèlerinage.

2

Une annexe moderne, ajoutée en 1973, incorpore quelques-unes des pierres transportées sur le pont de glace en 1879.

Le petit sanctuaire est situé dans un parc qui surplombe le fleuve. Dans la partie sud, on trouve un chemin de Croix menant à des répliques du Calvaire et du tombeau du Christ à Jérusalem. Une autre section représente les mystères du Rosaire, avec 15 statues de bronze venant de France (1906-1910).

Le petit lac et le **pont des Chapelets** commémorent le pont de glace de 1879 (voir l'encadré p. 203).

De l'autre côté du fleuve, sur la route de Batiscan, on aperçoit le parc industriel de Bécancour (voir p. 268).

★ Vieux presbytère de Batiscan C2

À droite, avant d'arriver au village. ℘ 418 362 2051 - www.presbytere-batiscan. com - ⅍🅿 - de fin mai à déb. oct. : 10h-17h - 3,50 $.

Un premier presbytère avait été construit ici par les jésuites en 1696. Pour obtenir la nomination d'un curé résident, les paroissiens remplacèrent en 1816 ce vétuste édifice par le bâtiment actuel, réutilisant pour la construction les matériaux d'origine. À l'intérieur, typique d'une maison rurale du début du 19e s., on peut voir des meubles d'époque provenant des collections du musée de la Civilisation à Québec.

Continuez jusqu'à Batiscan.

Batiscan C1-2

L'**église** (1866) se dresse au bord du St-Laurent. De là, on aperçoit, sur la rive opposée, les flèches de l'église de St-Pierre-les-Becquets.

Parc de la Rivière-Batiscan – *À St-Narcisse. Au départ de Batiscan, suivez la route 361 Nord sur 17 km et tournez à droite au chemin du Barrage. Allez jusqu'à l'extrémité du chemin du Barrage. 200 ch. du Barrage - ℘ 418 328 3599 - www. parcbatiscan.com - tarif d'entrée au parc 6,75 $.* Le parc est situé à la rencontre de deux formations géologiques. Les failles provoquées par cette rencontre ont créé un relief à l'aspect spectaculaire. Parsemé de chutes, de rapides et de bassins, traversé par la rivière Batiscan, ce parc régional propose une large gamme d'activités de plein air et d'activités éducatives sur l'environnement. Il abrite également la centrale St-Narcisse, l'un des premiers grands ouvrages hydroélectriques du Canada.

Revenez à Batiscan.

À la sortie du village, la route franchit la rivière Batiscan.

Sainte-Anne-de-la-Pérade C1

Le village, établi sur les bords de la rivière Ste-Anne, est réputé pour la pêche d'hiver, dite **« pêche blanche »**. En janvier et en février, les **poulamons** ou « petits poissons des chenaux », de la famille de la morue, quittent leurs eaux salées pour venir évoluer en eau douce. C'est à cette époque que se constitue, sur la rivière gelée, un « village » très animé dont les cabanes multicolores abritent des pêcheurs venus de tout le Québec. La saison de pêche terminée, les cabanes sont remisées au bord de l'eau.

Musée du Centre thématique sur le poulamon – *℘ 418 325 2475 - www. associationdespourvoyeurs.com - de fin déc. à mi-fév. et mai-oct. : 8h-21h, vend.-sam. 8h-22h, dim. 8h-19h ; reste de l'année : lun.-vend. 9h-16h30.* 👥 Il présente de manière ludique les différents aspects de la pêche aux petits poissons des chenaux à Ste-Anne-de-la-Pérade. Un lieu intéressant pour les grands et les petits.

Avant de partir, remarquez l'église néogothique (1855-1859) de la ville : elle a été construite sur le modèle de la basilique de Montréal.

Sanctuaire Notre-Dame-du-Cap.
P. Mastrovito/Age Fotostock

Après **Grondines**, la route longe le St-Laurent. De l'autre côté du fleuve se trouve Lotbinière. La première ligne de transport d'électricité sous-marine du Québec passe par le tunnel construit sous le fleuve, entre Grondines et Lotbinière. Les câbles représentent un maillon important dans la liaison de 1 487 km, entre les sous-stations de Radisson (complexe La Grande), sur la baie James, et Sandy Pond, dans le Massachusetts.

Moulins de La Chevrotière D1

Après 15 km, tournez à gauche dans la rue de Chavigny. 418 286 6862 - www. deschambault-grondines.com - ⚐🅿 - de mi-juin à fin sept. : 9h30-17h30 ; reste de l'année : sur réserv. - 3 $.

Ces deux moulins occupent un très beau site au bord de la rivière de La Chevrotière. L'édifice le plus petit date de 1767. Le plus imposant, coiffé d'un joli toit à lucarnes, fut bâti en 1802. On y découvrira toutes sortes d'expositions thématiques (environnement, histoire, peinture, sculpture, outils anciens, etc.).

★ Deschambault D1

L'**église St-Joseph** (1837), qui domine la rivière, rappelle par son architecture la cathédrale anglicane de Québec. Ses deux clochers encadrent une statue de saint Joseph, attribuée à Louis Jobin (1845-1928). L'intérieur contient une nef bordée de deux larges galeries latérales. Œuvres d'une rare qualité, les statues placées dans le chœur sont dues à François et Thomas Baillairgé.

Vieux presbytère – *Derrière l'église. 418 286 6891 - www.deschambault-grondines.com - de mi-juin à fin sept. : 9h30-17h30 - 5 $.* Il se trouve dans un charmant parc. Érigé en 1815, restauré depuis, il accueille en été diverses expositions, et on y organise des activités variées. Ancienne salle d'assemblée, la **salle des habitants** date de 1840.

Après Deschambault, la route fort agréable traverse Portneuf, puis **Cap-Santé**, dont l'église présente une jolie façade semblable à celle de la cathédrale Notre-Dame-de-Québec. Du terrain de stationnement, derrière l'église, part le Vieux-Chemin qui longe le fleuve. Cette rue charmante faisait jadis partie du **chemin du Roy** ; elle est bordée de résidences du 18e s., d'inspiration française.

La route 138 franchit ensuite la rivière Jacques-Cartier et pénètre dans **Donnacona**. La **vue** embrasse le fleuve et les paysages du côté de Neuville.
Faites 28 km, puis prenez la route 365 vers le nord.

Pont-Rouge D1

18 km AR par la route 365. Ce joli village se trouve au bord de la rivière Jacques-Cartier qui s'écoule en cascades vers le St-Laurent. À côté du pont se dressent les quatre étages du **moulin Marcoux**, ancien moulin à farine datant de 1870. Restauré en 1974, il abrite désormais une galerie d'art, une salle d'exposition, une salle de spectacles, une boutique d'artisanat et un bistro (*ouv. juin-oct.*).
Rejoignez la route 138 et continuez sur 3 km.

Neuville D1

Tournez à gauche dans la rue des Érables.

Anciennement nommée Pointe-aux-Trembles, la paroisse de Neuville fournit une pierre de taille de haute qualité qui fut utilisée sur les chantiers de Québec dès la fin du 17e s. De nombreux tailleurs de pierre et maîtres maçons, venus travailler dans les carrières des environs, s'établirent ici.

Rue des Érables – Le village possède un nombre impressionnant d'édifices en pierre. À première vue, les demeures de la rue des Érables – dont la maison Fiset (*no 679*) et la maison Pothier (*no 549*), toutes deux bâties vers 1800 – semblent avoir été construites de plain-pied. Elles comptent en fait un ou deux étages, car leurs concepteurs ont su tirer parti du terrain qui descend en pente vers le fleuve. Érigé en 1835, le manoir seigneurial (*no 500*) est un bel exemple d'architecture québécoise.

Église St-François-de-Sales – L'église de Neuville a été construite en plusieurs étapes. Le chœur date de 1761, la nef de 1854 et la façade de 1915. Dans le sanctuaire se retrouve le baldaquin commandé par Monseigneur de St-Vallier en 1695 pour orner la chapelle de son palais épiscopal à Québec. L'évêque, à sa retraite, l'offrit à la paroisse de Neuville en 1717 en échange de blé pour les pauvres de la ville. Les quatre colonnes torsadées encadrent un tabernacle sculpté par François Baillairgé vers 1800. L'église contient aussi une vingtaine de tableaux d'**Antoine Plamondon** (1804-1895), natif de Neuville.

À l'approche de la banlieue industrielle de Québec, la route quitte les bords du St-Laurent et s'enfonce dans l'arrière-pays. On pourra emprunter la route 40 jusqu'à la sortie 302 pour faire un détour à **Cap-Rouge**, dont le pont de chemin de fer à chevalets (1906-1912) enjambe la rivière du même nom. C'est ici que Jacques Cartier et le sieur de Roberval tentèrent d'implanter la première colonie française en Amérique du Nord, Charlesbourg-Royal, en 1541.

★★★ Québec D1

À 32 km à l'est de Neuville, voir p. 280.

😊 NOS ADRESSES À TROIS-RIVIÈRES

VISITES

Ronde de nuit – *Dép. terrasse arrière du 1465 r. Notre-Dame Centre - de mi-juil. à fin août : lun.-merc. 21h - achats de billets au bureau d'information touristique - 15 $.* 1h30 de promenade nocturne à travers la ville, pour chercher quelqu'un, quelque chose, tout en apprenant l'histoire de la ville sous un angle différent.
Carte musées – *Valable de mi-mai à mi-oct. - 25 $ (HT).* Elle donne accès gratuitement à tous les musées et sites historiques de la ville.

HÉBERGEMENT

BUDGET MOYEN

Le Fleurvil – *635 r. des Ursulines - 819 372 5195 - www.fleurvil. qc.ca - 10 ch. 85/112 $.* À deux pas du musée des Ursulines, cette maison d'hôtes propose des chambres bien tenues, avec ou sans salle de bains privée. Belle vue sur le fleuve du jardin, à l'arrière. Piscine en été.
Le Manoir de Blois – *197 r. Bonaventure - 819 373 1090 ou 1 800 397 5184 - www. manoirdeblois.com - 5 ch. 112/215 $.* Une maison centenaire, miraculeusement épargnée par l'incendie de 1907, des chambres soignées portant le nom d'hommes illustres, des meubles de famille ou bien chinés : tout a été étudié pour recréer dans cette maison d'hôtes une atmosphère d'époque.

POUR SE FAIRE PLAISIR

L'Auberge du lac Saint-Pierre – *10911 r. Notre-Dame Ouest (secteur Pointe-du-Lac) - C.P. 4010, succ. A - 819 377 5971 ou 1 888 377 5971 - www.aubergelacst-pierre. com - 30 ch. 142/197 $ - 15 $.*

Le principal atout de cet hôtel excentré réside moins dans ses chambres confortables (baignoire à remous) au décor suranné, que dans sa situation en bordure du lac St-Pierre. N'hésitez pas à demander la vue sur le St-Laurent. Piscine, tennis. Sauna.

RESTAURATION

PREMIER PRIX

Chez Danny – *195 r. de La Sablière - après 6 km dir. Montréal par la route 138, tournez à droite sur Grande Allée ; au bout, prenez à droite le chemin Ste-Marguerite, et 1 km après, la deuxième à gauche - 819 370 4769 ou 1 800 407 4769 - www.cabanechezdany. com - mars-oct. : midi, réserv. obligatoire le soir ; nov.-fév. : sur réserv. - menu sem. 15,50 $, w.-end 18,50 $.* Cette grande cabane à sucre est l'affaire des frères Néron. Chacun, en salle et en cuisine, veille à ce que les assiettes ne manquent jamais de fèves au lard, d'oreilles de crisse (lard frit), de betteraves marinées, de pâté à la viande ou de crêpes au sirop d'érable. En saison, on savoure la tire sur neige à l'extérieur.
Le Sacristain – *300 r. Bonaventure - 819 694 1344 - lun.-vend. 8h-18h - menu du jour 14,25/22,25 $.* Pour rappeler l'ancienne fonction religieuse des lieux, la décoration joue la carte de la sobriété et du verre coloré. Savoureux sandwichs et salades croquantes servis avec le sourire. Tout est fait maison, y compris les gâteaux aux dattes. À savourer avec un bon café !
L'Essentiel – *10 r. des Forges - 819 693 6393 - 11h-21h (fermé lun.-jeu. de 14h à 17h) - table d'hôtes 11,50/22,50 $ midi et 22,50/35 $ soir.* Tons boisés et fer forgé

2

caractérisent le décor feutré de ce restaurant aménagé sur trois niveaux. Dans l'assiette, des classiques (filet mignon, magret de canard) et des plats du terroir actualisés comme la caille farcie aux canneberges ou le foie de veau de lait poêlé aux oignons caramélisés.

Le Lupin – *376 r. St-Georges - ☎ 819 370 4740 - 11h-21h - table d'hôtes 32/43 $, menu midi lun.-vend. 12-18 $.* Dans une petite maison ancienne un peu à l'écart de l'animation de la rue des Forges, ce restaurant cosy propose une carte de plats classiques réalisés avec soin et créativité (foie d'agneau, ris de veau). Spécialités de moules. Apportez votre vin.

PETITE PAUSE

Le Torréfacteur – *1465 r. Notre-Dame Centre - ☎ 819 694 4484.* Une étape obligatoire pour les amateurs de café et de thé (équitables), mais aussi pour déguster une délicieuse viennoiserie. Le décor a un petit air de saloon aux boiseries rutilantes. Minuscule terrasse pour siroter au calme.

Nord Ouest Café – *1441 r. Notre-Dame Centre - ☎ 819 693 1151.* De la terrasse de ce café stratégiquement situé à l'angle des deux rues principales, on ne manque rien de la vie de Trois-Rivières. Pub rustique au bon choix de bières et de scotchs. Quelques snacks : tacos, burgers…

ACHATS

Carpe Diem – *30 r. des Forges - ☎ 819 378 3436 - 10h-17h (jeu.-vend. 21h).* La boutique de la savonnerie artisanale de Bécancour, de l'autre côté du St-Laurent, propose pas moins de 50 sortes de savons naturels.

Possibilité de confectionner son savon soi-mêmes.

BOIRE UN VERRE

Le P'tit Pub – *1106 r. des Forges - ☎ 819 375 1211.* Surnommé « La boîte à chansons », l'endroit propose bien sûr de prendre un verre en journée, mais il est surtout célèbre pour la tribune qu'il offre aux chanteurs de tout poil de 16h à 19h. Karaoké en début de semaine, chansonniers du jeudi au samedi et spectacles le dimanche *(entrée libre)*.

Suite 60 – *60 r. des Forges - ☎ 819 841 0090 - mar.-dim. 12h-20h.* C'est une galerie d'art mais aussi un café-bar à l'ambiance feutrée où boire un café ou un verre de vin au milieu des œuvres d'art. Jolie terrasse à l'arrière.

AGENDA

Festival « Danse encore » – *☎ 819 376 2769 - www.festival-encore.com.* En juin, une semaine de spectacles de danse.

Biennale nationale de sculpture contemporaine – *Rens. galerie d'art du Parc ☎ 819 691 0829.* De la mi-juin à la fin de l'été, exposition d'œuvres d'artistes. Prochaine édition prévue en 2012.

Biennale internationale d'estampe contemporaine – *www.biectr.ca -* De mi-juin à déb. sept.

Festivoix – *☎ 819 372 4635 - www.festivoix.com.* Fin juin-début juillet. La chanson sous toutes ses formes pendant neuf jours de festivités sur une quinzaine de scènes en salle ou en extérieur.

Festival international de la poésie – *☎ 819 379 9813 - www.fiptr.com.* En octobre, il réunit, durant une dizaine de jours, amateurs et professionnels de la poésie.

Mauricie

★

🙂 NOS ADRESSES PAGE 215

📋 S'INFORMER

Tourisme Mauricie – *1882 r. Cascade, Shawinigan (QC) G9N 8S1 - 𝄞 819 536 3334 ou 1 800 567 7603 - www.tourismemauricie.org - lun.-vend. 8h30-12h, 13h-16h30.*

▶ SE REPÉRER

Carte de région C1-2 (p. 166-167). À mi-chemin de Montréal et de Québec, la Mauricie s'étend approximativement de Trois-Rivières au sud jusqu'à La Tuque au nord, le long des routes 55 et 155.

😊 À NE PAS MANQUER

Le lieu historique national du Canada des Forges-du-St-Maurice, une escapade nature dans le parc national de la Mauricie.

🕐 ORGANISER SON TEMPS

Comptez deux journées d'excursion pour la totalité de l'itinéraire, visites incluses, et une journée pour l'exploration du parc national de la Mauricie.

👫 AVEC LES ENFANTS

Découvrez l'histoire et la production des Forges-du-St-Maurice, comprenez l'hydroélectricité à la Cité de l'Énergie de Shawinigan.

Depuis 2001, la Mauricie porte le nom de « Capitale forestière canadienne ». Ce titre prend tout son sens lorsque l'on suit le cours de la rivière St-Maurice. Montagnes, forêts et plans d'eau innombrables caractérisent en effet les pittoresques paysages de sa vallée. Celle-ci permet au visiteur de découvrir à la fois l'histoire industrielle de la région et sa nature propice au tourisme vert. Forges-du-St-Maurice, cité de l'Énergie de Shawinigan ou sentiers de la réserve faunique du St-Maurice promettent à chacun un séjour varié, toujours renouvelé.

Circuit conseillé Carte de région

DE TROIS-RIVIÈRES À LA TUQUE C2

▶ *Circuit de 170 km tracé sur la carte p. 166-167. Quittez Trois-Rivières par le bd des Forges, au nord.*

★★ Lieu historique national du Canada des Forges-du-Saint-Maurice

𝄞 *819 378 5116 - www.parkscanada.gc.ca - ♿ 🅿 - de mi-mai au 1ᵉʳ lun. sept. : 9h30-17h30 ; de déb. sept. à mi-oct. : 9h30-16h30 - visites guidées en saison - 4 $.*

Situées au bord de la rivière St-Maurice, les forges fonctionnèrent pendant un siècle et demi (1730-1883) et donnèrent naissance à la première ville industrielle du Canada. Ce site, aujourd'hui classé lieu historique national du Canada, commémore les débuts de l'industrie lourde canadienne.

2

RESSOURCES NATURELLES ET INDUSTRIES

La Mauricie est couverte à 90 % de bois et de rivières et compte 17 500 lacs. Si cette richesse naturelle a soutenu le développement industriel pendant plus de deux siècles, la crise des années 1980 a provoqué la fermeture progressive des usines. L'importance économique de la vallée de la St-Maurice remonte au 18e s. Dès 1730 y étaient exploités des gisements de fer et à partir de 1850, l'**industrie forestière** domina la scène économique régionale. Vers la fin du 19e s., au développement de l'**hydroélectricité** succédèrent l'essor des usines de **pâte à papier** et de **produits chimiques**, et enfin la création d'une importante usine d'électrolyse. Cette dernière a d'ailleurs fait de la vallée l'une des régions les plus industrialisées du Québec et même du Canada. En 1996, l'interdiction officielle du flottage du bois sur la St-Maurice pour cause, entre autres, de pollution de la rivière par les importants dépôts d'écorce, marqua la fin d'une tradition et d'une période économique. Dorénavant, canots, voiles, kayaks et autres sports nautiques remplacent les billes de bois sur ses flots.

La Mauricie a su tirer parti de son héritage industriel en ouvrant ou reconvertissant d'anciens sites comme la centrale et l'ancienne aluminerie de Shawinigan. En outre, elle a mis en valeur son patrimoine naturel en le protégeant : le territoire (39 748 km^2) compte ainsi un **parc national du Canada** *(voir p. 213)* et deux **réserves fauniques** (Mastigouche et St-Maurice). Un réseau d'aménagements (2 500 km de sentiers motoneige balisés, 100 km de piste cyclable intégrée à la « route Verte ») permet d'en profiter en toutes saisons. Désormais le tourisme vert a la cote, comme en témoigne le succès des **pourvoiries** (Tourisme Mauricie en recense pas moins de 70, pour beaucoup concentrées dans le secteur de St-Alexis-des-Monts). Ces anciennes villégiatures pour clubs de chasse ou de pêche accueillent désormais les amoureux de nature, à qui elles proposent de multiples activités de loisirs ou sportives.

La **Grande Maison** (1737), qui abritait autrefois les maîtres des forges, sert aujourd'hui de centre d'accueil. Au rez-de-chaussée, une rétrospective historique replace le site dans le contexte économique et social de l'époque, et en retrace l'évolution au travers de ses hommes.

Au sous-sol, les anciennes caves où étaient jadis entreposées les marchandises présentent des objets façonnés aux forges sur une période de 150 ans : boulets et bombes (durant la guerre de Sept Ans), poêles et chaudrons (après la Conquête de 1760), grands chaudrons et roues de wagons (vers 1860), ainsi que lits en fer forgé, moyeux, socs de charrue, fers à cheval, fers à repasser, poids et haltères… À l'étage, une maquette « son et lumière » montre le village des Forges vers 1845 *(narration en anglais ou en français, selon la demande)*.

Un sentier mène aux autres vestiges, dont le fascinant **haut-fourneau**. Brillamment aménagé, son centre d'exposition et d'interprétation réussit à mettre en valeur les restes de l'étuve, de la maison du fondeur, de la halle à charbon et de la halle de coulée. La reconstitution des mécanismes hydrauliques du 18e s. est particulièrement réussie. Celle d'un logis d'ouvrier dans la seconde moitié du 18e s. apporte un élément humain à cette visite informative. Un grand panneau mural montre la production des forges qui, de 1740 à 1883, furent au Canada le lieu principal de production de la fonte.

En poursuivant vers la rivière St-Maurice, on verra entre autres la **forge haute**, la cheminée d'affinage de la **forge basse** et le **moulin**. Un peu à l'écart se trouve la **fontaine du Diable**, source de gaz naturel.

👥 **Les dimanches « Nouvelle-France »** – En haute saison, vrais artisans ou comédiens animent le site en faisant la démonstration de métiers ou d'activités traditionnels (poterie, sculpture sur bois, danse, musique…).

Continuez vers le nord par le boulevard des Forges, puis par le boulevard de la Gabelle qui longe la route 55. Après 10 km, prenez à droite le chemin de la Gabelle et poursuivez sur 2 km.

Barrage la Gabelle

Mis en service en 1922, c'est l'unique point qui permet de traverser la rivière St-Maurice entre Trois-Rivières et Shawinigan *(circulation alternée)*. Il est situé en plein cœur du parc naturel La Gabelle, dans ce qui fut jadis une zone d'échange active entre Amérindiens et colons.

Poursuivez jusqu'au croisement avec la route 157 que vous prendrez sur la gauche.

Shawinigan

🛈 **Centre local de développement de Shawinigan** – *522, 5ᵉ Rue* - ☏ *819 537 7249* - *www.tourismeshawinigan.qc.ca*.

Son nom vient de l'algonquin *ashawenikan* (« le portage sur la crête »). On l'appelait jadis la « Ville lumière », car elle produisait à elle seule toute l'énergie électrique nécessaire à Montréal. En 1852, on y construisit un glissoir à « pitoune » (billots de bois) pour contourner les chutes de la St-Maurice. Dès 1899, ces dernières furent exploitées à des fins hydroélectriques, ce qui permit la construction d'usines de pâte à papier et de produits chimiques, et d'une usine d'électrolyse.

De la ville, prenez la route 157 Sud. Traversez le pont et suivez la direction du parc des chutes de Shawinigan et Shawinigan-Sud.

Cité de l'Énergie – *1000 av. Melville* - ☏ *819 536 8516* - *www.citedelenergie. com* - ♿🅿 - *de mi-juin à fin sept. : 10h-18h - 17 $ (6-12 ans 10 $).* Elle est construite à proximité des chutes Shawinigan, particulièrement impressionnantes à la période du dégel (hauteur : 50 m) et offrant toute l'année un spectacle grandiose. Ce centre scientifique renseigne sur le rôle joué par l'énergie hydroélectrique dans l'histoire du Québec. Il est doté d'expositions interactives, de présentations multimédia, d'une tour d'observation (115 m de haut, beau **panorama★** sur la rivière et la région) et de deux installations hydroélectriques qui évoquent les innovations et les inventions de cette industrie.

👥 La visite de l'ancienne centrale comprend des maquettes et des panneaux explicatifs très didactiques. Démonstrations scientifiques en saison.

Traversez le lac en bateau.

Espace Shawinigan - *1882 r. Cascade* - ☏ *819 536 8516 ou 1 866 900 2483* - *10 $ (6-12 ans 5 $).* Cette ancienne aluminerie Alcan a été en activité de 1901 à 1986. Réhabilitée par la cité de l'Énergie, elle est aujourd'hui la mieux conservée du continent et classée à ce titre lieu historique du Canada depuis 2001. Ses deux salles de 75 m de profondeur accueillent désormais des expositions d'art contemporain, organisées en collaboration avec le musée des Beaux-Arts du Canada.

Traversez la rivière vers Shawinigan-Sud et suivez les panneaux bleus « Œuvres Ozias Leduc ».

★★ Dernier Grand-Œuvre d'Ozias Leduc – *825, 2ᵉ Av.* - ☏ *819 536 3652* - *www. eglisendp.qc.ca* - *15 juin-30 juin et sept. : tlj sf lun. 10h-17h (fermé lun.-mar. en sept.) ; juil.-août : 10h-18h - 6 $ (étudiants 4 $, 6-12 ans 2 $).* L'église N.-D.-de-la-Présentation (1924) est devenue lieu historique national du Canada en 2005. Elle doit cette distinction aux peintures d'Ozias Leduc (1864-1955). Ce dernier avait 76 ans lorsqu'il a débuté, en 1942, ce qui devait être son dernier projet :

2

15 toiles marouflées (réalisées sur toiles de jute puis collées aux murs) réalisées en l'espace de treize ans. Une vidéo *(10mn)* initie le visiteur à l'histoire de la paroisse et d'Ozias Leduc. Des animateurs sont également à la disposition du public pour le décryptage des toiles. Expositions thématiques renouvelées chaque été (orfèvrerie, céramique, croquis…).

En dépit du nom de l'église, l'artiste a représenté une impressionnante **Gloire Divine** derrière le maître-autel, et non la Vierge, qu'il a placée dans la voûte de la nef. L'immense composition comprend Dieu le Père, l'Esprit saint sous forme de colombe et le Christ crucifié, encadrés par des anges. Elle demeure la plus grande peinture de sa carrière : 12,8 m de hauteur sur plus de 9 m de largeur. Les murs latéraux illustrent l'histoire de la région (à gauche, la colonisation, à droite l'industrialisation), avec la volonté de souligner la présence de Dieu dans le travail. Le Couronnement et l'Assomption de la Vierge, côté orgues, ont été achevés par son assistante, Gabrielle Messier.

Les jardins Correlieu, du nom de l'atelier d'Ozias Leduc à Mont-St-Hilaire, déploient pelouse, jardin de curé et plates-bandes mixtes à côté de l'église et de l'ancien presbytère.

Rejoignez la route 55.

Grand-Mère

🛈 **Corporation touristique et culturelle de Grand-Mère** – *Sortie 226 de l'autoroute 55 Nord. 2333, 8ᵉ Rue - ℰ 819 538 4883 - de mi-juin au 1ᵉʳ lun. de sept. : 8h-19h.*

Dès 1890 s'installait ici une première centrale hydroélectrique, bientôt suivie d'usines de pâte à papier, ce qui contribua au développement de la ville. Celle-ci tire son nom d'un gigantesque rocher dont la forme rappelle une tête de vieille femme, et qui se dressait autrefois au milieu de la rivière. Pour faciliter la construction du nouveau barrage d'Hydro-Québec en 1916, le fameux rocher fut transporté en pièces détachées dans un parc du centre-ville *(à l'angle de la 5ᵉ Av. et de la 1ʳᵉ Rue).*

Pour rejoindre la route 155, quittez Grand-Mère par le pont qui enjambe la rivière St-Maurice.

Grandes-Piles

🛈 **Corporation de développement récréotouristique et du nautisme de Grandes-Piles** – *630, 4ᵉ Av. - ℰ 819 538 2260 - www.grandespiles.qc.ca.*

Fondée en 1885, cette communauté perchée sur une falaise au-dessus de la rivière servait de port de transbordement du bois. Ce sont les rochers en forme de piliers, situés dans les chutes d'eau au sud du village, qui lui donnèrent son nom imagé.

★ **Les Piles Village Forestier** – *ℰ 819 538 7895 - www.lespiles.ca -* ✗♿🅿 *- de mi-mai à fin sept. : 9h-18h - 13 $.* Quelque 25 bâtiments assortis d'une collection de plus de 5 000 objets aident à recréer l'ambiance d'un camp de bûcherons québécois des débuts du 20ᵉ s. Les structures de bois grossièrement taillées à la hache et l'ameublement rustique illustrent avec réalisme les rudes conditions de vie de ces pionniers dont l'existence était liée à l'exploitation forestière et au transport du bois. Les visiteurs verront notamment le camp des hommes, la forge, la tour des garde-feu, le moulin à scie et la « cookerie », c'est-à-dire la cuisine de chantier, où ils pourront prendre un repas typique des chantiers d'autrefois ou passer 24h en camp de bûcheron.

Entre Grandes-Piles et St-Roch-de-Mékinac, la route offre de très belles **vues★** sur la puissante St-Maurice et sur les falaises de la rive opposée. Au printemps, des balbuzards, communément appelés « aigles pêcheurs », nichent ici.

Continuez jusqu'à Rivière-Matawin.

Grandes-Piles.
E. Baccega/Age Fotostock

Réserve faunique du Saint-Maurice

À 2 km de Rivière-Matawin.

🛈 **Centre d'accueil de Matawin** – 𝒫 819 646 5687 - www.sepaq.com - ✖ ♿ 🅿 - *ouvert de mi-mai à déb. oct. - stationnement 10 $ + pont à péage 12 $ - il fournit cartes et renseignements divers (camping, pêche, chasse, canot-camping, observation de la nature, randonnées pédestres ou en traîneau à chiens, hébergement, etc.).*

Cette vaste étendue de forêts, de lacs et de ruisseaux fait la joie des pêcheurs et des canoteurs. De nombreux terrains de camping sont situés autour du lac Normand, réputé pour ses eaux claires et ses immenses plages de sable fin. Parmi les points d'intérêt de la réserve, notez les chutes Dunbar et le « bateau-rocher » (curieuse formation naturelle en forme de vaisseau) ainsi qu'un sentier de nature à travers la forêt boréale. Possibilité de canot-camping.

Revenez sur la route 155 pour rallier La Tuque.

La Tuque

🛈 **Bureau d'information touristique du Haut-St-Maurice** – *3703 bd du Charme -* 𝒫 819 523 5930 - tourismehsm.qc.ca.

Premier chansonnier québécois de renommée internationale, chantre des forêts et des rivières du Québec (en particulier du St-Laurent), **Félix Leclerc** (1914-1988) naquit à La Tuque. Cet ancien poste de traite des fourrures – dont le nom évoque une colline locale en forme de bonnet de laine (*tuque* en québécois) – doit, comme les autres villes de la région, son existence à ses vastes étendues boisées et à ses puissantes chutes d'eau.

♿ Au départ de La Tuque, la route 155 conduit à Roberval *(voir p. 369)* et au lac St-Jean *(env. 130 km).*

★★ PARC NATIONAL DE LA MAURICIE C1

🛈 𝒫 819 538 3232 - www.pc.gc.ca/mauricie - *ouvert tte l'année -* ⛺ ✖ ♿ 🅿 - *rens. et inscription aux différentes activités aux centres d'accueil de St-Mathieu* et de St-Jean-des-Piles ; mai et de déb. sept. à mi-oct. : sam.-jeu. 9h-16h30, vend. 9h-21h30 ; de juin à déb. sept. : 7h-21h30. Le centre d'accueil de St-Jean-des-Piles est ouvert tlj pour les activités hivernales (de mi-déc. à fin mars) 8h30-17h - 7,80 $.

Image intacte et préservée des Laurentides québécoises, le parc national de la Mauricie a été créé en 1970. Mais depuis 5 000 ans, indigènes, coureurs des bois, bûcherons, draveurs et autres étaient attirés par les richesses naturelles de cette région qui, avant de devenir un parc national, constituait l'un des plus vastes ensembles de clubs privés de chasse et de pêche d'Amérique du Nord. Aujourd'hui, ce sont les amateurs de randonnée, de VTT, de raquette et de canot qui viennent s'aérer dans sa forêt boréale, sa mosaïque de lacs, de cascades et de collines arrondies. Faites comme eux : le parc est considéré comme l'un des plus beaux du Québec !

Le **canot** et le **canot-camping** constituent d'excellents moyens pour explorer le parc *(location de canots et de matériel sur place)*. Plusieurs parcours jalonnés d'emplacements de camping rudimentaires permettent de découvrir l'arrière-pays. Certains itinéraires comportant de longs et rudes portages en terrain très accidenté, il est préférable de suivre un cours de canotage avant de s'y embarquer. Pêche, randonnée pédestre, camping semi-aménagé et baignade sont d'autres activités très prisées.

Route panoramique – *62 km entre les deux points d'accès*. Cette route exceptionnelle serpente entre les rochers du bouclier laurentien. Elle longe sur près de 16 km une étendue d'eau filiforme, le **lac Wapizagonke**, et offre de belles échappées sur ses falaises et ses plages de sable fin. Le belvédère du Passage *(30 km)* permet sans aucun doute de saisir les meilleures **vues** de l'ensemble. La route conduit ensuite à un second lac étroit, le **lac Édouard**, doté d'une jolie plage naturelle, puis continue son chemin sinueux jusqu'au point d'accès est du parc, d'où l'on a une belle vue sur la rivière St-Maurice.

😊 NOS ADRESSES EN MAURICIE

♿ Nos adresses à Trois-Rivières

HÉBERGEMENT

BUDGET MOYEN

À Shawinigan
Auberge Gouverneur Shawinigan – *11100 Prom. du St-Maurice -* 📞 *819 537 6000 - www.gouverneurshawinigan. com - 106 ch. 80/290 $.* Sur la rive bien aménagée de la rivière St-Maurice qu'il partage avec les bars et restaurants les plus animés de la ville, cet hôtel de bon standing propose des chambres soignées et confortables. Joli spa et piscine intérieure de détente.

UNE FOLIE

À Saint-Alexis-des-Monts
Hôtel Sacacomie – *4000 Rang, Sacacomie -* 📞 *819 265 4444 ou 1 888 265 4414 - www.sacacomie. com -* ✕♿🅿 *- 109 ch. - demi-pension 374/431 $ (suite 523/874 $).* Dans un écrin naturel préservé, au bord d'un lac majestueux, cet hôtel à l'imposante architecture rustique en rondins est idéal pour un week-end ou une escapade d'une semaine. Parmi les activités : randonnée équestre, plongée, excursion en hydravion, golf ou

encore motoneige et surtout incroyable spa.

RESTAURATION

PREMIER PRIX

À Shawinigan
Roulotte Beauparlant – *n° 712 sur la 5e Rue - de mi-mars à fin oct. - 7 $.* Cette roulotte à frites ouverte en 1939 est une institution à Shawinigan. Le Premier ministre Jean Chrétien ne manquait jamais une occasion d'y manger. Au menu, tout pour régaler l'amateur de frites et de poutine.

BUDGET MOYEN

À Shawinigan
Le Trou du Diable – *412 av. Wilson -* 📞 *819 537 9151 - www. troududiable.com - dim.-mar. 15h-23h, merc.-jeu. 15h-1h, vend.-sam. 15h-3h - cuisine ouverte du mar. au dim. 17h-21h - 22/50 $.* Délicieux restaurant du soir proposant des plats régionaux mais aussi des créations originales comme l'épaule de lapin confite ou le burger à l'agneau du Québec. L'endroit est surtout une microbrasserie réputée avec une dizaine de bières à la pompe dont la sélection change tous les jours.

AGENDA

À Shawinigan
Eclyps – *Cité de l'Énergie -* 📞 *1 866 900 2483 - www.spectacleeclyps. com - juil.-août : mar.-sam. à la tombée de la nuit - 50 $ (-12 ans 20 $).* Ce spectacle en plein air, néanmoins protégé des intempéries, offre un voyage féerique à travers les étoiles. Pendant 1h30, les Sélénites parcourent le plateau tournant à 360 degrés, à la découverte de la voûte céleste.

2

À l'est de Montréal 3

Écluse de Saint-Lambert.
SuperStock/Age Fotostock

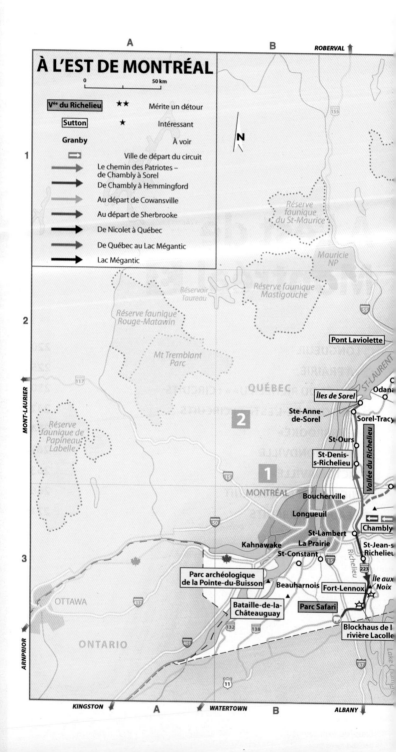

À L'EST DE MONTRÉAL

0   50 km

Vée du Richelieu ★★ Mérite un détour

Sutton ★ Intéressant

Granby À voir

⇨ Ville de départ du circuit

→ Le chemin des Patriotes – de Chambly à Sorel

→ De Chambly à Hemmingford

→ Au départ de Cowansville

→ Au départ de Sherbrooke

→ De Nicolet à Québec

→ De Québec au Lac Mégantic

→ Lac Mégantic

N

ROBERVAL

Réserve faunique du St-Maurice

Réservoir Taureau

Réserve faunique Rouge-Matawin

Réserve faunique Mastigouche

Mauricie NP

Mt Tremblant Parc

QUÉBEC

Pont Laviolette

Îles de Sorel

Ste-Anne-de-Sorel

Odana

Sorel-Tracy

St-Ours

St-Denis-s-Richelieu

MONT-LAURIER

Réserve faunique de Papineau-Labelle

Vallée du Richelieu

MONTRÉAL

Boucherville

Longueuil

St-Lambert

La Prairie

Chambly

Kahnawake

St-Constant

St-Jean-s-Richelieu

Parc archéologique de la Pointe-du-Buisson

Beauharnois

Fort-Lennox

Île aux Noix

OTTAWA

Bataille-de-la-Châteauguay

Parc Safari

Blockhaus de l rivière Lacolle

ONTARIO

ARNPRIOR

KINGSTON   A   WATERTOWN   B   ALBANY

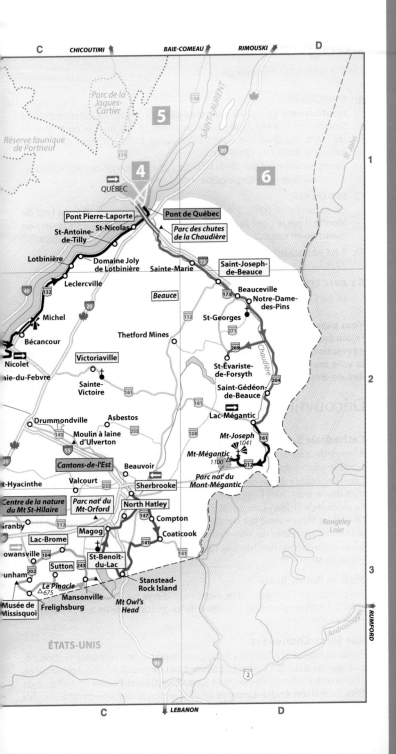

219

Longueuil

234 618 habitants – Montérégie

ⓘ S'INFORMER

Infotourisme Longueil – *Hôtel de ville de Longueil - 4250 chemin de la Savane - ℘ 450 463 7200 - www.longueuil.ca - de mi-juin au 1er lun. de sept : lun.-jeu. 8h30-12h, 13h15-16h30, vend. 8h30-12h ; reste de l'année : lun.-vend. 8h30-12h, 13h15-16h30.*

Tourisme Montérégie – *8940 bd Leduc - ℘ 450 466 4666 ou 1 866 469 0069 - www.tourisme-monteregie.qc.ca.*

▶ SE REPÉRER

Carte de région B3 (p. 218-219). Longueuil se trouve à 10 km à l'est de Montréal par le pont Jacques-Cartier. On peut également s'y rendre en métro ou en empruntant (l'été) une navette fluviale.

😊 À NE PAS MANQUER

L'écluse de St-Lambert et le pont Victoria.

👥 AVEC LES ENFANTS

Le parc des Îles-de-Boucherville.

Vous passerez dans cette banlieue résidentielle de Montréal, avant de rejoindre le Mont-St-Hilaire ou le fort de Chambly. Ceux qui aiment la navigation iront visiter l'écluse de St-Lambert, marquant l'entrée de la voie maritime du St-Laurent. Et les familles flâneront au parc des Îles-de-Boucherville.

Découvrir

Cathédrale Saint-Antoine-de-Padoue

À l'angle de la rue St-Charles et du chemin de Chambly - ℘ 450 674 1549 - www.paroisse-saint-antoine.org - 8h30-17h - fermé principaux j. fériés.

Cette imposante église de pierre (1885-1887), dotée d'un unique clocher et d'un dôme, est – avec l'église de St-Jean-sur-Richelieu – la « co-cathédrale » du diocèse de St-Jean-Longueuil. Elle se dresse sur l'emplacement du fort que Charles Le Moyne avait fait construire. L'intérieur, très orné, comprend trois nefs et des peintures de Jean-Baptiste Roy Audy.

Au bout du chemin de Chambly, remarquez la vue sur la tour du Stade olympique de Montréal.

Maison Rollin-Brais

205 chemin de Chambly. Cette maison de pierre fut construite entre 1794 et 1801. L'édifice, qui servait à l'origine de forge, comporte un toit de bardeaux et de hautes cheminées.

Rue Saint-Charles Est

Plusieurs maisons historiques, la plupart en pierre, bordent cette section pittoresque de la rue St-Charles. Le **couvent de Longueuil** *(n° 70)* fut construit en 1769 et une aile fut ajoutée en 1844. La **maison Daniel-Poirier** *(n° 100)* date de 1749. La **maison André-Lamarre** *(n° 255)*, le plus ancien édifice de la ville, fut construite en 1740 et héberge aujourd'hui la Société d'histoire de Longueuil. Le comble sur pignons fut remplacé par une toiture mansardée en 1895.

UNE CÉLÈBRE LIGNÉE

Longueuil faisait partie de la seigneurie accordée à Charles Le Moyne en 1657. Entre 1685 et 1690, ce dernier y fit construire un imposant fort de pierre qui devait servir à Montréal d'ultime défense contre les incursions des Iroquois ; il l'appela Longueuil en souvenir de son village natal de Normandie. Le fort fut démoli en 1810. Parmi ses douze fils, plusieurs devinrent célèbres. Le Moyne légua sa seigneurie à l'aîné, Charles, anobli par lettre patente de Louis XIV. L'explorateur Pierre Le Moyne d'Iberville aida Pierre de Troyes à vaincre les Anglais à la baie James en 1686 et devint gouverneur des postes de traite conquis. Jean-Baptiste Le Moyne de Bienville est connu pour la fondation de la Nouvelle-Orléans en 1718.

Derrière la maison André-Lamarre, quatre passerelles traversent la route 132 et aboutissent à un réseau de pistes cyclables longeant le fleuve.

Traversier – *Croisières Navark* - 📞 *450 442 9575 - www.navark.ca - ♿🅿 - dép. de la marina ttes les heures : de fin juin à déb. sept. : merc.-dim. 10h-17h ; de mi-mai à fin juin et de déb. sept. à mi-oct. : w.-end 10h-17h - 5mn - 5,50 $ AR.* À l'extrémité est du réseau, il mène les piétons à l'**île Charron** et au **parc national des Îles-de-Boucherville.**

À proximité Carte de région

BOUCHERVILLE B3

▶ *À 12 km au nord de Longueuil. Suivez la 132 EB, prenez la sortie 18 boulevard Montarville.*

Située sur les bords du St-Laurent, celle qui fait aujourd'hui partie de la banlieue de Montréal est aussi l'une des plus vieilles localités du Québec, fondée en 1668. Louis-Hippolyte Lafontaine, Premier ministre du Canada-Uni de 1842 à 1843 et de 1848 à 1851, y vit le jour.

Principale artère de la ville, le **boulevard Marie-Victorin** est bordé de belles demeures du 19e s., dont plusieurs appartinrent aux descendants du fondateur de Boucherville. Remarquez, au n° 470, le manoir construit au milieu du 18e s. pour François-Pierre Boucher de Boucherville et, au n° 486, la magnifique maison de brique que fit bâtir, au 19e s., Charles-Eugène Boucher de Boucherville, Premier ministre du Québec de 1874 à 1878 et de 1891 à 1892.

Maison Louis-Hippolyte-Lafontaine

314 bd Marie-Victorin (près du tunnel) - 📞 450 449 8347 - 🅿 - jeu. et w.-end. 13h30-17h. Des travaux étant prévus, téléphonez pour savoir si le site est ouvert lors de votre passage.

Cette demeure appartint au beau-père de Louis-Hippolyte Lafontaine. Élevée en 1766, puis reconstruite après l'incendie de 1843, elle fut transplantée du Vieux-Boucherville sur son site actuel, à proximité du fleuve, en 1964. La maison abrite une galerie d'art (expositions temporaires).

Louis-Hippolyte Lafontaine (1807-1864) vécut dans cette maison de 1813 à 1822, avant d'entreprendre ses études de droit à Montréal. Un bref historique rappelle les principales étapes de sa carrière. On attribue volontiers à Lafontaine l'instauration du « gouvernement responsable », c'est-à-dire du pouvoir colonial relevant d'une assemblée élue et non plus du gouvernement britannique.

3

Remarquez, dans le parc, une statue de Lafontaine sculptée par Henri Hébert, ainsi que les ruines de La Brocquerie, vestiges du château Sabrevois construit en 1735 mais détruit par un incendie en 1970.

★ Église de la Sainte-Famille

560 bd Marie-Victorin. Cette église (1800) est due à l'abbé Pierre Conefroy qui utilisa un plan en croix latine mieux adapté aux paroisses rurales, en pleine explosion démographique à la fin du 18e s. Ceci permit de mettre en œuvre un chantier rapide, sans dépasser le budget prévu. Le « plan-devis Conefroy » devint vite un modèle recherché, et la construction de l'église de Boucherville servit de base à toutes les paroisses du Québec. Son succès valut à Pierre Conefroy d'être nommé vicaire général du diocèse, responsable de la construction des églises.

Sorti des ateliers de Louis-Amable Quévillon, le décor intérieur fut détruit par l'incendie de 1843. Restauré par Louis-Thomas Berlinguet, il présente un traitement architectural typique de l'art de Thomas Baillairgé, mais aussi un profond souci du détail et de l'ornementation, comme le montrent de grands panneaux de style Louis XV. Les tombeaux et les autels latéraux, de Quévillon, ont survécu à l'incendie de 1843. Sculpture massive et baroque attribuée à Gilles Boivin, le **tabernacle** (v. 1745) du maître-autel est une œuvre majeure de l'époque de la Nouvelle-France.

Face à l'église, de l'autre côté de la rue se dresse un monument dédié à Pierre Boucher et s'ouvre une vaste perspective sur les îles de Boucherville et l'est de Montréal.

Les rues voisines, notamment la rue de la Perrière, sont bordées de maisons du 19e s.

Parc des Îles-de-Boucherville

Route 25 (sortie 1) ou par traversier (voir p. 221). 📞 *450 928 5088 ou 1 800 665 6527 - www.sepaq.com -* 🍴 🅿 *- de 8h au coucher du soleil - 5,50 $. Golf, location de bicyclettes et de bateaux.*

👪 Situé au large de Boucherville, ce chapelet d'îles faisait autrefois partie de la seigneurie de Pierre Boucher. On les appelait alors les « îles percées ». Elles semblent n'avoir guère changé depuis, même si l'une d'elles, l'île Grosbois, fut le site d'un parc d'attractions au début du 20e s. Depuis 1984, cinq de ces îles forment un parc national. À partir du bureau de renseignements, situé sur l'île Ste-Marguerite, on rejoint les autres îles par un bac à câbles et par des passerelles.

🚶 Promenades à pied ou à bicyclette *(20 km)* et canotage autour des îles offrent de beaux **points de vue** sur Montréal, sur la rive opposée du St-Laurent.

Parc du Mont-Saint-Bruno

Le parc est à proximité de St-Bruno-de-Montarville, à 18 km à l'est de Longueuil. 📞 *450 653 7544 - www.sepaq.com -* 🅿 *- de 8h au coucher du soleil - 5,50 $.*

Ce parc de conservation créé en 1985 englobe la majeure partie du mont St-Bruno, célèbre colline Montérégienne s'élevant à 218 m au-dessus de la plaine environnante. Avec ses cinq lacs, ses pommiers et son moulin à eau du 18e s., il constitue une oasis de verdure protégée au milieu des paysages urbains de la région de Montréal. Un lieu idéal, été comme hiver, pour se ressourcer avant de rejoindre la ville.

🚶 Du terrain de stationnement, un agréable sentier *(1h AR)* passe devant le site de l'ancien collège du Mont-St-Gabriel et mène, à travers une chênaie rouge et une érablière, à deux étendues d'eau : le **lac du Moulin** et le **lac**

MONTARVILLE

Le **parc du Mont-St-Bruno** faisait autrefois partie de la seigneurie de Montarville, accordée en 1710 à Pierre Boucher par le sieur de Vaudreuil, gouverneur de la Nouvelle-France. La présence de quelques cours d'eau sur le mont et la force du courant permirent la construction de plusieurs moulins. Quant à la nature sablonneuse du sol, elle favorisa la culture des pommiers. En 1829, une partie de la seigneurie fut vendue à François-Pierre Bruneau, avocat montréalais dont le nom (avec une orthographe modifiée) fut plus tard donné à la colline.

Seigneurial. Au bord du premier se dresse un vieux **moulin** en pierre (1761), seul survivant des nombreux moulins à eau d'antan, qui abrite aujourd'hui un centre d'interprétation de la nature. À côté du moulin et le long du lac, les pommiers rappellent l'époque de la seigneurie de Montarville.

D'autres sentiers, plus longs, permettent de se rendre à trois autres lacs : le **lac des Bouleaux**, le **lac à la Tortue** et celui des **Atocas** (mot d'origine amérindienne désignant les canneberges).

Selon la saison, les amoureux de la nature pourront y faire des pique-niques, de la randonnée pédestre ou du ski de fond.

SAINT-LAMBERT B3

À 5 km au sud de Longueuil. Suivez l'autoroute 132-20 et prenez la sortie 6. Tournez ensuite à gauche, dans l'avenue Notre-Dame.

St-Lambert faisait autrefois partie de la seigneurie de Longueuil. On l'appelait le quartier de Mouille-Pied tant le sol y était marécageux. En 1857, la municipalité prit le nom de St-Lambert en l'honneur d'un des compagnons du sieur de Maisonneuve, Lambert Closse, qui s'installa à Montréal en 1642. Aujourd'hui, St-Lambert marque l'entrée de la voie maritime du St-Laurent (voir p. 224). Celle-ci mesure 3 800 km de longueur et au moins 8 m de profondeur ; 16 écluses font franchir aux bateaux une hauteur totale de 177 m, ce qui correspond à la différence d'altitude entre Montréal (6 m) et le lac Supérieur (183 m). Les cargos qui empruntent la voie maritime, les **lacquiers**, peuvent mesurer jusqu'à 222 m de long et 23 m de large. Ils apportent principalement le minerai de fer des mines du Québec et du Labrador aux aciéries de la région des Grands Lacs, et acheminent vers les ports du St-Laurent de grandes cargaisons de céréales en provenance des prairies des États-Unis.

★ **Écluse de St-Lambert** – Du pont Victoria, suivez les indications pour la route 20 Sud, et tournez immédiatement à droite. ☎ 450 672 4110 - www.grandslacs-voie-maritime.com - ♿ 🅿 - de mi-avr. à fin sept. : 8h-20h.

Première écluse de la voie maritime, elle soulève ou abaisse les cargos de quelque 4,6 m pour leur permettre de franchir les dangereux rapides en amont du port de Montréal. L'écluse fonctionne en coordination avec le **pont Victoria★**, impressionnante structure construite entre 1854 et 1859 pour faire traverser le fleuve au chemin de fer du Grand Tronc. À l'époque, ses 2 742 m en faisaient une merveille d'ingénierie. Reconstruit une première fois à la fin du 19e s., puis dans les années 1950, il est ouvert à la circulation automobile et ferroviaire. Une travée levante à chaque extrémité de l'écluse rend d'ailleurs possible le passage continu des voitures et des trains, indépendamment de l'éclusage des bateaux. Du **belvédère**, on observe le passage des énormes lacquiers qui remontent jusqu'aux Grands Lacs ou qui descendent le fleuve jusqu'à Port-Cartier et Sept-Îles.

HISTOIRE DE LA VOIE MARITIME DU SAINT-LAURENT

L'ouverture de la voie maritime, en 1959, marqua la réalisation d'un rêve vieux de 400 ans. Au début du 16e s., Jacques Cartier avait dû reculer devant les eaux tumultueuses des rapides de Lachine, et renoncer au rêve de découvrir le fameux passage vers l'Orient. Les rapides n'étaient pourtant que le premier d'une série d'obstacles naturels qui rendaient le fleuve non navigable entre Montréal et les Grands Lacs.

À diverses reprises au cours des trois siècles qui suivirent, les Amérindiens, puis les soldats et les colons tentèrent de dompter la rivière, les chutes et les rapides en creusant des canaux et en aménageant des écluses autour des obstacles qui bloquaient le St-Laurent en amont de Montréal. Après la révolution industrielle, l'aménagement d'une voie navigable qui relierait les États-Unis aux ports canadiens et européens et faciliterait le transport de marchandises commença à intéresser les États-Unis. Des années de négociations entre les gouvernements canadien et américain aboutirent à un projet conjoint, ayant pour but de construire, entretenir et contrôler les écluses et les canaux. Finalement, le 25 avril 1959, le brise-glace *Iberville* amorça le premier passage complet de la voie maritime du St-Laurent que la reine Elizabeth II, le président Dwight Eisenhower et John Diefenbaker, Premier ministre du Canada, inaugurèrent officiellement le 26 juin de la même année.

Musée du Costume et du Textile du Québec

349 r. Riverside - ✆ 450 923 6601 - www.mctq.org - 🅿 - mar.-vend. 10h-17h, w.-end 12h-17h - fermé principaux j. fériés - 4 $.

Située non loin de l'autoroute, cette charmante maison historique en pierre des champs échappe comme par miracle à l'agitation urbaine. Elle fut construite vers 1749 par les Marsil, et resta dans leur famille pendant près de deux siècles. Son toit en pente raide terminé par un larmier, ses lucarnes et sa fausse cheminée dans le pignon sud en font un bon exemple de l'architecture vernaculaire du 18e s. Transformée en véritable musée du textile, la demeure propose aujourd'hui des expositions temporaires visant à souligner l'importance du costume et des accessoires vestimentaires, éloquents reflets d'une époque ou d'une culture.

La Prairie

23 489 habitants – Montérégie

S'INFORMER

Ville de La Prairie – *170 bd Taschereau -* ℰ *450 444 6600 - www.ville. laprairie.qc.ca.*
Tourisme Montérégie – *Voir Longueuil, p. 220.*

SE REPÉRER

Carte de région B3 (p. 218-219). La Prairie se trouve à environ 20 km au sud-est de Montréal par le pont Champlain et la route 15 Sud (sortie 46). Pour vous rendre dans le vieux quartier, prenez la rue de Salaberry jusqu'au boulevard Taschereau (route 134) et tournez à gauche (direction nord). Continuez jusqu'au chemin St-Jean (route 104) et tournez une nouvelle fois à gauche.

À NE PAS MANQUER

Les rues du Vieux-La Prairie.

AVEC LES ENFANTS

Exporail, le Musée ferroviaire canadien à St-Constant, ravira les enfants.

Cette banlieue résidentielle de Montréal se trouve sur la rive sud du St-Laurent. Son attrait ? La petite ville a su préserver quelques édifices représentatifs de l'architecture urbaine née en Nouvelle-France et des bâtiments de bois à l'image de ceux qui s'élevaient dans les faubourgs montréalais au début du 19e s. La Prairie est également un bon port d'attache pour découvrir le Musée ferroviaire canadien, à St-Constant, ou encore le lieu historique national du Canada de la Bataille-de-la-Châteauguay.

3

Se promener

LE VIEUX-LA PRAIRIE

Les incendies de 1846 et de 1901 n'épargnèrent pas beaucoup de bâtiments anciens dans l'arrondissement historique appelé Vieux-La Prairie. Il subsiste néanmoins quelques intéressantes structures de grès qui évoquent les débuts du classicisme anglais *(120 chemin de St-Jean et 166 rue St-Georges)*. Deux d'entre elles reflètent le modèle d'architecture urbaine né en Nouvelle-France *(115 et 150 chemin de St-Jean)*. La plupart des autres bâtiments du Vieux-La Prairie sont des constructions de bois, comme on en trouvait dans les faubourgs de Montréal au début du 19e s. *(234, 238 et 240, rue St-Ignace)*.

Église de la Nativité

Chemin St-Jean - ♿🅿. Le vieux village, que les habitants appellent « le vieux-fort », est dominé par cette église (1841) dont la monumentale façade néoclassique, surmontée d'un clocher, est devenue

UN PEU D'HISTOIRE…

En 1647, la seigneurie de « la prairie de la Magdelaine » fut accordée aux jésuites désireux d'établir une mission dans le but de convertir les Amérindiens et de réduire les hostilités envers les colons européens. Cependant, les guerres iroquoises retardèrent de 20 ans la colonisation. Pour se protéger, les premiers arrivés érigèrent une palissade autour de leur établissement. En 1691, ils durent affronter les forces britanniques de la Nouvelle-Angleterre menées par John Schuyler, commandant d'Albany. La bataille se solda par la victoire des colons et une centaine de morts dans les deux camps. Les attaques iroquoises cessèrent après le traité de la Paix de Montréal (1701), et la région connut un important essor au cours de la première moitié du 18e s. Après la Conquête anglaise, les commerçants britanniques développèrent les transports et les voies de communication. À la navigation et au transport routier s'ajouta, en 1836, la construction, par la compagnie ferroviaire Champlain and Saint Lawrence Railroad, du premier chemin de fer canadien, qui reliait La Prairie à St-Jean-sur-Richelieu. Son principal actionnaire était le fameux financier et brasseur John Molson. Dans les années 1890, quelques briqueteries furent implantées. Elles figurent encore parmi les plus importantes du Canada.

au fil des ans le symbole de La Prairie. Deux rangées de colonnades et un clocher coiffé d'un dôme rappellent le modèle lointain de l'ancienne cathédrale catholique de Montréal. L'architecture intérieure, inspirée de l'église londonienne de St-Martin-in-the-Fields, présente quant à elle la symétrie et l'ordonnance du style néoclassique.

Musée du Vieux-Marché

249 r. Ste-Marie - 𝄐 *450 659 1393 - www.laprairie-shlm.com -* ⬧⯊ *- juin-sept. : mar.-dim. 10h-17h.*

Construit en 1863, ce bâtiment de brique d'allure classique servit de marché, de caserne de pompiers et de poste de police. Aujourd'hui affecté à la conservation et à la mise en valeur du passé, il abrite désormais la Société d'histoire de La Prairie de la Magdeleine. Des expositions retracent l'histoire du Vieux-La Prairie, tandis qu'une salle de documentation met à la disposition des chercheurs, répertoires généalogiques, volumes de références et documents d'archives.

À proximité Carte de région

Saint-Constant B3

◗ *À 8,5 km de La Prairie.*

★ **Exporail - Musée ferroviaire canadien** *– 110 r. St-Pierre (route 209) -* 𝄐 *450 632 2410 - www.exporail.org -* ⯊⬧ *- de fin juin au 1er lun. de sept. : 10h-18h ; du 1er lun. de sept. à fin oct. : merc.-dim. 10h-17h ; de déb. nov à fin mai : w.-end 10h-17h ; de fin mai à fin juin : 10h-17h - 17 $ (4-12 ans 8 $, 13-17 ans 11 $).*

Créé et dirigé par l'Association canadienne d'histoire ferroviaire, ce musée est consacré au rôle majeur du chemin de fer dans le développement du Canada. Il contient – outre 10 000 objets, 170 fonds d'archive et une gare restaurée qui abrite une exposition permanente « De partout, vers vous » illustrant le rôle des gares de triage et la gestion des mouvements ferroviaires – une remarquable collection de véhicules ferroviaires (plus de 160), dont beaucoup sont encore en état de marche. Des démonstrations régulières font revivre le passé. Parmi les locomotives à vapeur se trouve une réplique de la **Dorchester** qui, en 1836, tracta le premier train canadien. Fabriquée en Angleterre, elle arriva à St-Jean-sur-Richelieu sur une barge. On dit qu'elle se révéla si peu puissante qu'elle ne pouvait tirer que deux wagons et qu'à la moindre montée, il fallait faire appel aux chevaux. On peut également voir une réplique exacte de la **John Molson**, construite en Écosse et acheminée au Canada par bateau ; elle fut en service de 1850 à 1874 *(démonstrations en été)*. Tout près se trouve la **CNR 5702**, locomotive pour trains de voyageurs ; en 1930, elle dépassait déjà les 160 km/h. La **CP 5935**, l'une des plus grosses locomotives jamais construites, remorqua les trains dans les années 1950 à travers les Rocheuses et les monts Selkirk en Colombie-Britannique. Première locomotive à moteur diesel du Canadien Pacifique, la **CP 7000** fonctionna de 1937 à 1964.

Parmi les locomotives d'origine autre que canadienne, notez la locomotive française **SNCF 030-C-841** dite « Châteaubriand », construite en 1883 ; elle fonctionna pendant 83 ans. Vous pouvez également voir la **BR 60010**, la « Dominion of Canada », don du British Rail au musée ; il s'agit d'une des fameuses locomotives à grande vitesse de la série Mallard qui établit le record mondial des locomotives à vapeur en 1938, avec une vitesse de 204 km/h.

Le musée possède également un grand nombre de tramways dont l'un est utilisé pour visiter le site. À voir aussi : le pont tournant qui servait à tourner les locomotives, l'énorme chasse-neige rotatif qui devait dégager les rails pendant les longs hivers canadiens ainsi qu'une fosse d'observation unique en Amérique du Nord qui permet de passer sous les locomotives.

Écluse de la Côte-Ste-Catherine – *À 6 km environ du Musée ferroviaire canadien. Prenez la direction nord jusqu'à la route 132 ; tournez à gauche, puis à droite dans la rue Centrale.* 📞 *450 672 4110 -* 🅿 *- avr.-déc.* C'est la seconde écluse de la voie maritime du St-Laurent *(voir l'encadré p. 224)*. Pour éviter les rapides de Lachine, les bateaux y sont élevés de 9 m, soit du niveau du bassin de La Prairie à celui du lac St-Louis. Du terrain de stationnement, belle **vue** sur les gratte-ciel de Montréal et sur les navires allant d'une porte à l'autre de l'écluse.

Kahnawake B3

📍 *À 30 km à l'ouest de La Prairie, par la route 132, puis la 15 et la 20, sortie 63.*

Il s'agit d'une communauté mohawk, dont le nom amérindien signifie « au pied des rapides ». En 1668, les jésuites avaient fondé à La Prairie la mission St-François-Xavier, vouée à l'évangélisation des autochtones ; en 1717, la mission fut déplacée en ces lieux.

Église St-François-Xavier – *10 r. Church -* 📞 *450 632 6030 -* ♿🅿 *- du 24 juin au 1ᵉʳ lun. de sept. : w.-end 10h-17h ; reste de l'année : 9h-17h, w.-end 10h-17h - contribution requise.* Œuvre du père jésuite Félix Martin, l'édifice fut bâti en 1845 pour remplacer la chapelle de 1717. Il abrite la tombe et les reliques de **Kateri Tekakwitha** *(voir l'encadré p. 228)*. Un petit **musée** présente une exposition sur la jeune fille et sur le mode de vie mohawk.

DES BÂTISSEURS DE L'EXTRÊME

Célèbres pour leur étonnant manque de sensibilité au vertige, les Mohawks de Kahnawake ont acquis une réputation d'experts dans l'assemblage des charpentes métalliques qui composent les gratte-ciel ; capables d'évoluer à des hauteurs inouïes sans pour autant éprouver de trouble, ils participent souvent à des projets de construction au Canada et aux États-Unis.

KATERI TEKAKWITHA

Née en 1656 à Auriesville (État de New York) d'un père iroquois et d'une mère algonquine, **Kateri Tekakwitha** devint orpheline dès l'âge de 4 ans à la suite d'une épidémie de variole qui lui laissa de plus le visage marqué et la vue affaiblie. Son oncle la recueillit et lui donna le nom de Tekakwitha, « celle qui avance en hésitant » en mohawk. Baptisée en 1676 par les jésuites, la jeune fille reçut le prénom de Kateri en souvenir de sainte Catherine de Sienne. En 1677, pour fuir les mauvais traitements dont elle était devenue victime dans son village, Kateri partit se réfugier à la mission St-François-Xavier. Elle mourut trois ans plus tard à l'âge de 24 ans et devint, à l'occasion du tricentenaire de sa mort en 1980, la première Amérindienne à être béatifiée par l'Église catholique.

★ Lieu historique national du Canada de la Bataille-de-la-Châteauguay B3

À 38 km de Kahnawake, sur la route 138, entre Howick et Ormstown. 2371 chemin de la Rivière-Châteauguay - ✆ 450 829 2003 ou 1 888 773 8888 - www.pc.gc.ca/chateauguay - ♿🅿 - de fin mai à déb. sept. : 10h-17h ; de déb. sept. à déb. oct. : w.-end 10h-17h - 3,90 $.

Fermes et petits villages au charme bucolique, tout respire la paix dans la vallée de la rivière Châteauguay, au sud-ouest de Montréal. Cette région fut pourtant, durant la courte période de la guerre de 1812, un champ de bataille important où furent battues en brèche les visées américaines sur le Canada.

Le 26 octobre 1813, un régiment canadien français sous les ordres du lieutenant-colonel **Charles-Michel de Salaberry** (1778-1829) dut affronter une armée américaine forte d'au moins 2 000 hommes, conduite par le général Wade Hampton. Salaberry l'emporta grâce à la ruse, exploitant la supériorité que lui donnait la connaissance du terrain, et parvint ainsi à repousser l'attaque.

Le **centre d'interprétation** propose une exposition avec, entre autres, les uniformes des soldats, des objets et une maquette du site indiquant le positionnement des troupes. Un film permet également de vivre le récit victorieux de Charles-Michel de Salaberry.

Beauharnois B3

À 28 km au nord du lieu historique de la Bataille-de-la-Châteauguay. Rejoignez la route 138, puis après Ste-Catherine, tournez à gauche et suivez la route 205.

Beauharnois accueille l'une des plus grandes centrales hydroélectriques du Canada et un canal qui permet aux navires, engagés dans la voie maritime du St-Laurent *(voir l'encadré p. 224)*, d'éviter les rapides reliant le lac St-François au lac St-Louis. L'eau du St-Laurent y est dérivée de son cours naturel par les barrages, digues et ouvrages de régulation près de Coteau-du-Lac. La petite ville accumule les prouesses techniques en tout genre : elle est aussi un des centres les plus connus au Québec pour la production de miel et la découverte d'un procédé unique d'extraction à froid du miel…

★★ **Centrale hydroélectrique de Beauharnois** – ✆ 800 365 5229 - 🅿 - *visite guidée (1h30) de fin mai à fin août : 9h30, 11h15, 13h et 14h45.* Cet énorme complexe est à la fois l'un des plus puissants du Québec (puissance installée de 1 645 810 kW) et l'un des plus longs du monde (longueur totale : 864 m). Il s'agit d'une centrale au fil de l'eau, c'est-à-dire sans chute ni réservoir naturel pour contrôler ou activer le courant : elle utilise uniquement le puissant débit du St-Laurent, rendu encore plus fort par la dénivellation de 24 m entre le lac St-François et le lac St-Louis. L'eau du canal coule à une vitesse de 3 km/h. Si, en plein hiver, le Québec utilise à lui seul toute l'énergie produite par la centrale, le reste de l'année, la production excédentaire est transportée en Ontario et aux États-Unis par des lignes à très haute tension de 735 000 V.

Visite – Présentée au centre d'interprétation, l'exposition permanente constitue une bonne introduction à la visite de la centrale. On fera le tour de la **salle des alternateurs**, espace de 864 m de long abritant 36 groupes-alternateurs. Chaque turbine pèse plus de 100 t et mesure 4 m de hauteur et 6 m de diamètre. On découvrira aussi la **salle des commandes**, où les ordinateurs contrôlent les opérations et règlent la production, et on pourra monter sur le toit, d'où le réseau des lignes à haute tension filant dans toutes les directions offre un spectacle étonnant, avec Montréal et le St-Laurent en toile de fond.

Écluses de Beauharnois – *À 2 km à l'ouest de la centrale par la route 132 Ouest. Terrain de stationnement à côté de l'écluse.* On peut voir ici l'écluse inférieure. Elle permet de contourner la centrale et de soulever les navires de 12,5 m. L'écluse supérieure se trouve à 3,2 km en amont ; les navires y sont soulevés de 12,5 m supplémentaires, afin d'atteindre le niveau du canal de Beauharnois. Du terrain de stationnement, on a la plus belle vue sur l'ensemble des installations.

★ Parc archéologique de la Pointe-du-Buisson B3

▶ *À Melocheville, à 5 km des écluses par la route 132.* ☎ *450 429 7857 - www. pointedubuisson.com - ♿ 🅿 - juin-août : mar.-dim. 10h-19h ; sept.-oct. : dim. 10h-17h ; reste de l'année : mar.-vend. 10h-17h - 8 $ (6-17 ans 4 $).*

Cette jolie pointe boisée formant saillie dans le St-Laurent est particulièrement appréciée des pêcheurs à la recherche d'esturgeons, de barbues et d'anguilles dans les rapides.

La pointe est devenue un important site archéologique depuis la découverte sur les lieux de traces de vie humaine remontant à 5 000 ans av. J.-C.

Le parc offre des activités éducatives variées ainsi que des visites guidées. On y observera des chercheurs de l'université de Montréal à l'œuvre. Deux **pavillons d'interprétation** exposent les objets mis au jour et reconstituent les différentes phases d'occupation humaine à la Pointe-du-Buisson.

Des sentiers ont été aménagés sur le site. Le parc offre de belles vues sur les rapides. On remarquera le **grès de Potsdam**, plus ancienne formation rocheuse de la région de Montréal, ici mis à nu par l'érosion du fleuve.

3

Vallée du Richelieu

★★

Montérégie

🛈 **S'INFORMER**

Bureau d'accueil touristique de Chambly – *1900 av. Bourgogne -
📞 450 658 0321 - www.regiongourmande.com - de mi-juin à déb. sept. :
10h-18h ; de déb. sept. à déb. oct. : w.-end 10h-17h.*
Bureau d'information touristique de Mont-St-Hilaire – *1080 chemin
des Patriotes - 📞 450 536 0395 ou 1 888 736 0395 - www.regiongourmande.
com - de mi-juin à déb. sept. : 9h-18h ; reste de l'année : w.-end 9h-16h.*
Tourisme Montérégie – *Voir Longueuil, p. 220.*

🕑 **SE REPÉRER**

Carte de région B2-3 (p. 218-219). Chambly, point de départ des deux circuits, se trouve à environ 30 km à l'est de Montréal par la route 10 (sortie 22). Les itinéraires proposés ci-dessous suivent la vallée du Richelieu :
route 133, rive droite (à l'est) ou route 223, rive gauche (à l'ouest).

😊 **À NE PAS MANQUER**

Le Centre de la nature du Mont-St-Hilaire.

🕐 **ORGANISER SON TEMPS**

Chaque circuit peut se faire en une journée.

👥 **AVEC LES ENFANTS**

Le parc Safari, près de Hemmingford.

La majestueuse rivière Richelieu constitue l'un des maillons de l'axe fluvial Montréal-New York. Longue d'environ 130 km, elle prend sa source
dans l'État de New York et coule vers le nord jusqu'au St-Laurent qu'elle
rejoint à Sorel. Samuel de Champlain découvrit cette voie navigable en
1609 et la baptisa rivière des Iroquois. Le cours d'eau prit par la suite le
nom d'Armand-Jean du Plessis (1585-1642), Premier ministre de Louis XIII,
plus connu sous le nom de cardinal de Richelieu, et qui soutint activement
le développement de la Nouvelle-France. Au début du 18e s., des pionniers
s'installèrent pour cultiver les terres fertiles de la région qui, aujourd'hui
encore, constitue l'une des zones agricoles les plus riches du Québec. Très
prisée des Montréalais, la vallée attire chaque été des milliers de voyageurs et de touristes. Les circuits proposés permettent de découvrir les
deux rives de la rivière Richelieu et toute la beauté de la vallée.

Circuits conseillés Carte de région

LE CHEMIN DES PATRIOTES – DE CHAMBLY À SOREL B2-3

🕑 *Circuit 1 tracé sur la carte p. 234. 78 km par la route 133.*

★ Chambly

🛈 *Voir « S'informer » ci-dessus.*

Banlieue résidentielle de Montréal, la ville de Chambly s'élève là où la rivière
Richelieu s'élargit en aval d'importants rapides, sur un très beau site qui attire

UNE VOIE STRATÉGIQUE

Les rapides furent exploités dès le début du 19e s. afin d'alimenter sept grands moulins à farine, à carder et à fouler, ainsi qu'une scierie. En 1843, la construction du **canal de Chambly** allait faciliter la navigation et les échanges commerciaux entre le Canada et les États-Unis. De véritables convois de barges réunies et halées par des chevaux longeant la rive assuraient le transport du bois et d'autres matières premières vers le sud et les États de la Nouvelle-Angleterre. Chambly connut alors une grande prospérité commerciale. Aujourd'hui encore, la ville tire certaines ressources de l'industrie légère.

depuis longtemps les artistes. Le peintre impressionniste **Maurice Cullen** (1866-1934) et son beau-fils **Robert Pilot** (1898-1967) y ont ainsi vécu. Chambly fut également la ville natale de **Charles-Michel de Salaberry** et d'Emma Lajeunesse (1847-1930). Mieux connue sous son nom de scène, **Albani**, cette chanteuse d'opéra de renommée internationale fut l'une des meilleures sopranos de sa génération.

Partez de la mairie, à l'angle des rues Bourgogne et Salaberry.

Érigé devant la mairie en 1881, le **monument** à la mémoire de Charles-Michel de Salaberry est l'une des premières œuvres historiques en bronze du célèbre sculpteur Louis-Philippe Hébert. Tout près, dans la rue Martel, face à l'église St-Joseph (1784), se dresse la dernière œuvre connue de l'artiste, une statue du père Pierre-Marie Mignault, curé de la paroisse de St-Joseph pendant 40 ans.

Suivez la rue Bourgogne vers l'est pour rejoindre le canal de Chambly.

Lieu historique national du Canada du Canal-de-Chambly – *Près du port de plaisance.* 📞 *450 447 4888 ou 450 658 6525 - www.pc.gc.ca - ✕ ♿ 🅿 - du lever du soleil à 23h - stationnement sur la rue Bourgogne, de l'autre côté du pont 3,90 $.* Inauguré en 1843, ce canal historique compte neuf écluses (dont huit manuelles) réparties sur un tracé de 19 km de long, de St-Jean-sur-Richelieu au bassin de Chambly. Il permet aux bateaux de contourner les nombreux rapides de la rivière Richelieu et de franchir une dénivellation de 24 m. Au début du 20e s., l'activité commerciale – aujourd'hui remplacée par la navigation de plaisance – y était très intense, et plus de 4 000 bateaux empruntaient chaque année ce passage. Outre son kiosque d'interprétation et ses nombreux éléments historiques, le site offre au visiteur une piste cyclable qui longe le canal jusqu'à St-Jean-sur-Richelieu.

★ **Croisières** – *Croisières Pierre-Le Moyne-d'Iberville - www.croisieresdiberville. com - 📞 450 348 9744.* Sur les eaux calmes du bassin de Chambly et du canal elles vous permettront de jouir de belles vues sur le mont St-Hilaire, Fort-Chambly et les rapides.

Continuez par la rue Bourgogne, puis prenez la rue du Fort.

★★ **Lieu historique national du Canada Fort-Chambly** – *Au bord de la rivière Richelieu. 2 r. Richelieu - 📞 450 658 1585 - www.pc.gc.ca - ♿ 🅿 - d'avr. à mi-mai et de déb. sept. à fin oct. : merc.-dim. 10h-17h ; de mi-mai à déb. sept. : 10h-17h (jusqu'à 18h de fin juin à déb. sept.) - 5,65 $ (enf. 2,90 $).* Situé dans un parc magnifique, là où la rivière Richelieu s'élargit pour former le bassin de Chambly, ce fort a été restauré selon sa forme originale du 18e s. Il s'agit du seul exemple d'installation fortifiée datant du Régime français, et l'on y retrouve quelques vestiges de la structure de pierre conçue par l'ingénieur militaire Josué Boisberthelot de Beaucours.

3

Érigé de 1709 à 1711 dans le cadre des guerres franco-anglaises, ce fort de pierre remplace un premier fort de pieux, construit en 1665 sous la direction de Jacques de Chambly pour défendre les rapides sur la route commerciale entre Montréal et Albany (État de New York). L'ensemble actuel est de plan carré, avec des bastions d'angles. On y accède par un portail qui s'ouvre dans le flanc ouest. La cour intérieure est entourée de bâtiments au toit ponctué de lucarnes. Face à l'entrée principale se trouve la chapelle, avec son toit mansardé surmonté d'un clocheton.

À l'intérieur du fort, un **centre d'interprétation** présente l'histoire du fort et de ses occupants sous le Régime français, et les étapes de sa restauration. Diaporamas et dioramas complètent la visite.

Corps de garde – *Rue Richelieu, près du fort ; on peut s'y rendre par le parc.* Après la Conquête, les autorités britanniques créèrent à Chambly un vaste ensemble d'installations militaires. Pendant la guerre canado-américaine de 1812, une garnison qui comptait jusqu'à 6 000 hommes y fut établie, et on construisit des bâtiments pour l'infanterie, la cavalerie et l'artillerie. Plusieurs des expéditions menées par l'armée britannique contre les Patriotes en 1837-1838 partirent de Chambly. Le fort et le camp militaire furent désaffectés lors du départ de la garnison, en 1851.

La façade de pierre du corps de garde (1814) est ornée d'un imposant fronton supporté par des colonnes évoquant le style palladien adopté par l'armée dans toutes les colonies britanniques. On y verra une exposition sur la période de l'occupation anglaise (1760-1869) et le développement de la ville de Chambly.

Église St-Stephen – *2004 r. Bourgogne.* Cette église anglicane en pierre des champs fut construite en 1820 pour servir de lieu de culte à la garnison. Son extérieur prend modèle sur les églises catholiques de l'époque, mais la sobriété de son intérieur est caractéristique d'un lieu de culte protestant. Le cimetière abrite plusieurs monuments et caveaux funéraires intéressants, dont celui de la famille Yule, à qui appartenait la propriété.

Suivez la rue Richelieu jusqu'à la hauteur de la route 112.

★ **Rue Richelieu** – Aujourd'hui bordée de belles demeures, la rue Richelieu correspond à un ancien chemin de portage qui longe les rapides depuis 1665. Au n° 12, près du corps de garde, remarquez, tout en brique, la **maison Beattie** qui date de 1875.

Le premier tronçon de la rue Richelieu, du corps de garde à la rue des Voltigeurs, parcourt l'ancien domaine militaire. On y retrouve des bâtiments de l'armée britannique, transformés en résidences à la fin du 19e s., alors que Chambly devenait un lieu de villégiature recherché. Près du corps de garde, au n° 10, se trouve une ancienne caserne (1814). Le n° 14 logeait autrefois le commandant militaire. De la rue des Voltigeurs à la rue St-Jacques, le deuxième tronçon de la rue Richelieu traverse l'ancien domaine seigneurial où plusieurs officiers militaires occupaient de confortables résidences. Le **manoir de Salaberry**, au n° 18, fut construit en 1814 pour Charles-Michel de Salaberry qui y vécut jusqu'à sa mort en 1829. Avec son fronton et son portique à deux étages, cette demeure constitue l'un des meilleurs exemples d'architecture palladienne au Québec. Au n° 27, une majestueuse maison de pierre fut érigée en 1816 pour le marchand John Yule, frère du seigneur William Yule. Au n° 26 se trouve l'atelier que se fit construire le peintre Maurice Cullen en 1920.

La rue Richelieu continue le long du **parc des Rapides** qui offre une **vue** sur le barrage et les tumultueux rapides de Chambly. À cet emplacement s'élevaient les moulins et les anciennes manufactures de laine Willett qui, alimentées par le courant, établirent la prospérité de Chambly au 19e s. Du village

Fêtes de Saint-Louis au lieu historique national du Canada Fort-Chambly.
P. Renault/Hémis.fr

industriel qui s'échelonnait le long de la rue subsistent quelques modestes maisonnettes de bois.

Quittez Chambly par la route 112. Traversez la rivière Richelieu au village du même nom, et prenez la route 133 Nord.

Saint-Mathias-sur-Richelieu

Les premiers colons s'y établirent en 1700 alors que St-Mathias faisait partie de la seigneurie de Chambly. On y découvre de belles demeures et des ports de plaisance sur le bassin de Chambly. Remarquez la croix de chemin à droite, à l'endroit où la route 133 traverse la rivière des Hurons. Il en reste encore plusieurs le long de la rivière Richelieu.

Église – *℘ 450 658 1671 - ♿🅿 - visite guidée seult mai-oct. : lun., merc. et vend. 9h-12h - contribution souhaitée*. Le décor intérieur de cet édifice construit en 1784 date des années 1820. Il est dû à René Beauvais (dit Saint-James) et à Paul Rollin, deux compagnons de Louis-Amable Quévillon qui exécuta en 1797 la chaire et le maître-autel.

Continuez en direction de Mont-St-Hilaire.

La municipalité de **Otterburn Park** recèle plusieurs demeures splendides. De l'autre côté de la rivière se dresse le complexe industriel de McMasterville, où l'on fabrique des explosifs depuis 1878.

Mont-Saint-Hilaire

▯ *Voir « S'informer », p. 230.*

Patrie du célèbre peintre **Ozias Leduc** (1864-1955) et ville natale du peintre **Paul-Émile Borduas** (1905-1960), Mont-St-Hilaire est un centre artistique réputé. En arrivant dans la ville, on remarquera, sur les bords de la rivière Richelieu, le **manoir Rouville-Campbell**. Cet édifice de style Tudor, avec ses hautes cheminées de brique, fut construit dans les années 1850 pour le major Thomas Edmund Campbell qui avait acquis la seigneurie de Hertel de Rouville après la Rébellion de 1837. Il s'inspire de la maison ancestrale des Campbell à Inverane, en Écosse. Restauré par l'artiste Jordi Bonet (1932-1979)

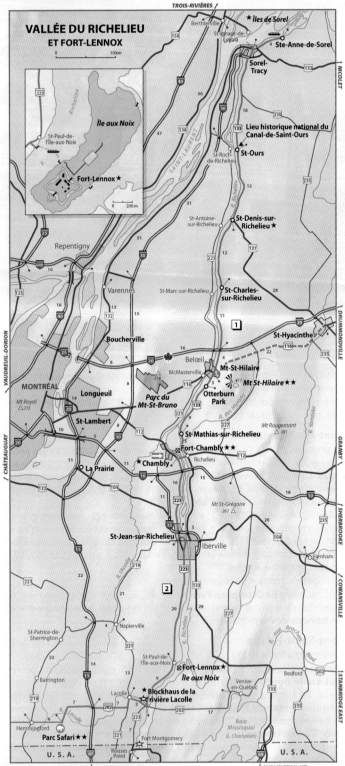

VALLÉE DU RICHELIEU
ET FORT-LENNOX

0   10km

Île aux Noix

Richelieu

223

St-Paul-de-
l'Île-aux-Noix

R.

Fort-Lennox ★

0   200m

TROIS-RIVIÈRES

★ Îles de Sorel

Berthierville

St-Ignace-de-
Loyola   4 Ste-Anne-de-Sorel

158

Sorel-
Tracy   132   NICOLET

40   50   30   18   239

138   47   133   Lieu historique national du
                                             Canal-de-Saint-Ours
                               St-Roch-
                               de-Richelieu   St-Ours ★

SAINT-LAURENT   12   235

31   R. Richelieu

St-Antoine-   St-Denis-sur-
sur-Richelieu   Richelieu ★

51   223   12   137

Repentigny

640   10   30

125   St-Marc-sur-Richelieu   St-Charles-
       Varennes   sur-Richelieu   28

16   13   132   15   11   20   St-Hyacinthe   DRUMMONDVILLE
40
                                             1

Boucherville   16   4   22   116   235

20   Belœil

MONTRÉAL   8   McMasterville   411 Mt-St-Hilaire ★★
                21B
Mt Royal   8   Parc du   116   3   Mt-St-Hilaire
△233 Longueuil   Mt-St-Bruno   Otterburn
20   Park   R. des Hurons
St-Lambert   133
                     227   Mt Rougemont
                10   112   △381   GRANBY

St-Mathias-sur-Richelieu
11   Fort-Chambly ★★
★ Chambly   112
La Prairie   11   Richelieu   SHERBROOKE
132   10   15   18   10
                            16
                     11   5

104   St St-Grégoire   26   235   COWANSVILLE
              223   267 △
15
St-Jean-sur-Richelieu   5   104   Farnham
                     Iberville

R. l'Acadie   219   2   133   227

221   20   29   R. aux Brochets

22   Napierville   R. Richelieu
St-Patrice-de-
Sherrington   221   4

23   14   13   St-Paul-de-   Bedford   202   STANBRIDGE EAST
              l'Île-aux-Noix
Barrington   9   ⊠ Fort-Lennox ★   Venise-
216   Île aux Noix   en-Québec   133
                     Lacolle   ★ Blockhaus de la
              7   202   ☆ rivière Lacolle   Baie   235
Hemmingford   6   Missisquoi
              R. Lacolle 223   7   17   (L. Champlain)
Parc Safari ★★   221   7   Fort Montgomery

U.S.A.   Rouses   U.S.A.
                     Point
ALBANY, NY PLATTSBURGH, NY   BURLINGTON, VT

au cours des années 1970, le manoir est devenu aujourd'hui une auberge et un relais gastronomique.

Église – *℘ 450 467 4434 - &⊡ - 9h-12h, 13h30-17h, dim. 13h-17h - contribution requise.* Construite en 1837, cette petite église de pierre située près de la rivière fut décorée par Ozias Leduc en 1898. On aperçoit, sur la rive opposée, le clocher et les tourelles de l'église St-Mathieu-de-Belœil.

Musée d'Art de Mont-St-Hilaire – *R. du Centre-civique - ℘ 450 536 3033 - www.mbamsh.qc.ca - & - mar. 10h-20h30, merc.-vend. 10h-17h, w.-end 13h-17h - de 5 à 8 $ selon les expositions.* Il présente des toiles d'artistes contemporains ou d'artistes ayant vécu à Mont-St-Hilaire comme Ozias Leduc, Jordi Bonet et Paul-Émile Borduas.

Maison des Cultures amérindiennes – *510 montée des Trente - ℘ 450 464 2500 - www.maisonamerindienne.com - & - 9h-17h, w.-end 13h-17h - 4 $ (6-11 ans 2 $).* Son objectif ? Faire connaître les Premières Nations du Québec. La maison des Cultures amérindiennes met ainsi en valeur les traditions amérindiennes de l'érable, du maïs et de la courge. En saison, un potager amérindien et un jardin de baies sauvages comestibles attendent les visiteurs. Des expositions saisonnières sur l'érable (hiver-printemps), le maïs (été), la courge (automne), des expositions d'art contemporain autochtone et un sentier d'interprétation dans l'érablière sont également proposés. Par ailleurs, des dégustations de mets à base des produits du « terroir amérindien » sont organisées.

Faites un détour (12 km AR) pour aller au Centre de la nature du mont St-Hilaire. Prenez à droite la route 116 (indiquée), puis encore à droite la rue Fortier qui devient chemin Ozias-Leduc. Après 3 km, prenez à gauche le chemin de la Montagne, et de nouveau à gauche le chemin des Moulins.

★★ Centre de la nature du mont Saint-Hilaire

422 chemin des Moulins - ℘ 450 467 1755 - www.centrenature.qc.ca - ⋇&⊡ - 8h-20h (18h30 en moyenne saison, 16h en basse saison) - 5 $ (6-17 ans 2 $).

Classé « réserve de la biosphère » par l'Unesco depuis 1978, le mont St-Hilaire, aux versants abrupts, s'élève à 411 m au-dessus de la vallée du Richelieu. Il s'agit de la plus imposante des collines Montérégiennes. La belle couverture boisée qui le tapisse sur environ 11 km² n'a guère changé depuis l'arrivée des Européens au Canada. Ses flancs inférieurs sont couverts de pommiers *(floraison fin mai)*, car nous sommes ici dans l'une des plus riches régions de pomoculture du Québec.

Le mont St-Hilaire appartenait autrefois à **Andrew Hamilton Gault** (1882-1958), créateur du régiment d'infanterie légère canadienne « Princess Patricia ». Gault légua son domaine à l'Université McGill afin d'en sauvegarder la beauté.

3

LA VALLÉE DES FORTS

À cause de sa situation stratégique, la vallée du Richelieu fut jalonnée d'une série de forts au début du Régime français : Chambly, St-Jean-sur-Richelieu, Lennox (sur l'île aux Noix) et Lacolle. Si, à l'origine, ces fortifications devaient protéger Montréal des incursions des Iroquois, ce furent bientôt les troupes anglaises (1759-1760), puis américaines (1775-1776) qu'elles durent tenir en échec. La vallée du Richelieu changea de vocation vers le milieu du 19e s. : le temps des invasions était passé, on entrait dans l'ère des échanges commerciaux. Il ne s'agissait plus d'empêcher l'accès par le sud mais, bien au contraire, de le faciliter pour développer les transports entre Montréal et les États-Unis. Un système de canaux fut donc aménagé.

Aujourd'hui, un secteur de 6 km^2 est ouvert au public, tandis qu'un secteur plus petit (5 km^2) est réservé à la recherche.

🚶 Environ 22 km de **sentiers** permettent de se rendre à différents sommets. Du Pain de Sucre (point culminant) se dégage une ample **vue★★** sur la rivière Richelieu, la vallée du St-Laurent et la tour du Stade olympique de Montréal. Des chemins mènent au lac Hertel près duquel Gault construisit sa résidence ; cette dernière sert désormais de centre de conférences. Randonneurs et skieurs de fond bénéficient d'une aire de repos aménagée à leur intention.
Rejoignez la route 133. Avant St-Charles-sur-Richelieu, détour possible pour découvrir St-Hyacinthe. Sortez du Mont-St-Hilaire et prenez à droite la 20 Eb.

Saint-Hyacinthe

Véritable grenier du Québec, la région de St-Hyacinthe est réputée pour la richesse de ses terres et l'abondance de ses récoltes. La ville a été créée à la fin du 18e s. autour des moulins de la rivière Yamaska.

Une agréable promenade sur la **rue Girouard** permet de longer les berges de la rivière Yamaska en partant de la porte des Anciens-Maires jusqu'au centre-ville. On passe devant de belles maisons victoriennes, particulièrement entre les rues Desaulniers et Després. Puis, près du centre, la rue est bordée de bâtiments publics remarquables dont la **cathédrale** (voir à l'intérieur la toile d'Ozias Leduc, *Le Père Éternel*) et l'hôtel de ville qui domine le parc Casimir-Dessaulles. Plus au sud, boutiques et restaurants s'alignent le long de la rue des Cascades. Au coin de la rue St-Denis se trouve le **Marché-Centre**, le plus ancien marché public du Québec, toujours en fonction.
Revenez sur la route 133.

Saint-Charles-sur-Richelieu

C'est là que les **Patriotes** furent battus, le 25 novembre 1837, par le colonel Wetherall *(voir l'encadré ci-contre)*. Dans un petit parc à droite se dresse un monument à leur mémoire (notez les bas-reliefs). Au bord de l'eau, un bateau, l'*Escale,* abrite un théâtre d'été.

★ Saint-Denis-sur-Richelieu

Cette prospère communauté agricole est le haut-lieu de la **victoire des Patriotes** sur le colonel Gore, le 23 novembre 1837. Au centre du **parc des Patriotes**, qui fut autrefois la place Royale puis la place du Marché, le tricolore canadien flotte près d'un **monument** érigé en leur honneur. Une plaque, apposée en 1987 à l'occasion du 150e anniversaire de la Rébellion, porte ces paroles de René Lévesque : « Ils ont lutté pour la reconnaissance nationale de notre pays, pour sa liberté politique et pour l'obtention d'un système de gouvernement démocratique. »

Juste à côté, l'**église★**, construite en 1796, se distingue par ses deux gros clochers recouverts de cuivre. L'un d'eux abrite la cloche de la Liberté qui appela les Patriotes au combat. C'est le premier édifice religieux au Québec à avoir été doté d'une élévation latérale à deux étages, dont témoigne à l'extérieur une double rangée de fenêtres. Depuis 1922, une façade moderne cache la structure ancienne. Le décor intérieur en bois sculpté, attribué à Louis-Amable Quévillon, date pour l'essentiel des années 1810.

★ **Maison nationale des Patriotes** – *610 chemin des Patriotes (rte 133) - ☏ 450 787 3623 - www.mndp.qc.ca - ♿ 🅿 - mai-sept. : mar.-dim. 11h-18h ; d'oct. à fin déc. : merc.-dim. 13h-17h - 8 $ (9-13 ans 2 $).* Bâtie pour Jean-Baptiste Mâsse, forgeron, aubergiste et marchand, cette maison de pierre (1810) sert aujourd'hui de centre d'interprétation de la Rébellion des Patriotes (1837-1838). Des expositions et un diaporama expliquent les causes du long combat des

LA RÉBELLION DES PATRIOTES (1837-1838)
Au 19e s., la vallée du Richelieu joua un rôle majeur dans le conflit qui opposa les Patriotes au gouvernement britannique. Les graves luttes constitutionnelles de l'époque, doublées de l'exaspération nationaliste des Canadiens français, avaient mené **Louis-Joseph Papineau et ses partisans**, les Patriotes, à dénoncer le régime au pouvoir et à prôner l'autodétermination. L'agitation monta, des groupes armés se constituèrent, tandis que la population anglaise s'organisait en milices de volontaires pour soutenir l'armée. Finalement, plusieurs batailles éclatèrent dans la vallée du Richelieu et autour de Montréal. Après une première victoire à St-Denis, les insurgés furent défaits à St-Charles, puis écrasés à St-Eustache. Le **chemin des Patriotes** (route 133), qui longe la rive est du Richelieu, rappelle ce douloureux épisode de l'histoire du Canada.

Patriotes pour la liberté et la démocratie, et font la description des batailles de St-Denis, St-Charles et St-Eustache.

Saint-Ours

En 1672, cette seigneurie fut accordée à Pierre de St-Ours. À cet endroit de la rivière, le niveau peu élevé des eaux gênait la navigation. La construction d'une digue et d'une écluse fut entreprise, et les travaux s'achevèrent en 1849.
Lieu historique national du Canada du Canal-de-St-Ours – *2930 chemin des Patriotes* - *450 785 2212 ou 1 888 773 4888 - www.pc.gc.ca -* ♿ *- 2,90 $.* Inauguré en 1849, le canal de St-Ours fait partie du réseau qui a rendu la navigation possible entre le fleuve St-Laurent, la rivière Richelieu, le lac Champlain et la rivière Hudson, permettant ainsi de relier Montréal à New York. Au début du 20e s., les bateaux transportaient du bois d'œuvre, du foin et des céréales aux États-Unis, et revenaient chargés de charbon, de fer, de cuivre et de matériaux de construction. Un agréable parc doté d'aires de pique-nique a été aménagé aux alentours de cette zone animée.
Construite en 1933, l'actuelle écluse mesure 103 m de long sur 14 m de large. Elle permet aux bateaux de s'élever de 1,5 m en cinq minutes. Trois kilomètres après l'écluse, un traversier relie St-Ours à St-Roch.

Sorel-Tracy

Située au confluent de la rivière Richelieu et du St-Laurent, la ville doit son nom à Pierre de Saurel qui devint le seigneur des lieux en 1672. En 1781, le gouverneur de Québec, Sir Frederick Haldimand, octroya à Sorel une charte municipale et rebaptisa la ville William-Henry (en l'honneur du prince William Henry, futur George IV). Il établit une garnison sur les bords de la rivière pour contrer la menace d'une invasion américaine et assurer la sécurité des loyalistes installés dans la seigneurie.
Afin de loger le général von Riedesel, commandant de la garnison de l'époque, le gouvernement fit l'acquisition d'une maison de bois aujourd'hui connue sous le nom de **maison des Gouverneurs** (*90 chemin des Patriotes*). C'est dans cette demeure que les Riedesel, d'origine allemande, introduisirent au Canada le premier arbre de Noël.
Carré royal – Créé en 1791, le Carré royal servait à l'origine de place d'armes. Aujourd'hui transformé en parc, cet agréable espace vert possède la particularité d'avoir été tracé en forme de drapeau anglais.
Il offre aux promeneurs de nombreux sentiers (*délimités par les rues du Roi, Charlotte, du Prince et George*).

3

C'est à Sorel que fut établie, en 1784, la toute première mission anglicane du Canada. L'église **Christ Church** (1843 ; John Wells), de style néogothique, se dresse en face du Carré royal, dans la rue du Prince. Entre la place et les rives du fleuve *(rue du Roi)*, une série de boutiques, restaurants et cafés animés mènent au vieux marché, situé dans un bâtiment de brique jaune construit au cours des années 1940. À l'est *(rue Augusta)*, un parc au bord de l'eau, doté d'un belvédère, offre des **vues panoramiques** sur le St-Laurent, la marina et le complexe portuaire.

Sainte-Anne-de-Sorel

À 8 km à l'est par le chemin Ste-Anne. L'**église Ste-Anne**, construite en 1876, est remarquable par les 14 fresques de Suzor-Côté qui ornent la voûte et les murs de la nef.

★ **Croisière dans les îles de Sorel** – *Croisières des Îles-de-Sorel, Inc - 1655 chemin du Chenal-du-Moine (suivre les panneaux indiquant le bateau le* Survenant*) - 𝄐 450 291 9990 ou 1 800 361 6420 - www.croisieresilesdesorel.com - ⚲ 🅿 - dép. de Ste-Anne-de-Sorel de mi-juin à fin août : mar. et dim. 13h30, mer.-sam. 13h30 et 15h30 - AR 1h30 - commentaire à bord - réserv. souhaitée - 29,95 $ (HT).* L'excursion permet de découvrir le décor pittoresque et enchanteur des **îles de Sorel**★ et, au large, d'admirer le puissant et majestueux St-Laurent. La croisière commence par le chenal du Moine, puis passe devant une série d'îles d'où émergent quelques maisons sur pilotis, avec leur quai individuel : les îles du Moine, de Grâce et l'île d'Embarras. Certaines, uniquement accessibles par bateau, sont un véritable paradis pour les ornithologues, chasseurs et pêcheurs.

🐾 **Bon à savoir** – La « gibelotte », à base de légumes et de poisson, est une spécialité des îles *(deux restaurants sur l'île d'Embarras).*

DE CHAMBLY À HEMMINGFORD B3

▶ *Circuit* ② *tracé sur la carte p. 234. 80 km au départ de Chambly par la route 223 (aires de pique-nique aménagées en bordure du canal), vers le sud.*

Saint-Jean-sur-Richelieu

Ville natale de Félix-Gabriel Marchand, Premier ministre du Québec de 1897 à 1900, St-Jean se trouve sur la rive ouest de la rivière Richelieu, en vis-à-vis d'Iberville.

Après la guerre d'Indépendance américaine, de nombreux loyalistes, fidèles à la Couronne d'Angleterre, s'établirent dans la localité qui porta quelque temps le nom de Dorchester. Elle devint un important centre de commerce avec les États américains (New York et le Vermont) entourant le lac Champlain.

🐾 **Bon à savoir** – Chaque année en août, la ville accueille le **Festival de montgolfières** de St-Jean-sur-Richelieu, la plus grande manifestation du genre au Canada.

Musée du Haut-Richelieu – *Sur la place du Marché. 182 r. Jacques-Cartier Nord - 𝄐 450 347 0649 - www.museeduhaut-richelieu.com - 🅿 - mar.-sam. 11h-17h, dim. 13h-17h - 4 $ (6-12 ans 2,50 $).* Aménagé dans le vieil édifice du marché (1859), il présente divers objets rappelant la présence amérindienne et l'histoire militaire du Haut-Richelieu et de la « vallée des Forts ». Il possède aussi une collection unique de pièces de vaisselle et de poteries portant la signature de la St John's Stone Chinaware Company, dont plusieurs **St John's Blue** datant des années 1890.

Longez la place du Marché.

Derrière l'édifice du marché se trouve, attenante, l'ancienne **caserne de pompiers** (1877), surmontée d'une petite tour.

De l'autre côté de la rue Longueuil se dresse l'**église St John's United**, bâtiment de brique sombre construit en 1841. Les rues avoisinantes comptent de belles maisons victoriennes. À l'angle des rues St-Charles et Longueuil, on remarquera le **palais de justice** (1850), de style néoclassique.

Église anglicane St-James – *À l'angle des rues Jacques-Cartier et St-Georges.* Avec sa tour blanche et son porche de style néoclassique, St-James fait penser à une église de la Nouvelle-Angleterre. Construite en 1816, elle dessert aujourd'hui la paroisse catholique romaine de St-Thomas-More ainsi que la communauté anglicane locale.

Cathédrale St-Jean-l'Évangéliste – Cette église possède une tour centrale en cuivre et un intérieur très travaillé. Construite entre 1828 et 1853, puis agrandie en 1866 par Victor Bourgeau, elle devint cathédrale en 1933.

Musée du Fort St-Jean – *Sur le terrain du campus du fort St-Jean. 15 r. Jacques-Cartier Nord -* ℘ *450 358 6515 - www.museedufortsaintjean.ca -* ⅏🅿 *- de mi-mai à déb. sept. : merc.-dim. 10h-17h - 4 $ (6-12 ans 2 $).* Aménagé dans l'ancienne chapelle protestante du fort St-Jean, ce musée évoque plus de 300 ans d'histoire militaire. On y découvre toutes sortes d'armes, des uniformes, et une exposition sur les différentes étapes de développement du site.

Construit par les Français en 1666 pour se défendre contre les Iroquois, le premier fort fut remplacé en 1748 par une seconde structure destinée, cette fois, à protéger la Nouvelle-France contre les Britanniques. En 1759, après la prise de Fort-Lennox, le fort St-Jean fut incendié par ses défenseurs français pour empêcher que les Britanniques ne s'en emparent. Il fut reconstruit en 1775 par Guy Carleton et pris par les Américains la même année, après un siège de 45 jours. Le fort devait être reconstruit une dernière fois après la Rébellion des Patriotes en 1837.

Après la visite du musée, on peut se promener sur le campus pour voir les vestiges des anciens remparts qui offrent des vues sur la rivière Richelieu. *Poursuivez le long de la route 223 sur 20 km jusqu'à St-Paul-de-l'Île-aux-Noix.*

Île aux Noix

Accès par traversier au départ de St-Paul-de-l'Île-aux-Noix.

Près de la frontière américaine, les eaux de la rivière Richelieu contournent une île où les noyers poussaient jadis à foison. Cette toute petite étendue de terre (85 ha) fit en son temps partie de la seigneurie de Noyan, concédée en 1733 par le marquis de Beauharnois, gouverneur de la Nouvelle-France, à Pierre-Jacques Payan, pour ses brillants états de service. Le premier habitant de l'île – un soldat dénommé Pierre Jourdanet – versait alors un loyer annuel dont le montant se limitait… à une simple « pochée de noix », d'où son nom. Sachez encore, et c'est le plus important, que Fort-Lennox, lieu historique national du Canada, occupe les deux tiers de l'île !

★ **Lieu historique national du Canada du Fort-Lennox** – ℘ *450 291 5700 ou 1 800 463 6769 - www.pc.gc.ca/fortlennox -* ✕⅏ *- de fin mai à déb. juin et du 1er lun. de sept. à mi-oct. : w.-end 10h-17h ; de déb. juin à fin juin : 10h-17h ; de juil. au 1er lun. de sept. : 10h-18h ; de déb. sept. à déb. oct. : w.-end 10h-18h, sur réserv. en sem. - 7,80 $ (parking, traversier et visite du fort - 6-16 ans 3,90 $).* La construction de Fort-Lennox (1819-1829) se déroula parallèlement à celle de la fameuse Citadelle de Québec. L'ouvrage

3

UN PEU D'HISTOIRE...

Située sur un axe commercial et militaire particulièrement important, à quelques kilomètres à peine du déversoir du lac Champlain, l'île aux Noix fut fortifiée par les Français dès 1759, dans le cadre de la guerre de Sept Ans. Les forces britanniques s'emparèrent du site l'année suivante, détruisirent les retranchements français et abandonnèrent les lieux. Lors de la guerre d'Indépendance, l'île fut occupée par les Américains (1775-1776). Après le repli de ces derniers, l'endroit devint, pour les Anglais, d'une importance stratégique de premier plan (il s'agissait en effet de leur poste défensif le plus méridional sur la rivière Richelieu) : une première fortification britannique y fut donc construite. Puis, durant la guerre anglo-américaine de 1812, un chantier naval y fut ajouté, le but étant de créer une flotte capable de tenir en échec celle que les Américains avaient assemblée sur le lac Champlain. Au lendemain du conflit, les Anglais élevèrent, par mesure de précaution, une seconde fortification, plus grande que la première : **Fort-Lennox**.

La menace américaine temporairement apaisée, l'île aux Noix servit quelque temps de centre de réhabilitation pour délinquants. Après un bref regain d'activité militaire durant la guerre de Sécession américaine, puis la révolte fénienne, elle fut utilisée comme lieu de villégiature, et pendant la Seconde Guerre mondiale, comme camp d'internement. Devenue lieu historique national, elle témoigne aujourd'hui d'une riche période de l'histoire militaire du Canada.

fut baptisé en l'honneur de Charles Lennox (1764-1819), duc de Richmond et gouverneur de l'Amérique du Nord britannique, qui en avait ordonné les travaux. Le fort devait malheureusement être achevé au moment même où l'on améliorait le réseau routier le long de la rivière Richelieu, ce qui augmentait les risques d'une attaque ennemie par les terres, mais réduisait ceux d'une invasion par le fleuve. Ayant perdu de son importance stratégique, le fort fut abandonné. Cependant, l'affaire Trent et le soulèvement des fenians dans les années 1860 ravivèrent les inquiétudes des Britanniques qui décidèrent d'y réinstaller une garnison. Cette dernière allait y demeurer jusqu'en 1870.

Typique de l'architecture militaire du 19e s., le fort est entouré d'un large fossé en forme d'étoile à cinq branches autour d'une série de hauts remparts d'argile. Les coins sont protégés par des bastions qui donnent sur la cour intérieure. Le visiteur emprunte une passerelle et passe sous une imposante arche de pierre, avant de pénétrer dans la cour principale, entourée de bâtiments de pierre de style néoclassique. Le corps de garde (1823) et le logis des officiers (1825-1828), ornés de colonnes et d'arcades, sont regroupés avec ordre et symétrie. Les casernes s'organisent sagement autour d'un pavillon central. Le complexe compte par ailleurs deux entrepôts (1823), une poudrière (1820) et 17 casemates sous les remparts.

Visite – Fort-Lennox occupe un joli **site★** au bord de la rivière Richelieu. Le complexe militaire a été restauré de façon à reconstituer la vie quotidienne d'une garnison anglaise au milieu du 19e s. On y voit notamment le logis de la sentinelle, avec son poêle à bois et son cachot, la prison, les casernes, la chambre d'officier, la poudrière et les entrepôts.

Le reste de l'île offre aux visiteurs plusieurs aires de pique-nique et de repos. En s'approchant de la frontière américaine et du lac Champlain, la rivière s'élargit. Elle est ponctuée de nombreux ports de plaisance.

Poursuivez le long de la route 223.

★ Blockhaus de la rivière Lacolle

℘ 450 246 3227 ou 450 291 3166 hors saison - ▣ - de mi-juin au 1ᵉʳ lun. de sept. : 10h-17h30 ; du 1ᵉʳ lun. sept. à mi-oct. : w.-end 10h-17h30.

Ce bâtiment en bois équarri fut construit par les Britanniques en 1781 dans le cadre de leur système de défense contre les invasions américaines. Situé au bord de la rivière Lacolle, affluent de la rivière Richelieu, c'est le seul bâtiment militaire du genre subsistant au Québec. Durant la guerre de 1812, il résista à trois tentatives d'invasion. Les trous laissés par les balles y sont d'ailleurs encore visibles. Remarquez aussi les meurtrières pour le tir des mousquets et les embrasures pour canons.

Restauré par le gouvernement du Québec, l'intérieur abrite une exposition sur l'histoire militaire du blockhaus.

Continuez par la route 223 en direction du sud, et avant Hemmingford, prenez à droite la route 202.

★★ Parc Safari

℘ 450 247 2727 - www.parcsafari.com - ✕ ♿ ▣ - de fin mai à déb. juin et de déb. sept. à déb. oct. : w.-end 10h-16h ; de déb. juin à fin juin : 10h-16h ; de fin juin au 1ᵉʳ lun. de sept. : 10h-19h - 34 $ en pleine saison (3-17 ans 21 $)/19 $ hors saison.

👥 Ce vaste espace naturel abrite quelque 800 animaux d'Afrique, d'Eurasie et d'Amérique appartenant à 75 espèces différentes.

Le **Safari automobile** *(4 km)* permet au visiteur, vitres baissées, de photographier et de nourrir les animaux. La **Forêt enchantée** est à la fois un parc d'attractions et un jardin zoologique. Au cours de la **Promenade de la jungle**, on pourra observer les singes sur leur île, traverser l'enclos des daims et, du haut des passerelles, admirer lions, tigres et ours. Notez aussi une section réservée aux animaux domestiques.

Des spectacles donnent par ailleurs l'occasion de voir évoluer une soixantaine d'animaux savants sous l'œil attentif de comédiens-dompteurs. On peut enfin se promener à dos d'éléphant ou de poney, et goûter aux joies de la baignade dans un espace aménagé à cet effet.

3

Cantons-de-l'Est

★★

😊 **NOS ADRESSES PAGE 252**

🚹 **S'INFORMER**

Tourisme Cantons-de-l'Est – *20 r. Don-Bosco Sud, Sherbrooke J1L 1W4 -* 📞 *819 820 2020 ou 1 800 355 5755 - www.cantonsdelest.com.*

📍 **SE REPÉRER**

Carte de région C3 (p. 218-219). Cowansville se trouve à 80 km au sud-est de Montréal par les routes 10 et 139. Sherbrooke se trouve à 150 km à l'est de Montréal par les routes 10 et 112.

👁 **À NE PAS MANQUER**

La route des vins que l'on peut découvrir à vélo à partir de Dunham, le parc de la Gorge de Coaticook et le charme de North Hatley.

🕐 **ORGANISER SON TEMPS**

Comptez une journée par circuit, en prenant bien sûr le temps de la découverte.

👫 **AVEC LES ENFANTS**

Une croisière sur le lac Memphrémagog, une visite au zoo de Granby.

Les Cantons-de-l'Est furent ainsi nommés au 18ᵉ s. pour la simple raison qu'ils se trouvaient à l'est de Montréal ; quant aux Cantons-de-l'Ouest (toponyme aujourd'hui inusité), ils correspondaient à une région appartenant désormais à l'Ontario. Très marqué par les Appalaches, le paysage se compose de montagnes verdoyantes qui culminent à plus de 1 000 m, de vallées profondes et de lacs. Ces caractéristiques en ont fait, au cours des dernières années, un lieu de villégiature prisé des Montréalais. L'été, on s'y adonne aux sports nautiques, tandis que l'hiver, de nombreuses stations attirent les amoureux du ski.

Circuits conseillés Carte de région

AU DÉPART DE COWANSVILLE C3

▶ *Circuit* 1 *tracé sur la carte p. 246-247. 159 km au départ de Cowansville.*

Cowansville

🚹 **Tourisme Cowansville** – *225 r. Principale -* 📞 *450 266 4058 - www.tourisme-cowansville.com.*

Cette petite ville industrielle, essentiellement francophone, se trouve en bordure de la rivière Yamaska Sud. Fondée en 1802 par des loyalistes, elle doit son nom à son premier maître de poste, Peter Cowan, homme d'affaires et plus tard shérif du district de Bedford. Les quartiers résidentiels de la rue Principale et la rue Sud comptent de nombreuses demeures de style victorien.

Les amateurs de sports d'hiver rejoindront la station de Bromont, non loin.

Abbaye Saint-Benoît-du-Lac.
B. Merle/Photononstop

Suivez la rue Sud, qui devient route 202 après avoir traversé la route 104.

Dunham

🅘 **Ville de Dunham** – *3638 r. Principale* - 🕿 *450 295 2273* - *www.ville.dunham. qc.ca.*

L'un des premiers établissements loyalistes au Québec, ce bourg fut fondé en 1796 sur un territoire concédé à un administrateur anglais, Thomas Dunn. Réputé pour ses vignobles, il abrite trois églises (catholique, anglicane et unie) et quelques anciennes maisons de pierre.

Suivez la route 202 jusqu'à Stanbridge East.

La **route des vins**, qui conduit de Dunham à **Stanbridge East**, traverse une région du Québec bénéficiant d'un climat propice à la culture de la vigne. Partout ailleurs, le vin est produit avec du jus de raisin importé.

★ Musée de Missisquoi

À Stanbridge East. 🕿 *450 248 3153* - *www.museemissisquoi.ca* - 🅿 - *de fin mai au 2ᵉ lun. d'oct. : 10h-17h - 10 $ (12-18 ans 5 $).*

Fondé par la Société d'histoire de Missisquoi, ce musée rural se compose de trois bâtiments.

Moulin Cornell – Cet édifice en brique de trois étages fut construit en 1830 par un certain Zébulon Cornell, natif du Vermont, au bord de la pittoresque rivière aux Brochets. À sa fermeture, en 1963, il fut transformé en musée dont les expositions évoquent la vie au 19ᵉ s.et l'artisanat d'antan.

Magasin général Hodge – *20 River Street.* Toujours approvisionné de marchandises du 19ᵉ s., il a conservé son cachet original.

Grange à Walbridge – *À 8 km. 189 ch. Mystic, St-Ignace-de-Stanbridge (près du carrefour avec la route 202)* – Collection d'instruments aratoires d'époque.

Suivez la route 237 vers le sud-est.

Frelighsburg

🅘 **Relais d'informations touristiques** – *1 pl. de l'Hôtel-de-Ville* - 🕿 *450 298 5630* - *www.village.frelighsburg.qc.ca.*

En 1794, un moulin à farine était construit dans la vallée de la rivière aux Brochets, à l'ombre du Pinacle. Très vite se développa une petite ville qui prit par la suite le nom d'un médecin de New York, Abram Freligh, venu s'établir au Canada en 1800. Aujourd'hui, Frelighsburg est réputée pour ses pommeraies.

Prenez à gauche la rue Principale (route 213). Continuez sur 2 km, puis prenez à droite la rue Selby. Au bout de 4 km, tournez à droite dans la rue Dymond (non revêtue) qui devient rue Jordan après 3 km. Continuez sur 10 km, puis prenez à gauche la route 139 (direction Sutton) et continuez sur 2 km.

La route contourne **Le Pinacle** (675 m) par le nord et offre de superbes **vues★** sur la vallée de Sutton.

★ Sutton

🅘 **Sutton Tourisme** – *24-A r. Principale Sud* - 🕿 *450 538 8455* - *www.infosutton. com.*

En 1799, les premiers colons s'établirent à Sutton, blottie au pied du mont du même nom (972 m), pour construire une fonderie dans la vallée. En 1871, avec l'arrivée du chemin de fer, le village s'ouvrit aux vacanciers. Aujourd'hui, cette station de sports d'hiver est particulièrement appréciée des skieurs ; de nombreux ateliers d'artisanat et des boutiques ajoutent au charme du bourg.

Suivez la route 139 sur 2 km vers le sud. Prenez à gauche la rue Brookfall, puis immédiatement à droite le chemin Scenic. Au bout de 11 km, prenez à gauche la route 105A, aux États-Unis, puis encore à gauche la route 243.

La route offre à nouveau de très belles **vues★** sur les environs de Sutton avant de s'engager dans la vallée de la rivière Missisquoi. De là, on aperçoit la silhouette des monts Jay (Vermont) au sud.

Mansonville

Établie dans la vallée de la rivière Missisquoi, cette localité doit son nom à Robert Manson, venu du Vermont en 1803, qui y érigea un moulin à farine et une scierie. Mansonville est construite autour d'un espace vert, sur le modèle de certaines villes de la Nouvelle-Angleterre.

La ville abrite l'une des dernières granges rondes du Québec *(visible de Main Street, en face de l'église St-Cajetan)*. Conçue par les shakers, secte religieuse issue des quakers, la structure circulaire avait le mérite de ne présenter aucun coin où puisse rôder le diable.

Mont Owl's Head

À 12 km par Vale Perkins. Cette montagne (751 m) fut nommée en l'honneur d'un Abénaqui appelé Owl (Hibou). La légende veut qu'à sa mort, on ait vu son visage se profiler sur la montagne. L'endroit est aujourd'hui une station de ski très populaire. Un sentier mène au sommet *(environ 1h de marche)*, et permet d'admirer la **vue★★** spectaculaire qu'offre le lac Memphrémagog. *Retournez à Mansonville. Suivez la route 243 jusqu'à Bolton Sud.*

★ Lac-Brome (Knowlton)

Chambre de commerce – 696 r. Lakeside - ℘ 450 243 1221 - www.cclacbrome.com.

Le village victorien de Knowlton, fondé par des colons venus de la Nouvelle-Angleterre au début du 19ᵉ s., s'étend sur les rives du lac Brome et fait désormais partie de la municipalité de Lac-Brome. C'est en 1836 que Paul Knowlton construisit un moulin à farine et un magasin général, et que le village prit son nom. De nombreux bâtiments de brique et de pierre abritent notamment des boutiques, des auberges et des galeries d'art.

Au sud de Knowlton se trouve le village de Brome où se tient la plus importante foire agricole de la région : la **Foire agricole de Brome**.

★ **Musée historique du comté de Brome** – *130 r. Lakeside (route 243) - ℘ 450 243 6782 - de mi-mai à mi-sept. : 10h-16h30, dim. 11h-16h30 - 5 $.* Il se compose de plusieurs bâtiments d'époque. L'ancienne « académie » (ou école) de Knowlton (1854) permet de découvrir une salle de classe d'antan. L'annexe Martin (1921) renferme une collection d'objets militaires dont un **Fokker DVII** (avion allemand de la Première Guerre mondiale), acquis pour le musée par le sénateur G. G. Foster, un résident de Knowlton. Dans l'ancien palais de justice du comté (1854), une salle d'audience, rénovée selon son aspect d'autrefois, affiche la solennité d'un tribunal au début du 20ᵉ s. Enfin, la caserne des pompiers (1904) propose la reconstitution d'un magasin général ; on y verra également tout un équipement agricole ainsi que l'atelier d'un forgeron.

Pour rejoindre Cowansville, suivez la route 104.

3

AU DÉPART DE SHERBROOKE C3

▶ *Circuit* ② *tracé sur la carte ci-dessous. 153 km au départ de Sherbrooke.*

★ **Sherbrooke** *(voir p. 254)*
Quittez Sherbrooke, et prenez la route 143 (direction Lennoxville).

Arrondissement de Lennoxville

Fondée en 1794 par des loyalistes, cette petite localité doit son nom à Charles Lennox, duc de Richmond, qui fut gouverneur en chef de l'Amérique du Nord britannique de 1818 à 1819. Elle se trouve au confluent des rivières Massawippi et St-François, site autrefois peuplé par les Abénaquis, puis par les missionnaires français. On trouve aujourd'hui à Lennoxville un important centre de recherche en agriculture.

Université Bishop's – Centre éducatif de la communauté anglophone des Cantons-de-l'Est, cet établissement d'enseignement supérieur, fondé en 1843, abrite notamment la **chapelle St-Mark**, édifice de style gothique orné de

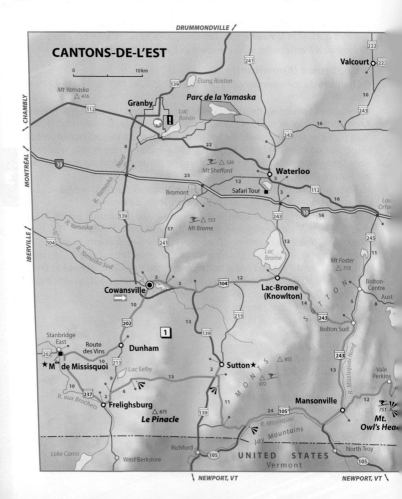

sculptures sur bois et de vitraux lumineux. Dans la tradition collégiale, les bancs se font face au lieu d'être orientés vers l'autel. Les bâtiments du campus, de style néomédiéval, encadrent un parc pittoresque parcouru de sentiers.

Centre de la culture et du patrimoine Uplands – *9 r. Speid -* 𝒫 *819 564 0409 - www.uplands.ca - de fin juin à déb. sept. : mar.-dim. 10h-16h30 ; reste de l'année : merc.-dim. 13h-16h30 - fermé janv.* Installé dans une belle demeure de la Belle Époque, ce centre a pour but de promouvoir et transmettre le patrimoine culturel des Cantons-de-l'Est. Le rituel du thé à l'anglaise servi en costumes d'époque sous la véranda *(7,50/12,50 $)* en fait partie. Des expositions temporaires d'artistes locaux et régionaux, des concerts, des ateliers, complètent ce travail.

 Le centre sert de point de départ à un circuit de 2,2 km qui permet de découvrir les plus jolies maisons de Lennoxville.

Continuez sur la route 143 pendant 3 km puis tournez à gauche sur la route 147. Vous passerez à proximité de fermes proposant de venir cueillir vous-même fraises, tomates et concombres.

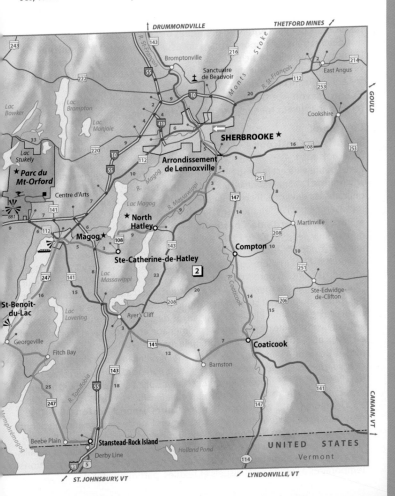

Compton

C'est à Compton que naquit **Louis-Stephen St-Laurent** (1882-1973), douzième Premier ministre du Canada de 1948 à 1957. Fils aîné des sept enfants d'un marchand canadien français et d'une institutrice irlandaise, St-Laurent étudia le droit à l'Université Laval. Au cours de sa vie professionnelle, il fut reconnu pour son éloquence, tant en français qu'en anglais.

À 60 ans, après une longue carrière de juriste, il décida de se consacrer à la politique. Pendant la Seconde Guerre mondiale, il fit partie du cabinet de Mackenzie King à titre de lieutenant québécois du Premier ministre. En 1948, il succéda à M. King à la tête du Parti libéral. Nationaliste convaincu, « oncle Louis », comme on l'appelait affectueusement, s'efforça, en tant que Premier ministre, de construire les bases d'une identité proprement canadienne.

★ **Lieu historique national du Canada Louis-S.-St-Laurent** – *R. Principale (route 147)* - 819 835 5448 - www.pc.gc.ca/st-laurent - & - *de mi-mai à fin août : 10h-17h ; de fin août à mi-sept. : 10h-12h, 13h-17h (de mi-sept. à mi-oct. : w.-end seult)* - *3,90 $.* Doté de reproductions de marchandises vendues au début du 20e s., le magasin général de J.B.M. St-Laurent, père du Premier ministre, servit en son temps de lieu de rencontre où l'on discutait notamment de politique. Les visiteurs peuvent entendre des bribes de conversations simulées autour du poêle, et dans l'entrepôt du magasin, assister à un **spectacle multimédia** *(20mn)* évoquant les principales étapes de la vie du grand homme. Ils peuvent également visiter la modeste maison à bardeaux où habita la famille St-Laurent jusqu'en 1969.

Bon à savoir – Le verger accueille en été des activités dominicales ouvertes au public (vieux métiers, concerts, gastronomie…).

Coaticook

Tourisme Coaticook – *137 r. Michaud* - 819 849 6669 - *www.tourisme coaticook.qc.ca.*

Cette petite ville est le centre d'une industrie laitière en plein essor. Elle tire son nom de l'abénaki *koatikeku*, « rivière de la terre des pins ». Premier à s'établir dans les environs, Richard Baldwin avait reconnu la richesse potentielle représentée par l'aménagement des chutes sur la rivière Coaticook.

★ **Parc de la Gorge de Coaticook** – *Accès par la route 147, à l'extrémité nord de la ville.* 819 849 2331 - www.gorgedecoaticook.qc.ca - ✕ P - *de fin juin à fin août : 9h-19h ; de déb. mai à fin juin et de fin août à fin oct. : 11h-16h, w.-end 10h-17h.* La rivière Coaticook s'engouffre sur près d'un kilomètre dans une gorge dont les parois rocheuses se dressent à plus de 50 m de hauteur. Des sentiers longent la rivière et permettent d'admirer de beaux paysages, tandis qu'un pont suspendu (longueur : 169 m) ménage une **vue** spectaculaire de la gorge. Plusieurs kilomètres de pistes offriront par ailleurs au visiteur la possibilité de pratiquer la promenade en raquettes et le ski de fond en hiver, et l'équitation, le camping ou la marche en été.

Musée Beaulne – *Depuis la route 141 (rue Main), prenez à gauche la rue Lovell près de la voie ferrée, encore à gauche la rue Norton, puis à droite la rue de l'Union. 96 r. de l'Union* - 819 849 6560 - www.museebeaulne.qc.ca - P - *de mi-mai à mi-sept. : mar.-dim. 10h-17h ; reste de l'année : mar.-dim. 13h-16h - fermé 1er janv. et 25 déc.* - *5 $.* Demeure (1912) ayant appartenu à **Arthur Osmond Norton** (1845-1919), propriétaire de la première manufacture mondiale de soulève-rails au début du 20e s., le **château Norton**★ sert aujourd'hui de cadre au musée Beaulne. Quelques pièces, dont le salon victorien (superbement lambrissé) et la salle à manger, ont été restaurées et garnies de meubles d'époque. Expositions temporaires à l'étage : arts visuels et textiles, patrimoine local…

Du centre-ville, suivez la route 141 (direction Magog) sur 19 km, puis prenez à gauche la route 143. Continuez sur 18 km vers Rock Island. Traversez la route 55.

Stanstead-Rock Island
Situé sur une île rocheuse au milieu de la rivière Tomifobia, ce village domine une pittoresque vallée. La rivière Tomifobia marque la frontière entre les États-Unis et le Canada. Les visiteurs désireux de traverser le pont devront passer la douane américaine (à droite) avant de continuer vers Derby Line (Vermont) ou de revenir au Canada.

Opéra et bibliothèque Haskell – *Sur la route 143, en direction du sud, prenez à gauche Cordeau Street après avoir dépassé le pont de bois et le poste de douane canadien. Tournez à gauche et stationnez dans la rue Church. L'entrée de l'opéra se trouve côté États-Unis.* ℘ 819 876 2471 - www.haskellopera.org - ⚱ - *visite guidée seult (30mn) : mar.-sam. 10h-17h (jeu. 20h) - fermé principaux j. fériés - 3 $.* De 1901 à 1904, Martha Stewart Haskell fit construire à la mémoire de son mari ce bel édifice à tourelle, revêtu de brique et de pierre. Le bâtiment chevauche la frontière entre le Canada et les États-Unis, et la frontière y est tracée sur le parquet ! Le rez-de-chaussée abrite une bibliothèque publique à l'usage des citoyens des deux pays, tandis qu'à l'étage se trouve un ravissant théâtre, réplique du vieil opéra de Boston (la scène se situe en territoire canadien, et le reste de la salle… en territoire américain).

Suivez la route 247 par Beebe Plain et Georgeville jusqu'à Magog.
La route vire à l'est en traversant la petite communauté de Fitch Bay (elle passe devant l'exploitation **Bleu Lavande**, *voir « Nos adresses »*), puis part vers le nord-ouest en direction de Georgeville.
À la sortie de cette petite ville anglophone, on a une très belle vue sur **l'abbaye de St-Benoît-du-Lac**, de l'autre côté du lac Memphrémagog. Au loin se dresse la silhouette du mont Orford.

★ Abbaye de Saint-Benoît-du-Lac
℘ 819 843 4080 - www.st-benoit-du-lac.com - ⚱ ▣ - *5h-21h.*
La route menant à St-Benoît-du-Lac offre de belles échappées sur le lac Memphrémagog que surplombent les hauteurs des Appalaches. Le monastère (1912) fut fondé par des membres de la communauté religieuse de l'abbaye St-Wandrille-de-Fontenelle, en Normandie. Ces derniers, exilés en Belgique après avoir été chassés de France au début du 20e s. partirent au Canada et créèrent ici même un noviciat en 1924. Vingt-huit ans plus tard, en 1952, St-Benoît-du-Lac allait être élevé au rang d'abbaye. L'ensemble, surmonté d'un impressionnant clocher, occupe un **site★★** de toute beauté, d'une étonnante sérénité. Mis à part les bâtiments d'origine, la majeure partie des édifices fut conçue en 1937 par le célèbre moine-architecte français **Dom Paul Bellot** (1876-1944), d'ailleurs enterré dans le cimetière de l'abbaye. Un architecte montréalais, Dan S. Hanganu, traça quant à lui les plans de l'église abbatiale, consacrée le 4 décembre 1994. Lors d'une visite à St-Benoît-du-Lac, on peut assister aux vêpres, entendre des chants grégoriens, et dans une petite boutique, acheter des fromages (ermite et mont-st-benoît), des cidres et des produits de l'érable fabriqués par les moines, ainsi que des objets religieux.

Remontez la route 247 vers le nord.

★ Magog
🛈 Bureau d'information touristique – *55 r. Cabana - ℘ 819 843 2744 - www. tourisme-memphremagog.com.*
La ville se dresse à l'extrémité nord du lac Memphrémagog, à l'endroit même où la rivière Magog prend sa source. C'est en 1888 que la population délaissa

3

le nom d'Outlet, « décharge du lac », pour la seconde partie du mot abénaki *memphremagog* (« grande nappe d'eau »). Cette situation lacustre a permis le développement économique de la ville au 19e s. et en fait aujourd'hui un lieu de villégiature privilégié. La cité joue avec succès la carte des activités nature, entre le lac et le parc du Mont-Orford tout proche. Certains artistes y font aussi leurs débuts : le chanteur Garou ne dira pas le contraire.

★ **Parc de la Pointe-Merry** – *Au sud de la rue Principale*. Cet agréable espace vert offre de superbes **vues★** sur l'extrémité nord du lac, qui traverse la frontière jusque dans l'État du Vermont. Le paysage alentour, notamment le mont Orford et le mont Owl's Head, est particulièrement beau.

★ **Croisières** – *Croisières Memphrémagog Inc. -* ☎ *819 843 8068 - www. croisiere-memphremagog.com -* ✗&🅿 *- 1h45 AR - commentaire à bord - dép. du quai Fédéral - de mi-mai à mi-oct. : de 1 à 2 dép./j selon la croisière - 23 $ (1h45, réserv. conseillée) ou 87 $ (7h, sur réserv.), selon la destination choisie.* 👤👤 Une courte excursion en bateau permet au visiteur de découvrir les plus beaux coins du lac. Une croisière plus longue propose l'aller-retour Magog-Newport (dans le Vermont).

Quittez Magog par la route 108.

Sainte-Catherine-de-Hatley

Situé au sommet d'une colline, en pleine ville, le **sanctuaire St-Christophe** offre une **vue** imprenable sur le lac Magog et le mont Orford.

Poursuivez sur la route 108.

★ North Hatley

Cette localité, dont le nom évoque un village anglais du comté de Cambridge, occupe un joli **site** à l'extrémité nord du lac Massawippi. La route longe la rive et passe devant de charmantes résidences et auberges.

Regagnez Sherbrooke en suivant la rivière Massawippi.

À voir aussi Carte p. 246-247

★ Parc national du Mont-Orford

▶ *À 6 km à l'ouest de Magog par la route 112.*

🛈 ☎ *819 843 9855 ou 1 800 665 6527 - www.sepaq.com - ouvert tte l'année - Centre d'accueil secteur du Lac-Stukely : ouvert tte l'année - Centre d'accueil secteur Fraser : de mi-juin au 1er sept. - 5,50 $(5 $/voiture).*

Créé en 1938, ce parc de 58 km² englobe une région montagneuse appartenant au système appalachien. Il est dominé au nord-est par le mont Chauve (600 m) et au sud-ouest par le mont Orford (881 m), réputé pour ses pistes de ski. En été, c'est un lieu idéal pour camper, se baigner et jouer au golf au cœur de la forêt où domine l'érable à sucre. Grâce à ses lacs, le parc se prête particulièrement bien au canot, au kayak et à la natation. Une piste cyclable nommée « La Montagnarde » permet de traverser le parc à vélo d'est en ouest.

Mont-Orford – *Sur la route 141, à 1 km de l'entrée ouest du parc. Accès par télésiège ou à pied.* Du télésiège s'offrent des **vues★** superbes sur le lac Memphrémagog et les montagnes environnantes. Arrivé au sommet *(courte promenade autour de la tour de télévision)*, le visiteur aura une **vue panoramique★★** sur la vallée du St-Laurent au nord, les collines Montérégiennes à l'ouest, le lac Memphrémagog au sud et la chaîne des Appalaches à l'est.

Lac Stukely – *De la route 141, tournez à gauche à 4 km de l'entrée ouest et suivez une route secondaire sur 6 km.* On atteint le charmant lac Stukely après un agréable parcours le long de la rivière aux Cerises et de l'étang du même nom. Le lac, parsemé d'îlots rocheux, est entouré de plages de sable.

Centre d'arts Orford – *Sur la route 141, à 1 km de l'entrée est ou à 6 km du lac Stukely.* ℘ *819 843 3981 - www.arts-orford.org - ✗ ♿ - 9h-21h.* Fondé en 1951, ce centre d'arts est particulièrement réputé pour ses stages de perfectionnement en musique. Sa grande salle de concerts en forme d'amphithéâtre, située dans un joli cadre boisé, fut d'ailleurs le pavillon de l'Homme et de la Musique à l'Exposition universelle de Montréal en 1967.

☺ **Bon à savoir** – Chaque été, le site accueille le **Festival Orford**, célèbre manifestation musicale à l'occasion de laquelle se produisent des interprètes de renommée internationale.

GRANBY

▶ *À 50 km à l'ouest du parc national du Mont-Orford.*

🛈 **Granby Région** – *111 r. Denison -* ℘ *450 372 7056 ou 1 800 567 7273 - www. tourismegranbyregion.com.*

Fondée sur les rives de la Yamaska Nord par des loyalistes au début du 19e s., Granby doit son nom à John Manners, marquis de Granby, qui commandait les troupes britanniques en Amérique du Nord en 1766. La ville connut un essor industriel rapide grâce à l'implantation d'usines de tabac et de textile. Les belles demeures victoriennes des rues Elgin, Dufferin et Mountain témoignent de cette époque. La proximité du parc national de la Yamaska et des stations de ski de Mont-Shefford et de Bromont font aujourd'hui de Granby un lieu très apprécié des sportifs.

★ Zoo de Granby

Entrée et terrain de stationnement sur le bd Bouchard (rte 139), à l'angle de la r. St-Hubert. ℘ *877 472 6299 - www.zoodegranby.com - ⛺♿🅿 - de mi-juin à fin août : 10h-19h ; de fin mai à mi-juin et de fin août à déb. sept. : 10h-17h ; de déb. sept. à mi-oct. : w.-end 10h-17h - 33 $ (3-12 ans 22 $).*

👥 Le site rassemble plus de 1 000 animaux des quatre coins du monde appartenant à 225 espèces différentes, dont plus d'un tiers menacées de disparition. On y remarquera la Savane africaine, la Vallée des gorilles, la Rivière aux Hippos, la Hutte des découvertes et le pavillon Pacifique Sud. Le zoo compte également un parc aquatique et des manèges.

Centre d'interprétation de la nature du lac Boivin

De la rue Principale, tournez à gauche dans la rue Drummond. 700 r. Drummond - ℘ *450 375 3861 - www.cinlb.org - ♿🅿 - 8h30-16h30, w.-end 9h-17h - fermé 1er-2 janv. et 25-26 déc.*

Aménagé sur les berges du lac Boivin, formé par un renflement de la rivière Yamaska, ce centre d'interprétation de la nature offre quatre courts sentiers. Ils traversent les marais qui environnent le lac et permettent aux visiteurs de découvrir son milieu, sa flore et sa faune. Des deux tours d'observation, jolie **vue** sur les monts Brome et Shefford.

Parc national de la Yamaska

À 6 km au nord-est de Granby, par le chemin Ostiguy. 1780 bd David-Bouchard - ℘ *450 776 7182 - www.sepaq.com - 🅿 - 8h-20h - 5,50 $.*

Cette aire protégée préserve un échantillon représentatif de la région naturelle des basses terres appalachiennes. Élément central du parc, le **réservoir Choinière** est un immense plan d'eau propice aux activités nautiques : canot, kayak, pédalo et pêche.

3

Waterloo

À 19 km à l'est par la route 112. Fondée par les loyalistes en 1796, cette petite ville prit le nom de Waterloo pour commémorer la célèbre victoire du duc de Wellington sur Napoléon en 1815. Aujourd'hui, plus connue pour la culture des champignons, Waterloo est une petite ville charmante, en bordure du lac du même nom.

☺ NOS ADRESSES DANS LES CANTONS-DE-L'EST

♿ Nos adresses à Sherbrooke

VISITES

« **Le chemin des Cantons** » – *www.chemindescantons.qc.ca.* Cette route balisée en 27 étapes permet de découvrir les coins et recoins des Cantons-de-l'Est. Doublée d'un CD sur lequel interviennent des artistes locaux, des habitants, des conteurs, elle prend une dimension humaine attachante.

Cartes – Procurez-vous auprès des offices de tourisme la **Carte touristique des Cantons-de-l'Est** *(3 $)* sur laquelle figurent trois itinéraires : le Chemin des Cantons, la Route des Vins et la Route des sommets. Une autre carte, **Les Cantons-de-l'Est à vélo**, indique 7 circuits sur route *(225 km)*, rattachés dorénavant au circuit cyclable québécois, avec étapes et attraits touristiques.

HÉBERGEMENT

POUR SE FAIRE PLAISIR

À Magog

Auberge Ripplecove – *700 Ripplecove - Ayer's Cliff - à 17 km au sud-est de Magog par la route 141 -* ✆ *819 838 4296 - www. ripplecove.com - 32 ch. - demi-pension 187/495 $ - rest. avec table d'hôtes 58 $.* Le style très britannique de cette demeure distinguée assure un séjour calme et cosy à tous les amoureux de nature. Idéalement située dans un écrin de verdure au bord de l'eau, elle offre un accès direct au lac Massawippi. La pêche fait encore partie des activités proposées avec le tennis, le vélo, le ski… Nulle surprise à voir que le poisson figure en bonne place à côté des pièces de gibier et de viande sur la carte du restaurant ! Spa (massages, réflexologie, soins).

UNE FOLIE

À North Hatley

Manoir Hovey – *575 chemin Hovey -* ✆ *819 842 2421 - www. manoirhovey.com - 39 ch. 234/410 $ (par pers.) - repas matin et soir inclus, ainsi que certaines activités.* Atmosphère feutrée, style anglais et situation privilégiée en bordure du lac Massawippi confèrent un charme indéniable à cette ancienne résidence d'été construite en 1898 par la famille

Atkinson. Son **restaurant gastronomique** doit sa renommée aux chefs Roland Ménard et Francis Wolf. **Pub** aménagé dans les anciennes écuries avec cheminée, fauteuils baignoire et antiquités (canot en bois de bouleau, tomawaks, scie à glace, etc.). Piscine chauffée, plages, tennis, planches à voile, canoës, vélos, salle d'entraînement, patins.

ACHATS

Bon à savoir – Certaines fermes, notamment au sud de Lennoxville, ouvrent leur exploitation au public pour la cueillette des fruits et légumes. En saison, chacun peut donc venir faire directement sa récolte et repartir avec son panier pesé et payé.

À Compton

Ferme Groleau – *225 chemin Cochrane - sortez de Compton sur la route 147, dir. Coaticook, prenez à gauche la 208, et après 700 m, tournez à droite et continuez sur env. 3 km -* 819 835 9373 *- www. fermegroleau.com - 10h-17h (19h de mi-mai à oct.) - 6 $.* Cette laiterie possède 60 vaches, dont un quart de canadiennes, et autant de chèvres. Elle réalise sur place de délicieux fromages à partir de leur lait : le Vent d'Est à croûte lavée, le Cottage, fromage frais à déguster à la cuillère, le Canadien, moitié lait de vache et de chèvre. Beurre doux, demi-sel, salé, à l'ail. Lait frais.

À Fitch Bay

Bleu Lavande – *891 chemin Narrow - Stanstead - à 4 km au sud de Fitch Bay par la route 247 -* 819 876 5851 *ou* 1 888 876 5851 *- www.bleulavande.ca - mai-oct. : 10h-17h ; seult en sem. le reste de l'année.* Plus de 210 000 plants de lavande s'étendent à perte de vue sur les 22 ha de cette exploitation. Elle se visite de juin à sept. *(dép. ttes les 15mn - 10h-17h - 7 $, 13-18 ans gratuit).* La floraison débute en juin, la récolte et la distillation se font au mois d'août, mais les produits qui en découlent s'achètent toute l'année en boutique : gamme de soins « Être », savon, lessive, parfums d'ambiance, sachets, huiles essentielles, chocolat, livre de recettes…

3

Sherbrooke

★

155 583 habitants – Cantons-de-l'Est

😊 NOS ADRESSES PAGE 259

S'INFORMER

Office de tourisme – *785 r. King Ouest - ☎ 819 821 1919 ou 1 800 561 8331 - www.tourismesherbrooke.com - de fin juin à mi-août : 9h-19h ; reste de l'année : 9h-17h, dim. 9h-15h.*

SE REPÉRER

Carte de région C2-3 (p. 218-219). Sherbrooke se trouve à 150 km à l'est de Montréal par les routes 10 et 112.

SE GARER

Le stationnement est interdit en ville pendant l'hiver *(nov.-avr.)* pour cause de déneigement. En été, l'heure coûte 1 $.

À NE PAS MANQUER

La gorge de la Magog.

ORGANISER SON TEMPS

Consacrez votre matinée aux berges du lac des Nations et réservez votre après-midi aux musées.

AVEC LES ENFANTS

Le parcours « Au fil des saisons » du musée de la Nature et des Sciences.

Capitale industrielle et commerciale des Cantons-de-l'Est, Sherbrooke bénéficie d'une vie culturelle variée, renforcée par une présence universitaire active. Cette offre s'enrichit régulièrement, comme en témoigne l'ouverture du musée de la Nature et des Sciences en 2002. Mais Sherbrooke, c'est aussi la possibilité d'aller skier à la station du Mont-Bellevue sans presque quitter la ville, ou encore partir facilement découvrir les Cantons-de-l'Est en voiture ou à vélo.

DES ORIGINES À NOS JOURS...

Une occupation ancienne – Les Abénaquis appelaient « grande fourche » le confluent des rivières St-François et Magog. C'est là, sur des versants abrupts, que s'installèrent vers 1800 les premiers colons, originaires du Vermont. Peu après, Gilbert Hyatt construisit un moulin à farine, et l'endroit devint Hyatt's Mills. En 1818, la population opta pour le nom de Sherbrooke en l'honneur de Sir John Coape Sherbrooke (1764-1830), alors gouverneur en chef de l'Amérique du Nord britannique.

Une capitale industrielle – Au cours du 19e s., Sherbrooke connut un remarquable essor industriel et devint le chef-lieu des Cantons-de-l'Est. Des scieries apparurent en bordure de la rivière Magog, bientôt suivies de filatures de coton et de laine. L'avènement du chemin de fer ne fit qu'accélérer le développement économique de la ville dont la population, autrefois anglophone, compte aujourd'hui plus de 94 % de francophones.

Sherbrooke.
P. Frilet/Hémis.fr

Se promener

▶ *Partez de l'office de tourisme.*

Lac des Nations

🚶‍ Alimenté par la rivière Magog, il a été aménagé de manière à offrir un vaste espace vert aux habitants. Un sentier de 3,5 km en fait le tour. Piétons, cyclistes et rollers se le partagent, en se ménageant des pauses aux aires de repos prévues à cet effet. En hiver, la ville entretient 1,3 km de sentier glacé pour les patineurs.

Rivière Magog

🚶‍ Un chemin de planches longe la gorge de la rivière Magog depuis le pont voisin de l'office de tourisme. En été, la promenade est particulièrement rafraîchissante. Elle passe en face de la centrale Frontenac *(changez de rive pour la visiter).*

Centrale Frontenac – *Accès 395 r. Frontenac -* 🕿 *819 821 5757 - www.ville. sherbrooke.qc.ca - réouverture après travaux prévue à l'été 2012.* Il s'agit de la plus ancienne installation hydroélectrique encore en activité au Québec.

Le sentier mène au **belvédère Koatek**, qui a vue sur la gorge. Poursuivez jusqu'à rejoindre la rue Cliff. Remontez-la. Une fois parvenu à la rue Bank, tournez à droite, elle vous conduira à la rue Dufferin.

Centre d'interprétation de l'histoire de Sherbrooke

275 r. Dufferin - 🕿 *819 821 5406 - www.ville.sherbrooke.qc.ca - juil.-août : lun. 9h-17h, mar.-vend. 9h-18h, w.-end 10h-17h ; reste de l'année : mar.-vend. 9h-12h, 13h-17h, w.-end 13h-17h - 6 $ (7-12 ans 2 $).*

La Société d'histoire de Sherbrooke occupe un bâtiment voisin du musée des Beaux-Arts. Elle y présente une exposition permanente sur l'histoire de la ville, depuis l'époque amérindienne jusqu'à la fusion avec les municipalités environnantes, dont Lennoxville, en 2002. Bornes interactives.

Des expositions temporaires régulièrement renouvelées (le thé, les crèches de Noël, les ponts couverts ou l'automobile dans les Cantons-de-l'Est…) occupent l'étage du bâtiment. Enfin, le centre propose un circuit audiogui-dée (*voir* « *Nos adresses* »).

Musée des Beaux-Arts de Sherbrooke

241 r. Dufferin - ☏ 819 821 2115 - www.mbas.qc.ca - ♿🅿 - juil.-août : 10h-17h ; reste de l'année : mar.-dim. 12h-17h - fermé 1ᵉʳ-2 janv. et 25-26 déc. - 7,50 $ (enf. 5 $).
Un bâtiment historique du centre-ville accueille une intéressante collection d'art québécois (particulièrement des Cantons-de-l'Est). Ses réserves abritent près de 4 000 œuvres, et seule une petite partie est exposée au public, par roulement, et selon certains thèmes, tels que les paysages de la région vus au travers des œuvres de Frederick Simpson Coburn, connu pour ses tableaux d'hiver, d'Allan Edson ou encore de Marc-Aurèle Fortin. Le musée organise également une dizaine d'expositions temporaires d'artistes locaux chaque année, ainsi que de nombreuses activités didactiques.
Passez sur la rive opposée.

Hôtel de ville

145 r. Wellington. Fermé au public.
Construit entre 1904 et 1906 pour loger le palais de justice, l'imposant édifice, occupé par l'hôtel de ville depuis 1988, est de style Second Empire. Il domine le parc Strathcona. L'architecte Elzéar Charest a réutilisé ici les plans qu'il avait proposés lors du concours devant aboutir à la construction de l'hôtel de ville de Québec, en 1890.
Longez le bâtiment par la gauche et suivez la rue Frontenac.

★ Musée de la Nature et des Sciences

225 r. Frontenac - ☏ 819 564 3200 - www.naturesciences.qc.ca - de fin juin au 1ᵉʳ lun. de sept. : 10h-17h ; reste de l'année : merc.-dim. 10h-17h - fermé 1ᵉʳ janv. et 25 déc. - 7,50 $ (4-17 ans 5 $).
👶👤 Dépositaire d'environ 65 000 objets et spécimens en sciences naturelles, le musée les met en valeur au travers d'expositions permanentes ou tempo-raires. La plus populaire et la plus pérenne d'entre elles s'intitule « **Au fil des saisons★★** ». Il s'agit de découvrir la faune et la flore du Sud du Québec en suivant un parcours joliment mis en scène. Au son du ruisseau, les animaux naturalisés (alouettes, orignaux, loups, belettes…) se succèdent, de la saison des amours au froid hivernal, avec pour chaque étape des tableaux interactifs permettant de reconnaître le chant des oiseaux ou la douceur des fourrures, des livres expliquant la construction des barrages par les castors, la vie noc-turne, etc. Citons aussi, entres autres expositions, « Sports et sciences », qui invite à éprouver la réalité d'un athlète pour comprendre son comportement physiologique, tandis que « Terra Mutantès » propose de ressentir d'impres-sionnants phénomènes naturels.
Revenez sur vos pas et remontez la rue Marquette à droite.

★ Basilique-cathédrale Saint-Michel

À l'angle de la rue Marquette. 130 r. de la Cathédrale - ☏ 819 563 9934 - www.diosher.org - fermé 12h-14h.
La masse imposante de cette cathédrale de style néogothique se dresse sur une colline (le plateau Marquette) au centre de Sherbrooke. Consacrée en 1958, l'édifice fut construit par Louis-Napoléon Audet, architecte de la basilique de Ste-Anne-de-Beaupré. Le grand vitrail de la façade contient un Christ crucifié (hauteur : 3 m) dû à l'artiste montréalais Cassini.

À l'intérieur, spacieux et clair, les voûtes se dressent à plus de 20 m. Les immenses vitraux, œuvres de Raphaël Lardeur et Gérard Brassard, illustrent des scènes de la Bible. À gauche de l'autel, on admire une impressionnante statue de la Vierge sculptée dans le chêne par Sylvia Daoust, artiste du 20e s.

Chapelle des Fondateurs – *À gauche, derrière le maître-autel.* Ajoutée en 1980, elle est dominée par un panneau mural en émail sur cuivre, œuvre de Patricio Rivera, représentant les cinq membres fondateurs de l'Église catholique au Canada : Marie de l'Incarnation, Marguerite d'Youville, Monseigneur de Laval, Kateri Tekakwitha et Marguerite Bourgeoys.

Poursuivez sur la rue de la Cathédrale.

Monument aux morts
R. King Ouest, entre les rues Gordon et Brooks.

Œuvre du sculpteur George W. Hills, il fut érigé en 1926, à la mémoire des citoyens de Sherbrooke morts durant la Première Guerre mondiale. Ce point central offre une belle **vue** sur la ville et la rivière St-François.

À proximité Carte de région

Rocher Mena'Sen
▶ *À 1,5 km au nord de la ville. De la rue King Est, prenez à gauche la rue Bowen, puis encore à gauche le boulevard St-François Nord.*

Une croix lumineuse se dresse sur une petite île de la rivière St-François, à l'emplacement d'un grand pin solitaire (*mena'sen* en abénaki) détruit par une tempête en 1913. Deux légendes se rattachent à cet arbre. Selon la première, le pin commémorerait une victoire des Abénaquis sur les Iroquois. Selon la seconde, il aurait été planté par l'amant d'une Amérindienne qui périt ici même, alors que les deux jeunes gens, en fuite, s'efforçaient de gagner Odanak.

Sanctuaire de Beauvoir C2
▶ *À 8 km au nord par le boulevard St-François Nord et le chemin Beauvoir.*
℘ *819 569 2535 - www.sanctuairedebeauvoir.qc.ca -* ♿🅿 *- 8h-18h.*

En 1915, l'abbé Joseph-Arthur Laporte installa une statue du Christ dans les collines qui dominent, à 360 m, la rivière St-François. Une simple chapelle de pierre fut érigée en 1920. Aujourd'hui, de nombreux pèlerins viennent y rechercher paix et tranquillité. L'endroit offre une **vue★** magnifique sur Sherbrooke et ses environs.

Dans les bois derrière la chapelle et l'église plus récente (1945) se dresse la *Marche évangélique*, ensemble de huit **sculptures★** de pierre représentant des épisodes de la vie du Christ. Elles sont l'œuvre du sculpteur Joseph Guardo. En été, la messe est célébrée dans une chapelle extérieure, qui peut accueillir 1 600 pèlerins.

Valcourt C2-3
▶ *À 42 km à l'ouest. Sortez de Sherbrooke en direction de Drummondville. Rejoignez la route 222.*

Jusque dans les années 1930, Valcourt était un tout petit village agricole. Mais depuis l'invention de la motoneige par l'un de ses habitants, la localité est devenue célèbre et abrite une florissante entreprise d'envergure internationale, Bombardier Produits Récréatifs.

★ Musée J.-Armand-Bombardier – *Empruntez la rue St-Joseph. Tournez à droite dans le boulevard du Parc, puis à gauche dans l'avenue J.-A.-Bombardier. Suivez les panneaux indicateurs. 1001 av. J.-A.-Bombardier -* ℘ *450 532 5300 -*

3

LE SKI-DOO

Enfant, **Joseph-Armand Bombardier** (1907-1964) rêvait déjà de fabriquer un véhicule adapté à la conduite sur neige. Après avoir fait un apprentissage de mécanicien, le jeune homme s'établit dans un garage voisin de la ferme paternelle, passant tous ses moments libres à la fabrication de prototypes. En 1937, il reçut son premier brevet d'invention pour son autoneige, véhicule à plusieurs places monté sur chenilles. En 1959, après avoir poursuivi ses travaux de recherche et développé plusieurs modèles de véhicules tout-terrain, le brillant inventeur introduisit sur le marché son premier **Ski-Doo**. Véritablement révolutionnaire, ce produit allait non seulement transformer la vie des habitants des régions nordiques, mais lancer un nouveau sport. Aujourd'hui, Bombardier Produits Récréatifs fabrique toujours des motoneiges à **Valcourt**, et le nom de Bombardier continu d'être associé au domaine des transports terrestres et aériens.

www.museebombardier.com - ♿ ℗ - *de déb. mai au 1ᵉʳ lun. de sept. : 10h-17h ; reste de l'année : mar.-dim. 10h-17h - fermé 1ᵉʳ-2 janv., 24-26 et 31 déc. - 7 $ (-5 ans gratuit).* Ce musée est un superbe hommage au fils illustre de Valcourt *(voir l'encadré ci-dessus)*. L'exposition J. Armand Bombardier et le garage Bombardier évoquent la vie et l'œuvre de l'inventeur. L'**exposition internationale sur la motoneige** retrace le développement commercial de ce véhicule de 1960 à nos jours, et explique l'usage qui en est fait dans les différentes parties du monde. Une salle est par ailleurs consacrée à des expositions temporaires axées sur les sciences et la technologie.

Centre culturel Yvonne-L. Bombardier – *1002 av. J.-A.-Bombardier - ☏ 450 532 3033 - www.centreculturelbombardier.com - ♿ ℗ - mar.-dim. 10h-17h (nocturne merc. 20h30).* Soutenu par la fondation J.-Armand-Bombardier, ce centre culturel regroupe une bibliothèque et un centre d'exposition.

😊 NOS ADRESSES À SHERBROOKE

TRANSPORTS

En autocar
Terminus de Sherbrooke – *80 r. du Dépôt -* ☎ *819 562 8899.* Liaisons avec Montréal, Québec et Trois-Rivières.

VISITES

🔍 **Le circuit des murales** – *Dép. au coin des rues Wellington Nord et Frontenac -* ☎ *819 578 5186 - www.murirs.qc.ca.* Ce circuit relie onze peintures murales dispersées à travers le Vieux-Sherbrooke. Chacune aborde une époque historique.

Tour guidé patrimonial et théâtral – *Dép. du Centre d'interprétation de l'histoire de Sherbrooke -* ☎ *819 821 1919 ou 1 800 561 8331 - www. tracesetsouvenances.com - de mi-juil. à fin août : w.-end 10h. - 28 $ (6-12 ans 15 $).* Des personnages du 19e s. guident le visiteur pendant 2h30 dans Sherbrooke.

Circuit dans le Vieux-Nord – *Location d'audioguide au Centre d'interprétation de l'histoire de Sherbrooke - 10 $.* Itinéraire pédestre dans le quartier du Vieux-Nord pour découvrir les anciennes demeures de la ville.

Train touristique – *Dép. du marché de la Gare -* ☎ *1 866 575 8081 - www.orfordexpress.com - mai-oct. : se renseigner sur les dép. - 50 $ (enf. 40 $), avec repas à partir de 68 $ (enf. 58 $).* Les deux voitures-restaurant de l'Orford Express relient Sherbrooke à Eastman en passant par Magog en 3h30 AR.

HÉBERGEMENT

POUR SE FAIRE PLAISIR
Marquis de Montcalm – *797 r. Gén.-de-Montcalm -* ☎ *819 823 7773 - www. marquisdemontcalm.com - 4 ch. 175 $.* En lisière du Vieux-Nord, une maison ancienne restaurée dont les chambres cossues portent des noms très parisiens (d'Orsay, Place des Vosges, Jardin du Luxembourg…). Le petit-déjeuner en trois temps enchaîne les assiettes délicieusement garnies. Accueil et service charmants.

RESTAURATION

PREMIER PRIX
Café Bla-Bla – *2 r. Wellington Sud -* ☎ *819 565 1366 - www.cafeblabla. ca - dim.-merc. 11h-22h, jeu.-sam. 11h-0h - fermé 24 déc.* Depuis près de 40 ans, on vient dans cette institution prendre une bière en toute simplicité, se régaler d'un bagel, d'un menu du jour *(potage et plat, 15 $)* ou d'un hamburger *(13 $).* Le soir, après le service, on peut encore grignoter en buvant un verre grâce aux nachos ou aux « pique-assiettes ». Wi-Fi.

BUDGET MOYEN
Le bouchon – *107 r. Frontenac -* ☎ *819 566 0876 - www.lebouchon. ca - lun.-vend. 11h30-14h30, 17h30-21h - fermé sam. midi, dim., et 23 déc.-7 janv. - table d'hôtes 13/43 $ à midi, 38/56 $ en soirée.* Décor un brin design et ambiance chaleureuse accompagnent ici des classiques revisités. La betterave se marie à l'orange sanguine, le tartare se présente en trilogie le soir (bœuf, canard, thon) et les ravioles sont fourrées au boudin noir. Belle carte des vins (vin au verre). Un bon rapport qualité-prix.

PETITE PAUSE

La Brûlerie de Café – *180 r. Wellington Nord -* ☎ *819 820 1223 -*

3

www.bruleriesdecafe.com -
7h30-23h, w.-end 9h-23h - fermé
1er janv. et 25 déc. Voilà le repaire
des étudiants de Sherbrooke.
Il ne s'agit pas de faire la fête
mais de réviser ses cours en
buvant un thé à la menthe
ou en mangeant un panini.
L'ambiance est presque studieuse,
surtout dans la deuxième salle
aux murs de brique et aux
sièges en cuir. Mezzanine avec
ordinateurs et accès gratuit au Net
contre consommation.

ACHATS

Marché de la Gare –
R. Minto - lac des Nations - www.
marchedelagare.com - dim.-jeu.
10h-18h, vend.-sam. 9h-18h.
Six commerces animent cette
ancienne gare reconvertie en
marché couvert : un chocolatier,
un café, un marchand de
primeurs, un fromager (voir
ci-après), un boucher et un
marchand de saucisses (porc,
sanglier, autruche, etc.). À la
belle saison, une vingtaine de

producteurs locaux (érable,
fromages, fruits et légumes)
les rejoignent.
Fromagerie de la Gare – 710 r.
Minto - ℰ 819 566 4273. Cet étal
du marché de la Gare propose
pas moins de 130 références de
fromages québécois. Selon les
saisons, on en trouve au lait cru
de brebis comme l'Étoile bleue ou
la tomme du Kamouraska ; au lait
cru de vache tels le 14 arpents, du
Saguenay, ou le Gré des champs,
produit à St-Jean-sur-Richelieu.

AGENDA

La fête du lac des Nations –
ℰ 819 569 5888 - www.
fetedulacdesnations.com. Mi-juillet.
pendant cinq jours, le lac est au
centre d'animations diurnes.
Omaterra – À Sherbrooke -
ℰ 819 573 0172 ou 1 877 573 0172 -
www.omaterra.com - 52 $ (4-16 ans
27,25 $). En été. Un spectacle
son et lumière où l'eau joue
le rôle du destin farceur qui
rapprochera deux personnages
en apparence incompatibles.

Drummondville

70 827 habitants – Centre-du-Québec

S'INFORMER

Tourisme Drummond – *Autoroute 20, sortie 175 ou sortie 177. 1350 r. J.-B.-Michaud - www.tourisme-drummond.com - de juin à déb. sept. : 8h30-20h30 ; reste de l'année : lun.-vend. 8h30-16h30.*

Tourisme Centre-du-Québec – *20 bd Carignan Ouest, Princeville (QC) G6L 4M4 - ℘ 819 364 7117 ou 1 888 816 4007 - www.tourismecentredu quebec.com.*

SE REPÉRER

Carte de région C2 (p. 218-219). Drummondville se trouve à environ 110 km à l'est de Montréal par la route 20 (sortie 177).

ORGANISER SON TEMPS

Prévoir trois à quatre heures pour visiter le Village québécois d'antan.

AVEC LES ENFANTS

Le Village québécois d'antan et ses artisans en costumes d'époque, ainsi que le moulin à laine d'Ulverton.

Si Drummondville a conservé son profil industriel, hérité du développement des moulins et des manufactures au début du 19ᵉ s., c'est vers une tout autre curiosité que se pressent ses nombreux visiteurs : le Village québécois d'antan.

Découvrir

★ Village québécois d'antan

Route 20 (sortie 181). 1425 r. Montplaisir - ℘ 819 478 1441 ou 1 877 710 0267 - www.villagequebecois.com - ✕ P - juin : merc.-dim. 10h-17h ; juil.-août : 10h-17h30 ; sept. : vend.-dim 10h-17h ; oct. : w.-end 10h-17h - 23,95 $ (4-12 ans 13,95 $).

Regroupés au bord de la rivière St-François, environ 70 bâtiments d'époque et des reproductions historiques recréent l'ambiance d'un village rural au Québec entre 1810 et 1910. Guides en costume.

On y découvrira neuf styles d'architecture, de la cabane en rondins des premiers colons à la maison d'influence américaine, en passant par la maison « à la québécoise » au toit en porte-à-faux.

> **UNE COLONIE BRITANNIQUE AUX ATOUTS PROMETTEURS**
> Cette ville du piémont appalachien fut fondée par les Britanniques à l'issue de la guerre anglo-américaine de 1812, comme poste militaire sur la rivière St-François. En 1815, un officier d'origine écossaise, Frederick George Heriot, y établit une colonie qu'il nomma en l'honneur du gouverneur de l'époque, Sir Gordon Drummond. À la mort d'Heriot, en 1843, la ville disposait déjà d'un bon nombre de moulins, de fabriques et de magasins. Son potentiel hydroélectrique allait par la suite être exploité, grâce à la présence de chutes dans la région. Aujourd'hui, Drummondville constitue une importante agglomération industrielle (textiles et autres produits manufacturés).

3

L'**église** du village est une reconstitution de l'église St-Frédéric de Drummondville (1822). Elle abrite des vitraux réalisés par Guido Nincheri (1950). On peut aussi visiter les maisons de l'apothicaire, du cordonnier et du notaire, ainsi que la forge et la ferme (1895), avec son écurie et son étable.

Un pont couvert (1868) provenant de Stanbridge enjambe un ruisseau. Le garage et poste à essence (1930) abrite une collection d'autos anciennes, dont la Cadillac du Premier ministre Mackenzie King. La maison de la standardiste (1910) sert de musée du Téléphone. Les visiteurs peuvent acheter du pain cuit à la manière de 1870, manger des plats typiques de cette période, et se faire photographier en costumes de différentes époques.

Domaine Trent

Parc des Voltigeurs, route 20 (sortie 181). 𝄞 *819 472 3662 -* ✗ **P** *- ouvert tte l'année.* Ancien officier de la marine britannique, George Norris Trent décida de se retirer au Canada, et fit construire en 1837 ce manoir de pierre au bord de la rivière St-François. La demeure fut agrandie en 1848, et ses descendants y demeurèrent jusqu'en 1963. Elle abrite aujourd'hui un musée de la Cuisine consacré à la riche tradition culinaire québécoise.

À proximité Carte de région

Moulin à laine d'Ulverton C2

▶ *À environ 30 km au sud-est sur la route 143, tournez à droite à Ulverton. Également accessible par la route 55.* 𝄞 *819 826 3157 - www.moulin.ca -* ✗ **P** *- de mi-juin à déb. sept. : 9h30-17h ; de mi-mai à mi-juin et de déb. sept. à fin oct. : w.-end 9h30-17h - 10,95 $.*

👥 Cet ancien moulin à carder revêtu de bardeaux surplombe la rivière Ulverton, affluent de la rivière St-François.

Construit pour William Dunkerley vers 1850, il changea plusieurs fois de mains. Abandonné en 1949, il fut restauré au début des années 1980. La visite permet de découvrir les méthodes de production et de transformation de la laine et de voir fonctionner l'ancienne machinerie.

Asbestos C2

▶ *À 60 km à l'est par les routes 143, 116 et 255. Vous sortez de la région Centre-du-Québec et entrez dans les Cantons-de-l'Est.*

La ville se développa autour du cratère de l'une des plus grandes mines d'amiante (*asbestos* en anglais) à ciel ouvert du monde. En 1949, Asbestos se rendit célèbre par la grève de ses mineurs. Profonde de 335 m et large d'environ 2 km, la mine produit annuellement 650 t d'amiante. Les gisements atteignent plus de 1 450 m de profondeur. Dans un moulin concasseur de douze étages, la fibre est séparée du minerai. Un belvédère permet d'observer le fonctionnement de la mine.

Musée minéralogique et d'Histoire minière d'Asbestos – *Par la route 255, suivez les panneaux indicateurs. 341 bd St-Luc -* 𝄞 *819 879 6444/5308 (hors saison) -* ♿**P** *- 24 juin-15 août : merc.-dim. 11h-17h ; reste de l'année : sur RV - 4 $.* De nombreux échantillons d'amiante et d'autres minerais y sont présentés parallèlement à l'évocation de l'histoire de la mine Jeffrey et de toute la région. Un film décrit les processus de minage, de forage et de broyage utilisés dans l'extraction de l'amiante.

Victoriaville

Arthabaska

⭐

42 649 habitants – Centre-du-Québec

S'INFORMER

Tourisme Bois-Francs – *231-A rue Notre-Dame Est -* ℘ *819 758 9451 ou 1 888 758 9451 - www.tourismeboisfrancs.com.*

Tourisme Centre-du-Québec – *Voir Drummondville, p. 261.*

SE REPÉRER

Carte de région C2 (p. 218-219). Victoriaville se trouve à 164 km au nord-est de Montréal par les routes 20 et 161.

À NE PAS MANQUER

La maison Sir Wilfrid-Laurier et le moulin La Pierre.

AVEC LES ENFANTS

L'été, les expositions de la maison Fleury.

Désormais regroupée à Victoriaville dont elle forme un secteur (au sud de l'agglomération), l'ancienne ville d'Arthabaska tire son nom de l'amérindien ayabaskaw, « là où il y a des joncs et des roseaux ». Elle se trouve au cœur de la région des Bois-Francs, réputée pour ses érablières, et aujourd'hui lieu de villégiature idéal pour les amoureux de la nature. Sa propre renommée, elle la doit aux personnalités qu'elle a vu naître, parmi lesquelles le Premier ministre Sir Wilfrid Laurier et le peintre Marc-Aurèle de Foy Suzor-Côté. Ses belles maisons victoriennes, notamment celles bordant la rue Laurier Ouest, sont un des vestiges du rayonnement culturel d'Arthabaska au 19ᵉ s.

3

Découvrir

⭐ Lieu historique national du Canada de la Maison-Wilfrid-Laurier

℘ *819 357 8655 - www.museelaurier.com -* 🅿 ♿ *- juil.-août : 10h-17h, w.-end 13h-17h ; reste de l'année : mar.-vend. 9h-12h, 13h-17h, w.-end 13h-17h - fermé 23 déc.-déb. janv. - 5 $.*

Le musée Laurier se compose de trois bâtiments différents.

UN PEU D'HISTOIRE…

L'arrivée en 1834 du premier colon de langue française, Charles Beauchesne, marqua le début de l'incursion des Canadiens français dans la partie sud de la province, dominée auparavant par les loyalistes de langue anglaise. Les produits de l'érable occupèrent rapidement une place importante dans l'économie locale – c'est encore le cas aujourd'hui, de concert avec l'élevage de vaches laitières et l'industrie forestière. Dès l'arrivée du chemin de fer, en 1861, Victoriaville supplanta Arthabaska par son activité industrielle, mais ne diminua en rien son rayonnement culturel.

SIR WILFRID LAURIER

Avocat, journaliste, homme politique, Wilfrid Laurier (1841-1919) fut le premier Canadien français à occuper le poste de Premier ministre du Canada (1896-1911) et devint, à son époque, une véritable légende. Renommé pour son libéralisme pragmatique, il fut à la tête du Parti libéral canadien de 1887 à 1919, et se dévoua tant à la cause de l'unité canadienne qu'à l'indépendance du pays vis-à-vis de la Grande-Bretagne. Il était également favorable au mouvement de colonisation de l'Ouest canadien, et encouragea le développement du chemin de fer du Grand Tronc ainsi que la création des provinces d'Alberta et de Saskatchewan. Bien que né à St-Lin, aujourd'hui appelé St-Lin-Laurentides, à 45 km au nord de Montréal, il passa une grande partie de sa vie à Arthabaska.

Maison Sir Wilfrid-Laurier – *16 r. Laurier Ouest*. Elle se distingue par ses corniches proéminentes, ses consoles décoratives, ses pierres d'angle et ses fenêtres en saillie. Elle fut construite en 1876 pour Sir Wilfrid Laurier, qui y vécut jusqu'à sa mort en 1919, mais de façon sporadique car après son élection au poste de Premier ministre en 1896, il passa la majeure partie de son temps à Ottawa.

Les salles du rez-de-chaussée évoquent l'époque à laquelle Laurier et son épouse, Zoé Lafontaine, étaient maîtres des lieux. La chambre à coucher, la salle à manger (lampe Tiffany) et le salon (piano à queue Kranick et Bach de 1885) reflètent le style d'ameublement alors en vogue. Divers panneaux explicatifs retracent la carrière de l'homme politique et fournissent quelques anecdotes sur sa vie privée ; à l'étage supérieur se trouve le cabinet de travail du Premier ministre.

À l'extérieur, un **buste** sculpté porte la signature d'Alfred Laliberté.

Pavillon Hôtel des Postes – *949 bd. Bois-Francs Sud -* 📞 *819 357 2185*. Construit en 1910 dans le style Second Empire, il propose des expositions temporaires consacrées à des thèmes historiques, ethnologiques et artistiques. Les visiteurs pourront notamment y admirer des œuvres d'artistes de renom, tirées de la collection permanente du musée Laurier. Parmi les artistes : Marc-Aurèle de Foy Suzor-Coté (1869-1937), Louis-Philippe Hébert (1850-1917), figure incontournable de la sculpture monumentale du Canada au 19e s., ou encore Alfred Laliberté.

Maison Fleury – *18 r. Laurier Ouest -* 📞 *819 357 8687*. 👥 Elle propose, en été, des expositions pour le jeune public.

Église Saint-Christophe d'Arthabaska

40 r. Laurier Ouest - 📞 *819 357 2376 -* ♿ *- 9h-17h - contribution souhaitée.*
Restaurée en 1997, cette charmante église de pierre de style néoroman (1873 ; J.-F. Peachy) possède un remarquable intérieur. Les 76 fresques et peintures qui en décorent la voûte furent réalisées par un artiste de St-Hyacinthe, J.-T. Rousseau, assisté de Suzor-Côté, jeune peintre alors débutant. Des élèves de l'illustre Louis-Philippe Hébert sculptèrent la statue de saint Christophe sur l'autel latéral gauche. On remarquera également de nombreux trompe-l'œil, rinceaux et frises d'inspiration baroque, ainsi que 43 vitraux de la compagnie Hobbs.

Mont Arthabaska

De la rue Laurier, empruntez le boulevard Bois-Francs Sud sur 1,5 km, et prenez à gauche la rue Mont-St-Michel.

Le parc (68 h) offre une superbe **vue★** de Victoriaville et de la vallée de la rivière Nicolet. On distingue la tour du **collège d'Arthabaska**, dirigé par les frères du Sacré-Cœur, et les clochers des églises St-Christophe et Ste-Victoire.

Le parc propose également des sentiers VTT, des sentiers pédestres et, l'hiver, des pistes de ski de fond et de raquette. Au sommet du mont, se dresse une croix métallique de 24 m, érigée en 1928.

À proximité Carte de région

Église Sainte-Victoire C2
À 5 km par la route 161. 99 r. Notre-Dame Ouest - ☏ 819 752 2112 - ♿ - lun.-jeu. : 8h-11h, 13h-16h.

Cette église de style néoclassique, dont le clocher principal s'élève à plus de 60 m de haut, fut bâtie en 1897. L'intérieur contient une abside ornée de boiseries élaborées ainsi qu'une nef dotée d'imposantes galeries latérales. Remarquez la voûte, décorée de riches sculptures sur bois, et les vitraux, réalisés à Montréal en 1928. L'église abrite par ailleurs **un orgue Casavant**.

Derrière l'église, à gauche, on découvre le presbytère, reconnaissable à son toit mansardé et à sa petite tour.

3

Nicolet

7 710 habitants – Centre-du-Québec

☺ NOS ADRESSES PAGE 270

⬚ S'INFORMER

Office de tourisme de Nicolet-Yamaska – *20 r. Notre-Dame - ✆ 819 293 6960 ou 1 866 279 0444 - www.tourismenicoletyamaska.com - lun.-jeu. 8h30-17h30, vend. 8h30-18h30, w.-end 9h30-18h30.*
Tourisme Centre-du-Québec – *Voir Drummondville, p. 261.*

◗ SE REPÉRER

Carte de région C2 (p. 218-219). Nicolet se trouve à 170 km au nord-est de Montréal par les routes 40, 55 et 132, à 25 km au sud-ouest de Trois-Rivières, et sur la rive droite de la rivière Nicolet, à 3 km de son embouchure avec le St-Laurent.

☺ À NE PAS MANQUER

Le musée des Abénakis à Odanak.

Nicolet est un des villages fondés par les Acadiens au Québec à la suite de la déportation des colons français de l'Acadie par l'armée britannique en 1755. C'est là son premier intérêt, historique. Il propose par ailleurs un surprenant musée des Religions et se situe à quelques kilomètres de la réserve amérindienne d'Odanak et son musée des Abénakis. Trois bonnes raisons pour y faire une étape.

Se promener

L'arrivée, en 1756, d'un groupe de réfugiés acadiens est à l'origine de ce centre agricole dont le nom évoque l'un des compagnons de Champlain, Jean Nicollet (1598-1642). Devenu diocèse en 1877, il accueille plusieurs communautés religieuses.

★★ Cathédrale Saint-Jean-Baptiste

671 bd Louis-Fréchette. Cette cathédrale en béton armé (1962 ; Gérard Malouin) évoque, par ses formes audacieuses, la voilure d'un navire. Elle remplace l'ancienne cathédrale emportée par le glissement de terrain de 1955 – qui provoqua en outre l'effondrement d'une bonne partie du vieux centre dans la rivière.

Œuvre de Jean-Paul Charland, une magnifique **verrière** (hauteur : 21 m ; longueur : 50 m) vient embellir la façade. Le chemin de Croix est gravé dans des murs d'ardoise ; au-dessus, des icônes représentent les anciens évêques de Nicolet. À gauche de l'autel (en granit noir), un passage mène au baptistère, décoré de mosaïque. Le vitrail du chœur, exécuté par le frère Éric de Thierry, est une superbe représentation du Christ en gloire.

Ancien collège-séminaire de Nicolet

350 r. d'Youville. C'est pour favoriser le recrutement religieux en milieu urbain que les autorités religieuses établirent en 1803 un collège-séminaire à Nicolet. Construit en 1828 et à moitié détruit par un incendie en 1973, il abrite l'École nationale de police du Québec.

Musée des Religions du monde

En face de la cathédrale. 900 bd Louis-Fréchette - ☎ 819 293 6148 - www.musee desreligions.qc.ca - ♿🅿 - de fin mai au 31 déc. : 10h-17h ; reste de l'année : mar.-vend. 10h-16h30, w.-end 13h-17h - fermé 1er janv. et 25 déc. - 9 $.

Consacré à l'étude et la préservation de l'héritage religieux, ce musée occupe un bâtiment moderne coiffé d'une pyramide de verre. Au rez-de-chaussée, il présente de multiples objets (moulin à prière, calice et patène, statues de divinités, tapis de prière, lampe de Hanouka, etc.), qui reflètent les principales tendances religieuses dans le monde : bouddhisme, christianisme, hindouisme, islam et judaïsme. Des expositions temporaires donnent par ailleurs l'occasion de s'interroger sur la dimension spirituelle de l'être humain. Au sous-sol, les chercheurs pourront consulter les riches archives du séminaire de Nicolet (3 500 objets, 2 000 cartes et plans, 24 000 photos et plus de 100 000 ouvrages).

Maison Rodolphe-Duguay

Faites 1 km sur la route 132 ; passez le pont Pierre-Roy, puis prenez à gauche le rang St-Alexis. 195 rang St-Alexis - ☎ 819 293 4103 - www.rodolpheduguay.com - 🅿 - de mai à oct. : mar.-dim. 10h-17h ; reste de l'année : sur RV - 4 $ - accès gratuit aux jardins durant l'été.

Construite en 1835, la maison où naquit et vécut le peintre-graveur Rodolphe Duguay (1891-1973) se dresse sur un site agréable dominant la rivière Nicolet. Le bel atelier qui lui est attenant fut rajouté par l'artiste, après son retour en 1927 d'un long séjour à Paris où il était parti étudier. Ancien élève de Suzor-Côté, Duguay était surtout un peintre paysagiste, et l'un des graveurs sur bois les plus célèbres du Canada. Des expositions thématiques permettent de découvrir son œuvre et l'environnement dans lequel il travaillait.

À proximité Carte de région

3

Baie-du-Febvre B2

◗ *À 13 km au sud-ouest par la route 132.*

Niché le long du **lac St-Pierre**, ce petit village accueille chaque année en avril les oies des neiges du Québec. Les prés environnants se transforment en lacs peu profonds, refuges idéaux pour le gibier d'eau. Dernier bassin d'eau douce du St-Laurent, le lac St-Pierre est également la plus importante halte migratoire de sauvagines du Québec. Près de 300 espèces d'oiseaux résidents et migrateurs ont pu y être observées. Depuis 2000, le lac a été déclaré « réserve de la Biosphère » par l'Unesco *(www.biospherelac-st-pierre.qc.ca)*.

Centre d'interprétation de Baie-du-Febvre – *420 rte Marie-Victorin - ☎ 450 783 6996 - www.oies.com - mars-nov. : 10h-17h - 6 $.* Ici, vous obtiendrez toutes les informations sur le phénomène de la migration de l'oie blanche.

Odanak B2

◗ *À 25 km au sud-ouest par la route 132. Tournez à gauche à Pierreville et suivez les indications.*

Située au bord de la rivière St-François, la réserve amérindienne d'Odanak fut peuplée vers 1700 par des Abénaquis et des Sokokis. Ses principales sources de revenus sont la vente d'œuvres d'art et d'artisanat, le tourisme ainsi que la foresterie, la confection de vêtements et la fabrication de meubles. La Fête des Abénakis est célébrée à Odanak chaque année vers la fin du mois de juillet.

Cinquième à être érigée sur le site, sa **petite église** est décorée de sculptures autochtones. Aux murs, remarquez la frise en bois et les statues, notamment celle de Kateri Tekakwitha *(voir l'encadré p. 228)*.

Musée des Abénakis – *Dans l'ancien couvent, à côté de l'église.* ✆ *450 568 2600 - www.museedesabenakis.ca - ⚙☐ - mai-déc. : 10h-17h ; janv.-avr. : merc.-dim. 10h-17h - 8,50 $.* ⚙⚙ Il témoigne de la culture traditionnelle de cette nation et de son évolution au fil du temps. On y découvre le mode de vie traditionnel des Abénakis, l'histoire d'Odanak et l'établissement de la mission catholique.

Circuit conseillé Carte de région

DE NICOLET À QUÉBEC C1-2

▶ *Circuit de 142 km tracé sur la carte p. 218-219, par la route 132 qui longe la rive sud du St-Laurent. Quittez Nicolet par le boulevard Louis Fréchette vers l'est. À la sortie de la ville, prenez à gauche la route du Port puis à droite le boulevard Bécancour.*

★ Pont Laviolette C2

Seul à relier les deux rives du St-Laurent entre Montréal et Québec, cet ouvrage aux courbes élégantes (longueur : 3 km) fut achevé en 1967.

Poursuivez tout droit sur la route 132.

De la route, on aperçoit la basilique Notre-Dame de Cap-de-la-Madeleine ainsi que le port et les papeteries de Trois-Rivières.

Gagnez Bécancour par la route 30.

Bécancour C2

Cette municipalité résulte de la fusion, en 1965, de 11 villages et paroisses des environs. Aujourd'hui célèbre pour son parc industriel où se sont établies toutes sortes d'entreprises (usines d'aluminium et autres), elle correspondait autrefois à l'ancienne seigneurie de Pierre Le Gardeur de Repentigny.

Poursuivez le long de la route 30.

La route traverse une région à la fois agricole et industrielle marquée, à 8 km de Bécancour sur la gauche, par la présence de la centrale nucléaire Gentilly 2, seule du genre au Québec.

Moulin Michel C2

675 bd Bécancour - ✆ *819 298 2882 - www.moulinmichel.qc.ca - ✕⚙☐ - visites guidées par des accompagnateurs en costume - horaires, se renseigner - 5 $.*

Bâti en 1774, il vous donnera l'occasion de vous replonger à l'époque de la Nouvelle-France tout en découvrant le savoir-faire ancestral du meunier. Depuis 1992, le moulin a repris du service, pour le plus grand plaisir du visiteur qui, à la période estivale, pourra déguster du pain de blé cuit sur place.

Poursuivez le long de la route 30.

La route traverse St-Pierre-les-Becquets et Deschaillons. De belles vues sur le fleuve s'offrent au regard. Sur la gauche *(à 24 km du moulin)*, une plaque commémore l'énorme rocher (272 kg) qui aurait été placé là par Modeste Malhot (1763-1834). Ce « géant canadien » légendaire mesurait 2,24 m ; il naquit à St-Pierre-les-Becquets et mourut à Deschaillons.

Leclercville C2

Le village, établi par les Acadiens, surplombe le confluent du St-Laurent et de la rivière du Chêne. L'église Ste-Émmélie, en brique, fut érigée en 1863.

Lotbinière C1

De ce village au cœur d'une campagne paisible, on aperçoit Deschambault, de l'autre côté de la rivière.

Église St-Louis – La façade de cette ravissante église (1818) aux murs blancs domine une place bordée au nord par l'ancien couvent. À l'intérieur (1845 ; Thomas Baillairgé), le retable – en forme d'arc de triomphe – est surmonté de deux statues néoclassiques, la Foi et l'Espérance, elles aussi dues à Baillairgé.

Maison Chavigny de la Chevrotière – *7640 r. Marie-Victorin.* Cette demeure traditionnelle fut érigée en 1817 pour le notaire Ambroise Chavigny de la Chevrotière. Elle évoque, par sa haute toiture, le style du Régime français.

Domaine Joly de Lotbinière C1

Quittez la route 132 et tournez à gauche ; suivez les panneaux indicateurs pendant 3 km. 🖋 *418 926 2462 - www.domainejoly.com -* ✗ 🅿 *- de mi-mai à mi-oct. : 10h-17h - 14 $.*

Ce charmant manoir, peint en blanc et doté d'un toit de bardeaux, est entouré de larges vérandas décorées par des frises de feuilles d'érable. Construit en 1840 par Julie-Christine Chartier de Lotbinière et son mari, Pierre Gustave Joly, il servit de résidence d'été. Il fut habité par leur fils, **Henry-Gustave Joly de Lotbinière** (1829-1908), Premier ministre du Québec (1878-1879), ministre du Revenu dans le cabinet de Sir Wilfrid Laurier (1896-1900) et lieutenant-gouverneur de la Colombie-Britannique (1900-1906).

Centre d'interprétation – *De mi-juin à déb. sept. : 11h-17h ; de mi-mai à mi-juin et de déb. sept. à mi-oct. : w.-end 11h-17h.* Il présente l'histoire de la seigneurie de Lotbinière et son cadre naturel. Les jardins et les terres, d'où la vue s'étend jusqu'au fleuve, se prêtent au pique-nique et à d'agréables promenades.
Reprenez la route 132.

Saint-Antoine-de-Tilly C1

Prenez à gauche le chemin de Tilly. De l'église (1788), une petite route descend vers le St-Laurent et offre une vue qui embrasse le fleuve et Neuville, sur la rive opposée. Le manoir de Tilly (19ᵉ s.), abrite une auberge de campagne.
Reprenez la route 132.

La route traverse Ste-Croix et permet de voir, sur l'autre rive, Donnacona et l'église de Cap-Santé.

Saint-Nicolas C1

Tournez à droite dans la rue de l'Entente, en face du château d'eau.

Église St-Nicolas – ♿ *lun.-jeu. 9h-12h, 13h30-16h30 - fermé juil.* Construite en 1693, elle est dominée par un clocher dont la silhouette évoque une voilure. L'autel central, entouré de bancs, ressemble, visuellement et symboliquement, à la barre d'un navire. À l'extérieur, le balcon offre un excellent **point de vue** sur le fleuve et sur les deux ponts qui conduisent à Québec.

Après être passé sous la bretelle d'autoroute, prenez la route 175 vers le nord.

★★ Pont de Québec C1

Doté d'une travée de 549 m suspendue entre ses deux principaux

3

piliers, il était lors de sa construction l'ouvrage de type « cantilever » le plus long au monde. Le projet s'avéra un véritable cauchemar : en 1907, le pont s'effondra et, en 1916, la travée centrale disparut dans le fleuve au moment de son installation. Ouvert à la circulation ferroviaire en 1917, il est accessible aux automobiles depuis 1929.

Tout à proximité se trouve le **pont Pierre-Laporte★**, qui fut inauguré en 1970. Il s'agit du pont suspendu le plus long du Canada (668 m).

😊 NOS ADRESSES ENTRE NICOLET ET QUÉBEC

HÉBERGEMENT

BUDGET MOYEN

À Saint-Antoine-de-Tilly
La Maison Normand – *3894 chemin de Tilly - ☎ 418 886 1314 - www.gitescanada. com/8002.html - 5 ch. 110/135 $.* Dans l'ancien magasin général sur la place de l'église, cette charmante maison québécoise abrite des chambres adorables et coquettes meublées avec goût.

RESTAURATION

BUDGET MOYEN

À Saint-Antoine-de-Tilly
Chez LeGardeur – *3884 chemin de Tilly - ☎ 418 413 3303 - www. chezlegardeur.com - jeu. 17h-22h, vend. 17h30-22h, w.-end 9h30-22h - 25/45 $.* Dans une jolie maison du bourg, une délicieuse cuisine rustique et raffinée. Esturgeon, anguille et carré d'agneau se partagent la carte.

Beauce

★

Chaudière-Appalaches

⊞ S'INFORMER

Tourisme Chaudière-Appalaches – *800 autoroute Jean-Lesage, St-Nicolas G7A 1C9 - ☎ 418 831 4411 ou 1 888 831 4411 - www.chaudiereappalaches. com.*

◐ SE REPÉRER

Carte de région CD1-2 (p. 218-219). La Beauce est arrosée par la Chaudière qui débouche du lac Mégantic, juste au nord de la frontière américaine, et se jette dans le St-Laurent. Elle se situe à 20 km au sud-est de Québec.

⊛ À NE PAS MANQUER

Les couleurs des forêts d'érables en automne, le parc des Chutes de la Chaudière, le parc national du Mont-Mégantic.

⚏ AVEC LES ENFANTS

L'ASTROlab du parc national du Mont-Mégantic.

Tout comme son homonyme français situé dans le Bassin parisien, la Beauce québécoise est une vaste plaine de terres fertiles. Perpendiculaire à l'axe du St-Laurent, elle devient plus montagneuse dans sa partie sud. On y découvre la plus forte concentration d'érablières du Québec. Une tradition populaire riche en folklore et festivités s'est d'ailleurs développée autour de l'érable, et se reflète dans l'art traditionnel de la région. Pendant le temps des sucres, au printemps, on se rassemble dans les cabanes à sucre pour déguster la tire d'érable et prendre part aux festivités locales, les parties de sucre.

Circuits conseillés Carte région

DE QUÉBEC AU LAC MÉGANTIC CD1-2

◐ Circuit de 221 km tracé sur la carte p. 218-219. Quittez Québec par la route 73 et traversez le pont Pierre-Laporte en direction du sud. Après 1 km, prenez la sortie 130. Suivez les panneaux de signalisation jusqu'au parc.

★ Parc des chutes de la Chaudière C1

⊞ À Charny - Association touristique Chaudière-Appalaches - ☎ 418 839 2002 - www.chaudiereappalaches.com et www.tourismelevis.com - 🅿 - 8h-21h.

La région fut découverte en 1646 par le père Druillette. En 1700, des Abénaquis s'y installèrent et la baptisèrent *Namesokanjik* (« lieu poissonneux »). Juste avant de se jeter dans le St-Laurent près de la ville de Québec, la Chaudière plonge d'une falaise, en une chute de 35 m de haut sur 121 m de large. Les Abénaquis l'avaient baptisée *asticou,* autrement dit « chaudière », à cause de la forme de son bassin de réception. La rivière entière prit par la suite ce nom. De la passerelle qui enjambe le cours d'eau, vue remarquable sur sa cataracte.

Regagnez la route 73 et prenez la sortie 123, puis la route 175 Sud. À St-Lambert, traversez la Chaudière et prenez la route 171 Sud. À Scott (34 km), la route traverse

3

à nouveau la rivière et devient route 173 Sud. Elle suit le cours d'eau à travers une paisible région agricole.

Sainte-Marie D1

Cette ville faisait partie de la seigneurie donnée en 1736 à **Thomas-Jacques Taschereau**, membre d'une famille influente à laquelle appartenaient également Elzéar-Alexandre Taschereau (1820-1898), premier cardinal catholique canadien, et Louis-Alexandre Taschereau (1867-1952), Premier ministre du Québec de 1920 à 1936. Ste-Marie vit aussi naître **Marius Barbeau** (1883-1969), écrivain, ethnomusicologue et fondateur des archives du folklore du Québec à l'Université Laval, à Québec *(voir le musée Marius-Barbeau p. 273)*. Aujourd'hui, l'industrie alimentaire contribue à la prospérité de la ville. En 1923, Arcade **Vachon** et sa femme, Rose-Anne Giroux, achetèrent une boulangerie et y fabriquèrent des petits gâteaux, vendus aujourd'hui dans toute la province.

Maison de la famille Vachon – *383 av. de la Coopérative - ☏ 418 387 4052 ou 1 866 387 4052*. Entièrement restaurée, elle abrite le centre d'interprétation sur l'histoire de la famille et de l'entreprise des gâteaux Vachon. À voir, le plus vieux gâteau de noces du monde homologué par le livre *Guinness World Records* !

Église Ste-Marie – ♿🅿. L'un des premiers exemples d'architecture néogothique réalisés pour l'Église catholique du Québec (1856 ; Charles Baillairgé). L'extérieur est d'inspiration anglaise, mais l'intérieur prend modèle sur l'œuvre de Viollet-le-Duc. D'une rare harmonie dans son ensemble, on peut le comparer à l'intérieur de la basilique Notre-Dame à Montréal, dû à Victor Bourgeau.

Après 10 km, la route traverse **Vallée-Jonction**, petit village dominant la Chaudière. La route 112 vers Thetford Mines traverse la rivière à cet endroit.

Thetford Mines D2

🛈 **Tourisme Région de Thetford** – *2600 bd Frontenac Ouest - ☏ 418 423 3333 ou 1 877 335 7141 - www.tourismeregionthetford.com - de fin juin à fin août : 8h30-17h30 ; de fin août à déb. sept. : 8h30-17h.*

La ville se trouve au cœur de la plus grande région productrice d'amiante du monde occidental, et occupe un site vallonné arrosé par la rivière Bécancour. Thetford Mines se distingue par ses terrils, constitués des résidus de roche concassés de la mine, qui lui confèrent un décor unique.

★ **Musée minéralogique et minier de Thetford Mines** – *711 bd Frontenac Ouest (route 112) - ☏ 418 335 2123 - www.museemineralogique.com - ♿🅿 - de fin juin à mi-août : 9h30-18h ; de mi-août à déb. sept. : 9h30-17h ; reste de l'année : 9h30-16h30, w.-end 13h-17h - 9 $.* Le musée dévoile une superbe collection de minéraux issus des quatre coins du monde. La richesse du sous-sol appalachien y est particulièrement mise en valeur. L'exposition permanente permet aux visiteurs d'identifier les divers types de roches, et en explique les caractéristiques : dureté, transparence, couleur, éclat. Elle retrace également l'histoire de l'amiante, son exploitation et ses nombreuses applications, et présente le patrimoine minier de la région.

Rejoignez St-Joseph-de-Beauce par la route 112.

★ Saint-Joseph-de-Beauce D2

Blottie dans la vallée de la Chaudière, cette ancienne seigneurie fut concédée en 1737 à Joseph Fleury de la Gorgendière, riche marchand québécois auquel la ville doit son nom. C'est également à St-Joseph-de-Beauce que vécut Robert Cliche (1921-1978), juge, écrivain et homme politique

Centre-ville – L'**église St-Joseph**, dessinée par F.-X. Berlinguet, présente une étroite façade surmontée d'un haut clocher. L'intérieur fut achevé en 1876 par J.-F. Peachy.

UNE TERRE MARQUÉE PAR LA CHAUDIÈRE

Route du Président-Kennedy – En 1775, douze ans après la cession de la Nouvelle-France à l'Angleterre par le traité de Paris, un corps expéditionnaire américain de 1 100 hommes conduits par le colonel Benedict Arnold longea la rivière Kennebec pour se rendre dans l'État du Maine. De là, il continua vers le nord, le long de la Chaudière, pour tenter de prendre la ville de Québec. Les treize colonies américaines, engagées dans leur révolte contre le joug anglais, espéraient persuader les Canadiens d'épouser leur cause. Un grand nombre de soldats moururent au cours de cette longue marche forcée, et les survivants furent défaits. Tous les ans, quelque 600 000 Américains partent pour Québec en suivant cette route (route 173), aujourd'hui appelée « route du Président-Kennedy ».

La ruée vers l'or de 1846 – Une pépite de la taille d'un œuf de pigeon fut trouvée en 1846 dans un affluent de la Chaudière. Très vite, des prospecteurs affluèrent entre N.-D.-des-Pins et St-Simon-les-Mines. Au début du 20e s., on avait ainsi extrait pour un million de dollars de minerai d'or. Les vestiges de ces beaux jours sont encore visibles aujourd'hui.

Une rivière indocile – Le cours de la Chaudière est rarement navigable, et ses fréquentes crues font les gros titres des journaux malgré la construction d'un barrage à St-Georges-de-Beauce.

En face de l'église, un grand **presbytère** de brique (1892 ; G.-É. Tanguay) évoque un château français du 16e s. L'ancien couvent (1889 ; J.-F. Peachy) et l'**orphelinat** (1908) sont de style Second Empire. Derrière l'église se dresse l'**école Lambert** (1911 ; Lorenzo Auger), agrandie en 1947, puis en 1995. L'ensemble est complété par le **palais de justice-prison**, d'architecture néoclassique, bâti entre 1857 et 1862. À l'arrière, une annexe postmoderne se mêle harmonieusement à l'architecture originale.

Musée Marius-Barbeau – 139 r. Ste-Catherine - ☎ 418 397 4039 - www. museemariusbarbeau.com - ♿ - de fin juin à déb. sept. : 9h30-17h, w.-end 10h-17h ; de déb. sept. à fin oct. : mar.-vend. 10h-12h, 13h-16h30, w.-end 13h-16h ; reste de l'année : mar.-vend. 10h-12h, 13h-16h30, dim. 13h-16h - fermé quelques jours fin déc. et déb. janv. - 8 $. Ce musée retrace l'histoire de la Beauce, des premières seigneuries jusqu'à la ruée vers l'or du 19e s. Installé dans un ancien couvent, il relate également les travaux de l'ethnologue et folkloriste Marius Barbeau.

Reprenez l'avenue du Palais qui rejoint la route 173 au sud du centre-ville.

Beauceville D2

Édifié sur les pentes escarpées de la vallée de la Chaudière, ce bourg a vu naître le poète **William Chapman** (1850-1917), disciple et rival de Louis Fréchette.

De l'autre côté de la rivière se dresse l'**église St-François-d'Assise** *(ouverte pour l'office)*, dont on remarquera le maître-autel et les statues d'anges.

Parc des rapides du Diable – *À 3 km au sud de la ville.* Le parc est sillonné de chemins menant à la Chaudière et aux rapides du Diable qui dévalent le lit rocailleux de la rivière. On peut encore voir les fondations d'un moulin ayant servi à l'extraction du précieux métal aurifère pendant la ruée vers l'or.

Quittez la route 173 et prenez la direction de Notre-Dame-des-Pins.

Notre-Dame-des-Pins D2

Au milieu du 19e s., les chercheurs d'or se rassemblaient en ces lieux avant d'embarquer sur la rivière Gilbert en direction de St-Simon-les-Mines.

Pont couvert – *Tournez à droite dans la 1re Avenue, juste avant le pont moderne.* C'est le plus long de la province (154,5 m). Construit une première fois en 1927, il fut emporté par les glaces en 1928. Reconstruit l'année suivante sur trois piliers centraux, il demeura en service jusqu'en 1969, époque à laquelle il fut fermé à la circulation *(aire de pique-nique non loin du pont).*
Continuez vers le sud. Quittez la route 173 à la sortie St-Georges.

Saint-Georges D2

La capitale industrielle de la Beauce fut d'abord appelée *Sartigan*, « rivière changeante » dans la langue des Abénaquis. En 1807, un colon allemand dénommé **Johann George Pfozer** fit l'acquisition des terres et donna son nom à la ville. St-Georges s'est développée à la suite de l'invasion américaine de 1775, mais sa véritable expansion économique est postérieure à 1830.

★ **Église St-Georges** – *1re Av., à St-Georges Ouest, de l'autre côté de la rivière.* Caractérisée par une façade monumentale en pierre de taille, cette église (1902) est dominée par trois flèches. Devant l'entrée se dresse une copie du *Saint Georges terrassant le dragon* de Louis Jobin. L'original (1912) – une énorme sculpture de bois recouverte de bronze doré – est exposée au centre culturel Marie-Fitzbach voisin. L'**intérieur** richement décoré comprend des balcons à gradins ornés de boiseries peintes et dorées.

Saint-Évariste-de-Forsyth D2

À 44 km par les routes 173, 204, 269 et 108. Ce village perché offre de jolis points de vue sur la campagne alentour.
Reprendre la route 204.

Saint-Gédéon-de-Beauce D2

Le paysage s'ouvre sur le lac Mégantic ainsi que sur les collines alentour.

★ LAC MÉGANTIC D2

◯ *Circuit de 59 km tracé sur la carte p. 218-219.*
C'est un lac, une ville, un très beau site et le point de départ d'une excursion dans le parc national du Mont-Mégantic, qui abrite l'observatoire astronomique du Mont-Mégantic. Le parc a été déclaré en 2007 « réserve de ciel étoilé ». Tout y est mis en œuvre pour minimiser la pollution lumineuse.

Lac-Mégantic

🛈 **Bureau d'accueil touristique** – *5490 r. de la Gare -* ☏ *819 583 5555 ou 1 800 363 5515 - www.tourisme-megantic.com - de déb. juin à mi-oct. : 9h-18h ; de mi-oct. à mai : 9h-12h, 13h-16h30.*
Ce petit centre industriel et commercial se trouve à l'extrémité nord-est du lac Mégantic, à son point de jonction avec la rivière Chaudière. Fondé en 1885 par des Écossais, il a conservé de cette époque des maisons de brique rouge le long de la rue principale. Un joli parc aménagé sur les bords du lac permet d'admirer les montagnes, notamment le mont Mégantic qui se dresse à l'ouest.

Église Ste-Agnès – *4872 r. Laval.* Elle recèle un magnifique **vitrail** sur le thème de l'Arbre de Jessé. Ce vitrail avait été conçu en 1849 pour la Church of the Immaculate Conception, dans le quartier de Mayfair à Londres.

Excursion au mont Mégantic

Quittez Lac-Mégantic par la route 161.
La route grimpe, surplombe le lac Mégantic et permet d'admirer les montagnes Blanches, au sud.

Mont Mégantic.
P. Renault/Hémis.fr

À Woburn (27 km), prenez à droite la route 212 et continuez sur 18 km.
La route atteint **N.-D.-des-Bois**, dont la particularité est d'être le village québécois le plus élevé du pays (549 m).
À N.-D.-des-Bois, tournez à droite vers le parc national du Mont-Mégantic.

Parc national du Mont-Mégantic
189 rte du Parc - ☎ 819 888 2941 ou 1 800 665 6527 - www.sepaq.com - 9h-17h, jusqu'à 23h lors des soirées d'astronomie - soirées « astronomie » sur réserv. - 5,50 $ (droit d'accès) ; soirées « astronomie » 17,50 $ (enf. 8,75 $).

👥 À la base du mont Mégantic, se trouve l'**ASTROlab**, un centre d'activités en astronomie dédié à la vulgarisation scientifique. Il propose une salle multimédia haute définition, des expositions et organise des soirées « astronomie ».
Au sommet du **mont Mégantic** (1 100 m) se trouvent deux observatoires.
Observatoire du Mont-Mégantic – *Visite guidée.* Il possède l'un des télescopes les plus puissants de l'Est de l'Amérique du Nord (objectif : 1,61 m de diamètre ; poids approximatif : 24 t). Il propose au public diverses activités et expositions d'interprétation sur le thème de l'astronomie.
Observatoire populaire – Il organise des soirées « astronomie » permettant à tous d'observer les étoiles et les constellations (quand la visibilité le permet !)
Revenez sur 3 km et prenez à gauche une petite route accidentée qui grimpe sur 1 km avant d'arriver au mont Joseph.

Mont Joseph
En 1883, le père Corriveault, de N.-D.-des-Bois, fit ériger un petit sanctuaire en l'honneur de saint Joseph, à la suite de tornades dévastatrices ayant miraculeusement laissé indemnes les habitants du village qui avaient prié ce saint. Du sommet du mont Joseph se déploie un **panorama★★** incomparable sur la région.

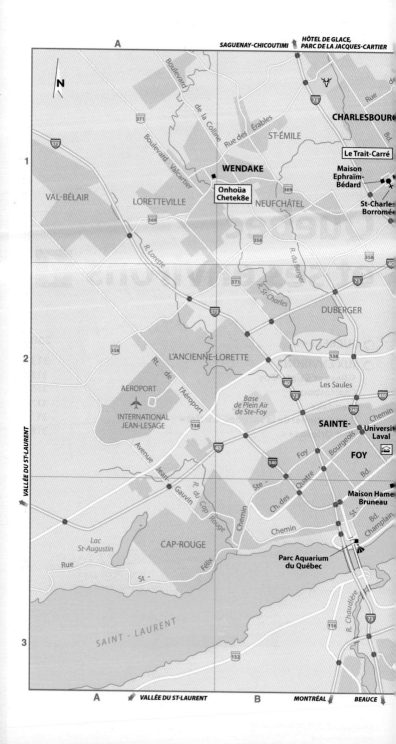

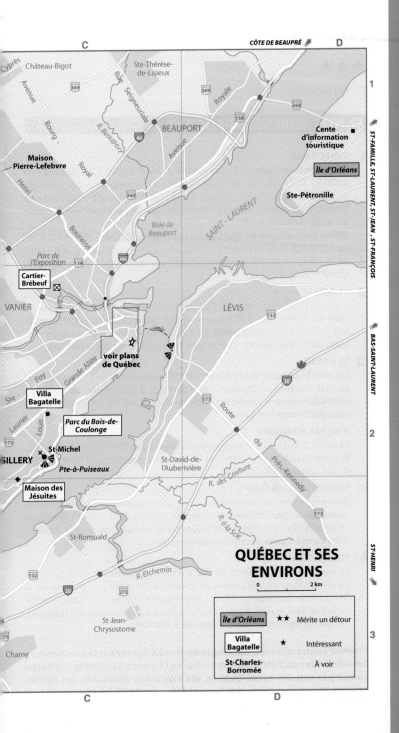

CÔTE DE BEAUPRÉ

C **D**

Château-Bigot
Cyprès
Ste-Thérèse-de-Lisieux
Avenue
369
Bourg
369
Royale
368
R. Beauport
Royal
Rue Seigneuriale
BEAUPORT
138
Cente d'information touristique
Henri
40
Avenue
Maison Pierre-Lefebvre
360
Île d'Orléans
Bourassa
Ste-Pétronille
138
Parc de l'Exposition
440
Baie de Beauport
SAINT - LAURENT
Cartier-Brébeuf
VANIER
LÉVIS
132
Foy
Grande Allée
voir plans de Québec
Ste
Villa Bagatelle
Laurier
Louis
173
175
Parc du Bois-de-Coulonge
Route
St-Michel
GILLERY
Pte-à-Puiseaux
20
St-David-de-l'Auberivière
du Prés-Kennedy
Maison des Jésuites
R. des Couture
St-Romuald
R. d'la Sûe
173
132
R. Étchemin
QUÉBEC ET SES ENVIRONS
20
275
0   2 km
St-Jean-Chrysostome
75
Charny

Île d'Orléans	★★	Mérite un détour
Villa Bagatelle	★	Intéressant
St-Charles-Borromée		À voir

ST-FAMILLE, ST-LAURENT, ST-JEAN , ST-FRANÇOIS

BAS-SAINT-LAURENT

ST-HENRI

C **D**

1

2

3

Québec

★★★

511 789 habitants

NOS ADRESSES PAGE 322

S'INFORMER

Centre Infotouriste – *12 r. Ste-Anne - ☏ 514 873 2015, 1 877 266 5687 ou 0 800 90 77 77 (gratuit depuis la France) - www.bonjourquebec.com - de mi-juin à fin août : 9h-19h ; reste de l'année : 9h-17h - fermé 1er janv. et 25 déc.* Comptoir de renseignements, bureau de change, visites guidées, location de voitures, librairie, etc.

Office de tourisme de Québec – *835 av. Wilfrid-Laurier - ☏ 418 641 6290 ou 1 877 783 1608 - www.regiondequebec.com - de mi-juin à déb. sept. : 8h30-19h30 ; d'avr. à fin juin et de déb. oct. à fin mars : 9h-17h, dim. 10h-16h - fermé 1er janv. et 25 déc.*

SE REPÉRER

Carte de région (p. 278-279). Québec domine le St-Laurent à 230 km au nord-est de Montréal (500 km au nord de Boston). L'autoroute 40 et la route 138, qui correspond au chemin du Roy, relient les deux métropoles régionales par la rive gauche. L'autoroute 20 fait la liaison par la rive sud.

SE GARER

Les rues historiques étant étroites et très fréquentées en été, garez-vous au plus vite sur l'un des nombreux parkings du Vieux-Port ou de la colline parlementaire, voire dans le Vieux-Québec même, si la circulation ne vous décourage pas avant.

À NE PAS MANQUER

La collection d'art inuit Brousseau du musée des Beaux-Arts de Québec, la visite du château Frontenac et la vue sur Québec depuis l'Observatoire de la Capitale ou la Citadelle.

ORGANISER SON TEMPS

Si un long week-end suffit à découvrir le Vieux-Québec et le Vieux-Port, un séjour prolongé s'impose pour prendre le pouls de la ville et s'aventurer en dehors des murailles : sur la colline parlementaire, dans les faubourgs, voire dans les arrondissements limitrophes.

AVEC LES ENFANTS

Le centre d'interprétation de Place-Royale, la démonstration de tir au canon au Parc-de-l'Artillerie, le spectacle Odyssée à la maison de la Découverte des plaines d'Abraham, le panorama depuis l'Observatoire de la Capitale, le Parc Aquarium du Québec à Ste-Foy et le site traditionnel huron-wendat Onhoüa Chetek8e à Wendake.

Premier centre urbain d'Amérique du Nord à figurer sur la prestigieuse liste des villes du Patrimoine mondial de l'Unesco, la « vieille capitale » séduit par son site remarquable, ses élégantes demeures, ses fortifications et son caractère résolument français. Les flèches élancées de ses innombrables églises se dressent dans le ciel, témoins des pieuses

Rue du Petit-Champlain.
P. Mastrovito/Age Fotostock

origines de la colonie française. Québec, c'est la flânerie, le plaisir de découvrir, au hasard de ses étroites ruelles pavées, de jolies maisons basses au toit pentu percé de lucarnes, ou encore de pittoresques boutiques d'art et d'artisanat, des restaurants à la cuisine savoureuse et des cafés-terrasses où il fait bon s'attabler en été. Pourtant, hors les murs, Québec est aussi une cité moderne qui ne fait pas ses 400 ans. Gratte-ciel altiers, faubourgs à la mode, ville d'hommes politiques, de fonctionnaires, d'étudiants et aussi centre industriel et portuaire : l'autre visage de la cité de Champlain est à découvrir absolument.

★★★ Basse-Ville

◐ *Circuit* ① *tracé en vert sur le plan p. 282-283.* De la terrasse Dufferin, empruntez l'abrupt escalier Frontenac menant à la Basse-Ville, et descendez la côte de la Montagne jusqu'à l'escalier Casse-Cou qui aboutit à la rue du Petit-Champlain.
Funiculaire – ☎ *418 692 1132 - www.funiculaire-quebec.com - dép. de la terrasse Dufferin 7h30-23h30 - 2 $.*

Maison Louis-Jolliet
16 r. du Petit-Champlain. Construite en 1683 selon les plans du tailleur de pierre et architecte Claude Baillif, cette maison de deux étages appartint jadis à Louis Jolliet qui, avec le père Jacques Marquette, découvrit le Mississippi. Depuis 1879, l'édifice abrite la gare inférieure du funiculaire qui relie la Haute-Ville à la Basse-Ville.

★ Rue du Petit-Champlain
Tracée durant les années 1680, cette ruelle piétonnière au pied de la falaise portait à l'origine le nom de rue de Meulles. Elle prit son nom actuel au 19ᵉ s., lorsque fut dessiné le boulevard Champlain. Les maisons de bois qui bordaient la rue furent habitées par des artisans et des fermiers jusqu'au 19ᵉ s.,

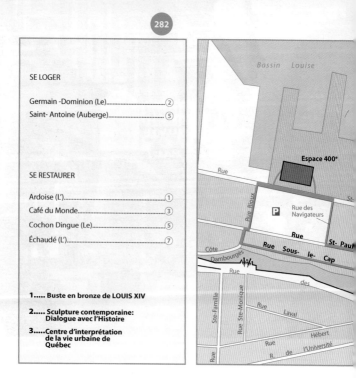

époque à laquelle des immigrants irlandais qui travaillaient au port vinrent s'installer dans le quartier. Victime du ralentissement des activités portuaires au début du 20ᵉ s., le port finit par se délabrer. Aujourd'hui, des travaux de restauration, menés à l'initiative d'entreprises tant publiques que privées, l'ont transformé en un lieu animé où se côtoient restaurants, cafés, boutiques et galeries d'art *(voir « Nos adresses »)*.

Au bout de la rue, tournez à gauche pour rejoindre le boulevard Champlain.

★ Maison Chevalier

50 r. du Marché-Champlain - ℘ 418 646 3167 - www.mcq.org - de fin juin à déb. sept. : 9h30-17h ; de déb. mai à fin juin et de déb. sept. à mi-oct. : mar.-dim. 10h-17h ; de mi-oct. à fin avr. : w.-end 10h-17h (tlj du 26 déc. au 2 janv.).

Ce bâtiment de trois étages est situé au **Cul-de-Sac**, bassin naturel découvert par Champlain en 1603. Les chantiers maritimes du roi, auparavant établis à l'embouchure de la rivière St-Charles, y furent installés en 1745. Cependant, le bassin fut comblé au milieu du 18ᵉ s. afin d'agrandir la surface de la Basse-Ville.

L'aile ouest de cette imposante construction fut élevée en 1752 pour le riche marchand et armateur Jean-Baptiste Chevalier. La maison, fort solide, résista aux bombardements des Anglais en 1759. Détruite par un incendie, elle fut reconstruite en 1762. Durant tout le 19ᵉ s., elle abrita la London Coffee House, auberge fréquentée par la bourgeoisie. Acquise par le gouvernement du Québec en 1956, la maison Chevalier a été largement rénovée et des pièces à vivre (chambres à coucher, salon, bibliothèque, salle à manger du 19ᵉ s.) y ont été reconstituées, de façon à montrer le mobilier et l'habitat traditionnel.

Continuez jusqu'au coin de la rue du Marché-Champlain et du boulevard Champlain pour admirer la superbe **vue★** sur le château Frontenac dont l'imposante silhouette domine la Basse-Ville.

Revenez à la maison Chevalier. Prenez à droite la rue Notre-Dame, puis encore à droite la rue Sous-le-Fort.

Musée naval

Agora

Société du
port de Québec

Douane

VIEUX-PORT

3

André

Rue

St-

Paul

Banque canadienne
de Commerce

N° 82

Rue

1

Banque impériale
du Canada

2

Banque
d'Hochelaga

7

Dominion
Bldg

Rue

Bell

de

Anc.n Poste
Pompiers

la

Barricade

Rue

Rue

Remparts

Banque
Molson

Sault-

Rue

St-

Musée
de la
Civilisation

Maison Estèbe

au-

Banque
Nationale

Rue

St-Antoine

5

Matelot

Pierre

Côte

de la

Montagne

Dalhousie

Parc
Montmorency

Parc
La Cetière

Rue

Notre-

R.
Thibodeau

Porche

R. du Marché-
Finlay

Escalier
Frontenac

Centre d'interprétation
de la Place- Royale

orte
escott

1

Place
Royale

2

Place
de Paris

Bd.- Champlain

Dame

Rue

St-Pierre

Escalier
Casse-Cou

N.-D.-des-
Victoires

3

Rue Sous-

le-Fort

Batterie
Royale

Funiculaire

Maison
Louis-Jolliet

Rue du

Cul-de-Sac

Maison Chevalier

R. du Marché- Champlain

Rue du Petit- Champlain

Champlain

5

Rue

des

Traversiers

LAURENT

SAINT

LÉVIS

**QUÉBEC
BASSE-VILLE**

0   150 m

Batterie royale
Au bout des rues Sous-le-Fort et St-Pierre.

Construit en 1691 sur ordre de Louis XIV, cet épais rempart de terre à quatre côtés n'était qu'une partie des fortifications destinées à renforcer les défenses de la ville contre les Anglais. Détruite durant la Conquête, elle ne fut jamais reconstruite. À son emplacement furent aménagés deux entrepôts ainsi qu'un quai. Reconstitué selon son aspect d'antan, il contient des répliques de canons du 18e s. disposées dans dix de ses onze embrasures ; la dernière reste vide, car de cet angle, une salve aurait suffi à détruire les maisons de la rue St-Pierre. En été, démonstration de tir au canon.
Prenez à droite la rue St-Pierre.

Centre d'interprétation de la vie urbaine de Québec
20 r. St-Pierre - ℘ 418 692 4800 - www.civuquebec.ca - 5 $ (-12 ans gratuit).

Il présente une évocation interactive du Vieux-Québec utilisant la technologie de la réalité augmentée (démonstration sur son site Internet). Il propose aussi des GéoRallyes, visites ludiques de la ville avec GPS *(5 $, 8 $ par famille),* ainsi qu'un circuit de bornes audio réparties à travers la ville *(écouteurs 5 $).*
Poursuivez dans la rue St-Pierre, puis à droite la ruelle de la Place.

Place de Paris
Pour suppléer aux besoins de la population toujours croissante de la Basse-Ville, plusieurs marchés s'installèrent aux alentours de celui de la place Royale. Situé à un endroit stratégique près du St-Laurent, le prospère marché Finlay (1871) s'y tint jusqu'au début des années 1950. Aujourd'hui, une sculpture contemporaine intitulée *Dialogue avec l'Histoire* (2) marque le centre de cette vaste place. Œuvre du Français Jean-Pierre Raynaud, le « colosse de Québec », comme on l'appelle ici, fut offert à la ville par la mairie de Paris.
Revenez sur vos pas et montez à la place Royale.

★★ Place Royale
Audioguide gratuit téléchargeable sur www.mcq.org/place-royale.

Cette charmante place pavée occupe l'emplacement du jardin de la fameuse Habitation de Champlain. Quand la ville se développa autour de la forteresse, un marché s'y installa. L'endroit prit le nom de place Royale en 1686, lorsque l'intendant Champigny y fit ériger un buste du roi Louis XIV. La place Royale bénéficia d'une période de prospérité jusqu'au milieu du 19e s., époque à laquelle les activités portuaires entamèrent leur déclin. En 1928, le gouvernement français offrit à la ville un buste en bronze de Louis XIV (1), copie de l'œuvre en marbre du Bernin conservée à Versailles. Par égard pour la population anglophone du quartier, la statue n'y fut installée qu'en 1948.

★ Église Notre-Dame-des-Victoires
℘ 418 692 1650 - mai-oct. : 9h30-17h ; reste de l'année : 10h-16h.

Cet édifice de pierre fut construit entre 1688 et 1723 sur l'ancien site de l'Habitation de Champlain pour servir de chapelle auxiliaire à la cathédrale de Québec, et fit office de paroisse pour les fidèles de la Basse-Ville. Comme la plupart des bâtiments du quartier, l'église fut détruite lors de la Conquête, et aussitôt rebâtie. Son nom évoque deux victoires remportées sur les Britanniques : la première en 1690, lorsque les troupes du comte de Frontenac battirent la flotte de l'amiral Phips ; la seconde en 1711, quand la quasi-totalité de la flotte de l'amiral Walker fit naufrage au cours d'une tempête.

Suspendue dans la nef, une maquette représente le vaisseau *Brézé* (17e s.) qui amena les troupes françaises à Québec. À gauche du reliquaire de la chapelle latérale, un tableau de Théophile Hamel, datant de 1865, représente sainte Geneviève. Le **retable** (1878 ; David Ouellet) du maître-autel est magnifique.

Centre d'interprétation de Place-Royale

27 r. Notre-Dame - 🖉 *418 646 3167 ou 1 866 710 8031 - www.mcq.org - de fin juin à déb. sept. : 9h30-17h ; reste de l'année : mar.-dim. 10h-17h - fermé 25 déc. - 7 $ (12-16 ans 5 $).*

👥 L'espace occupe deux maisons historiques dont l'une fut la demeure (1682) du marchand François Hazeur. L'intérieur comprend trois niveaux d'exposition dédiés à l'implantation et au développement des civilisations française et francophone à travers l'histoire du site. Au sous-sol, la belle cave voûtée, en pierre calcaire datant de 1684, abrite une myriade de costumes d'époque, prolongeant les panneaux expliquant la vie de la place Royale en 1800. Les étages abordent le commerce et l'histoire de la place depuis les Amérindiens.
Continuez le long de la rue Notre-Dame.

Parc La Cetière

Des fouilles entreprises en 1972 ont dégagé les fondations de cinq maisons construites ici en 1685. Ces édifices de pierre, détruits durant la Conquête, furent reconstruits sur les mêmes fondations. Les incendies de 1948 et 1957 rasèrent malheureusement le quartier. On distingue, parmi les quelques ruines exposées, une cloison d'habitation ainsi qu'un conduit de cheminée.
Poursuivez jusqu'à la côte de la Montagne, descendez-la un peu et tournez dans la deuxième rue à gauche, la rue St-Pierre.

★ Rue Saint-Pierre

Au 19e s., cette voie animée devint le centre du quartier des affaires à Québec. De nombreuses banques et compagnies d'assurances y installèrent leurs

---

LA BASSE-VILLE : D'HIER À AUJOURD'HUI

La Basse-Ville se développa autour de l'**Habitation** *(voir p. 286)*. Entre 1650 et 1662, plus de 35 parcelles de terrains furent concédées à des marchands qui construisirent magasins et résidences. Pour parer au manque d'espace, il leur fallut remblayer certaines parties de la rive, au nord-est de l'actuelle place Royale, et construire des quais le long de la rue St-Pierre. En août 1682, un incendie dévasta les lieux. La reconstruction se fit alors selon de nouvelles normes qui imposaient l'utilisation de la pierre au lieu du bois. Ainsi naquirent ces maisons à un ou deux étages, si typiques du quartier.

Commerce, construction navale et activités portuaires contribuèrent à la prospérité croissante de la colonie. Après la Conquête, son développement se poursuivit à l'initiative des marchands et des constructeurs navals anglais qui bâtirent de nombreux quais le long des berges de la rivière St-Charles et du St-Laurent. Vers la moitié du 19e s., la superficie de la Basse-Ville avait doublé. Après 1860, le déclin de l'activité portuaire annonça la fin de sa prospérité économique. Les édifices, laissés à l'abandon, se dégradèrent au fil des ans. En 1967, le gouvernement du Québec adopta une loi visant à la restauration de la place Royale ; les travaux d'archéologie et de rénovation commencèrent en 1970. La vocation commerciale de la Basse-Ville a laissé son empreinte sur le quartier, comme en témoignent ses nombreux marchés, ses quais et ses anciens entrepôts aujourd'hui transformés en hôtels ou logements.

4

L'héritage français

LE BERCEAU DE LA NOUVELLE-FRANCE

Perchée sur un promontoire au confluent de la rivière St-Charles et du St-Laurent, Québec tire son nom du mot algonquin *Kebec*, « là où le fleuve se resserre » : le St-Laurent y mesure à peine 1 km de large.

Bien avant l'arrivée des Européens, chasseurs et pêcheurs amérindiens du village de Stadacona habitaient la région. En 1535, **Jacques Cartier** donna à l'éperon rocheux qui dominait le site le nom de **cap Diamant**, car il espérait y trouver de ces pierres précieuses. Quand il comprit qu'il n'en tirerait que des gemmes sans valeur, il abandonna les lieux, et la région perdit alors beaucoup de son attrait. En 1608, **Samuel de Champlain** établit un poste de traite des fourrures à *Kebec*. Il y fit construire une simple forteresse de bois, sur le site qu'occupe désormais l'église N.-D.-des-Victoires. L'**Habitation** comprenait, outre un jardin, deux bâtiments principaux qui faisaient office de fort, de poste de traite et de résidence. En 1624, une forteresse plus grande, en forme de fer à cheval, la remplaça. Champlain érigea également Fort St-Louis sur les hauteurs du cap. Au 17ᵉ s., les premiers colons – artisans et marchands attirés par le lucratif commerce des fourrures – arrivèrent à Québec. Contrairement aux institutions religieuses et à l'administration coloniale, qui s'établirent dans la Haute-Ville, à l'ombre protectrice de ses murailles, les nouveaux arrivants s'installèrent dans la Basse-Ville qui demeura, jusqu'au milieu du 19ᵉ s., le principal secteur résidentiel et commercial de Québec

UN EMPLACEMENT STRATÉGIQUE

Très vite, Québec devint le centre politique, administratif et militaire de la Nouvelle-France. Le cap Diamant, à 98 m au-dessus du niveau de la mer, offrait à la colonie un site stratégique qui lui valut le surnom de « Gibraltar de l'Amérique ». Les Français réussirent d'abord à repousser les attaques successives des Iroquois et des Anglais, alors en guerre contre la France. Mais Québec, vulnérable malgré sa situation de forteresse naturelle, fut prise dès 1629 par les **frères Kirke**, puis reconquise en 1632. En 1690, elle fut assiégée sans succès par l'**amiral Phips**. Ce n'était pourtant que partie remise… Le conflit qui opposait la petite colonie française à l'Angleterre ne cessa de s'aggraver au cours du 18ᵉ s., et se solda par la sanglante bataille des Plaines d'Abraham qui précipita la Conquête de 1759. À la suite du traité de Paris (1763), l'ancienne métropole de la Nouvelle-France devint capitale d'un dominion britannique.

DÉVELOPPEMENT ÉCONOMIQUE

Aux 18ᵉ et 19ᵉ s., le Vieux-Port fut le fiévreux théâtre d'activités liées à l'exportation des matières premières (bois, fourrures, céréales) vers la Grande-Bretagne, et à l'importation de produits finis venant de France, des Antilles, d'Angleterre et d'Écosse. Après la levée de l'embargo napoléonien, au début du 19ᵉ s., l'expansion du commerce du bois avec la Grande-Bretagne permit à Québec de rivaliser avec Montréal pendant un demi-siècle. Plusieurs facteurs devaient malheureusement entamer la position économique de Québec et contribuer à son déclin : le passage du bois équarri au bois scié ; la disparition progressive des bateaux en bois au profit des coques d'acier et la modernisation des moyens de transport (introduction de la vapeur) ; le développement d'un réseau de chemins de fer sur la rive sud du St-Laurent (c'est-à-dire ne passant pas par Québec) ; le dragage du fleuve, qui permettait désormais aux navires de remonter jusqu'à Montréal.

Plongée dans un contexte économique peu favorable, Québec réagit en essayant d'attirer l'attention de plusieurs sociétés de chemins de fer, et alla même jusqu'à bâtir le pont de Québec afin que soit établie une liaison ferroviaire entre les rives nord et sud du St-Laurent. En vain… Après 1850, l'ascension de Montréal à la prééminence financière, commerciale et industrielle entraîna un important déplacement de population et de capitaux plus à l'ouest. Durant les années 1920, Québec connut une courte période de prospérité fondée sur l'industrie de la chaussure. Aujourd'hui, la plupart des emplois relèvent des secteurs de l'administration, de la défense et des services.

POPULATION

Avant la Conquête, la population québécoise était essentiellement composée de colons d'origine française. L'afflux d'immigrants britanniques et irlandais au début du 19e s. aboutit à un renforcement de la présence anglophone qui s'élevait à 41 % en 1851, et atteignit 51 % vers 1861. Le déclin économique de Québec et l'exode massif de sa population vers la région montréalaise se traduisirent par une nette diminution du pourcentage d'habitants de langue anglaise qui passa de 31,5 % en 1871 à 10 % en 1921… pour atteindre moins de 2 % au début du 21e s.

QUÉBEC AUJOURD'HUI

C'est le véritable bastion de la culture française en Amérique du Nord. C'est, plus encore que Montréal, l'Europe sans franchir l'océan. Car la ville a remarquablement réussi, au cours des siècles, à préserver son héritage culturel, sans pour autant se transformer en une sorte de musée vivant. Depuis déjà plusieurs décennies, le gouvernement provincial lui a donné un nouvel élan, et une métropole trépidante s'est développée en dehors de ses solides murailles. Chaque année au mois de février, le fameux **Carnaval de Québec**, orchestré par le non moins célèbre « Bonhomme Carnaval », joyeux bonhomme de neige vêtu de sa tuque rouge (bonnet de laine) et de sa ceinture fléchée (pièce de vêtement traditionnel québécois), attire des milliers de visiteurs. Durant les festivités, on peut voir un grand défilé de chars, la construction d'un magnifique palais de glace, un concours de sculptures de glace, sur le parc des Champs-de-Bataille, et assister à une course de canots à travers les glaces mouvantes du St-Laurent.

LE 400E ANNIVERSAIRE

Pour le tricentenaire de sa fondation, en 1908, Québec s'était dotée d'un magnifique parc, celui des Champs-de-Bataille. Le 400e anniversaire a été l'occasion de grandes festivités, comme l'inauguration de l'**Espace 400e** *(voir p. 288)* construit en remplacement de l'ancien centre d'interprétation du Vieux-Port. En terme d'aménagements, la ville en a profité pour achever la mise en valeur de la **rivière St-Charles** et du sentier qui la longe. Elle a aussi contribué à l'inauguration de la **promenade Samuel-de-Champlain**, le long du St-Laurent. Elle suit, sur 2,5 km, le boulevard de Champlain et permet aux piétons, aux rollers et aux cyclistes de relier le Vieux-Port *(quai des Cageux)* aux ponts de Québec et Pierre-Laporte, en passant en contrebas de la côte de Sillery.

bureaux principaux. Parmi les édifices les plus remarquables, il faut mentionner la **Banque Nationale** (*n° 71*), construite par J.-F. Peachy en 1862 et aujourd'hui transformée en hôtel, l'ancienne **Banque Molson** (*n° 105*) et la **Banque impériale du Canada** (*n°s 113-115*), bâtie en 1913. Entre les rues St-Antoine et St-Jacques, remarquez la porte cochère de la maison Estèbe, qui fait aujourd'hui partie du musée de la Civilisation. Plus loin, l'ancienne **Banque d'Hochelaga** (*n° 132*) se dresse à côté du **Dominion Building** (*n° 126*). Les deux bâtiments, dorénavant raccordés, abritent actuellement un hôtel (*voir « Nos adresses »*). Dominant l'angle des rues St-Pierre et St-Paul, la **Banque canadienne de Commerce** (*139 rue St-Pierre*) est un excellent exemple de l'architecture Beaux-Arts en vogue à la fin du 19e s.

Tournez à gauche et continuez le long de la rue St-Paul.

★ Rue Saint-Paul

Construit sur les quais de la rivière St-Charles en 1816, ce tronçon de la rue St-Paul fut élargi en 1906. Les travaux qui s'ensuivirent nécessitèrent la démolition des édifices existants, à l'exception de l'entrepôt Renaud (*n° 82*). La plupart des maisons du côté sud datent des années 1850 et sont occupées par des boutiques d'antiquaires, des galeries d'art et des restaurants.

Tournez à droite dans la rue des Navigateurs.

Espace 400e

Bassin Louise. Construit à l'occasion du 400e anniversaire de la ville en 2008, ce bâtiment lumineux s'est trouvé au cœur des festivités, avec notamment l'exposition « Passagers », faite d'images, de musique et de témoignages sur l'histoire du peuplement de Québec. L'édifice accueille des expositions temporaires (*rens. à l'office de tourisme*).

Rejoignez la rue St-Paul par la rue Rioux.

Rue Sous-le-Cap

Située au pied du rocher du Cap Diamant, cette étroite ruelle constitua jusqu'au 19e s. l'unique passage entre la place Royale et le faubourg St-Nicolas, au nord. Les plans trop étroits des bâtiments ne permettant pas l'installation d'ascenseurs à l'intérieur des maisons, des remises extérieures furent construites et reliées aux maisons principales par des passerelles qui enjambaient la rue.

Revenez rue St-Pierre.

★★ Musée de la Civilisation

Entrée principale 85 r. Dalhousie - ✆ *418 643 2158 - www.mcq.org -* ✗ ♿ *- de fin juin à déb. sept. : 9h30-18h30 ; reste de l'année : mar.-dim. 10h-17h - fermé 25 déc. - 13 $ (12-16 ans 4 $) - audioguide 2 $.*

Inauguré en 1988, ce remarquable musée s'étend de la rue St-Antoine à la rue de la Barricade. Le célèbre architecte **Moshe Safdie**, à qui l'on doit aussi le complexe Habitat, à Montréal, et le musée des Beaux-Arts du Canada, à Ottawa, a conçu cet ensemble dont les deux masses élancées et angulaires, taillées dans la pierre à chaux, sont surmontées d'un campanile de verre et coiffées d'un toit de cuivre à lucarnes stylisées. Un escalier monumental, construit entre les deux structures, mène à une terrasse surplombant la **maison Estèbe**, édifice de pierre (1752) que l'on a intégré au musée pour symboliser le lien entre le passé et le présent. À l'intérieur du vaste hall d'entrée, le visiteur pourra admirer une sculpture de l'artiste montréalaise Astri Reusch intitulée *La Débâcle*, illustrant la fonte des glaces au printemps.

Le musée porte un regard original sur l'expérience humaine, et encourage le public à examiner ses propres valeurs et traditions par rapport à celles d'autres cultures et civilisations. Ses collections regroupent environ 225 000 objets et documents iconographiques répartis en plusieurs secteurs (textiles et costumes, mobilier, art et ethnologie, etc.). Outre ses expositions permanentes, axées sur les thèmes de la pensée, du langage, des ressources naturelles, du corps humain et de la société, il présente chaque année de huit à dix expositions temporaires, dont certaines ont lieu dans la maison Chevalier *(voir p. 282)*.

Le temps des Québécois – Les moments forts de l'histoire québécoise sont ici évoqués : le premier voyage des 30 000 Français, dont un tiers firent souche, le peuplement de la vallée du St-Laurent, les relations avec les Amérindiens, la fondation de Québec, les aspects socio-économiques de la vie des colons, la guerre de Sept Ans (1756-1763), les soulèvements de 1837-1838, la révolution industrielle, l'immigration, les guerres mondiales, le hockey, la Révolution tranquille, la laïcisation de la société… Un film de 26mn raconte également le nationalisme québécois au travers de témoignages et d'interviews. Près de 500 objets choisis pour leur valeur historique (croix de St-Louis attribuée en 1727 à La Vérendrye), archéologique (objets amérindiens) ou symbolique (calotte d'évêque du 17e s., soufflet de forge) illustrent chaque étape de la visite. Montages d'archives et confidences enregistrées de personnages célèbres ou de simples citoyens (Jacques Cartier, Ezchiel Hart, commerçant juif de Trois-Rivières, ou Marthe Richard, téléphoniste chez Bell Canada, etc.) animent également ce voyage de découverte dans l'histoire multiculturelle du Québec.

Territoires – Le sujet est abordé au travers de quatre thèmes : l'occupation humaine (aménagement de la vallée du St-Laurent), les ressources (bois, hydro-électricité, pêche, mines), les loisirs (lieux et objets de villégiature, régions touristiques) et le Grand Nord. Des écrans tactiles, des films, des images et quelque 200 objets associent les visiteurs à ces problématiques.

Nous, les Premières Nations – Cette exposition, conçue avec des représentants des onze Premières Nations qui s'établirent au Québec, cherche à représenter la réalité moderne de ces peuples. L'art inuit, les costumes cérémoniels, les canoës, les paniers en écorce réalisés par les Atikamekws et les Algonquins, le matériel de chasse et de pêche et les paniers décoratifs des Hurons et des Micmacs permettent aux visiteurs d'explorer des thèmes comme l'identité personnelle et collective, la perspective historique et contemporaine du territoire, l'autonomie et le mode de vie traditionnel.

Ressortez du musée sur la rue Dalhousie et prenez à gauche.

4

★ Vieux-Port

À l'angle des rues Dalhousie et St-André. Des débuts de la colonie jusqu'au milieu du 19e s., ce port joua un rôle majeur dans le développement économique du pays. Il servit, pour des milliers d'immigrants, de porte d'entrée en Amérique. Par lui transitèrent à la fois les matières premières destinées à l'exportation et les produits finis importés d'Europe et des Antilles.

Les activités portuaires commencèrent à décliner dans la seconde moitié du 19e s., et le quartier tomba peu à peu à l'abandon. Au milieu des années 1980, un projet de réhabilitation financé par le gouvernement fédéral lui apporta un second souffle, grâce à la création du complexe de l'**Agora★**. Ce dernier comprend un amphithéâtre à ciel ouvert, construit entre le St-Laurent et l'édifice de la Douane, et une grande promenade en planches qui longe le fleuve. L'ensemble a fait peau neuve à l'occasion du 400e anniversaire de la ville. Une marina, où mouillent plusieurs centaines de bateaux de plaisance, vient compléter l'ensemble.

Édifice de la Douane – *2 r. St-André.* Dominant le St-Laurent, cette majestueuse structure néoclassique (1860) fut conçue par l'architecte anglais William

Thomas. Des ornements de pierre de taille décorent les fenêtres du rez-de-chaussée. Un premier incendie détruisit l'intérieur en 1864, un autre, en 1909, les étages et le dôme. Le heurtoir de l'entrée principale provient de la maison des Douanes anglaises, établie à Québec en 1793. Le bâtiment, restauré entre 1979 et 1981, abrite toujours les bureaux de l'administration des Douanes.

Société du port de Québec – *R. Dalhousie.* Conçu par un architecte du pays, Thomas R. Peacock, ce bâtiment (1914) se dresse à l'endroit où l'incendie de 1909 détruisit un silo et endommagea l'édifice de la Douane.

Musée naval - *170 r. Dalhousie -* 📞 *418 694 5387 - www.mnq-nmq.org - horaires, se renseigner.* Face au St-Laurent, ce petit musée renouvelle régulièrement ses expositions sur l'histoire du fleuve, des épisodes comme les torpillages qui eurent lieu de 1942 à 1944 dans les eaux gaspésiennes, les sous-marins, etc.

★★★ Haute-Ville

◗ *Circuit* 2 *tracé en vert sur le plan ci-contre, au départ de la place d'Armes.*

★★ Place d'Armes

Située aux confins du Fort St-Louis, cette jolie place verdoyante (1620) servait à l'origine de terrain de manœuvres et de défilés. Elle perdit sa fonction militaire avec la construction de la Citadelle au début du 19ᵉ s. et devint un lieu public. Aujourd'hui encadrée par de prestigieux édifices, elle comporte en son centre le **monument de la Foi** (1) (1916 ; David Ouellet), fontaine surmontée d'une sculpture néogothique commémorant la venue des missionnaires récollets à Québec, il y a plus de trois siècles. Les bas-reliefs évoquent l'arrivée en 1615 du père Dolbeau, premier prêtre de Québec, la première messe célébrée par les récollets, et leur œuvre d'évangélisation.

SE LOGER	
Acadia (Hôtel)	①
Belley (Hôtel)	③
Château Bonne-Entente	⑤
Fairmont Le Château Frontenac	⑦
Manoir d'Auteuil	⑮
Québec (Auberge internationale de)	⑨
Saint-Louis (Auberge)	⑪
Vieux-Québec (Hôtel du)	⑬

SE RESTAURER	
Astral (L')	①
Aux Anciens Canadiens	③
Billig (Le)	⑤
Bossus (Les)	⑦
Café Krieghoff	⑨
Café-restaurant du Musée	⑪
Clocher Penché (Le)	⑬
Continental (Le)	⑮
Graffiti (Le)	⑰
Hobbit Bistro	⑲
Petit Coin Latin (Le)	㉑
Portofino	㉓
Pub Saint-Alexandre	㉕
Saint-Amour (Le)	㉗
Yu-Zu	㉙
47ᵉ Parallèle	㉛

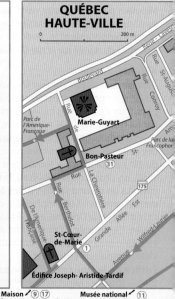

QUÉBEC
HAUTE-VILLE

0   200 m

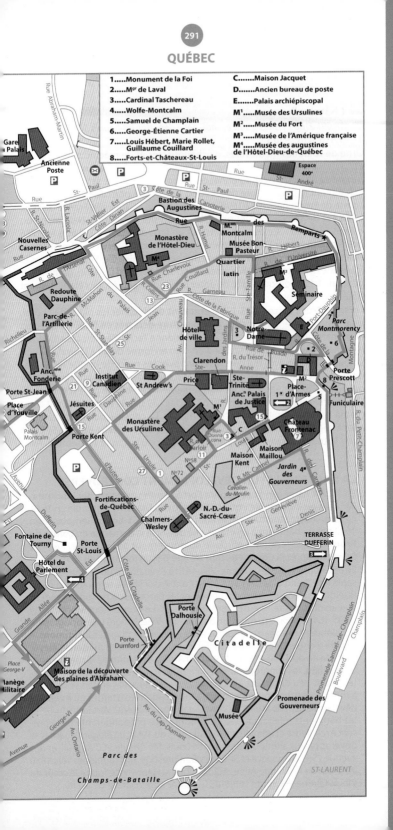

1.....Monument de la Foi
2.....Mgr de Laval
3.....Cardinal Taschereau
4.....Wolfe-Montcalm
5.....Samuel de Champlain
6.....George-Étienne Cartier
7.....Louis Hébert, Marie Rollet, Guillaume Couillard
8.....Forts-et-Châteaux-St-Louis

C.......Maison Jacquet
D.......Ancien bureau de poste
E.......Palais archiépiscopal
M¹.....Musée des Ursulines
M².....Musée du Fort
M³.....Musée de l'Amérique française
M⁴.....Musée des augustines de l'Hôtel-Dieu-de-Québec

★★ Château Frontenac

🕾 418 691 2166 - visites guidées mai-oct. : dép. ttes les heures 10h-18h ; hiver : 1 dép./j (se rens.) - 10 $.

Orné de tourelles médiévales, d'échauguettes et de mâchicoulis typiques du style « château » que le Canadien Pacifique développa aux grandes étapes de sa ligne transcanadienne, cet imposant hôtel est sans aucun doute le bâtiment le plus célèbre de Québec. Il tient son nom de Louis de Buade, comte de Frontenac (1622-1698), gouverneur de la Nouvelle-France de 1672 à 1682 et de 1689 à 1698, et occupe l'ancien site du château Haldimand ou « Vieux Château ». Ce dernier, construit en face du château St-Louis en 1786 pour le gouverneur Frederick Haldimand, abritait les services administratifs et les salons de réception du gouvernement colonial. C'est en 1880, dans la foulée des projets d'embellissement proposés par Lord Dufferin, gouverneur général du Canada, que l'idée de doter la ville d'un somptueux établissement hôtelier prit corps.

Lorsque **Bruce Price** (1843-1903) entreprit de dessiner les plans de l'hôtel, il se laissa inspirer par un style d'architecture déjà très en faveur à Québec. Reprenant un premier projet d'Eugène-Étienne Taché, l'architecte américain modifia le plan original en faveur d'un plan en forme de fer à cheval, et choisit des toits de cuivre qui contrastaient avec les murs de brique rehaussés de pierre de taille. Le style « château » acquit alors un ton bien particulier qui, jusqu'aux années 1940, fut non seulement l'emblème par excellence du Canadien Pacifique, mais aussi du pays. Dès 1893, l'aile Riverview était complétée, et l'hôtel connut un succès immédiat. La construction successive des ailes Citadelle (1899) et Mont-Carmel (1908), suivie de celle de l'aile St-Louis et de la tour centrale (1920-1924), vint peu à peu agrandir l'ensemble. Avec

---

LA HAUTE-VILLE : UN DÉVELOPPEMENT CONTROVERSÉ

En 1620, Champlain fit construire Fort St-Louis sur le « rocher inhospitalier à jamais inhabitable » qu'était alors le cap Diamant. Agrandie en 1629, cette modeste structure prit le nom de **château St-Louis**. Remplacée en 1692 par un bâtiment à un étage, elle devint, à la demande du **comte de Frontenac**, la résidence officielle du gouverneur de la colonie. L'édifice fut rebâti après la Conquête, puis ravagé par un incendie en 1834.

Le développement de la Haute-Ville se fit à l'initiative d'un groupe de puissants marchands, la Compagnie des Cent-Associés. La terre, aux mains de quelques seigneurs, fut redistribuée, et les parcelles de terrain concédées aux institutions religieuses furent réduites. Le gouverneur Montmagny (1636-1648) initia l'urbanisation de la Haute-Ville. Malgré une topographie accidentée et l'appartenance de vastes terrains à diverses institutions, il décida d'ériger une grande ville fortifiée : les premières maisons s'élevèrent à la fin du 17e s., près de la place d'Armes et le long de la rue St-Louis. Cependant, les congrégations religieuses (ursulines, augustines et jésuites) étant peu disposées à morceler leurs terrains, et l'armée s'opposant à toute construction à proximité de fortifications existantes ou à venir, le développement de la ville fut considérablement ralenti. Vers la fin du 18e s., les bâtiments reflétaient encore l'importance prépondérante de la présence religieuse et administrative. Au cours du 19e s., un élégant quartier se développa aux alentours des rues St-Louis, Ste-Ursule et d'Auteuil, et des avenues Ste-Geneviève et St-Denis. Son prestige allait diminuer vers 1880 au profit de la Grande Allée. Aujourd'hui, la Haute-Ville forme le cœur du Vieux-Québec et abrite toujours le centre administratif de la cité.

l'ajout de son aile Claude-Pratte (1993), fort bien intégrée au reste de l'édifice, le château Frontenac met à la disposition de sa clientèle plus de 610 chambres *(voir « Nos adresses »)*. Les architectes décorèrent le monument d'armoiries. Au-dessus de la porte cochère qui donne sur la rue St-Louis, on remarque celles du comte de Frontenac (pieds-de-poule). Au-dessus de l'arche donnant sur la cour, une pierre datée de 1647, provenant du château St-Louis, est gravée d'une croix de Malte.

L'intérieur de l'hôtel fut reconstruit après un incendie en 1926. Typiques des grands palaces des années 1900, le hall d'entrée, la réception, le salon Verchères et la salle à manger Champlain sont quelques exemples éloquents du soin apporté à la conception de ce joyau d'architecture canadienne.

Points de vue – C'est des hauteurs de la Citadelle, de l'observatoire de l'édifice Marie-Guyart ou encore de la terrasse de Lévis, que l'on apprécie le mieux l'importance du château Frontenac dans le paysage urbain.

Continuez le long de la rue St-Louis.

★ Ancien palais de justice

12 r. St-Louis. Aujourd'hui occupé par le ministère des Finances, cet édifice (1883-1887) de style Second Empire est érigé à l'emplacement du couvent et de l'église des récollets, tous deux détruits par un incendie à la fin du 18e s. Ses façades s'inspirent de celles des châteaux de la Loire de la première moitié du 16e s. De chaque côté de l'entrée principale, on remarquera les armoiries de Jacques Cartier et de Champlain. Les chapiteaux, ornés de fleurs de lys, ajoutent une note spécifiquement française à l'imposant bâtiment.

★ Maison Maillou (A)

17 r. St-Louis. Construit vers 1736 par l'architecte Jean Maillou (1668-1753), ce vaste bâtiment de pierre ne comportait à l'origine qu'un seul niveau. Surélevé en 1767, puis agrandi de deux travées du côté ouest en 1799, il fut occupé, au début du 19e s., par l'armée britannique. De cette époque datent les contrevents de fenêtres en métal. Restaurée en 1964, la maison forme un ensemble urbain traditionnel, typique des années 1800, et loge la Chambre de commerce de Québec.

Au n° 25, la **maison Kent** (B) abrite les services du consulat général de France à Québec. Ce grand bâtiment blanc, décoré de moulures bleu vif, fut édifié au 18e s. et reconstruit dans les années 1830.

★ Maison Jacquet (C)

34 r. St-Louis. Considérée comme la plus vieille maison de la ville, et l'un des seuls exemples québécois d'architecture domestique de la fin du 17e s., cette petite maison à un étage, surmontée d'une haute toiture rouge percée de lucarnes caractéristiques, fut construite sur un terrain acheté par François Jacquet au couvent des ursulines en 1674. Vers 1690, l'architecte François de la Joüe modifia la maison d'origine en la rehaussant d'un étage. L'agrandissement latéral date de 1820. Neveu de Lanaudière et auteur du célèbre roman *Les Anciens Canadiens*, Philippe Aubert de Gaspé y vécut de 1815 à 1824. Un restaurant réputé occupe aujourd'hui les lieux *(voir « Nos adresses »)*.

Prenez à droite la rue des Jardins, puis à gauche la rue Donnacona.

★ Monastère des Ursulines

Bâti en 1641, le monastère fut dévasté par deux incendies en 1650 et en 1686. Les ailes St-Augustin et Ste-Famille, ainsi que la cuisine qui les relie, furent édifiées au cours d'une période de reconstruction (1685-1715). Ensemble, elles forment l'ébauche de la cour carrée intérieure. L'aile Ste-Famille, au toit en pente, offre un excellent exemple du style architectural en vogue sous le Régime français. En 1836, l'architecte Thomas Baillairgé ajouta l'aile Ste-Angèle au monastère. Malgré plusieurs nouveaux bâtiments édifiés au 20e s., le complexe a conservé son grand jardin et son verger.

La plus ancienne institution d'enseignement pour jeunes filles en Amérique, fondée en 1639 par Madame de la Peltrie et Marie Guyart (mère Marie de l'Incarnation), poursuit de nos jours son œuvre éducatrice, mais la communauté actuelle compte moins d'une soixantaine de membres, toutes âgées de plus de 60 ans.

★ **Musée des Ursulines** (M¹) – *12 r. Donnacona - $\mathscr{C}$ 418 694 0694 - www. museedesursulines.com - mai-sept. : mar.-dim. 10h-17h ; reste de l'année : mar.-dim. 13h-17h - 8 $.* Depuis 1979, un édifice assis sur les fondations de l'ancienne maison de Madame de la Peltrie – fondatrice laïque du monastère – abrite ce musée dont les collections ont été réorganisées en 2011. Il présente la vie des jeunes filles qui, de 6 à 17 ans, recevaient l'enseignement des ursulines afin de devenir de parfaites maîtresses de maison ou de venir grossir les rangs de la communauté religieuse. Chaque aspect (l'arrivée des pensionnaires, l'éducation, l'enseignement des connaissances, des arts et de la musique) est documenté par des objets de la vie quotidienne (livres, instruments de musique, tableaux, vêtements).

Chapelle – *12 r. Donnacona - $\mathscr{C}$ 418 694 0413 - mai-oct. : mar.-sam. 10h-11h30, 13h30-16h30, dim. 13h30-16h30.* La chapelle actuelle (1901) a remplacé un bâtiment du début du 18e s. La diversité de ses styles est caractéristique de l'architecture religieuse du Québec du début du 20e s. Derrière l'église, la tourelle du chevet, empruntée au style « château », date de 1889.

L'intérieur se compose d'une chapelle à l'usage des fidèles séparée, par une grille, de la chapelle où les religieuses cloîtrées faisaient leurs dévotions. Il a conservé son magnifique **décor**★★ d'avant la Conquête, soigneusement rénové et qui, comme le maître-autel, furent réalisés entre 1726 et 1736, sous la direction de Pierre-Noël Levasseur. Le vaste chœur des religieuses est surmonté d'une fausse voûte ornée de coupoles. Les peintures qui décorent la chapelle furent acquises à Paris vers 1820 par l'abbé Louis-Philippe Desjardins (1753-1833), ancien chapelain des ursulines. On admirera aussi, au revers de la façade, *Jésus chez Simon le Pharisien* de Philippe de Champaigne, et dans le chœur, un tableau anonyme peint en France vers 1670, intitulé *La France apportant la foi aux Hurons de la Nouvelle-France*. Dans une chapelle adjacente repose la Bienheureuse Marie-de-l'Incarnation, qui mourut en 1672 et fut béatifiée en 1980.

Retournez vers la rue St-Louis par la rue du Parloir, et tournez à droite.

En face du n° 58, dans la rue du Corps-de-Garde, faire un bref arrêt devant ce pauvre arbre dans les racines duquel repose… un boulet de canon ! En arrière-plan, on aperçoit les murs du parc Cavalier-du-Moulin. Comme l'atteste une plaque commémorative apposée au mur, la dépouille du général Montgomery fut déposée au n° 72 après l'attaque manquée des Américains sur Québec, en 1775-1776.

Tournez à gauche dans la rue Ste-Ursule.

Église unie Saint-Pierre (Chalmers-Wesley United Church)

78 r. Ste-Ursule - $\mathscr{C}$ 418 692 2640 - www.chalmerswesley.org - de fin juin à fin août : lun.-sam. 10h-17h.

Deux assemblées protestantes, l'une anglophone, l'autre francophone, se partagent ce bâtiment de style néogothique (1853 ; J. Wells) dont le clocher élancé est flanqué de contreforts en décrochements. À l'intérieur, on peut voir de superbes vitraux réalisés en 1909, de belles boiseries ornant l'abside et les bancs, et un orgue du début du 20e s., restauré en 1985.

En face de l'église, le **sanctuaire N.-D.-du-Sacré-Cœur** *(nº 71)* fut construit en 1910 par F.-X. Berlinguet. Il s'agit d'une réplique de la chapelle gothique dédiée à Notre-Dame du Sacré-Cœur à Issoudun, en France.

Retournez vers la rue St-Louis.

Au coin nord-ouest des rues St-Louis et Ste-Ursule s'élevait autrefois l'hôtel de ville de Québec, bâti en 1833. Lorsque le nouvel hôtel de ville ouvrit ses portes en 1896, réunissant sous un même toit les bureaux administratifs et juridiques municipaux, David Ouellet érigea une série de maisons en enfilade le long de la rue Ste-Ursule *(nºs 60-68)*. Ceci lui a donné le caractère original qu'on lui connaît.

Continuez le long de la rue Ste-Ursule jusqu'à l'angle de la rue Ste-Anne. Tournez à droite et poursuivez jusqu'à l'angle de la rue Cook.

Église presbytérienne Saint-André

(Saint Andrew's Presbyterian Church)

5 r. Cook - 📞 *418 694 1347 - juil.-août : 10h-16h, dim. 12-16h.*

Construite en 1810 pour des Écossais presbytériens de Québec, elle fut agrandie en 1823. Son clocher reproduit celui de la Ste-Trinité *(ci-dessous)*. À l'origine, la congrégation était presque entièrement réservée aux Fraser Highlanders, l'un des bataillons de l'armée du général Wolfe. Dans le sanctuaire, la table de communion et la chaire font face à l'ancienne tribune du gouverneur.

Poursuivez rue Ste-Anne.

★ Édifice Price

65 r. Ste-Anne. Ce gratte-ciel en décrochements domine le quartier du haut de ses 16 étages. Conçu par les architectes montréalais Ross et MacDonald, il fut réalisé en 1930 pour servir de siège social à la société Price Brothers, qui introduisit l'industrie du bois et du papier dans la région du Saguenay. Dans la foulée des grandes compagnies nord-américaines, Price Brothers adopta le style Art déco alors en vogue, mais y introduisit une iconographie témoignant à la fois de sa nationalité canadienne (pommes de pin, écureuils, amérindiens) et de son activité (exploitation forestière et production de papier). Un toit revêtu d'une couverture de cuivre permet à l'édifice de mieux se fondre dans le paysage architectural du Vieux-Québec. Avec ses bas-reliefs et ses portes en cuivre (entrée et ascenseur), le hall d'entrée forme un ensemble de qualité.

4

Hôtel Clarendon

57 r. Ste-Anne. En 1858, Charles Baillairgé construisit ici deux maisons pour l'imprimeur Desbarats. Celles-ci furent converties en hôtel en 1875. L'année suivante fut érigé un pavillon d'entrée de style Art déco. Les deux grandes torchères en bronze placées dans le hall d'entrée constituent de rares exemples de l'influence de l'Art nouveau à Québec.

★ Cathédrale anglicane de la Sainte-Trinité

31 r. des Jardins - 📞 *418 692 2193 - www.cathedral.ca - de fin mai à fin oct. : 10h-17h.*

Érigée sur un terrain qui, jusque vers la fin du 18e s., avait appartenu aux récollets, cette cathédrale anglicane (épiscopale) – la première de son genre à être construite hors des îles Britanniques – fut achevée en 1804. Son architecture, inspirée de l'église St-Martin-in-the-Fields à Londres, offre un plan à la fois simple et innovateur, caractérisé par la présence d'une nef et de deux bas-côtés, soulignés par une double rangée de fenêtres. Le chœur étant, selon la tradition chrétienne, orienté vers l'est, la façade tourne le dos à la place d'Armes. Le clocher, doté d'un carillon de huit cloches, rivalise en hauteur avec celui de la basilique-cathédrale N.-D.-de-Québec, qu'il dépasse de plusieurs pieds. À cause des risques d'effondrement entraînés par d'abondantes chutes de neige, le toit – à l'origine assez plat – fut exhaussé d'environ 3 m en 1816. À l'extérieur, une croix celtique (v. 542) marque l'entrée du bâtiment.

Intérieur – La fausse voûte, en bois, imite le stuc. Les chapiteaux ioniques et les pilastres furent réalisés par Louis-Amable Quévillon, qui faillit d'ailleurs être excommunié pour avoir travaillé au décor intérieur d'une église non catholique. Fondateur de la cathédrale, George III fit envoyer du chêne provenant de la forêt royale de Windsor pour la fabrication des bancs. Dans la tribune gauche se trouve une loge royale réservée au souverain britannique, chef de l'Église, ou à son représentant. À droite de l'autel, le fauteuil de l'évêque fut sculpté dans le bois d'un orme (déraciné lors d'une tempête en 1845) qui se dressa pendant 200 ans dans le jardin de l'église, et sous lequel Champlain aurait, selon la tradition, fumé le calumet de la paix avec les Iroquois.

Le trésor de la cathédrale, exposé à certaines occasions, comprend de très belles pièces d'orfèvrerie (dont une paire de chandeliers en argent massif) offertes par George III.

À droite de la cathédrale, remarquez le presbytère (1841), de style néoclassique, ainsi qu'une salle paroissiale (1890). En été, le parvis de la cathédrale attire toutes sortes d'artistes.

Retournez rue Ste-Anne.

Dans la pittoresque **rue du Trésor**, interdite à la circulation, des artistes exposent des dessins et gravures illustrant des scènes typiques de la vie à Québec.

Ancien hôtel Union

12 r. Ste-Anne. Bel exemple d'architecture palladienne, cet imposant édifice (1805-1812) fut en son temps le premier établissement hôtelier de la ville. Il abrite désormais le **centre Infotouriste** *(voir p. 280)*.

Musée du Fort (M²)

10 r. Ste-Anne - ☎ *418 692 2175 - www.museedufort.com - fév.-mars et nov. : jeu.-dim. 11h-16h ; avr.-oct. : 10h-17h - 8 $ (-10 ans gratuit).*
Bâti en 1840, ce bâtiment blanc surmonté d'un toit gris fut remanié en 1898 et acquit alors son amusante apparence de château. Sur une grande maquette du site de Québec au 18e s., un spectacle « son et lumière » *(30mn)* raconte l'histoire de la ville et explique en détail les divers sièges et batailles dont elle fut l'enjeu. La maquette rend sensible le relief si particulier de la ville.
Prenez à gauche la rue du Fort et continuez jusqu'à la rue Buade.

★ Ancien bureau de poste (D)

5 r. du Fort - ☎ *418 694 6102 - lun.-vend. 8h-19h30, sam. 8h-17h - fermé principaux j. fériés.*
Construit en 1873 pour servir de bureau central, ce bâtiment en pierre de taille fut considérablement agrandi en 1914. On remarquera son imposante façade de style Beaux-Arts, et au-dessus de la porte d'entrée, le bas-relief sculpté qui constituait jadis l'enseigne du Chien d'Or (auberge située à cet emplacement jusqu'en 1837). Rebaptisé en l'honneur de Louis-S. Saint-Laurent, célèbre Premier ministre canadien, l'édifice assure toujours la distribution du courrier et abrite des bureaux de Parcs Canada. On y trouve donc toute la documentation possible sur les lieux historiques du Québec et sur les parcs naturels.

Monument de Monseigneur de Laval (2) – Devant l'ancien bureau de poste s'élève un monument à la mémoire de Monseigneur François de Montmorency-Laval (1623-1708), premier évêque de Québec. Cette œuvre du sculpteur Louis-Philippe Hébert, érigée en 1908, nécessita la démolition d'un pâté de huit maisons et permit la création d'une imposante place publique.

La rue Buade s'interrompt à l'**escalier Charles-Baillairgé** (1893), ainsi nommé en l'honneur de cet architecte qui, après une illustre carrière, devint ingénieur des travaux publics. Il s'agit d'un des nombreux escaliers de fer et de fonte qu'il construisit pour la ville de Québec.

Descendez l'escalier.

Du bas de l'escalier, on aperçoit la fausse façade de l'ancien bureau de poste qui domine la Basse-Ville.

Remontez la côte de la Montagne.

Palais archiépiscopal (E)

2 r. Port-Dauphin. Ce bâtiment néoclassique (1847) devait remplacer la première résidence de l'archevêque, érigée à la fin du 17e s. dans le parc Montmorency. À la fin du 19e s., une fausse façade fut érigée vis-à-vis de la côte de la Montagne, afin que le palais fût visible du St-Laurent. La façade originale est tournée vers la cour d'honneur par laquelle on accédait au Vieux-Séminaire.

Retournez rue Buade.

En face du presbytère *(16 r. Buade, à l'angle de la rue du Fort)*, de style Beaux-Arts, une plaque signale la présence des fondations de la chapelle où aurait été inhumée la dépouille de Samuel de Champlain.

★ Basilique-cathédrale Notre-Dame-de-Québec

20 r. De Buade - ☎ *418 694 0665 - www.patrimoine-religieux.com - 8h-16h.*
La plus européenne des églises de la ville fut déclarée monument historique en 1966. D'une grande complexité, cet ensemble témoigne de l'influence de plus de 300 ans d'architecture québécoise.

Premières constructions – En 1674, époque à laquelle le pape Clément X ordonna la création du diocèse de Québec, l'église d'origine (1650) fut élevée au rang de cathédrale. Sous le ministère de François de Laval, vicaire apostolique de Nouvelle-France devenu évêque de Québec, l'édifice subit quelques travaux de réfection et d'agrandissement. En 1743, Gaspard Chaussegros de Léry, ingénieur du roi, exhaussa la nef et la dota d'une claire-voie. Il y ajouta des bas-côtés, perçant les anciens murs d'une série d'arcades soutenues par de puissants piliers, et agrandit l'abside. Une nouvelle façade fut par ailleurs élevée sur la place du Marché, aujourd'hui place de l'Hôtel-de-Ville. Les travaux s'achevèrent en 1749 ; malheureusement, le bombardement de Québec par les troupes britanniques en 1759 causa la destruction de l'édifice.

Le chef-d'œuvre des Baillairgé – Le chantier suivit les plans de Chaussegros de Léry. Cet ambitieux projet (1768-1771) fut le fruit d'une entreprise familiale. Jean Baillairgé (1726-1805) refit le clocher sud, avec ses deux tambours ajourés, coiffés de coupoles. En 1787, son fils, François (1759-1830), de retour d'un séjour d'études à l'Académie royale de peinture et de sculpture de Paris, entreprit de décorer l'intérieur, dont la pièce principale allait être un magnifique baldaquin.

Thomas Baillairgé (1791-1859), fils de François, reprit le flambeau et dessina en 1843 la sobre façade néoclassique dont la construction fut interrompue deux ans plus tard, lorsque la base de la première tour montra des signes de faiblesse. En 1857, Charles Baillairgé (1826-1906), cousin du précédent, dessina la grille de fonte qui devait clore le parvis.

4

LE QUARTIER LATIN DE QUÉBEC

Situé au nord de la basilique-cathédrale Notre-Dame, il s'agit du plus ancien secteur résidentiel de la Haute-Ville. Les terrains dont il se compose appartenaient jadis au **séminaire** qui entreprit de les morceler dès la fin du 17e s., alors que la parcellisation des vastes propriétés appartenant aux ursulines, aux jésuites et aux augustines ne commença qu'un siècle plus tard. Les petites ruelles qui font le charme du quartier correspondent d'ailleurs aux chemins qui parcouraient jadis ces propriétés. Entre 1820 et 1830, les artisans qui s'étaient installés dans le quartier dès ses débuts furent remplacés par une bourgeoisie francophone désireuse de résider à proximité du séminaire et de son clergé. Après la Seconde Guerre mondiale, l'influence du mouvement existentialiste parisien se fit ressentir sur la bohème estudiantine du Vieux-Québec. À la même époque, l'Université Laval renforça sa présence dans le voisinage, occupant plusieurs douzaines de maisons du quartier.

En 1874, la cathédrale Notre-Dame trouva, dans son élévation au rang de basilique, la consécration de son histoire et de son statut d'église primatiale du Canada. Lorsque le 22 décembre 1922, un incendie la ravagea, les autorités religieuses la firent rebâtir à l'identique (1923-1928) afin de perpétuer l'image familière de « l'église de Monseigneur de Laval ».

Intérieur – Entièrement recréé, il évoque dans ses grandes lignes la cathédrale du 18e s., malgré l'emploi de matériaux modernes comme le béton et l'acier. À l'entrée, le baldaquin, aux formes amples et aériennes, fut refait par le sculpteur français André Vermare selon le modèle de François Baillairgé. Les lumineux vitraux du niveau supérieur représentent des saints, des évangélistes et des archanges. Dans la partie basse, des vitraux allemands évoquent la vie de la Vierge. La crypte *(visite guidée seult)* renferme les sépultures des évêques de Québec et de quelques gouverneurs de la Nouvelle-France : le comte de Frontenac, le chevalier de St-Louis, le marquis de Vaudreuil et le marquis de la Jonquière. Près de son entrée, on remarquera une lampe offerte par Louis XIV. De part et d'autre de l'orgue Casavant (1927), composé de 5 239 tuyaux, se dressent la statue d'un berger en train de lire (symbole de l'inspiration), et celle d'un berger musicien (symbole de l'improvisation). Depuis 1993, une chapelle commémorative *(bas-côté droit)* accueille la dépouille de Monseigneur François de Laval, tandis qu'un centre d'animation *(à droite du chœur)* présente une petite exposition sur sa vie et son œuvre.

Place de l'Hôtel-de-Ville

Conçue en même temps que Notre-Dame, en 1650, cette vaste place devint le plus important marché de la Haute-Ville au 18e s. La construction de l'hôtel de ville devait toutefois mettre fin à sa vocation commerciale.

Au centre se dresse le **monument du cardinal Taschereau (3)**, premier Canadien à porter la pourpre, sculpté par André Vermare en 1923. Les bas-reliefs évoquent l'institution des Quarante Heures dans le diocèse *(face à la cathédrale)*, la carrière du supérieur du séminaire de Québec *(côté rue des Jardins)* et le cardinal se portant au secours des Irlandais victimes du typhus à la Grosse-Île en 1848 *(côté rue Buade)*.

Hôtel de ville de Québec

2 r. des Jardins. Cet imposant édifice occupe l'emplacement d'un ancien collège de jésuites et d'une église, établis en 1666 au cœur même du Vieux-

Québec. Détruit en 1877, le collège fut remplacé par l'hôtel de ville, bâti en 1896 selon les plans de Georges-Émile Tanguay. Son architecture révèle un curieux mélange de styles Second Empire et « château », auxquels ont été greffées des touches de style néoroman « richardsonien ».

★★ Séminaire de Québec

Créé en 1663 par Monseigneur de Laval pour former les prêtres de la jeune colonie, le séminaire de Québec développa en 1852 son rôle éducatif en fondant l'Université Laval, premier établissement d'enseignement supérieur francophone au Canada. Jusqu'en 1970, son recteur fut d'ailleurs, de plein droit, le supérieur du séminaire. En 1950, l'Université Laval partit s'installer à Ste-Foy, laissant toutefois derrière elle son école d'architecture qui, aujourd'hui encore, occupe plusieurs bâtiments du site et continue à assurer la formation de ses étudiants.

Vieux-Séminaire – *Entrée au 2 côte de la Fabrique. Visite guidée d'une partie du séminaire en été seult (visite du musée de l'Amérique française comprise, voir ci-dessous).* Le Vieux-Séminaire se compose de trois corps de bâtiments disposés autour d'une cour intérieure, selon le plan typique de l'architecture monastique française des 17e et 18e s. On y accède par une porte cochère dont l'encadrement, dû à François Baillairgé, porte les armoiries du séminaire. L'emploi des techniques traditionnelles de construction a contribué à l'homogénéité de l'ensemble.

Construite entre 1678 et 1681 pour accueillir le Grand Séminaire, l'**aile de la Procure** *(à gauche)* constitue la partie la plus ancienne du complexe. Sa façade est ornée d'un cadran solaire (1773) portant la devise : « Nos jours passent comme une ombre. » Les murs et les voûtes du bâtiment résistèrent aux incendies de 1701, 1705 et 1865, et l'aile fut exhaussée d'un étage de pierre. On y verra la **chapelle de Monseigneur-Olivier-Briand★**, ancien oratoire particulièrement remarquable pour ses lambris réalisés par le maître-sculpteur Pierre Émond en 1785. Celui-ci dessina aussi les branches d'olivier encadrant une gravure du *Mariage de la Vierge,* au-dessus de l'autel.

Tout comme l'**aile des Parloirs** *(au centre)* ou ancien Petit Séminaire, l'**aile de la Congrégation** *(à gauche)*, dans laquelle s'ouvre la porte cochère, date de 1823. Lieu de dévotion mariale, sa **chapelle de la Congrégation** est une salle basse divisée en trois parties par deux rangées de colonnes ioniques. Le maître-autel, lui aussi flanqué de colonnes, est surmonté d'une **statue★** dorée de la Vierge, l'une des rares œuvres de bois sculptées par l'architecte Thomas Baillairgé.

Revenez à l'entrée, 2 côte de la Fabrique.

4

★ Musée de l'Amérique française (M³)

2 côte de la Fabrique - ☎ 418 692 2843 ou 1 866 710 8031 - www.mcq.org - de fin juin à déb. sept. : 9h30-17h ; reste de l'année : mar.-dim. 10h-17h - fermé 25 déc. - 8 $ (12-16 ans 5,50 $).

Les multiples collections du musée de l'Amérique française reflètent la richesse du patrimoine francophone (historique, culturel et social) sur le continent nord-américain. Elles comprennent notamment d'importantes archives historiques, quelque 195 000 livres et journaux rares et anciens, des exemples de peinture européenne du 15e au 19e s. et de peinture canadienne du 18e au 20e s., de superbes pièces d'orfèvrerie et d'argenterie religieuse et domestique, sans parler des collections de textiles, de mobilier, d'instruments scientifiques, de numismatique et de philatélie, de zoologie, d'ornithologie, d'entomologie, de géologie et de botanique.

Centre de la francophonie des Amériques – *Au sous-sol du pavillon d'entrée.* Réaménagé à l'occasion du 400e anniversaire de la ville de Québec, il a dorénavant pour mission de promouvoir la francophonie et présente une petite sélection de journaux en langue française édités par les communautés francophones d'Amérique du Nord.

Chapelle extérieure du séminaire – Construit entre 1888 et 1900 selon les plans de J.-F. Peachy, l'édifice possède un intérieur inspiré de celui de l'église de La Trinité, à Paris… à quelques différences près : la version québécoise, tout en acier galvanisé, est décorée de peintures en trompe l'œil. On y voit de très belles pièces d'orfèvrerie religieuse, avec des œuvres de François Ranvoyzé, Guillaume Loir, Laurent Amiot et bien d'autres. La chapelle contiendrait par ailleurs l'une des plus importantes collections de **reliques**★ après celle de St-Pierre de Rome. Les seize bustes dorés représentant les apôtres furent sculptés par Louis Jobin. Dans la chapelle dédiée à Monseigneur de Laval *(travée gauche)*, les colonnes sont ornées de représentations des sept sacrements, et chaque lampe symbolise un don du Saint-Esprit.

Un ascenseur mène au niveau inférieur dans un couloir où des vidéos et des alcôves de consultation d'archives rassemblent les témoignages de francophones nord-américains.

Pavillon Jérôme-Demers – Il présente deux expositions permanentes. La première, consacrée à l'aventure de la francophonie en Amérique, dévoile l'identité culturelle des sept communautés majeures dont se compose l'Amérique française : Québec, bien sûr, mais aussi Acadie, Louisiane, Franco-Ontariens, francophones de l'Ouest, Métis et Franco-Américains de Nouvelle-Angleterre. La seconde se consacre aux objets les plus significatifs des collections du séminaire de Québec dont l'impressionnant patrimoine matériel, amassé au cours des ans, donne un aperçu de la mission religieuse, éducative et culturelle.

Sortez du musée par la rue de l'Université, et tournez à droite dans la rue Ste-Famille. Prenez à gauche la rue Couillard.

Charmante voie au tracé sinueux, la **rue Couillard** reçut son nom au 18e s. en l'honneur du matelot Guillaume Couillard (1591-1663), gendre et héritier des terres de Louis Hébert.

Musée Bon-Pasteur

Entre les rues Ferland et St-Flavien. 14 r. Couillard - ✆ *418 694 0243 - www.musee bonpasteur.com - mar.-dim. 13h-17h - 3 $.*

Bel exemple d'architecture néogothique, avec ses murs de brique rouge percés de fenêtres ogivales, le corps central de la **maison Béthanie**★ (1878 ; David Ouellet) s'impose par son élégante avancée et son pittoresque toit. Le bâtiment abritait autrefois l'hospice de la Miséricorde, fondé par les sœurs du Bon-Pasteur de Québec comme refuge et maternité pour jeunes filles en détresse.

Transformé en musée, l'édifice retrace, sur trois étages, l'histoire de ces religieuses dont la congrégation fut fondée en 1850 par Marie Fitzbach, devenue mère Marie-du-Sacré-Cœur après avoir pris le voile. Une belle collection d'objets anciens (tableaux, sculptures, mobilier, instruments de musique, biens courants) évoque la vie exceptionnelle de cette ancienne laïque, et celle de personnages ayant joué un rôle majeur au sein de la communauté. Elle recrée aussi l'ambiance des salles de communauté dans les couvents du Bon-Pasteur, illustre la mission éducative des religieuses et rappelle son rôle de refuge pour enfants abandonnés. On remarquera de belles œuvres de piété recueillies ou réalisées par les sœurs au fil du temps (statues religieuses polychromes, livres rares, ornements liturgiques brodés). Une vidéo présente par ailleurs la mission de la congrégation dans le contexte d'hier et d'aujourd'hui.

Terrasse Dufferin et château Frontenac.
Barrett & MacKay/Age Fotostock

Tournez à droite dans la rue Collins et continuez jusqu'à la rue Charlevoix.

★ Monastère de l'Hôtel-Dieu de Québec

32 r. Charlevoix. En 1640, les augustines hospitalières de Québec, Marie Guenet de St-Ignace, Marie Forestier de St-Bonaventure et Anne Le Cointre de St-Bernard, s'installaient dans un hôpital de fortune à côté de la mission jésuite de Sillery. Une fois leur monastère achevé en 1644, elles vinrent s'établir dans la vieille ville. Un premier hôpital fut construit en bois. En 1695, François de la Joüe l'agrandit en y ajoutant un bâtiment en pierre. Ces deux bâtiments anciens, qui font aujourd'hui partie du monastère, sont clairement visibles du jardin. L'hôpital connut encore plusieurs agrandissements au cours des 19e et 20e s., jusqu'en 1960 où il atteignit ses dimensions actuelles.

Musée des augustines de l'Hôtel-Dieu-de-Québec (M⁴) – ✆ 418 692 2492 - *www.augustines.ca* - réouverture prévue en 2012. Le musée évoque l'héritage et l'histoire des sœurs augustines de la Nouvelle-France, qui fondèrent sur ce site le premier hôpital au nord du Rio Grande. Du musée part également la visite des **caves voûtées** (1695) où se réfugièrent les religieuses pendant la Conquête (lors de laquelle plus de 40 000 boulets furent tirés sur la ville).

★ **Église** – *Visite sur demande à l'accueil du musée.* Au début du 19e s. apparurent à Québec bon nombre de chapelles de communautés non catholiques qui suivirent l'afflux d'immigrants protestants irlandais. C'est pour réagir contre cette prolifération que l'Église du Québec encouragea les religieuses à construire une importante église catholique.

Conçu par Pierre Émond en 1800, sous la direction du père Jean-Louis Desjardins, cet édifice comprend des chapelles polygonales et un chevet relié aux bâtiments conventuels. La façade néoclassique (1835) comporte un beau portail sculpté créé par Thomas Baillairgé. Le petit clocher fut intégré à la façade en 1931. Également œuvre de Thomas Baillairgé, la **décoration intérieure** (1829-1832) – en bois sculpté rehaussé de dorures – forme un très bel ensemble. Il faut aussi remarquer le **tabernacle** du maître-autel, véritable modèle réduit

Des fortifications anglaises sur un modèle français

NAISSANCE DE LA CITADELLE

Au 17e s., Québec était la clé du système défensif du nord-est de l'Amérique française, aussi les projets de fortification s'y succédèrent. La construction de batteries, redoutes et cavaliers dans la Haute-Ville et la Basse-Ville fut cependant suspendue après la signature du **traité d'Utrecht** (1713) qui établit une paix temporaire entre les belligérants européens. Le programme de défense privilégia alors la construction de forts en périphérie. Construite en temps de paix, la Citadelle n'eut jamais l'occasion de servir à la défense de Québec. Pourtant, l'idée de construire un ouvrage fortifié à cet emplacement remonte aux débuts de la ville. Dès 1615, **Samuel de Champlain** avait en effet proposé la construction, sur les hauteurs du cap Diamant, d'un fortin qui aurait commandé l'accès à l'arrière-pays par le St-Laurent. En 1716, l'ingénieur **Chaussegros de Léry** relança l'idée et traça, quatre ans plus tard, les plans d'une enceinte semblable, dans ses grandes lignes, à celle que le lieutenant-colonel Elias Walker Durnford allait construire un siècle plus tard.

En effet, la campagne de fortification de Québec fut relancée après la **prise de Louisbourg** (île du Cap-Breton, dans l'actuelle Nouvelle-Écosse) en 1745. Les Anglais érigèrent une citadelle provisoire en 1783, construisirent quatre **tours Martello**, de forme circulaire (1805-1812), puis bâtirent la Citadelle (1820-1832), dont le plan en étoile est caractéristique des **fortifications à la Vauban** (voir l'encadré p. 304). En 1830, les fortifications furent revêtues de grès rouge provenant d'une carrière de Cap-Rouge.

LA MISE EN VALEUR DES FORTIFICATIONS

Après le départ de la garnison britannique en 1871, les autorités militaires locales autorisèrent la démolition de certaines portes pour faciliter la circulation entre la Basse-Ville, la Haute-Ville et les faubourgs St-Jean et St-Louis. **Lord Dufferin**, gouverneur général du Canada de 1872 à 1878, se laissa influencer par le mouvement romantique alors populaire en Europe et intervint en faveur de la conservation des fortifications. En 1875, il proposa un plan d'embellissement de Québec, incluant la mise en valeur de l'enceinte fortifiée, la reconstruction des portes et la démolition de tous les ouvrages avancés qui occupaient une bande large de quelque 60 m le long de l'enceinte afin de mettre à découvert tout le complexe, à la manière des fortifications médiévales. La promenade sur les fortifications, née de cette initiative, permet de découvrir des vues panoramiques sur la ville et ses environs.

TOURS MARTELLO

Ronds, en pierre et particulièrement robustes, ces curieux ouvrages constituaient une unité de défense autonome – à la fois caserne et plate-forme de tir – dont l'unique entrée, à l'étage supérieur, était protégée par un escalier escamotable. Si les murs dirigés vers l'ennemi étaient bâtis très épais, ceux faisant face à la garnison étaient plus légers : en cas de prise par l'ennemi, les ouvrages pouvaient ainsi être détruits facilement par les propres canons des assiégés.

de la basilique St-Pierre de Rome, le retable en forme d'arc de triomphe et la fausse voûte de bois à encorbellement. Peinte par Antoine Plamondon en 1840, la *Descente de la Croix,* au-dessus de l'autel, est inspirée du célèbre tableau de Rubens conservé à la cathédrale d'Anvers. Enfin, le tableau représentant la *Vision de Sainte-Thérèse d'Avila,* que l'on peut voir dans la chapelle N.-D.-de-toutes-Grâces, faisait partie d'une collection de peintures confisquées aux églises de Paris pendant la Révolution et envoyées à Québec en 1817. Au centre Catherine-de-St-Augustin, près de l'église, reposent les restes de la bienheureuse religieuse qui arriva à Québec en 1648 et fut béatifiée en 1989 par le pape Jean-Paul II.

★★ Fortifications

★★ CITADELLE

▶ *Plan p. 290-291. De la place d'Armes, prenez la rue St-Louis et tournez à gauche dans la côte de la Citadelle. Au bout de la rue, entrez par la porte Durnford.*

La **porte Dalhousie,** d'architecture néoclassique, date de 1830. Elle constitue l'entrée principale de la Citadelle. C'est ici que l'on peut assister au spectacle de la relève de la garde *(du 24 juin au 1er lun. de sept. : 10h)* et de la retraite *(juil.-août : dim. 19h ou vend.-sam. 19h au parc de l'Esplanade).*

Visite – *La Citadelle étant une base militaire active occupée par le Royal 22e Régiment, seules certaines parties du site sont ouvertes au public.* ℘ 418 694 2815 ou 1 866 836 4422 - www.lacitadelle.qc.ca - ♿🅿 - *visite guidée (1h) seult, dép. ttes les 15mn - avr. : 10h-16h ; mai-sept. : 9h-17h ; oct. : 10h-15h ; reste de l'année : une seule visite bilingue par jour 13h30 - 10 $ (-17 ans 5,50 $).* Installé dans l'ancienne poudrière (1750), l'un des derniers vestiges des bâtiments, avec la redoute, construits par les Français (elle pouvait contenir près de 2 388 barils de poudre), le **musée du Royal 22e Régiment** présente une belle collection d'objets militaires du 17e s. à nos jours, notamment d'anciens uniformes, des soldats de plomb représentant les régiments de la Nouvelle-France, et plusieurs dioramas illustrant les grandes batailles du 18e s.

La visite permet aussi de voir la poudrière (1831), transformée en chapelle en 1927, et surtout la « tenaille ». Construite en 1842, cette ancienne prison sert aujourd'hui d'annexe au musée du Royal 22e Régiment, et contient toutes sortes d'armes blanches (poignards, baïonnettes…), de décorations, d'uniformes et de souvenirs de la Première Guerre mondiale.

Le circuit passe également par le bastion du Roi d'où la **vue★★** sur le château Frontenac est tout à fait superbe.

On continue par la redoute du Cap-Diamant (1693), restaurée à l'occasion du 400e anniversaire de la ville de Québec, la résidence du gouverneur général, reconstruite après un incendie (1976), puis l'hôpital (1849), faisant aujourd'hui fonction de bâtiment administratif.

Le visiteur empruntera aussi un tunnel aboutissant à une caponnière, et fera un arrêt au bastion du Prince-de-Galles, point naturel le plus élevé de la ville, d'où la **vue** sur le St-Laurent d'un côté, et les plaines d'Abraham de l'autre, est très agréable.

Sortez de la Citadelle par la porte Durnford et prenez le sentier à gauche, qui remonte vers les fortifications. Continuez en direction du St-Laurent.

Le chemin qui conduit à la promenade des Gouverneurs longe la Citadelle et le **parc des Champs-de-Bataille** *(voir p. 312).*

4

SÉBASTIEN LE PRESTRE, MARQUIS DE VAUBAN (1633-1707)

Ingénieur militaire et maréchal de France sous le règne de Louis XIV, il perfectionna l'architecture militaire française en développant les ouvrages avancés. Les approches de la Citadelle étaient constituées de glacis, ouvrages de terrassement en plan incliné qui obligeaient l'ennemi à s'exposer au tir des canons de la garnison. En revanche, le tir ennemi ne pouvait toucher les parois de pierre, à moins d'une extrême précision. L'enceinte était formée de bastions (éperons) reliés entre eux par des courtines (murs rectilignes). La forme des bastions permettait de protéger les fossés par un tir de canons, tandis que des tenailles, bastions isolés à l'intérieur même des fossés, protégeaient les courtines et les portes d'entrée. Ce système était d'une telle perfection que l'armée britannique l'utilisa jusqu'au début du 19e s.

★★ Promenade des Gouverneurs

Fermé en hiver. Un belvédère domine le parc et offre une très belle **vue★★** sur le St-Laurent et la région de Québec, marquant le début de cette promenade spectaculaire. Suspendu entre le ciel et les eaux sombres du fleuve, le chemin de planches mène du belvédère jusqu'à la terrasse Dufferin. Le **panorama★** s'ouvre au nord-ouest vers l'île d'Orléans, le mont Ste-Anne et les Laurentides.

★★ PROMENADE DES REMPARTS

◖ *Circuit* ③ *tracé en vert sur le plan p. 290-291.*

★★★ Terrasse Dufferin

Rendez-vous des flâneurs venus humer l'air du St-Laurent et admirer les **vues★★** sur la Basse-Ville, le fleuve et la région environnante, la célèbre terrasse fut conçue dans le cadre de la campagne d'embellissement de la ville, lancée par Lord Dufferin à la fin du 19e s. L'endroit était destiné à donner une perspective sur le fleuve à une époque où la Basse-Ville était envahie d'édifices commerciaux et d'entrepôts.

La portion de la terrasse faisant face au château Frontenac repose aujourd'hui sur les vestiges de l'ancien **château St-Louis**. Le gouverneur général Lord Durham en avait déjà fait recouvrir les ruines par une première terrasse, qui porta d'ailleurs son nom jusqu'à la construction de la terrasse actuelle. Très vite, cette dernière devint l'un des lieux les plus fréquentés de Québec. Bénéficiant, dès 1885, de l'électricité, elle fut bientôt équipée de pistes pour la glissade, et ses kiosques et bancs publics introduisirent à Québec le mobilier urbain des boulevards parisiens.

Jardin des Gouverneurs

Ce petit jardin à deux pas du château Frontenac fut créé au milieu du 17e s. pour l'agrément du gouverneur général de la Nouvelle-France. Le **monument Wolfe-Montcalm (4)**, élevé en 1827, honore la mémoire des deux ennemis morts au combat, mais dont la rencontre a, comme on se plaisait à le souligner à l'époque, donné naissance au Canada. Le monument symbolise la mort. Remarquez le cénotaphe qui en constitue la base, et surtout l'obélisque qui porte l'inscription suivante : « Leur courage leur valut à l'un et à l'autre la mort ; l'histoire leur apporta la renommée ; la postérité leur dédia un monument. »

Empruntez la rue Mont-Carmel jusqu'au parc du Cavalier-du-Moulin, puis revenez vers la terrasse Dufferin que vous poursuivez jusqu'à son extrémité.

Œuvre de Paul Chevré, le **monument Samuel de Champlain** (5) (1898) rend hommage au « père de la Nouvelle-France ». Non loin de là, un monument de bronze, de granit et de verre commémore l'inscription, en décembre 1985, de la ville de Québec sur la prestigieuse liste du Patrimoine mondial de l'Unesco. Un **funiculaire** relie la terrasse Dufferin à la Basse-Ville.

Lieu historique national du Canada des Forts-et-Châteaux-Saint-Louis (8)

℘ 418 648 7016 - www.pc.gc.ca - de fin mai à mi-oct. : 10h-18h.

Sous les planches de la terrasse Dufferin, la visite de ce site archéologique permet de découvrir les vestiges de l'ancienne résidence des gouverneurs de Québec. On traverse les caves, la glacière, la cuisine et la rampe d'accès par laquelle l'édifice était ravitaillé. Les détails architecturaux témoignent des influences françaises et britanniques qui se sont succédé jusqu'à la destruction de la bâtisse par les flammes une nuit de janvier 1834.

Descendez l'escalier Frontenac et traversez la porte Prescott.

Inaugurée le 3 juillet 1983 à l'occasion du 375e anniversaire de la fondation de Québec, la **porte Prescott** évoque celle qui, bâtie au même endroit en 1797, fut démolie en 1871.

Parc Montmorency

Sur ce site au sommet de la côte de la Montagne, l'intendant de la Nouvelle-France, Jean Talon, se fit construire une maison en 1667. À la fin du 17e s., Monseigneur de Saint-Vallier, deuxième évêque de Québec, l'acheta pour y faire bâtir, entre 1691 et 1696, un palais épiscopal occupé à partir de 1792 par l'Assemblée législative du Bas-Canada. Reconstruit au début du 19e s., il accueillit le Parlement du gouvernement de l'Union qui siégeait alternativement à Québec, Kingston, Montréal et Toronto, puis fut détruit par un incendie peu après.

Dans le parc s'élève un **monument** (6) à la mémoire de George-Étienne Cartier, portant la devise suivante : « Pour assurer notre existence, il faut nous cramponner à la terre, et léguer à nos enfants la langue de nos ancêtres et la propriété du sol. » Œuvre du sculpteur Alfred Laliberté, un second **monument** (7) (1918) à Louis Hébert, Marie Rollet et Guillaume Couillard, commémore le tricentenaire de l'arrivée des premiers colons en Nouvelle-France en 1617.

Le parc offre des vues sur le séminaire de Québec, et en particulier sur le bâtiment de la faculté d'architecture de l'Université Laval, dont l'élégante **lanterne** au sommet du dôme central est devenue un symbole familier du Vieux-Québec.

★ Rue des Remparts

Une promenade le long de cette voie sera l'occasion de jouir de perspectives étendues sur les installations portuaires de Québec. Jusque vers 1875, la rue ne fut rien d'autre qu'un sentier longeant les remparts et reliant entre eux les bastions et les batteries. Le long des pavillons du séminaire, la batterie Sault-au-Matelot et la batterie du clergé (1711) assuraient la protection du port de Québec. Aujourd'hui, des canons noirs dominent la Basse-Ville, permettant au visiteur de se faire une idée de la vie dans la ville fortifiée.

Continuez le long de la rue des Remparts vers la rue Ste-Famille.

Au bas de la rue Ste-Famille s'élevait, jusqu'en 1871, la porte Hope qui fermait l'accès à la Haute-Ville. En contrebas, la côte de la Canoterie, sentier reliant dès 1634 la Haute-Ville à la Basse-Ville, aboutissait à l'anse de la Canoterie, débarcadère pour les marchandises et chantier de construction de petites embarcations.

4

Maison Montcalm – *45-49 r. des Remparts*. Située légèrement en retrait, cette demeure se compose en fait de trois structures séparées. Le bâtiment central (1725) fut encadré, peu après sa construction, par deux édifices similaires. Louis-Joseph de St-Véran, **marquis de Montcalm**, occupa le rez-de-chaussée du corps central de décembre 1758 à juin 1759, d'où le nom de l'édifice. En 1810, la partie centrale fut exhaussée d'un étage. Les deux maisons voisines suivirent cet exemple en 1830. Avec la maison Montcalm, le bastion Montcalm forme une paisible petite place, d'où l'on a une jolie vue sur la rue des Remparts et les fortifications.

Bastion des augustines – *N° 75, de l'autre côté du monastère des augustines*. Dominant la rivière St-Charles, la partie nord des fortifications fut longtemps négligée, là falaise constituant une défense naturelle suffisante. L'invasion américaine de 1775-1776 incita à terminer l'enceinte de la Haute-Ville. Le mur achevé en 1811 était suffisamment haut pour masquer le paysage, visible seulement par les meurtrières aménagées pour le tir au fusil.

Devant le monastère des augustines se trouvait autrefois la porte du Palais, démolie en 1871. Dans le jardin du monastère, à côté du portail d'entrée, on remarquera la poudrière. Celle-ci avait été construite en 1820 pour alimenter les batteries de canons du nord de la ville.

Peu après, on aperçoit, à droite, deux bâtiments de granit, de pierre et de brique, reflétant le style d'architecture chère au Canadien Pacifique. Il s'agit de l'**ancienne poste** et de la **gare du Palais**. Cette dernière *(détour de 20mn)* s'ouvre par un hall d'entrée étonnamment moderne et fonctionnel, décoré de carrelages de porcelaine et d'une charpente d'acier restaurés selon leur aspect d'antan.

Traversez la côte du Palais et prenez la rue de l'Arsenal. Tournez à droite dans la rue St-Jean, puis encore à droite dans la rue d'Auteuil.

★ Lieu historique national du Canada du Parc-de-l'Artillerie

Entrée principale au 2 r. d'Auteuil (près de la porte St-Jean) - ☏ 418 648 4205 - www.pc.gc.ca - ♿ - de mi-mai à fin août : 10h-18h ; de fin août à mi-oct. : 10h-17h - 3,90 $ (enf. 1,90 $).

Ce vaste site évoque, par ses bâtiments, trois siècles de vie militaire, sociale et industrielle à Québec. En 1749, la construction de casernes dans le secteur devait à jamais changer le caractère de ce quartier jusqu'alors résidentiel. Au lendemain de la Conquête, l'Artillerie royale britannique s'y installa, et de nouveaux bâtiments vinrent s'ajouter aux premiers. En 1879, le gouvernement canadien transforma le site en cartoucherie, et le quartier acquit alors une vocation industrielle. Abandonné en 1964, puis remis en valeur à partir de 1972, le site offre aujourd'hui plusieurs édifices dignes d'intérêt.

Ancienne fonderie – Le centre d'accueil et d'interprétation du parc de l'Artillerie est aujourd'hui installé dans ce bâtiment (1903) dont les grandes fenêtres et les lucarnes attestent sa fonction d'usine. Point culminant de l'exposition, le **plan-relief de Québec★★** (échelle de 1/300) dresse un tableau saisissant de la ville au tout début du 19e s. Réalisé entre 1806 et 1808 par des ingénieurs militaires, c'est une véritable œuvre d'art reproduisant avec une grande précision la topographie des lieux et la distribution des rues et édifices publics. Au niveau inférieur, le visiteur verra les vestiges d'une poudrière et de son mur de protection (1808), ainsi que des objets issus des fouilles : bouteilles, ossements et autres.

👥 En été, Parcs Canada organise de nombreuses activités sur le site, dont une démonstration gratuite de tir à la poudre noire *(juil.-août : 13h15 et 15h15).*

Redoute Dauphine – La construction de cet impressionnant édifice blanc fut entreprise en 1712, mais interrompue après la signature du traité d'Utrecht en 1713. Des vestiges de l'enceinte de pierre sont encore visibles aujourd'hui. Achevée en 1748 par Chaussegros de Léry, la redoute fut transformée en caserne. Après la Conquête, c'est l'armée britannique qui ajouta un étage au bâtiment et renforça de contreforts massifs la maçonnerie et les voûtes pour éviter les glissements. On y voit des costumes, des peintures et des objets artisanaux illustrant la vie des soldats aux 18e et 19e s.

Nouvelles casernes – Long de quelque 160 m, ce bâtiment de pierre fut construit en 1750 selon les plans de Chaussegros de Léry. Il se présente comme une succession de maisons alignées, concept inhabituel pour l'époque. Les casernes contenaient un arsenal, des stocks d'armement, une salle des gardes et six cellules de prison. L'ensemble fut en partie reconstruit vers la fin du 19e s.

Ressortez par la porte St-Jean.

Porte Saint-Jean

À la porte d'origine, érigée par les militaires au 18e s., succéda une porte plus large (1867) qui fut à son tour démolie en 1897 pour faciliter la circulation entre les différents secteurs de la ville. La porte actuelle date de 1936.

Place d'Youville

Située à l'emplacement de l'ancien marché Montcalm, cette place animée est devenue, depuis 1900, un carrefour de divertissements et d'activités culturelles. On remarquera le palais Montcalm (1930), d'une architecture très sobre, et le **théâtre du Capitole** (1903), dont la façade bombée, de style Beaux-Arts, vient rappeler l'exubérance des salles de la Belle Époque.

Repassez par la porte St-Jean et prenez à droite la rue d'Auteuil.

Porte Kent

Nommée en l'honneur de la duchesse de Kent, cette ouverture fut aménagée dans l'enceinte ouest en 1879.

Chapelle des jésuites

À l'angle de la rue d'Auteuil et de la rue Dauphine. ℰ 418 694 9616 - www.patrimoine-religieux.com - de fin juin à déb. sept. : merc-dim. 11h-17h.

Dédié, depuis 1925, aux saints martyrs canadiens, ce petit édifice de 1820 se dresse sur un terrain ayant appartenu au collège des jésuites. Le chevet fut agrandi en 1857 et doté d'une nouvelle façade en 1930. À l'intérieur sont conservées des statues en bois doré de la Vierge et de saint Joseph, réalisées par Pierre-Noël Levasseur. Le chemin de Croix fut sculpté par Médard Bourgault, originaire de St-Jean-Port-Joli.

4

Lieu historique national du Canada des Fortifications-de-Québec

100 r. St-Louis - ℰ 418 648 7016 - www.pc.gc.ca - ♿ - de mi-mai à fin août : 10h-18h ; de fin août à mi-oct. : 10h-17h - 3,90 $ (enf. 1,90 $).

Creusé à l'intérieur même du mur d'enceinte, le **centre d'interprétation** (1992) présente l'histoire de Québec à travers l'évolution de son système défensif, et propose des visites guidées *(1h30)* sur l'imposante muraille dont est entourée la ville. Tout près du centre, à droite de la porte St-Louis, s'élève la poudrière, entièrement rénovée selon son aspect d'antan. Le bâtiment fut construit en 1810 sur l'Esplanade, qui servit de place d'armes au 18e s.

Porte Saint-Louis

La construction de la porte St-Louis contribua au développement du style « château » à Québec. Son allure de forteresse médiévale (tour et tourelles, créneaux et mâchicoulis) naquit en 1878 de l'imagination de l'architecte irlandais W.H. Lynn, collaborateur de Lord Dufferin.

Tout comme les portes Kent, St-Jean et Prescott, la porte St-Louis ne contrôle plus l'accès à la ville, mais fait tout simplement office de pont, et permet aux visiteurs de découvrir la vieille ville et de suivre à pied les remparts.

★ Grande Allée et colline parlementaire

▶ *Circuit* ④ *tracé en vert sur le plan p. 290-291.*

Avec ses restaurants, ses bars, ses terrasses de cafés, ses boutiques et ses bureaux, la Grande Allée est à Québec ce que les Champs-Élysées sont à Paris. L'élégante artère va de la porte St-Louis jusqu'au sud de la vieille ville.

★★ Hôtel du Parlement

Entrée par la porte de gauche. ☎ 418 643 7239 ou 1 866 337 8837 - www.assnat. qc.ca - ✗ ♿ 🅿 - visite guidée (30mn) de fin juin à déb. sept. : 9h-16h30 (w.-end 10h) ; le reste de l'année : lun.-vend. 9h-16h30 - gratuit, contre pièce d'identité.

Dominant la vieille ville, ce majestueux édifice illustre mieux qu'aucun autre le style Second Empire. C'est en 1875 que le gouvernement provincial confiait à **Eugène-Étienne Taché** (1836-1912), alors sous-ministre au département des Terres de la Couronne, le mandat de préparer les plans d'un édifice qui regrouperait le palais législatif et les ministères sur le site de l'ancien collège des jésuites du Vieux-Québec (aujourd'hui hôtel de ville). Le choix du lieu se porta sur le Cricket Field, dans le faubourg St-Louis, après qu'un terrible incendie eut rasé le quartier en 1876.

Le bâtiment forme un quadrilatère autour d'une cour intérieure. L'imposante **façade** présente un tableau historique dans lequel évoluent, coulées dans le bronze, les grandes figures de l'histoire nationale. Le *Pêcheur à la nigog* (sorte de harpon pour pêcher l'anguille et le saumon), qui orne la niche devant l'entrée principale, et, au-dessus, la *Famille amérindienne* (œuvre présentée à l'Exposition universelle de Paris en 1889) sont dues à Louis-Philippe Hébert. À l'extérieur du bâtiment, un panneau d'interprétation permet à la fois d'identifier les personnages représentés par les sculptures, et les artistes qui en furent les auteurs.

La visite intérieure commence par le hall.

Divers blasons rappellent qu'à l'époque de la construction de l'édifice, les immigrants venus de France, d'Angleterre, d'Irlande et d'Écosse formaient la majorité de la population du Québec. Un escalier mène au restaurant Le Parlementaire, somptueuse salle à manger *(ouverte au public)* de style Beaux-Arts (1917) caractérisée, à son entrée, par un superbe décor vitré évoquant l'Atlantique et ses rives.

Salles de séances parlementaires – *À l'étage, l'antichambre donne accès aux deux salles par des portes finement ciselées.* Selon l'acte de Constitution de 1867, les deux Chambres du Parlement – l'Assemblée nationale (élue) et le Conseil législatif (nommé) – occupent ces deux salles. Aujourd'hui, l'Assemblée nationale du Québec siège dans la salle de l'Assemblée nationale. La salle du Conseil législatif (aboli en 1968) est utilisée par les commissions parlementaires et pour des cérémonies protocolaires. Tout comme en Angleterre, le système parlementaire québécois met face à face une majorité, dont est issu le gouvernement, et la « loyale opposition », formée d'un ou de plusieurs partis. Ministres et principales figures de l'opposition sont séparés par un espace égal, disait-on autrefois, « à la longueur de deux épées ».

LA CLÉ DES CHAMPS

Le tracé de la Grande Allée se développa le long de l'axe est-ouest qui, au début du 17e s., séparait les lots concédés à quelques grands propriétaires sur le plateau de Québec. Ce simple **chemin de campagne** acquit une popularité soudaine à la fin du 18e s., époque à laquelle les Britanniques transformèrent les environs en un véritable lieu de villégiature. En l'espace de quelques années, de magnifiques villas vinrent occuper le côté sud, tandis que se développait le **faubourg St-Louis**.

Le départ de la garnison britannique, en 1871, accentua le déclin de Québec, amorcé quelques années plus tôt par le transfert du Parlement du Canada à Ottawa, et par le déplacement des capitaux vers Montréal. Prenant modèle sur la ville nouvelle d'Édimbourg qui se développait à côté de la cité médiévale, l'ingénieur municipal **Charles Baillairgé** proposa que la Grande Allée devienne l'une des artères principales de la ville. Transformé en une véritable **voie triomphale** propre à recevoir les cortèges officiels, le boulevard allait permettre de relier l'hôtel du Parlement au parc du Bois-de-Coulonge, résidence officielle du lieutenant-gouverneur. La « nouvelle » Grande Allée (1886-1890) accueillit d'abord les notables de Québec associés à la vie politique, qui se firent construire des demeures cossues de style Second Empire. De 1890 à 1900, la partie haute de la Grande Allée se développa encore avec l'arrivée d'une bourgeoisie enrichie par l'industrialisation de la Basse-Ville. En 1929, l'ouverture du pont de Québec à la circulation automobile devait peu à peu transformer cet agréable quartier résidentiel en un lieu de passage fort animé.

La configuration générale des salles a été empruntée au Banqueting Hall (salle des banquets) du palais de Whitehall, à Londres. Au-dessus du trône du président de l'Assemblée nationale, *Le Débat sur les langues*, exécuté de 1910 à 1913 par le peintre Charles Huot, représente la séance de l'Assemblée législative du Bas-Canada du 21 janvier 1793, au cours de laquelle eut lieu le célèbre débat sur les langues qui devait décider du droit de cité de la langue française.

Jardins – Plusieurs monuments commémoratifs sont disséminés dans les jardins. Celui de **Maurice Duplessis** (1890-1959), Premier ministre du Québec de 1936 à 1939 et de 1944 à 1959, est l'œuvre du sculpteur Émile Brunet. Un autre, réalisé par le sculpteur français Paul Chevré (1912), évoque la carrière politique d'**Honoré Mercier** (1840-1894), défenseur de l'autonomie provinciale et Premier ministre du Québec de 1887 à 1891. Un autre encore, au coin de la rue Honoré-Mercier et de la Grande Allée, fut érigé à la mémoire de **François-Xavier Garneau** (1809-1866), premier historien national du Québec.

Fontaine de Tourny

Cadeau de l'une des deux plus grandes familles d'entrepreneurs québécois, les Simons, à la ville de Québec pour son 400e anniversaire, cette fontaine arrive de France. Réalisée par Mathurin Moreau pour l'Exposition universelle de Paris en 1855, elle met en scène les dieux et les déesses de la mer et de la terre. Il en existe seulement six exemplaires. Peter Simons a déniché celle-ci aux puces de St-Ouen, à Paris. Plus d'un an de restauration a été nécessaire avant qu'elle ne soit montée en 2007 face à l'hôtel du Parlement.

Manège militaire

Derrière la place George-V. Construit entre 1884 et 1887 par Eugène-Étienne Taché, cet édifice de style « château » était à l'origine un des pavillons de l'exposition provinciale et une salle d'exercices militaires. Au début du 20e s., l'édifice fut agrandi vers l'est par une annexe. L'intérieur a entièrement brûlé en avril 2008.

★ Maison de la Découverte des plaines d'Abraham

835 av. Wilfrid-Laurier - ℘ 418 649 6157 - www.ccbn-nbc.gc.ca - juil.-août : 8h30-17h30 ; reste de l'année : 8h30-17h, sam. 9h-17h, dim. 10h-17h - 10 $ (-12 ans 3 $, 13-17 ans 8 $).

👤👤 2009, 250e anniversaire de la bataille des plaines d'Abraham. Un parc recouvre aujourd'hui le site, mais ce centre permet d'en retrouver les traces et d'en comprendre les enjeux. Le billet inclut une promenade en bus, la visite de la tour Martello n° 1 et le spectacle multimédia **Odyssée★**. Ce dernier *(1h30)* est monté à la façon d'un reportage journalistique, avec interventions des protagonistes, interviews et présentation des forces en présence, déroulement de la bataille. On survole ensuite 250 ans d'histoire de la plaine.

Poursuivez le long de la rue Wilfred-Laurier. Prenez à droite la rue Bertholet, encore à droite la rue St-Amable, puis tournez à gauche dans la rue de la Chevrotière.

★ Chapelle historique Bon-Pasteur

1080 r. de La Chevrotière - ℘ 418 522 6221 - dim. messe à 10h45.

Construite en 1866 selon les plans de Charles Baillairgé, la chapelle se trouve au deuxième étage de l'ancien couvent des sœurs du Bon-Pasteur.

Son intérieur se caractérise par sa haute nef étroite, flanquée de galeries latérales superposées, et par son décor baroque. Le maître-autel (1730), entièrement doré à la feuille, provient de l'église St-Louis-de-Lotbinière ; il fut sculpté dans l'atelier des Levasseur. Quant aux deux autels latéraux (v. 1800), l'un dédié au Sacré-Cœur, l'autre à la Vierge Marie, ils sont l'œuvre de Florent Baillairgé. La toile monumentale, l'*Assomption de la Vierge,* qui orne le sanctuaire, fut peinte en 1868 par Antoine Plamondon. De nombreux autres tableaux viennent décorer la nef ; ils proviennent de l'atelier des sœurs du Bon-Pasteur qui produisit d'ailleurs des œuvres à caractère religieux pour la plupart des églises du diocèse de Québec à la fin du 19e s. Un bel orgue Casavant de 18 jeux complète l'ensemble.

Observatoire de la Capitale (Édifice Marie-Guyart)

Accès au 1037 r. de La Chevrotière - ℘ 418 644 9841 ou 1 888 497 4322 - www. observatoirecapitale.org - ♿ - de fév. à mi-nov. : 10h-17h ; reste de l'année : mar.-dim. 10h-17h - 10 $ (-12 ans 8 $).

👤👤 Du 31e étage de ce bâtiment administratif, l'observatoire, dont les murs sont couverts d'œuvres d'artistes divers, offre une **vue★★** saisissante de Québec (la vieille ville, la Citadelle, les fortifications) et de ses environs.

Engagez-vous dans la rue du Bon-Pasteur qui fait face à la tour, à angle droit avec la rue de la Chevrotière. Parvenu au parc de l'Amérique-Française, tournez à gauche dans la rue de l'Amérique-Française. Elle ramène à la Grande Allée Est.

Église Saint-Cœur-de-Marie

À l'angle de la rue de l'Amérique-Française et de la Grande Allée Est (n° 530).

L'édifice fut construit en 1920 pour les eudistes (ou congrégation de Jésus et Marie, fondée au 17e s.). Son pittoresque clocher contraste étrangement avec le reste du bâtiment, d'allure moderne.

Édifice Joseph-Aristide-Tardif

500 Grande Allée Est. Cet immeuble, construit en 1962, incarne la tendance fonctionnaliste de l'architecture moderne à Québec. On l'appelait autrefois complexe La Laurentienne, puisqu'il était le siège social de cette compagnie

LA BATAILLE DES PLAINES D'ABRAHAM

Les plaines d'Abraham doivent leur nom à un certain Abraham Martin, riche agriculteur établi sur les hauteurs de Québec au 17e s. C'est sur ce plateau que s'engagea à découvert, le 13 septembre 1759, la célèbre bataille dont l'issue devait sceller le destin de la colonie française d'Amérique. Cinq mille soldats britanniques, sous le commandement du général Wolfe, débarquèrent à l'Anse-au-Foulon et se hissèrent sur le plateau. Sans attendre de renforts, le général français Montcalm poussa son armée mal préparée contre les lignes anglaises. En moins d'un quart d'heure, ce fut la déroute des Français. Wolfe et Montcalm tombèrent sous le feu meurtrier. Cinq jours plus tard, Québec était occupée, et les troupes françaises – désormais commandées par François-Gaston de Lévis (1719-1787) – se retirèrent à Montréal pour l'hiver. Au mois d'avril suivant, Lévis revint et battit les Anglais à la bataille de Ste-Foy (un monument, situé dans le parc des Braves, au nord du chemin Ste-Foy, commémore d'ailleurs cet épisode historique). C'était la fin de l'hiver ; le sort de la ville dépendait du premier bateau amenant des renforts. Il arriva le 9 mai ; il était anglais… La Nouvelle-France était désormais perdue. Elle passa officiellement aux mains de l'Angleterre par le traité de Paris, en 1763.

d'assurances, mais il porte aujourd'hui le nom du docteur Joseph-Aristide tardif (1899-1992), cofondateur en 1939 de cette même compagnie d'assurances.

À l'arrière, une façade de miroirs donne sur le parc de l'Amérique Française.

Poursuivez sur la Grande Allée Est.

L'avenue Taché, à gauche, mène à la **tour Martello n° 2**.

Continuez sur la Grande Allée Est. La rue Salaberry marque la frontière entre les parties est et ouest de la Grande Allée.

Maison Stewart

82 Grande Allée Ouest, à l'angle de l'av. Cartier. Ce cottage (1849) entouré d'un parc possède de grandes portes-fenêtres en façade. Son toit débordant, dominé par une souche de cheminée centrale, recouvre des galeries latérales.

La **Ladies Protestant Home** *(n° 95)* représente un exemple éloquent du style néo-Renaissance italien, avec sa corniche massive et sa lanterne.

Au n° 155, face à l'avenue Cartier, on remarquera la **maison Krieghoff** *(fermée au public),* dont le nom rappelle le souvenir du célèbre peintre Cornelius Krieghoff (1815-1872) qui l'habita par intermittence en 1859 et 1860. Ce charmant cottage, construit en 1850, s'inspire de l'architecture vernaculaire québécoise.

Prenez à gauche l'avenue Wolfe-Montcalm.

On longe le terrain de manœuvres utilisé par les militaires britanniques après qu'ils eurent abandonné la place d'Armes en 1823. Pendant plusieurs années, de grandes manifestations se déroulèrent sur ce site, notamment les défilés historiques des célébrations du tricentenaire de Québec.

Face au musée, notez le **monument Wolfe**, érigé à l'emplacement même où mourut le célèbre vainqueur de la bataille des plaines d'Abraham, le 13 septembre 1759.

★★ Musée national des Beaux-Arts du Québec

Accès par le rez-de-chaussée du Grand Hall, entre les deux édifices principaux.
☎ 418 643 2150 ou 1 866 220 2150 - www.mnba.qc.ca - ✗ ♿ 🅿 - *de déb. juin à*

4

déb. sept. : 10h-18h (merc. 21h) ; reste de l'année : mar.-dim. 10h-17h (merc. 21h) - collections permanentes : gratuit ; expositions temporaires : 15 $ (12-17 ans 4 $).

Situé sur le site même du parc des Champs-de-Bataille, ce remarquable complexe muséologique retrace, à travers quelque 22 000 œuvres (huiles, aquarelles, dessins, estampes, photos, objets d'art décoratif, sculptures, objets du culte), l'évolution de l'art québécois du 18e s. à nos jours. Ses expositions, permanentes et temporaires, se répartissent aujourd'hui dans trois pavillons.

Grand Hall – Situé entre les deux autres édifices, le Grand Hall (1991) sert d'entrée au musée. Ce bâtiment moderne, surmonté de lanterneaux, regroupe notamment l'accueil, un auditorium et le restaurant.

Pavillon Gérard-Morisset – L'édifice, reconnaissable à sa façade monumentale de style Beaux-Arts, fut nommé en souvenir d'un ancien directeur du musée. Un imposant escalier central mène à un portique ionique, tandis qu'un fronton sculpté en pierre évoque l'histoire de l'économie provinciale et celle de deux groupes : Amérindiens *(à gauche)*, découvreurs et missionnaires *(à droite)*. Véritable mémoire vivante de l'art québécois, les expositions présentent par roulement des œuvres extraites de la collection permanente.

Ne manquez pas la salle **Riopelle** qui réunit les principales œuvres de l'artiste (1923-2002) dont *L'Hommage à Rosa Luxemburg*, diptyque de 40 m divisé en 30 rectangles, réalisé à la suite du décès en 1992 de son ancienne compagne Joan Mitchell.

Pavillon Baillairgé – Construit d'après les plans de Charles Baillairgé, ce bâtiment néo-Renaissance d'allure massive (1861-1871) abrita jusqu'en 1967 la prison de Québec. Tout un bloc cellulaire *(1er étage)* a d'ailleurs été préservé de manière à témoigner de la vie carcérale au 19e s. Au même étage, une salle contient l'un des plus importants tableaux d'histoire du Canada : la célèbre *Assemblée des six comtés* (1891). Œuvre magistrale de Charles Alexander Smith (1864-1915), cette impressionnante toile illustre l'un des moments clés des insurrections de 1837-1838 ; on y reconnaîtra Louis-Joseph Papineau, chef des Patriotes, haranguant la foule.

★★ **Collection d'art inuit Brousseau** – *3e étage*. Le musée a acquis les 2 635 pièces de la collection Brousseau en 2005 comprenant pas moins de 2 017 sculptures, en provenance de toutes les régions du Grand Nord canadien. La salle n'en expose que 300 environ, par roulement. On découvre ainsi une production qui s'échelonne des années 1940 aux années 2000, une plongée dans la culture inuit, profondément liée à son environnement naturel. Les artistes travaillent le bois de renne, l'os de baleine, l'ivoire de narval, mais surtout des pierres : la serpentinite, aux effets marbrés, la stéatite, le gneiss… Au même étage, une salle expose une vingtaine d'œuvres d'**Alfred Pellan** (1906-1988), surnommé le « chantre de l'expression libre » et connu pour son univers très coloré. L'artiste a, entre autres, réalisé des décors et des costumes pour le théâtre, dont une série de masques pour la *Nuit des rois*. Dans la tourelle du pavillon *(4e étage)*, remarquez la curieuse statue d'un plongeur intitulée *aLomph aBram*, réalisée vers la fin des années 1960 par David Moore.

Prenez à gauche l'avenue George-VI et continuez jusqu'à la terrasse Grey.

Cet observatoire fut ainsi nommé en l'honneur de A.H.G. Grey, gouverneur général du Canada de 1904 à 1911, époque à laquelle débuta l'aménagement du parc.

Regagnez la rue George-VI et traversez le parc des Champs-de-Bataille.

★ Parc des Champs-de-Bataille

Inspiré des pittoresques jardins à l'anglaise, ce magnifique espace vert de quelque 108 ha occupe le versant sud du plateau de Québec. Il fut créé en

1908 à l'occasion des fêtes qui marquèrent le tricentenaire de la fondation de la ville, et commémore les terribles batailles entre Anglais et Français lors de la Conquête. Le parc, achevé en 1954, fut dessiné par l'architecte Frederick G. Todd, élève du célèbre Frederick Law Olmsted, concepteur de Central Park (New York) et du parc du Mont-Royal à Montréal.

L'insaisissable beauté de ce site escarpé surplombant le St-Laurent fournira l'occasion d'une sortie à la fois historique et récréative.

Jardin Jeanne-d'Arc – *Le long de l'avenue Wilfrid-Laurier, à partir de l'intersection avec le cours du Gén.-de-Montcalm*. Il allie un aménagement de style français à des plates-bandes mixtes à l'anglaise. Quelque 150 variétés de plantes, vivaces notamment, y fleurissent d'avril à octobre.

Tours Martello – *Tour Martello n° 1 : sur le surplomb qui domine le fleuve - de mi-juin à mi-sept. : 10h-17h - billet combiné avec la maison de la Découverte. Tour Martello n° 2 : à l'angle de la rue Taché et et de l'avenue Wilfrid-Laurier*. Craignant une autre invasion américaine après l'échec de l'expédition menée par les Bostoniens en 1775-1776, et toujours dans l'attente d'une décision de Londres à propos du projet de construction d'une citadelle, le commandement militaire britannique fit ériger, entre 1808 et 1812, quatre tours Martello en guise de ligne de défense avancée *(voir p. 302)*. Trois de ces tours subsistent encore, dont deux dans le parc même et une dans la rue Lavigueur (faubourg St-Jean-Baptiste).

En suivant l'avenue du Cap-Diamant, vous rejoindrez le belvédère de la promenade des Gouverneurs, puis retournez à l'hôtel du Parlement par l'avenue George-VI.

Aux environs Carte de région

★ Lieu historique national du Canada Cartier-Brébeuf C2

▶ *À 3 km de la porte St-Jean par la côte d'Abraham, la rue de la Couronne, le pont Drouin et la 1ʳᵉ Avenue. 175 r. de l'Espinay - ℘ 418 648 4038 ou 1 888 773 8888 - www.pc.gc.ca/brebeuf - ⚿🅿 - de mi-mai à déb. sept. : 10h-17h ; de déb. sept à déb. oct. : merc.-dim. 12h-16h - 3,90 $ (enf. 1,90 $).*

Situé sur la rive nord du bassin Lairet, ce lieu historique national commémore l'hivernage de Jacques Cartier en 1535-1536, et l'arrivée du missionnaire jésuite Jean de Brébeuf en 1625. Les expositions du **centre d'interprétation** évoquent le second voyage de Cartier en Nouvelle-France, sa rencontre avec les Iroquois et l'établissement de la première mission sur le site en 1626.

SILLERY ET SAINTE-FOY BC2-3

🛈 **Office de tourisme** – *3300 av. des Hôtels, Ste-Foix - ℘ 418 641 6290 ou 1 877 783 1608 - www.regiondequebec.com.*

Située sur les rives du St-Laurent, à un kilomètre à peine de Québec, Sillery correspond à l'ancienne seigneurie de Noël Brulart de Sillery, aristocrate français ordonné prêtre qui, en 1637, établit ici une mission jésuite destinée à l'évangélisation des Amérindiens. Les ravages occasionnés par les épidémies et l'alcoolisme devaient entraîner l'abandon de la communauté durant les années 1680. Après la Conquête, les jésuites louèrent le territoire à de riches marchands. Vers le milieu du 19ᵉ s., l'industrie forestière et la construction navale contribuèrent au développement économique de Sillery, ses anses et ses baies servant au déchargement, à l'équarrissage, à l'entreposage et à l'exportation du bois. Plusieurs des somptueuses demeures construites à cette époque furent par la suite acquises par différentes communautés religieuses.

4

Après le parc des Champs-de-Bataille, la Grande Allée devient chemin St-Louis. Une bande médiane plantée d'arbres divise cette artère bordée de prestigieux immeubles de bureaux.

★ Parc du Bois-de-Coulonge C2

1215 Grande Allée Ouest - ℘ *418 528 0773 ou 1 800 442 0773 - www.capitale. gouv.qc.ca -* ♿🅿 *- 6h-23h.*

Ce joli parc paysagé n'est qu'une fraction de l'ancienne seigneurie de Coulonge, concédée en 1649 à Louis d'Ailleboust de Coulonge. Lors de la Conquête, les troupes anglaises occupèrent temporairement le site. En 1780, le domaine fut morcelé, et l'une des premières maisons de villégiature y apparut dix ans plus tard. Rebaptisée **Spencer Wood** en 1811 en l'honneur de Lord Spencer (Premier ministre britannique), cette villa néopalladienne devint, en 1852, la résidence de Lord Elgin, gouverneur général du Canada-Uni. Reconstruite en 1860 à la suite d'un incendie, elle servit, après la création de la Confédération, de résidence aux lieutenants-gouverneurs. L'édifice, qui prit le nom de Bois-de-Coulonge en 1947, fut à nouveau ravagé par un incendie en 1966.

Depuis, le parc est ouvert au public. On peut y voir, outre ses jardins et son belvédère dominant le fleuve, plusieurs bâtiments anciens dont la **loge du gardien★**, structure de style « château » revêtue de bardeaux de cèdre décoratifs (1891).

★ Villa Bagatelle C2

1563 chemin St-Louis, Sillery - ℘ *418 654 0259 - www.paricilavisite.qc.ca - juin-sept. : mar.-dim. 11h-17h ; de fin fév. à mai et oct.-déc. : merc.-dim. 13h-17h.*

Détruite par un incendie en 1926, la villa Bagatelle fut reconstruite l'année suivante sur le modèle d'un petit cottage néogothique (ou gothique rural), lui-même érigé en 1848 sur le domaine Spencer Wood. Le pavillon est entouré d'un charmant jardin à l'anglaise. On y découvre, à l'intérieur, diverses expositions thématiques.

Continuez le long du chemin St-Louis.

La route passe devant l'église anglicane St Michael, reconnaissable à son clocher trapu et à ses contreforts massifs.

Prenez à gauche la côte de l'Église.

Église Saint-Michel C2

1600 r. Persico, Sillery. Cette église néogothique date de 1854. À l'intérieur sont conservés cinq tableaux provenant de la collection Desjardins : les *Disciples d'Emmaüs*, la *Mort de saint François d'Assise*, *Saint François d'Assise recevant les stigmates*, l'*Annonciation* et l'*Adoration des Mages*.

En contrebas, l'observatoire de la **Pointe-à-Puiseaux** permet d'apprécier une **vue★** imprenable sur Québec, les anses de Sillery, le pont de Québec, le pont Pierre-Laporte et la rive sud du St-Laurent.

Revenez vers le chemin St-Louis.

Maison Hamel-Bruneau B3

2608 chemin St-Louis, Ste-Foy - ℘ *418 641 6280 - www.paricilavisite.qc.ca - juin-août : mar.-dim. 11h-17h ; reste de l'année : merc.-dim. 13h-17h - activités payantes.*

Ce « cottage québécois » fut construit comme résidence de villégiature en 1858. Il abrite des expositions temporaires et propose des activités culturelles dans les domaines de la musique, des sciences et des arts visuels.

Tournez à gauche dans l'avenue du Parc.

Parc Aquarium du Québec B3

1675 av. des Hôtels, Ste-Foy - ☏ 418 659 5264 ou 1 866 659 5264 - www.sepaq.com/aquarium - ✗ ♿ 🅿 - juin-août : 10h-17h ; sept.-mai : 10h-16h - 15,50 $ (enf. 7,75 $).

👥 Aménagé en 1959 sur un site boisé dominant le St-Laurent, l'aquarium de Québec abrite plus de 300 espèces de poissons (indigènes ou exotiques), reptiles et mammifères marins. On remarquera tout particulièrement les bassins extérieurs où s'ébattent des phoques. Dans le parc de stationnement, un petit belvédère offre une **vue★** magnifique sur le fleuve, le pont de Québec et le pont Pierre-Laporte.

Descendez en direction du St-Laurent. Prenez le bd Champlain et continuez jusqu'à la côte à Gignac. Prenez à gauche le chemin du Foulon vers l'est.

★ Maison des Jésuites C2-3

2320 chemin du Foulon, Sillery - ☏ 418 654 0259 - www.paricilavisite.qc.ca - juin-sept. : mar.-dim. 11h-17h ; avr.-mai et oct.-déc. : merc.-dim. 13h-17h ; fév.-mars : dim. 13h-17h.

Cette maison de pierre d'une valeur patrimoniale exceptionnelle fut bâtie au début du 18e s. Elle occupe le site de la mission St-Joseph (première mission jésuite d'Amérique du Nord), établie en 1637 dans une tentative de sédentarisation des Montagnais, des Algonquins et des Atikamekw. Amérindiens et jésuites séjournaient à l'origine dans un enclos de pieux, remplacé plus tard par un fort de pierre afin de mieux se protéger des attaques iroquoises. En face de la maison, des vestiges du fort et de la chapelle St-Michel ont été dégagés.

Habitée en 1763 par la romancière anglaise Frances Moore Brookes, la maison fut le cadre de son œuvre intitulée *The History of Emily Montague*, publiée en 1769. En 1929, l'édifice fut officiellement déclaré monument historique. Il abrite désormais un petit musée dont les expositions sont axées sur l'histoire autochtone et locale, ainsi que l'archéologie du site. Les maisons de bois qui ont subsisté le long du chemin du Foulon logeaient autrefois les ouvriers des chantiers maritimes.

Université Laval B2

Fondée en 1852 par le séminaire de Québec dont elle occupa longtemps une partie des locaux, l'Université Laval entreprit, en 1949, la construction d'une cité universitaire dans la banlieue ouest de Québec. Cette prestigieuse institution connut une expansion considérable dans les années 1960. Elle compte aujourd'hui quelque 40 000 étudiants et comprend 13 facultés, 9 écoles spécialisées et plusieurs centres de recherche.

Le **pavillon Louis-Jacques Casault** (ancien Grand Séminaire), conçu en 1946, ne fut construit qu'en 1958. À l'intérieur, l'ancienne chapelle de l'université, de style gothique, fut réaménagée pour accueillir les Archives nationales du Québec. En face sont apparus, en 1990, le **pavillon La Laurentienne** et le **pavillon Alexandre-de-Sève**, œuvre postmoderne primée. De facture très classique, le **pavillon Charles-de-Koninck** (1964), avec sa cour intérieure et ses façades rythmées par des brise-soleil en béton blanc, est le principal édifice du campus. Le **pavillon Comtois** (1966) reflète cette même recherche de classicisme dans l'emploi de modules de revêtement préfabriqués. Avec sa cour intérieure et son architecture sur piliers, il s'agit d'une des constructions les plus intéressantes de la région de Québec. Bâtiment bas aux lignes horizontales, le **PEPS** ou pavillon de l'Éducation physique et des Sports (1971) s'étale et se confond dans l'aménagement en terrasse couvrant les parcs de stationnement souterrains. On y trouve une piscine olympique, un stade couvert, des patinoires et divers terrains de sport.

CHARLESBOURG B1

▸ *Prenez la route 73 Nord jusqu'à la sortie 150 (80ᵉ Rue Ouest).*

★ Le Trait-Carré

Ce célèbre arrondissement historique correspond au Vieux-Charlesbourg. Son curieux plan cadastral, unique en Amérique du Nord, date de 1660. Contrairement au traditionnel système de rang, qui favorisait la dispersion des habitations, les terres – distribuées en étoiles – convergeaient ici en un point central de forme carrée. Cet ingénieux système, conçu par les jésuites et appliqué par l'intendant Jean Talon, permettait ainsi aux colons, en cas d'attaque, de se regrouper sur la place centrale afin de mieux se défendre. Au centre du Trait-Carré se trouvent aujourd'hui l'église, le couvent du Bon-Pasteur (1883) et la bibliothèque municipale, qui occupe l'ancien collège St-Charles (1903). *Point de départ du circuit piétonnier du quartier : Moulin des jésuites.*

Moulin des jésuites – *7960 bd Henri-Bourassa -* ☏ *418 624 7720 - www.moulindes jesuites.org - de mi-juin à déb. sept. : merc.-dim. 10h-17h30 ; de déb. sept. à mi-déc. et de déb. janv. à mi-juin : w.-end 10h-17h - Cartes-dépliants disponibles sur place. Visite du moulin et des expositions - 3 $.* Les jésuites construisirent trois moulins seigneuriaux vers 1740, dont celui-ci, fidèlement restauré dans les années 1990. Il abrite aujourd'hui un **centre d'interprétation historique** et sert aussi de **point d'accueil touristique**.

Église St-Charles-Borromée – *Visite guidée sur RV -* ☏ *418 624 7720.* Avec ses deux clochers et sa haute façade dominée par un large fronton, cet édifice constitue un bel exemple de l'influence du palladianisme anglais sur l'architecture religieuse québécoise (1826-1830). À l'intérieur, un imposant arc de triomphe orne le chevet plat. Dans les niches, on remarquera deux statues (1741) de Pierre-Noël Levasseur provenant d'une église plus ancienne, construite sur le même site. Des œuvres de François Ranvoyzé, Louis Jobin, Charles Vézina et Paul Lambert sont également à noter.

Maison Ephraïm-Bédard – *7655 chemin Samuel -* ☏ *418 624 7745 - www. societe-historique-charlesbourg.org - ♿🅿 - de mi-juin à mi-août : merc.-dim. 10h30-17h30 ; reste de l'année : mar. et jeu. 13h30-16h.* Cette habitation rurale typique de la première moitié du 19ᵉ s. s'élève au sud-est du Trait-Carré. Après avoir été habitée par des familles de pionniers dont les Lefebvre, les Paradis et les Bédard, elle accueille désormais la Société historique de Charlesbourg.

Maison Pierre-Lefebvre – *7985 Trait-Carré Est -* ☏ *418 623 1877 - ♿🅿 - de mi-juin à mi-août : merc.-dim. 11h-18h ; reste de l'année : vend. 19h-21h, w.-end 13h-17h.* Ce bâtiment de bois représentatif des logis québécois du 19ᵉ s. est devenu la galerie Trait-Carré. Expositions consacrées aux arts visuels.

D'autres édifices historiques utilisés à des fins d'animation culturelle, dont la maison Magella-Paradis (1833), dotée d'un joli toit au larmier courbé. *Rejoignez la route 73 et continuez jusqu'à la sortie 154 (rue de la Faune).*

★ Hôtel de glace B1 en direction

9530 r. de la Faune - ☏ *418 623 2888 ou 1 877 505 0423 - www.hoteldeglace-canada.com - janv.-mars : 10h30-16h30 - 17 $ (6-12 ans 8,50 $).*

Seul du genre en Amérique du Nord, il constitue un bel exemple d'architecture éphémère. Dès décembre, les moules de métal sont posés. La neige fabriquée à l'aide de canons les recouvre et devient plus dure que de la glace. Les murs ainsi formés font jusqu'à 1,20 m d'épaisseur à la base. Une fois les moules retirés, les artistes investissent les lieux pour sculpter dans les murs des suites de luxe. Des blocs de glace pure et translucide sont employés pour les colonnades, les lustres et le « mobilier ». Le résultat est féerique : une chapelle, 36 chambres et suites, un bar, le tout réparti sur 3 000 m². Chaque année, 15 000 t de neige et 500 t de glace sont nécessaires à la réalisation de cette prouesse artistique et hôtelière.

WENDAKE AB1

▶ *Prenez la route 73 Nord (sortie 154). Tournez à gauche dans la rue de la Faune (qui porte tour à tour les noms de rue des Érables et rue de la Rivière), puis à droite dans la rue Max-Gros-Louis.*

🛈 **Tourisme Wendake** - *100 bd Bastien -* 🕾 *418 847 1835 - www.tourismewendake. com.*

Chassés de la région des Grands Lacs par les Iroquois, les épidémies et la famine, les Hurons vinrent se placer sous la protection de leurs alliés français dès le milieu du 17ᵉ s. Accompagnés d'un missionnaire jésuite, le père Chaumonot, ils s'installèrent tour à tour à Québec (à proximité de Fort St-Louis), sur l'île d'Orléans, puis à Ste-Foy, sur le site actuel de l'université Laval. En 1673, ils s'établirent à l'Ancienne-Lorette qu'ils quittèrent en 1697 pour fonder la Jeune-Lorette (Wendake). Aujourd'hui, une promenade à travers le **Village-des-Hurons**, comme on appelle cette réserve amérindienne, suffit pour se convaincre de l'originalité des lieux. Les bâtiments ont été construits librement sur un territoire commun, sans division cadastrale à l'européenne. Le village se trouve à proximité de la rivière St-Charles, dont les majestueuses **chutes Kabir-Kouba** (hauteur : 28 m) ont inspiré bon nombre d'artistes.

★ Site traditionnel huron-wendat Onhoüa Chetek8e

575 r. Stanislas-Kosca - 🕾 *418 842 4308 - www.huron-wendat.qc.ca -* 🍴🚹🅿 *- visite guidée (45mn) de déb. mai à mi-oct. : 8h30-18h ; le reste de l'année : 9h-17h - visite guidée 12 $ (13-17 ans 9 $).*

👥 *« Koey koey ataro »* (bienvenu ami)… Ainsi commence une visite qui évoquera de façon fort vivante l'histoire et les coutumes des Premières Nations, et plus particulièrement des Hurons. On y découvre notamment une maison longue (habitation multifamiliale), un fumoir à poisson et même un sauna (hutte de cuir dans laquelle on mettait des pierres sur lesquelles on jetait de l'eau bouillante). De mai à octobre, spectacles de danse folklorique et récitation des légendes liées aux Hurons.

Chapelle Notre-Dame-de-Lorette

Angle des rues Chef-Maurice-Bastien et Chef-Nicolas-Vincent.

Cette chapelle occupe le site de la mission jésuite de 1697. Elle fut construite en 1865 à l'emplacement d'une église plus ancienne (1730) – deuxième de la mission – qui avait été détruite par un incendie en 1862. Le décor intérieur, d'une grande simplicité, comprend un maître-autel dont le tabernacle, attribué à Noël Levasseur, daterait de 1722. Au-dessus, une sculpture représente la Sainte Maison de Lorette (en Italie), supportée par deux anges. Dans la sacristie sont exposés des objets et du mobilier laissés par les missionnaires jésuites.

★ PARC NATIONAL DE LA JACQUES-CARTIER B1 en direction

▶ *À 40 km au nord de Québec par la route 175.*

🛈 🕾 *418 848 3599 (été) ou 418 528 8787 (hiver) - www.sepaq.com -* ⛺🍴🅿 *- ouvert tte l'année - 5,50 $.*

4

Une vallée spectaculaire, profonde de plus de 550 m, couverte de feuillus, une rivière capricieuse, un plateau montagneux criblé de lacs, une forêt boréale au cœur de la partie la plus élevée du massif des Laurentides, un paysage sublime : voilà les principaux ingrédients du parc national de la Jacques-Cartier.

L'exploitation intensive de la forêt du plateau perturba le fragile équilibre du milieu et entraîna la disparition du caribou et du saumon, deux espèces pourtant bien adaptées au rude climat de la région. Aussi fut-il décidé, en 1981, de créer un parc pour mieux assurer la protection de ce remarquable patrimoine naturel.

Centre de découverte et de services

En venant de Québec par la route 175, prenez à gauche l'entrée du secteur La Vallée. Continuez sur 10 km. La route d'accès au parc se trouve à gauche du centre de découverte et longe la rivière Jacques-Cartier. De l'autre côté de la rivière, la route n'est plus asphaltée. De mi-mai à mi-oct. - boutique nature et sandwicherie.

Il propose des expositions, des causeries et diverses activités. On peut aussi s'y procurer des cartes.

★★ ÎLE D'ORLÉANS D1

◗ *À 10 km au nord-est de Québec par les routes 440 ou 138.*

🛈 **Centre d'information touristique** – *À l'intersection de la route du Pont et de la route 368. ☎ 418 828 9411 - www.iledorleans.com - d'avr. à mi-juin et sept.-oct. : 9h-17h ; de mi-juin à août : 8h30-19h ; nov.-déc. et de déb. janv. à mars : 9h-17h, w.-end 11h-15h. En vente, un passeport (18 $) donnant accès à 5 sites culturels et 2 écomusées.*

Avec ses églises aux clochers effilés et ses maisons en bois du 18ᵉ s., l'île d'Orléans a un charme fou ! Elle fait encore résonner l'écho de la vie rurale en Nouvelle-France. Placée à la pointe de l'estuaire du St-Laurent, elle offre des paysages très variés : érablières au nord et sur le plateau central, chênaies au sud-ouest, terres marécageuses au centre et plages au bord du fleuve. Si depuis 1935, un pont la relie au reste du continent, l'île n'a rien perdu de sa tranquillité qui inspira le peintre Horatio Walker et, plus récemment, le chansonnier Félix Leclerc : « L'île d'Orléans, c'est quarante-deux milles de choses tranquilles, pour oublier toutes ses blessures… ».

La **route 368** fait le tour de l'île d'Orléans sur 67 km et traverse six agglomérations, chacune ayant sa personnalité propre. Au cours du trajet, le visiteur pourra contempler de splendides paysages et d'exceptionnelles **vues★★** de la Côte-de-Beaupré et des rives du Bas-St-Laurent. L'itinéraire qui longe la côte sud, de Ste-Pétronille à St-François, est particulièrement beau. Au retour, par le nord de l'île, on peut admirer de superbes panoramas de la chute Montmorency et du mont Ste-Anne.

Sainte-Pétronille

Cette petite communauté fut tour à tour baptisée l'Anse-au-Fort, Bout-de-l'Île, puis Village-Beaulieu, avant de recevoir son nom actuel en 1870. Elle fut le site de la première colonie de l'île (1649). Les Hurons s'y réfugièrent dans les années 1650 à la suite du conflit qui les opposait aux Iroquois. En 1855, on construisit un quai pour le chargement des produits de l'île, et on mit en place un service de traversier à vapeur pour relier Ste-Pétronille à Québec. Cette liaison permit le développement du tourisme à la fin du 19ᵉ s., et beaucoup de riches familles y firent alors bâtir des résidences secondaires de style victorien. Particularité digne d'être mentionnée, Ste-Pétronille possède l'un des terrains de golf les plus anciens d'Amérique du Nord (1866).

Prenez à gauche le chemin de l'Église, puis tournez à droite, juste avant le cul-de-sac en face du golf.

Église – Un couvent (1875), un presbytère et une église (1871 ; J.-F. Peachy), dont l'intérieur fut décoré par David Ouellet, composent un ensemble religieux du plus bel effet.

Continuez le long du chemin de l'Église, qui débouche sur le chemin du Bout-de-l'Île. Un sentier longe le fleuve. Tournez à gauche, puis à droite dans la rue du Quai.

La Goéliche – *Chemin du Quai - ℘ 418 828 2248 - www.goeliche.ca.* Construit en 1880, cet imposant bâtiment de style victorien fut d'abord baptisé château Bel Air, puis manoir de l'Anse. Il surplombe le St-Laurent et abrite aujourd'hui un **hôtel** ainsi qu'un **restaurant** ().

Reprenez la route 368, et continuez jusqu'à St-Laurent.

★ Saint-Laurent-de-l'Île-d'Orléans

Le centre maritime de l'île bénéficiait, au milieu du 19e s., d'une florissante industrie de construction navale. Une vingtaine d'entreprises familiales fabriquaient alors des chaloupes fort réputées pour leur solide charpente et leur belle coupe. Ces bateaux à fond plat demeurèrent le principal moyen de transport des insulaires jusqu'à la construction, en 1935, d'un pont leur permettant de se rendre sur le continent. Aujourd'hui encore, St-Laurent est le seul bourg de l'île à posséder une marina capable d'accueillir plus de 130 bateaux.

Maison Gendreau – *Env. 2 km avant l'entrée du village. 2387 chemin Royal.* Cette demeure au toit pentu, construite en 1720, possède une double rangée de lucarnes assez curieuse.

Parc maritime – *À l'entrée du bourg. 120 chemin de la Chalouperie - ℘ 418 828 9672 - de mi-juin à mi-oct. : 10h-17h - 33,50 $.* Il permet de visiter un ancien atelier de construction conservé en l'état.

Église St-Laurent – *Près de la marina, au cœur du village.* Construite en 1860, elle est dominée par un clocher aux dimensions harmonieuses.

Dans la partie ancienne du bourg, une chapelle de procession se dresse près du tribunal. En quittant le village, on remarquera enfin le **moulin Gosselin** *(côté gauche de la route)* ; l'édifice, désormais transformé en restaurant, date du début du 18e s.

4

UNE TERRE GÉNÉREUSE

L'île d'Orléans étant pour eux une « terre des esprits », les Amérindiens l'auraient appelée *Ouindigo* (« coin ensorcelé »), bien avant l'arrivée des Européens. Lorsqu'il y débarqua en 1535, Jacques Cartier, surpris par l'abondance de vignes sauvages qui y poussaient, la nomma « île de Bacchus ». Un an plus tard, elle allait être rebaptisée en l'honneur du duc d'Orléans, fils de François Ier. Beaucoup d'habitants de l'île font remonter leurs origines aux premiers colons français arrivés en ces lieux. Ils réussirent à créer une communauté si prospère qu'à une certaine époque, l'île était plus peuplée que la ville de Québec : en 1667, elle comptait en effet 529 âmes, contre à peine 448 pour Québec.

L'agriculture a, de tout temps, joué un rôle fondamental dans l'économie locale. Sous le Régime français, la seigneurie était divisée en parcelles perpendiculaires au St-Laurent, selon le fameux système du rang. Aujourd'hui, les vastes terrains agricoles produisent une abondance de fraises, de framboises, de pommes, d'asperges et de pommes de terre, sans parler d'un délicieux sirop d'érable.

★ Saint-Jean-de-l'Île-d'Orléans

La paroisse de St-Jean fut fondée en 1679 par Monseigneur de Laval. Entre 1850 et 1950, le village connut une période d'intense croissance économique, avec l'arrivée de nombreux pilotes de Charlevoix qui apportèrent avec eux de belles occasions de développement maritime et industriel. Le cimetière marin rappelle la dure existence de ces hommes dont bon nombre périrent au cours de voyages difficiles sur les eaux tumultueuses du St-Laurent. Aujourd'hui, les habitants perpétuent les activités agricoles et maritimes de leurs ancêtres. Leurs maisons, décorées dans le style marin, forment de petits groupes accrochés aux pentes des collines et sur les rives du fleuve.

★ **Manoir Mauvide-Genest** – *1451 chemin Royal* - ℘ *418 829 2630* - *www. manoirmauvidegenest.com* - &🅿 - *visite guidée (45mn)* - *de fin mai à mi-juin : mar.-dim. 10h-17h ; de mi-juin à mi-oct. : 10h-17h* - *8 $.* Remarquable exemple d'architecture rurale sous le Régime français, ce manoir de style normand fut construit en 1734 pour Jean Mauvide, chirurgien du roi et prospère marchand français, et son épouse Marie-Anne Genest, originaire des environs de St-Jean. Propriétaire de la moitié de l'île d'Orléans, Mauvide agrandit la maison d'origine vers le milieu du 18e s. et la transforma en une somptueuse demeure. Plus tard, quand ses affaires périclitèrent, il vendit sa seigneurie à son gendre. Le juge J.-Camille Pouliot acquit le manoir en 1926 et le fit restaurer. Le bâtiment abrite aujourd'hui un musée historique regroupant des meubles et objets (période essentiellement victorienne) collectionnés par le juge Pouliot au début du 20e s. À l'extérieur, on pourra visiter un jardin potager de la Nouvelle-France.

Saint-François-de-l'Île-d'Orléans

Cette petite localité correspond à l'ancienne seigneurie de François Berthelot, fondée en 1679. Elle occupe la partie est de l'île ainsi que les minuscules île Madame et île aux Ruaux.

C'est à 20 km au-delà de ce point que le St-Laurent passe de l'eau douce à l'eau salée. L'agriculture, en particulier la pomme de terre, reste la ressource principale du village.

Ravagée par le feu en 1988, l'**église St-François** (1736) fut reconstruite sur ses fondations d'origine en 1992. Du côté sud de l'église se dresse le **presbytère** (1867), d'architecture typiquement québécoise, avec sa grande galerie. Une chapelle de procession indique la limite du bourg.

À la sortie du village, une tour d'observation offre une **vue**★★ sur les deux rives du St-Laurent. En regardant vers l'ouest, on peut distinguer les pentes de ski du mont Ste-Anne et la Côte-de-Beaupré.

Sainte-Famille

C'est en 1661 que Monseigneur de Laval fonda cette paroisse, la plus ancienne de l'île. En 1669, il y fit ériger la première église.

★★ **Église de la Ste-Famille** – *3915 chemin Royal* - ℘ *418 828 2656* - &🅿 - *de fin juin au 1er lun. de sept. : 13h-17h.* Cette église, construite entre 1743 et 1748, est un exemple majeur d'architecture religieuse datant du Régime français. L'édifice d'origine, qui ne comportait qu'un clocher, fut modifié en 1807 par l'adjonction de deux clochers latéraux. À l'**intérieur**, de style néoclassique (1821 ; Thomas Baillairgé), la nef descend en pente douce jusqu'au baldaquin et à l'autel. La voûte, sculptée en 1812 par Louis-Bazile David (élève de Quévillon), représente un ciel étoilé. Le tabernacle (1749) de l'autel principal est l'œuvre de la famille Levasseur, tandis que ceux des autels latéraux sont attribués à Pierre Florent Baillairgé, frère de François. À droite de la nef, une

Manoir Mauvide-Genest.
SuperStock/Age Fotostock

peinture représentant la Sainte Famille est attribuée au frère Luc, peintre récollet ayant séjourné en Nouvelle-France vers 1670.

Maison de nos Aïeux – *3907 chemin Royal -* 📞 *418 829 0330 - www.fondation-francoislamy.org - de fin juin à déb. sept. : 10h-18h ; reste de l'année : 10h-16h.* Elle abrite un centre de généalogie.

Maison Drouin – *À 3 km après la sortie du bourg. 700 chemin Royal -* 📞 *418 829 0330 - www.fondationfrancoislamy.org - de fin juin à déb. sept. : 10h-18h ; de déb. sept. à fin nov. : w.-end 11h-16h - 3 $.* Construite en 1675 et agrandie en 1725, cette maison de grosses pierres et poutres en bois compte parmi les plus vieilles maisons de l'île. Habitée jusqu'en 1984, elle n'a jamais été modernisée. On y découvre la partie la plus ancienne abritant le foyer, four à pain et la dépense laitière. Derrière l'imposant mur de pierre d'origine se trouvent les chambres.

Saint-Pierre-de-l'Île-d'Orléans

Cette paroisse est dotée de deux églises. Lorsqu'en 1955, les paroissiens entreprirent de construire une nouvelle église, le gouvernement acquit l'ancienne, érigée entre 1715 et 1719, de manière à en empêcher la démolition.

★ **Ancienne église** – *129 chemin Royal -* 📞 *418 828 9824 -* ♿ 🅿 *- mai-oct. : 10h-17h.* Endommagée lors de la Conquête, l'église fut restaurée puis agrandie en 1775, lorsque le prêtre de la paroisse devint évêque auxiliaire de Québec. Elle fut à nouveau modifiée dans les années 1830 par Thomas Baillairgé. L'intérieur contient trois autels réalisés par Pierre Émond en 1795, et une lampe de sanctuaire sculptée en bois. On notera aussi les bancs à portes dont l'usage fut introduit au Québec par les groupes protestants et, à l'avant et à l'arrière de l'église, les fours à bois, avec leurs tuyaux métalliques servant au chauffage de la nef.

Espace Félix-Leclerc – *682 chemin Royal -* 📞 *418 828 1682 - www.felixleclerc.com - de mi-fév. à mi-déc. : 9h-17h (18h en été) - 5 $.* Il abrite une exposition permanente sur la vie et l'œuvre de l'artiste.

😊 NOS ADRESSES À QUÉBEC

TRANSPORTS

En avion
Aéroport Jean-Lesage – *Voir p. 8.*
À 25 mn du centre en taxi *(32,50 $).*

En train
Rail Canada – *450 r. de la Gare-du-Palais -* ℘ *1 888 842 7245 - www.viarail.ca.* Liaisons avec Montréal en 3h environ.

En autocar
Terminus Gare-du-Palais – *À côté de la gare ferroviaire - 320 r. Abraham-Martin -* ℘ *418 525 3000.*
Terminus Sainte-Foy – *3001 chemin Quatre-Bourgeois -* ℘ *418 650 0087.*
Orléans Express – *www.orleansexpress.com.* Relie Québec aux principales villes de la province dont Montréal quotidiennement.
Intercar – *www.intercar.qc.ca.* Dessert Saguenay – Lac-St-Jean et la Côte-Nord.

En bus
STCUQ – ℘ *418 627 2511 - www.stcuq.qc.ca.* Le service de bus est généralement assuré de 5h30 à 1h. Les tickets, vendus par quatre *(2,55 $ le ticket)* ou sous forme de forfait *(6,85 $/j.),* s'achètent chez les buralistes et marchands de journaux ou à bord du bus *(2,75 $).*

En taxis
Taxis Coop Québec – ℘ *418 525 5191.*
Taxis Québec – ℘ *418 525 8123.*
Taxis Coop Ste-Foy Sillery – ℘ *418 653 7777.*

VISITE

🐝 **Bon à savoir** – Une carte Pass pour visiter les musées est en projet, se renseigner auprès de l'office de tourisme de Québec.

HÉBERGEMENT

PREMIER PRIX

Vieux-Québec
Auberge internationale de Québec – *19 r. Ste-Ursule -* ℘ *418 694 0755 ou 1 866 694 0950 - www.aubergeinternationaledequebec.com -* ♿ *- 275 lits - dortoirs 32/38 $, ch. privées 86/110 $ -* 🍽 *5 $.* Membre de L'Hostelling International, cette auberge de jeunesse est installée à l'intérieur des remparts de la vieille ville. Elle dispose de chambres et de dortoirs pouvant loger de deux à douze personnes, avec ou sans salles de bains. Chambres familiales avec salle de bains privée. Cuisine et cafétéria.

BUDGET MOYEN

Vieux-Québec
Auberge Saint-Louis – *48 r. St-Louis -* ℘ *418 692 2424 ou 1 888 692 4105 - www.aubergestlouis.ca - 27 ch. 80/145 $* 🍽. Cet hôtel de trois étages occupe deux maisons construites en 1830. Les chambres ont été refaites dans un style contemporain et fonctionnel (tons gris, noir). L'adresse est idéalement située à deux pas du château Frontenac, au cœur du Vieux-Québec.

POUR SE FAIRE PLAISIR

Vieux-Québec
Hôtel Manoir d'Auteuil – *49 r. d'Auteuil -* ℘ *418 694 1173 - www.manoirdauteuil.com -* 🅿 *- 18 ch. 145/330 $* 🍽. Ce vénérable hôtel face aux remparts et à ses espaces dégagés domine l'une des rues les plus agréables du centre-ville. Les chambres y sont petites mais douillettes et impeccables, dans un style manoir très 19e s.

Acadia – 43 r. Ste-Ursule -
℘ 418 694 0280 ou 1 800 463 0280 -
www.hotelacadia.com - 🅿 - 40 ch.
135/285 $ 🍽. Les murs de cet hôtel
datent de 1822, mais le confort
des chambres de style anglais,
romantique ou français, n'a rien
à envier aux plus modernes : air
climatisé, TV, Wi-Fi… Les coins et
les recoins de ses couloirs, ainsi
que les pierres et les briques
apparentes dans certaines pièces,
lui confèrent un charme unique.

Vieux-Port
Hôtel Belley – 249 r. St-Paul,
pl. du Marché du Vieux-Port -
℘ 418 692 1694 - www.oricom.
ca/belley - ✗ & 🅿 - 8 ch. 125/182 $.
Bénéficiant d'un emplacement
de choix sur le Vieux-Port ainsi
que du charme d'autrefois avec
ses murs en brique et ses poutres
apparentes, cet hôtel propose
des chambres au décor sobre au-
dessus de la **Taverne Belley**, l'un
des endroits les plus populaires
de la ville.

UNE FOLIE

Vieux-Québec
Hôtel du Vieux-Québec –
1190 r. St-Jean - ℘ 418 692 1850 ou
1 800 361 7787 - www.hvq.com -
✗ & 🅿 (14 $) - 46 ch. 260/328 $ 🍽.
En plein Quartier latin, cet hôtel
en brique vieux de plusieurs
siècles a été soigneusement
restauré et abrite des chambres
rénovées ; certaines sont équipées
de canapé et kitchenette.
**Fairmont Le Château
Frontenac** – 1 r. des Carrières -
℘ 418 692 3861 - www.fairmont.
ca- ✗ & 🅿 🏊 - 618 ch. 395/740 $.
Ce symbole de la ville a accueilli
d'illustres personnalités comme
la reine Elisabeth et Winston
Churchill. La grandeur, la forme
et la vue des chambres varient
selon le prix. L'hôtel est équipé
d'une belle salle de gymnastique.

Sous la houlette de Jean Soulard,
Le Champlain sert des spécialités
françaises et québécoises faisant
honneur aux produits du terroir.

Vieux-Port
Hôtel Le Germain-Dominion –
126 r. St-Pierre - ℘ 418 692 2224
ou 1 888 833 5253 - www.
hotelboutique.com - & 🅿 - 60 ch.
256/370 $ 🍽. Installé dans un
ancien bâtiment commercial de
huit étages construit en 1912, cet
hôtel-boutique bénéficie d'un bel
emplacement au cœur du quartier
du Vieux-Port. Les chambres
percées de hautes fenêtres et
pourvues d'une belle hauteur
sous plafond sont très lumineuses.
Auberge Saint-Antoine – 8 r.
St-Antoine - ℘ 418 692 2211 ou
1 888 692 2211 - www.saint-antoine.
com - ✗ - 83 ch. 195/625 $ et 12 suites
330/1125 $ - 🍽 à partir de 12 $. Cet
ancien entrepôt de 1822 doublé
d'une maison de marchand du
18e s. conserve les traces de la vie
quotidienne des Québécois des
17e-19e s. Certaines chambres et
suites ont conservé les murs de
pierre originels et bénéficient
d'une vue magnifique sur le St-
Laurent. Le restaurant **Panache**
propose une cuisine raffinée,
basée sur les produits québécois.

Sainte-Foy
Château Bonne
Entente – 3400 chemin
Ste-Foy - ℘ 418 653 5221
ou 1 800 463 4390 - www.
chateaubonneentente.com -
✗ & 🅿 - 160 ch. 262/420 $. Situé sur
un site boisé, il allie les charmes
d'une auberge de campagne aux
équipements d'un établissement
moderne. Rejoignez le centre
de remise en forme et le spa
avant d'aller vous installer
confortablement dans un fauteuil
au coin du feu, dans un salon
douillet où thé et petits fours sont
servis chaque après-midi.

4

RESTAURATION

PREMIER PRIX

Vieux-Québec

Petit Coin Latin – 8 ½ r. Ste-Ursule - 📞 418 692 2022 - 7h30-22h (w.-end 23h) - fermé 15 j. en janv. - petit-déjeuner env. 8 $. Bistro des plus sympathiques, où l'on peut siroter un café, prendre un repas léger ou savourer un bon petit-déjeuner tout en lisant une des nombreuses revues laissées à la disposition des clients. L'endroit est idéal pour s'échapper de la cohue de la rue St-Jean, toute proche. Terrasse à l'arrière.

Le Pub Saint-Alexandre – 1087 r. St-Jean - 📞 418 694 0015 - www.pubstalexandre.com - 11h-3h - plats à partir de 18 $. Grande variété de plats (pâtes, saucisses, steak frites, etc.) dans une ambiance de pub anglais. L'adresse comblera les amateurs, avec son choix de 200 bières importées.

Vieux-Port

L'Ardoise – 71 r. St-Paul - 📞 418 694 0213 - www.lardoiseresto.com - 11h30-21h, w.-end 10h30-21h30 - table d'hôtes midi 18/22 $, le soir 40 $. Ce bistro séduit d'emblée, avec son décor qui marie allègrement boiseries foncées, chaises tressées et pierres anciennes. Cuisine soignée et service agréable. À noter, le boudin maison, la saucisse aux fruits de mer, le gâteau au fromage de chèvre. À proximité du musée de la Civilisation.

Quartier Petit-Champlain

Le Cochon Dingue – 46 bd Champlain - 📞 418 692 2013 - www.cochondingue.com - 7h-23h, w.-end. 8h-23h - table d'hôtes midi 13/20 $, grillades à partir de 20 $. L'un des bistros les plus prisés du quartier. On vient pour l'ambiance décontractée, le service et la cuisine bistro variée et savoureuse : steak frites (la spécialité de la maison), travers de porc, moules et d'excellents desserts.

Avenue Cartier

Café-Restaurant du musée national des Beaux-Arts du Québec – Dans le parc des Champs-de-Bataille - 📞 418 644 6780 - www.ba.qc.ca - mêmes horaires que le musée - plats 10-15 $. Logé dans le musée, ce restaurant propose une cuisine soignée : foie gras poêlé, quiches, salades. La lumière du jour entre à flots dans la vaste salle à manger, où d'immenses fenêtres offrent une magnifique vue sur les plaines d'Abraham. En été, il est agréable de s'asseoir à la terrasse.

Café Krieghoff – 1089 av. Cartier - 📞 418 522 3711 - www.cafekrieghoff.qc.ca - 7h-22h (vend. 23h), sam. 8h-23h, dim. 8h-21h - fermé 1er janv. et 25 déc. - table d'hôtes 15/32 $. Cette sympathique adresse accueille ses clients dans de petites pièces au décor tout simple. On y sert de bons petits-déjeuners et une cuisine bistro soignée : sandwich, croque-monsieur, hamburger du chef au pain bagna, feuilleté d'épinard ou confit de canard. Sept chambres modernes et confortables occupent les étages (80/110 $).

Quartier Saint-Jean

Le Billig – 526 r. St-Jean - 📞 418 524 8341 - mar.-sam. 11h-15h, 17h-21h, dim. 11h-15h - 5/20 $. Couleurs vives et briques rouges composent le décor chaleureux de cette crêperie. Le patron, originaire de Pontivy, réalise les galettes de sarrasin dans la pure tradition bretonne. Parmi ses spécialités : la provence, la croisillonne et surtout la cancalaise (pétoncles, poireaux, sauce hollandaise), qui s'accompagnent de cidre du Québec.

Quartier Saint-Roch

Les Bossus – 620 r. St-Joseph Est - ℰ 418 522 5501 - www.lesbossus. com - 9h-22h, jeu.-sam. 9h-23h, dim. 11h-22h - table d'hôtes midi 17 $, plats le soir à partir de 15 $. Bistro au goût du jour : voilà ce qu'indiquent les grands carreaux blancs et noirs au sol, les banquettes design et le long comptoir éclairé de globes. La cuisine s'inscrit quant à elle dans la tradition : potage, confit de canard, burger de cheval, frites, crème brûlée.

BUDGET MOYEN

Vieux-Québec

Portofino – 54 r. Couillard - ℰ 418 692 8888 - www.portofino. qc.ca - 11h-1h - plats 18/35 $. Cette trattoria où règne une agitation débordante affiche pas moins de 20 variétés de pâtes maison (à partir de 18 $) et 30 différentes pizzas cuites au feu de bois (à partir de 17 $). Bon choix de vins italiens.

Quartier Saint-Jean

Hobbit Bistro – 700 r. St-Jean - ℰ 418 647 2677 - www. hobbitbistro.com - 8h-22h, vend.-sam. 8h30-23h, dim. 9h-22h - fermé 1er janv. - table d'hôtes midi 17/31 $. Restaurant de quartier par excellence, ce lieu combine service souriant, convivialité et bonne chère dans un décor à la fois minéral et boisé. On vient ici pour les spécialités de grillades mais aussi pour les sandwichs. Vins au verre. Bon rapport qualité-prix.

Vieux-Port

Le Café du Monde – 84 r. Dalhousie - ℰ 418 692 4455 - www. lecafedumonde.com - 11h30-23h, w.-end et j. fériés 9h-23h - plats à partir de 17 $. Le célèbre bistro « parisien » de Québec jouit d'une vue magnifique sur le port et le

fleuve. Steak frites, boudin, hachis Parmentier, magret de canard et moules figurent au menu. La cave compte pas moins de 250 références du monde entier. Délicieux brunchs.

Colline parlementaire

47e Parallèle – 333 r. St-Amable - ℰ 418 692 4747 - www.le47.com - 11h30-14h, 17h-22h - fermé w.-end midi - plats 18/28 $ (table d'hôtes +13/16 $). Juste à côté du Grand Théâtre, ce restaurant animé propose une grande variété de plats traditionnels du monde entier. Ainsi peut-on trouver au menu, qui change régulièrement, des venaisons, des poissons d'ici cuisinés à la mode d'ailleurs et des influences liant l'aigre et le doux.

Avenue Cartier

Le Graffiti – 1191 av. Cartier - ℰ 418 529 4949 - 11h30-14h30, 17h-22h, sam. 17h-23h, dim. 9h30-15h, 17h-22h - fermé 25 déc. - 23/33 $. Ce restaurant installé à l'entrée du marché couvert propose une cuisine italienne et française de grande qualité (fettucini aux pétoncles, médaillon de veau aux queues de homard, tarte au sucre et poire…), accompagnée d'une excellente carte des vins. Une verrière et des murs de brique lui confèrent une ambiance chaleureuse.

Quartier Saint-Roch

Le Clocher penché – 203 r. St-Joseph Est - ℰ 418 640 0597 - 11h30-14h, 17h-22h, w.-end brunch 9h-14h - fermé 15 j. pdt les fêtes de fin d'année - table d'hôtes midi à partir de 24 $, brunch 20 $. Si le clocher d'en face penche bel et bien, en revanche rien n'est bancal dans ce restaurant de quartier installé dans une ancienne banque. Fameuse carte des vins, bières provenant de microbrasseries et plats mêlant

4

avec raffinement saveurs sucrées et salées.

POUR SE FAIRE PLAISIR

Vieux-Québec

Aux Anciens Canadiens – *34 r. St-Louis* - ☏ *418 692 1627* - *www. auxancienscanadiens.qc.ca* - *12h-21h* - *menu midi 23 $, table d'hôtes à partir de 64 $.* Logé dans la maison Jacquet *(voir p. 293)*, ce vénérable restaurant accueille les amateurs de cuisine québécoise. Le menu comprend des plats traditionnels tels que la soupe aux pois et la tourtière du Lac-St-Jean, des mets plus contemporains et de délicieux desserts : tarte au sirop d'érable, tartine au sucre d'érable nappée de crème…

Vieux-Port

L'Échaudé – *73 r. Sault-au-Matelot* - ☏ *418 692 1299* - *www.echaude.com* - *11h30-14h30, 17h30-22h, sam. 17h-22h, dim. 10h-14h, 17h30-22h* - *fermé 1er janv. et 25 déc.* - *table d'hôtes midi 25/60 $, plats 20/36 $ (table d'hôtes soir +12 $)*. Ce restaurant sert toute une variété de plats (viandes, poissons, salades) toujours très bien apprêtés et fort joliment présentés, avec une passion pour le gibier aux accompagnements originaux. Délicieux brunchs le week-end.

Colline parlementaire

L'Astral – *1225 pl. Montcalm, au Loews Le Concorde Hôtel* - ☏ *418 647 2222* - *www.lastral. ca* - *6h-22h45* - *table d'hôtes midi 16/18 $, le soir 41/63 $, buffet gastronomique le soir 60 $.* Perché au 28e étage d'un hôtel, ce restaurant tournant offre une vue panoramique sur le St-Laurent, la vieille ville, l'île d'Orléans et la côte de Charlevoix. Vous pourrez assister au coucher du soleil au son du piano *(du merc. au dim. soir)* ou terminer la soirée par une boisson. Brunch fameux le dimanche.

Quartier Saint-Roch

Yu-Zu – *438 r. du Parvis* - ☏ *418 521 7253* - *www.yuzu. ca* - *11h-20h* - *fermé 24-25 déc.* - *35/64 $.* Sushi bar à la décoration contemporaine. Dans l'assiette, tempuras, makis, nigiris, sashimis ou tataki de veau se présentent de façon tout aussi épurée. La sophistication est partout. Pour y goûter, n'hésitez pas à choisir le déjeuner : yuzu direct avec rouleaux impériaux et makis *(9,95 $)*, poulet du général Tao *(12,95 $).*

UNE FOLIE

Vieux-Québec

Le Continental – *26 r. St-Louis* - ☏ *418 694 9995* - *www.restaurantlecontinental.com* - *12h-15h, 17h30-23h* - *fermé w.-end midi* - *table d'hôtes 57/84 $.* Proche du château Frontenac, ce restaurant prisé des Québécois est l'un des plus vieux de la ville. On dîne dans l'élégante salle à manger, habillée de lambris et de tentures bleu foncé, du classique steak aux fruits de mer en passant par le canard à l'orange, la salade César préparée au guéridon, et les viandes flambées devant le client.

Le Saint-Amour – *48 r. Ste-Ursule* - ☏ *418 694 0667* - *www.saint-amour.com* - *11h30-14h, 18h-23h, w.-end 18h-23h* - *fermé w.-end midi* - *table d'hôtes le soir 55 $.* L'élégance décontractée de cet établissement gastronomique reconnu se prête à merveille à une cuisine raffinée revisitée : foie gras de canard du Québec, gigue de cerf… Le menu découverte à 8 services permet d'apprécier tout le savoir-faire du chef Jean-Luc Boulay, qui a pris la succession de son père aux fourneaux. Très belle carte des vins.

PETITE PAUSE

Vieux-Port
Le Buffet de l'Antiquaire – *95 r. St-Paul* - *℘418 692 2661*. On y vient surtout pour les repas, mais on peut aussi s'y arrêter aux heures creuses pour y grignoter quelque chose de consistant au milieu des antiquaires venus parler de leurs dernières trouvailles.

BOIRE UN VERRE

Vieux-Québec
Le Sainte-Angèle – *26 r. Ste-Angèle* - *℘ 418 692 2171*. Rien ne l'indique sinon sa porte verte. L'endroit est minuscule, chaleureux, avec un air de repaire de conspirateurs. On y sert d'excellents cocktails, les bières sont bien choisies et ses concerts de jazz du jeudi et du vendredi soir sont célèbres.

Quartier Saint-Roch
La Barberie – *310 r. St-Roch* - *℘ 418 522 4373* - *www.labarberie. com*. À la lisière est du quartier, vous pourrez y déguster l'une des dix bières (dont une bio) que produit cette microbrasserie ainsi que d'autres brassées dans la région. Jolie terrasse.

Vieux-Port
Taverne Belley – *249 r. St-Paul* - *℘ 418 692 4595* - *www.labarberie. com*. Ouvert dans les années 1930, ce bar propose un bon choix de bières dans un décor évoquant le Québec de jadis. De la terrasse, on domine la rue, le Vieux-Port et il n'est pas rare de voir les clients disputer des parties de pétanque sur le terre-plein tout proche.

ACHATS

⊛ **Bon à savoir** – Les rues suivantes se prêtent particulièrement bien à la flânerie : le quartier Petit-Champlain, les rues St-Jean, St-Louis, St-Paul (antiquaires), Ste-Anne et Cartier, la côte de la Fabrique, la Grande Allée et la 3e Avenue. Dans le faubourg St-Roch, de nouvelles boutiques branchées, dont un certain nombre de restaurants, reprennent progressivement possession de la rue St-Joseph, redynamisant l'ensemble du quartier. Quant au faubourg St-Jean, il fait alterner épiceries, magasins de fournitures, librairies et boutiques d'artisans.

Vieux-Port
Marché du Vieux-Port – *160 quai St-André* - *℘ 418 692 2517* - *www. marchevieuxport.com* - *avr.-déc. : 9h-19h ; janv.-mars : 9h-18h, w.-end 9h-17h*. Fleurs, miel, produits de l'érable, cidre, fruits et légumes de l'île d'Orléans, charcuterie, pièces de viande : le panier se garnit vite à faire le tour de cette halle du Vieux-Port. Quelques restaurants ont aussi investi les lieux, histoire de caler les petites faims.

Quartier Petit-Champlain
La soierie Huo – *91 r. du Petit-Champlain* - *℘ 418 692 5920* - *www.soieriehuo.com* - *juin-sept. : 9h30-20h ; reste de l'année : 9h30-17h*. Voilà plus de 15 ans que Dominique Huo et Hugues Beaulieu ont ouvert cette boutique lumineuse et colorée. Ils peignent parfois sur soie au milieu des foulards *(35 $)*, des cravates *(65 $)*, des barettes *(15 $)* ou des boucles d'oreilles clip *(20 $)* qu'ils ont réalisés et vendent ici.

La dentellière – *56 bd Champlain* - *℘ 418 692 2807* - *www.quartierpetitchamplain.com/ la-dentelliere* - *juin-sept. : 9h-21h ; reste de l'année : 10h-17h (21h jeu.-vend.) - fermé 1er janv. et 25 déc.* De la vitrine jusqu'au fond du magasin, ce

4

n'est ici que dentelle. Blancs les napperons, le linge de corps, les draps. Blanches les nappes…

Oh ! Bois Dormant – *84 ½ r. du Petit-Champlain - ☎ 418 694 7474 - www.quartierpetitchamplain. com/oh-bois-dormant - été : tlj ; hiver : jeu.-vend. 10h-21h, sam.-lun. 10h-17h.* Bois d'érable rouge ou d'érable coti, de bouleau jaune, de cerisier tardif, de frêne… Cette enseigne expose le travail d'une soixantaine d'artisans.

Quartier Saint-Jean

Maison Jean-Alfred Moisan – *699 r. St-Jean - ☎ 418 522 0685 - www.jamoisan.com - 9h-22h.* Depuis 1871, cette institution fournit le faubourg St-Jean : fruits et légumes frais, pain, charcuterie ou fromages italiens, français, québécois. Son charme tient aussi à ses vieilles étagères et à ses comptoirs où trône de la confiserie importée d'Europe.

Île d'Orléans

☻ Bon à savoir – Célèbre pour ses fraises, l'île voit fin juin-début juillet le bord de ses routes se couvrir d'étals proposant les fruits vendus au naturel ou préparés sous forme de confitures ou de tartes tout juste sorties du four. Certains exploitants vous proposent aussi de faire vous-même la cueillette.

Au Goût d'Autrefois – *4311 chemin Royal, Ste-Famille - ☎ 418 829 9888 - www. augoutdautrefois.qc.ca.* Autre spécialité de l'île d'Orléans, l'oie sous toutes ses formes.

EN SOIRÉE

☻ Bon à savoir – Le faubourg St-Jean est ponctué de pubs et restaurants. Il vit à son rythme, et tard, si bien que beaucoup de Québécois s'y réfugient pour passer des soirées loin de la foule.

Dans les quartiers touristiques de Vieux-Québec et Vieux-Port, les rues se vident très sagement passé l'heure du coucher.

Info-loisirs – Pour se faire une idée des événements en cours, consultez les publications touristiques gratuites telles que *Québec Scope, Voilà Québec* et *Voir,* ou parcourez la section Arts et Spectacles des journaux (numéros de fin de semaine).

Billetech – *Différents points de vente sur le site Internet - ☎ 418 643 8131 - www.billetech. com.* Vente de billets pour les événements culturels et sportifs.

Quartier Saint-Roch

Le Cercle – *226 ½/228 r. St-Joseph - ☎ 418 948 8648.* Le nouvel endroit où sortir dans le quartier. Décor branché avec murs de brique et atmosphère industrielle, clientèle à la pointe des nouvelles tendances. Quelques tapas pour grignoter entre amis et surtout un excellent choix de vins.

Quartier Saint-Jean

Le Sacrilège – *447 r. St-Jean - ☎ 418 649 1985 - www.lesacrilege. net - 12h-3h - Soirées DJ : merc.-vend. soir.* Peut-être le plus convivial des bars où l'on se retrouve pour discuter autour d'une bière de microbrasserie bien sûr. La musique, les murs de brique et les tableaux contemporains ajoutent à la convivialité du lieu. La petite terrasse ombragée, à l'arrière, est un grand plus en été.

Maurice – *575 Grande Allée - ☎ 418 647 2000 - www. mauricenightclub.com - merc.- sam. 20h-3h.* Sous la haute tour de l'hôtel Concorde, l'une des plus célèbres discothèques de la ville : tubes hip-hop, dance, R n'B et électro, sur deux étages au décor très *lounge.*

Rencontres sportives

Hockey sur glace – *Pepsi Coliseum - 250 bd Hamel - ℰ 418 525 1212 - www.remparts.qc.ca*. Saison : septembre-mars. Les Remparts de Québec (AHM de Ste-Foy).

Base-ball – *Stade municipal - 100 r. du Card.-Maurice-Roy - ℰ 418 521 2255 - www.capitalesdequebec.com*. Capitales de Québec.

Course sous harnais – *Hippodrome de Québec - Parc ExpoCité - ℰ 418 524 5283*.

ACTIVITÉS

Station touristique Duchesnay

À 40 km au nord-ouest de Québec (par rapport au St-Laurent) par l'autoroute 40 (dir. Montréal), sortie 295 puis route 367 jusqu'à Ste-Catherine-de-la-Jacques-Cartier - ℰ 418 875 2711 ou 1 866 683 2711 - www.sepaq.com/duchesnay. Cette station bordant le lac St-Joseph offre une large palette d'activités de plein air : randonnées, vélo, accrobranche, plage ou voile en été ; patinoire, motoneige, ski de fond ou pêche blanche en hiver, sans oublier le spa scandinave et l'hôtel de glace.

Parc de la Jacques-Cartier

♿ www.sepaq.com.

Randonnée – 🐾 Plus de 100 km de pistes de randonnée et une quinzaine de sentiers de nature traversent la forêt et longent la rivière. Agréable but de promenade, le **sentier des Loups** *(10 km AR)* offre de splendides **vues★★** sur toute la vallée de la Jacques-Cartier. Le **sentier des Draveurs**, lui, permet de découvrir le vestige d'un riche passé forestier qui remonte au 19e s. Des pistes pour VTT empruntent ces anciens chemins forestiers ou d'autres chemins de terre.

Descente de la rivière Jacques-Cartier – *Réserv. des embarcations au centre de location, situé au km 10 de la route de la Vallée - ℰ 1 800 665 6527*. Longue de 177 km, la Jacques-Cartier est la seule rivière du Québec à faire partie du réseau des rivières du patrimoine canadien. À l'intérieur du parc, elle représente 26 km de parcours navigable, offrant des parois escarpées s'élevant à près de 500 m au-dessus d'un ruban d'eau calme entrecoupé de courts rapides. Embarcations au choix : canot, kayak récréatif, miniraft, canot pneumatique et chambre à air ; parcours pour débutants et confirmés.

Ski de longue randonnée – Avec 6 m de neige reçus annuellement, le parc offre des conditions idéales pour le ski nordique, la raquette ou la randonnée pédestre sur neige.

AGENDA

Carnaval de Québec – *ℰ 418 626 3716 - www.carnaval.qc.ca*. Première quinzaine de février *(voir p. 287)*.

Salon international du livre de Québec – *ℰ 418 692 0010 - www.silq.ca*. Mi-avril. Depuis 1999, pendant quatre jours, le rendez-vous incontournable des amateurs de livres et de BD francophones.

Festival d'été de Québec – *ℰ 418 529 5200 - www.infofestival.com*. Début juillet. Pendant 10 jours, concerts d'artistes de renommée internationale et nombreux spectacles de rue.

Les fêtes de la Nouvelle-France – *ℰ 418 694 3311 - www.nouvellefrance.ca*. Première quinzaine d'août. Des reconstitutions historiques font revivre l'ambiance de la Nouvelle-France dans le Vieux-Québec.

4

Au nord-ouest de Québec 5

Moulin de l'île aux Coudres.
B. Summers/Age Fotostock

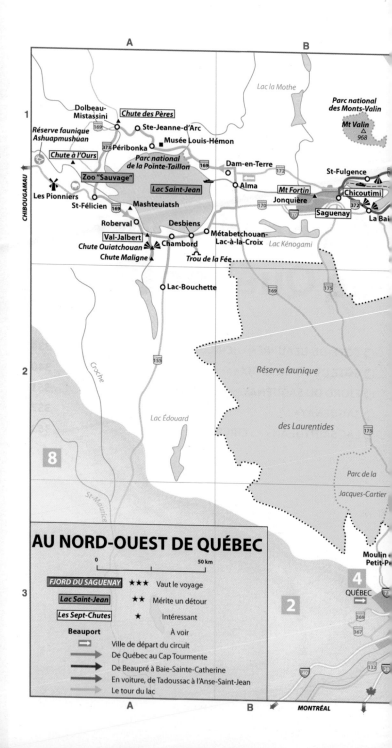

A **B**

Lac la Mothe

Parc national des Monts-Valin

Mt Valin △ 968

1

Dolbeau-Mistassini

Chute des Pères

Ste-Jeanne-d'Arc

169

Réserve faunique Ashuapmushuan

373 Péribonka

■ Musée Louis-Hémon

Chute à l'Ours

Parc national de la Pointe-Taillon

169

Dam-en-Terre

172

St-Fulgence

Zoo "Sauvage"

Lac Saint-Jean

Alma

Mt Fortin

Chicoutimi

Les Pionniers

Jonquière

372

Saguenay

St-Félicien **169**

Mashteuiatsh

170

70

La Bai

CHIBOUGAMAU

Roberval

Desbiens

Métabetchouan-Lac-à-la-Croix

Lac Kénogami

Val-Jalbert

Chambord

Chute Ouiatchouan

Chute Maligne

Trou de la Fée . . . .

Lac-Bouchette

169 **175**

Croche

155

2

Réserve faunique

Lac Édouard

des Laurentides

175

8

Parc de la

Jacques-Cartier

St-Maurice

Moulin
Petit-P

4

QUÉBEC

AU NORD-OUEST DE QUÉBEC

0   50 km

FJORD DU SAGUENAY ★★★ Vaut le voyage

Lac Saint-Jean ★★ Mérite un détour

Les Sept-Chutes ★ Intéressant

Beauport À voir

▭ Ville de départ du circuit

→ De Québec au Cap Tourmente

→ De Beaupré à Baie-Sainte-Catherine

→ En voiture, de Tadoussac à l'Anse-Saint-Jean

→ Le tour du lac

2

369

367

132

70 **20**

3

A **B** MONTRÉAL

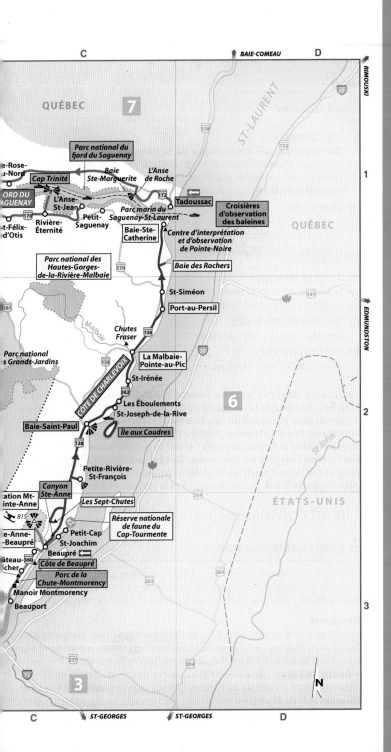

BAIE-COMEAU

RIMOUSKI

QUÉBEC

7

ST-LAURENT

138

132

e-Rose-
u-Nord

**Parc national du
fjord du Saguenay**

Cap Trinité

*Baie
Ste-Marguerite*

*L'Anse
de Roche*

ORD DU
GUENAY

170

L'Anse-
St-Jean

Petit-
Saguenay

172

Tadoussac

**Croisières
d'observation
des baleines**

QUÉBEC

t-Félix-
d'Otis

Rivière-
Éternité

*Parc marin du
Saguenay-St-Laurent*

381

**Baie-Ste-
Catherine**

*Centre d'interprétation
et d'observation
de Pointe-Noire*

185

*Parc national des
Hautes-Gorges-
de-la-Rivière-Malbaie*

170

Baie des Rochers

EDMUNDSTON

Malbaie

St-Siméon

Port-au-Persil

*Parc national
s Grands-Jardins*

*Chutes
Fraser*

138

138

10

CÔTE DE CHARLEVOIX

**La Malbaie-
Pointe-au-Pic**

St-Irénée

6

362

Les Éboulements

St-Joseph-de-la-Rive

St. John

Baie-Saint-Paul

Île aux Coudres

138

**Petite-Rivière-
St-François**

204

*Canyon
Ste-Anne*

Les Sept-Chutes

ÉTATS-UNIS

ation Mt-
inte-Anne

815

*Réserve nationale
de faune du
Cap-Tourmente*

e-Anne-
-Beaupré

Petit-Cap

St-Joachim

Beaupré

âteau- 360
cher

Côte de Beaupré

*Parc de la
Chute-Montmorency*

Manoir Montmorency

204

283

Beauport

3

77

277

204

N

C

ST-GEORGES

ST-GEORGES

D

Côte-de-Beaupré

★★

Région de Québec

S'INFORMER

Bureau d'accueil touristique de la Côte-de-Beaupré – *3 r. de la Seigneurie, Château-Richer -* ☏ *418 824 3439 ou 1 877 224 3439 - www.cotede beaupre.com - de mi-juin à déb. sept. : 9h-19h.*
Québec ville et région – *www.régionquebec.com.*

SE REPÉRER

Carte de région C3 (p. 332-333). De Québec, prenez la route 440 (qui devient la route 40), puis la route 138. Notez qu'il est beaucoup plus inté-ressant, si on a le temps, de suivre la route 360 (l'avenue Royale) à partir de Beauport.

À NE PAS MANQUER

Le parc de la Chute-Montmorency et la réserve du Cap-Tourmente ; suivez l'avenue Royale et, en hiver, skiez la nuit au Mont-Ste-Anne.

ORGANISER SON TEMPS

Comptez une journée complète.

AVEC LES ENFANTS

Le parc de la Chute-Montmorency.

La Côte-de-Beaupré est une étroite bande de terre située entre le Bouclier canadien et la rive nord du St-Laurent. Elle s'étend de la chute Montmorency au massif du cap Tourmente (660 m). Visible durant tout l'itinéraire, l'île d'Orléans se profile à l'horizon. À la vue des vertes éten-dues longeant le fleuve, Jacques Cartier se serait exclamé : « Quel beau pré ! », d'où l'origine du toponyme. La région est aujourd'hui célèbre pour ses villages datant du Régime français, mais aussi pour le lieu de pèlerinage de Ste-Anne-de-Beaupré et la station du Mont-Ste-Anne.

Circuit conseillé Carte de région

DE QUÉBEC AU CAP TOURMENTE C3

Circuit de 48 km tracé sur la carte p. 332-333. De Québec, prenez la route 440 vers l'est jusqu'à la sortie 24, puis l'avenue d'Estimauville jusqu'à la route 360 (appelée avenue Royale jusqu'à Beaupré). Tournez à droite et continuez sur 3 km.

Beauport

La plus ancienne localité de la Côte-de-Beaupré fait aujourd'hui partie de la banlieue de Québec. Arrivés en 1634, les premiers colons nommèrent leur village en l'honneur de la célèbre abbaye de la côte bretonne.

★ **Bourg du Fargy** – Au cœur de Beauport se trouve le « bourg du Fargy », impressionnant ensemble de bâtiments historiques. La **maison Bellanger-Girardin** *(600 av. Royale)* est typique de l'architecture locale. Sa forme allon-gée résulte d'une construction en deux étapes distinctes (1722 et 1735), tandis que sa haute toiture se rapproche du profil classique des toitures à

UN PEU D'HISTOIRE

La seigneurie de Beaupré, qui s'étendait de la rivière Montmorency jusqu'à Baie-St-Paul, était l'une des plus importantes de la Nouvelle-France. En 1626, Champlain y établit sa première ferme, que les frères Kirke détruisirent lors de leur raid en 1629. Néanmoins, les colons commencèrent à peupler ce territoire fertile à partir des années 1630, et y fondèrent les premières paroisses rurales de la Nouvelle-France. De 1668 à 1680, l'évêque de Québec, Monseigneur de Laval, en fut le seigneur. Cet évêque fut également responsable de la construction du chemin du Roy (aujourd'hui nommé avenue Royale), de Québec à St-Joachim. La **route touristique de la Nouvelle-France** *(www.routedelanouvellefrance.com)* en relie tous les sites les plus intéressants. À sa mort, la seigneurie resta la propriété du séminaire de Québec, et ce jusqu'à l'abolition de la tenure seigneuriale de la terre en 1854.

« grosse-charpente » de la fin du 17e s. Restauré en 1983, l'édifice sert à exposer les œuvres d'artistes locaux. Le quartier comprend aussi des maisons de l'époque victorienne.

Avec son toit à mansarde surmonté d'une gigantesque statue de la Vierge, le **couvent de Beauport** (1866 ; F.-X. Berlinguet) est remarquable. On notera aussi l'**église N.-D.-de-la-Nativité** (1849 ; Charles Baillairgé) et son **presbytère** en pierre de taille (1903). Deux fois victime d'un incendie, l'église possède ses murs d'origine, mais il lui manque ses deux hautes flèches.

Le chemin suit un escarpement qui surplombe le fleuve, avec des vues sur l'île d'Orléans. De belles maisons bordent la route.

★★ Parc de la Chute-Montmorency

4300 bd Ste-Anne - ☎ 418 663 3330 - www.sepaq.com/chutemontmorency -
♿🅿 (voiture 9 $) - de déb. janv. à mi-avr. : 10h-16h ; de mi-avr. à fin juin et de fin août à oct. : 9h-18h ; de fin juin à fin août : 8h30-19h30 ; de fin déc. à déb. janv : 10h-16h - téléphérique 8 $.

Bon à savoir – Depuis 2008, dès la tombée de la nuit, l'anse du parc de la Chute-Montmorency est illuminée. La lumière met somptueusement en valeur cette chute spectaculaire, la falaise environnante et le manoir Montmorency.

Avant de déboucher dans le St-Laurent, la rivière Montmorency subit une dénivellation de 83 m, soit une trentaine de mètres de plus que les chutes du Niagara. Samuel de Champlain baptisa cette rivière et sa chute en l'honneur de Charles, duc de Montmorency, vice-roi de la Nouvelle-France entre 1620 et 1625. En hiver, la gerbe d'embruns de la chute se cristallise et crée un énorme cône de glace, appelé « pain de sucre », qui atteint parfois plus de 30 m de hauteur. Avant la dernière période glaciaire, la chute Montmorency donnait directement dans le St-Laurent. Elle se trouve maintenant à 450 m en retrait, et marque le bord du Bouclier canadien.

Manoir Montmorency – Cette élégante villa, dont les terrasses surplombent la chute Montmorency, changea plusieurs fois de propriétaire et subit, au fil des ans, de nombreuses modifications. Elle fut construite, en 1780, comme maison de campagne pour Frederick Haldimand, gouverneur général de l'Amérique du Nord britannique. Fils de George III et futur père de la reine Victoria, **Edward, duc de Kent**, y habita de 1791 à 1794 avec sa « femme morganatique ». Peter Patterson et ses descendants en firent ensuite leur résidence. Transformé, au début du 20e s., en un hôtel de luxe connu sous

5

le nom de « Kent House », l'édifice fut détruit par un incendie en mai 1993 et reconstruit selon son architecture d'origine. Il abrite aujourd'hui un **restaurant et des salons de réception** ainsi qu'un **centre d'interprétation★** qui présente le patrimoine historique, économique et humain du domaine de Montmorency.

Belvédère supérieur – Du centre d'interprétation, une promenade accrochée au flanc de la falaise mène jusqu'au pont de la chute. Ce dernier enjambe la rivière et offre une **vue★★** spectaculaire sur ses eaux furieuses, tandis qu'au loin se découpe la silhouette de l'île d'Orléans. Ici, le visiteur appréciera la hauteur et la formidable puissance de la cataracte. Un second pont, plus petit, passe ensuite au-dessus de la faille latérale et dévoile de belles perspectives sur le site de la centrale et les anciennes filatures, avec les gratte-ciel de Québec et le château Frontenac en toile de fond. Un peu plus loin, remarquez les vestiges d'une redoute, construite en 1759 par les troupes du général anglais Wolfe lors du siège de Québec en 1759. Les milices françaises, aidées de leurs alliés amérindiens, réussirent à la prendre d'assaut en utilisant les techniques de combat forestier développées par les autochtones.

Belvédère inférieur – Un escalier panoramique, doté de plusieurs passerelles d'observation, mène au pied de la chute en découvrant des **vues** sur le torrent large et puissant qui se déchaîne avec fureur *(se munir de vêtements imperméables pour se protéger des embruns)*. Un immense tourbillon se forme à la base, dans une vaste chaudière creusée au cours des âges. La force de ces eaux tumultueuses (environ 35 000 l/s) fut domestiquée en 1885, afin d'alimenter des moulins à scie et de fournir de l'électricité à la ville de Québec. Un **téléphérique** permet de regagner le plateau supérieur et de revenir sans fatigue à son point de départ.

Revenez sur la route 360.

Les lignes à haute tension qui transportent l'électricité de la centrale de Manic-5 *(voir p. 420)* à Montréal traversent ici le St-Laurent sur d'énormes pylônes. Passé ce point, la région devient plus rurale.

Moulin du Petit-Pré
7007 av. Royale, Château-Richer - ℘ 418 824 7007 - www.moulin-petitpre.com - de mi-avr. à mi-oct. : 9h-17h.

Ce grand bâtiment de pierre de trois étages, situé à proximité de la rivière du Petit-Pré, fut le premier moulin industriel de Nouvelle-France. Il devait

UN SITE À VOCATION INDUSTRIELLE
Ce merveilleux site naturel se trouvait, au 19e s., au cœur d'un puissant empire commercial. En 1811, une première scierie s'installa au pied de la chute et devint, vers le milieu du siècle, l'une des plus importantes du genre en Amérique du Nord britannique. Sous la direction d'un certain Peter Patterson, puis de son gendre, George Benson Hall, l'entreprise agrandit ses installations et se diversifia, mais ne survécut pas à la crise du commerce du bois. Vers la fin du 19e s., le domaine changea de vocation. En 1884, une centrale hydroélectrique – la première au monde à transporter sur une longue distance (11,7 km) l'énergie produite par un cours d'eau – vit le jour. Une seconde centrale fut mise en service en 1895, suivie, en 1905, d'une filature de coton installée au pied de la falaise. De presque deux siècles d'intense activité industrielle ne restent aujourd'hui que quelques traces.

Chutes de Montmorency.
Vidler Steve/Age Fotostock

répondre aux intérêts des marchands de Québec, qui réclamaient un moulin, et à ceux du séminaire de Québec qui le fit construire en 1695 pour augmenter ses revenus. Détruit pendant la Conquête anglaise, l'édifice fut reconstruit en 1764 et fonctionna ensuite jusqu'en 1955.

Centre d'interprétation de la Côte-de-Beaupré – ℘ 418 824 3677 - ♿🅿 - *de mi-mai à mi-oct. : 9h30-16h30 ; reste de l'année : lun.-vend. 10h-16h30 - fermé de fin déc. à déb. janv. - 6 $ (enf. gratuit).* Installé dans les combles du moulin, ce centre présente la géologie, l'histoire et la culture de la région à l'aide de photos, de maquettes, d'objets anciens, de jeux, de bandes sonores et de films vidéo.

La route 360 rejoint le niveau du fleuve à l'approche de Ste-Anne.

Château-Richer

Colonisé en 1640, ce village reçut son nom d'un prieuré de France. Du haut de la falaise qui surplombe le fleuve, l'église de La-Visitation-de-N.-D. (1866) domine le village et offre une **vue** qui embrasse la côte jusqu'au cap Tourmente.

Au nord de la ville, on aperçoit dans la falaise les lits de pierre d'une carrière. Aux 18e et 19e s., la pierre calcaire de Château-Richer était volontiers utilisée comme matériau de construction à Québec. De forme régulière et d'un gris clair, elle supplanta le calcaire de Beauport, plus sombre, au début du 19e s.

Sur l'avenue Royale se dressent quelques fours à pain, à côté de maisons anciennes (certaines vieilles de près de 300 ans). L'un de ces fours fonctionne encore, et on peut y acheter du pain frais.

★ Sainte-Anne-de-Beaupré

Ste-Anne-de-Beaupré rend hommage à la sainte patronne du Québec. Son sanctuaire est un grand lieu de pèlerinage, fréquenté chaque année par plus d'un million et demi de visiteurs.

★★ **Sanctuaire** – *10018 av. Royale* - ℘ 418 827 3781 - www.sanctuairesainteanne. org - ♿🅿 - *basilique Ste-Anne et chapelle de l'Immaculée : 6h-21h (les horaires de fermeture changent ; d'oct. à déb. mai : 17h, mai : 19h, de mi-juil. à fin juil. : 22h) ;*

chapelle commémorative : de mi-avr. à mi-oct. : 8h-18h. Ce gigantesque édifice, d'inspiration médiévale, fut conçu par les architectes Maxime Roisin et Louis-Napoléon Audet. Reposant sur une charpente d'acier revêtue de granit, il présente un plan en forme de croix latine. Entre ses deux clochers veille une statue dorée de sainte Anne, qui échappa à l'incendie de 1922. Dans la nef centrale, la voûte en berceau est recouverte de **mosaïques** relatant la vie de la sainte. Une douce lumière filtre à travers 240 **vitraux** réalisés par l'artiste français Auguste Labouret et le maître-verrier Pierre Chaudière. Dominant la tribune d'orgue, les verrières du transept et la rosace sont de toute beauté. La **Chapelle commémorative**, construite en 1878 à l'emplacement de l'église de 1676, a conservé plusieurs éléments de l'ancien édifice, notamment son clocher à deux coupoles. À côté, **la Scala Santa**, érigée en 1891, contient une réplique de l'escalier que le Christ dut emprunter pour se rendre au palais de Ponce Pilate, avant sa condamnation à mort. L'escalier original se trouve à Rome, où il fut apporté vers l'an 325 par sainte Hélène, mère de l'empereur Constantin. Les pèlerins en gravissent les marches à genoux. Dans la colline derrière la chapelle du St-Escalier, se trouve un chemin de Croix dont les stations furent coulées dans le bronze par des artisans français, entre 1913 et 1946.

Musée de Ste-Anne – *9803 bd Ste-Anne, près de la basilique -* ℘ *418 827 3782 -* &⛧🅿 *- de mai à déb. juin et de déb. sept. à déb. oct. : 9h30-16h30 ; de déb. juin à déb. sept. : 9h30-17h - 5 $.* Inauguré en 1997, ce musée d'art religieux a pour but de faire connaître, à travers ses collections, sainte Anne, son culte, l'histoire de la basilique et de son pèlerinage.

Cyclorama de Jérusalem – *8 r. du Sanctuaire (près de la basilique) -* ℘ *418 827 3101 - www.cyclorama.com -* 🅿 *- mai-oct. : 9h-18h - 9 $.* L'immense rotonde du Cyclorama abrite une peinture géante (hauteur : 14 m ; circonférence : 110 m) d'un réalisme surprenant, mettant en scène Jérusalem le jour de la Crucifixion. Elle a été réalisée à Munich (1878-1882) par le peintre français Paul Philippoteaux et cinq assistants, puis installée à Ste-Anne-de-Beaupré en 1895.

Beaupré

Située sur la rivière Ste-Anne-du-Nord, peu avant son embouchure dans le St-Laurent, Beaupré fit partie de Ste-Anne-de-Beaupré jusqu'en 1927. désormais autonome, elle est dominée par son grand moulin à pâte à papier.
Prenez la route 360 jusqu'à la station Mont-Ste-Anne.

★ Station Mont-Sainte-Anne

℘ *418 827 4561 - www.mont-sainte-anne.com -* ✕&🅿 *- saison de ski : de mi-nov. à fin avr.*

Ce magnifique espace naturel englobe à la fois le mont Ste-Anne (815 m), imposant massif accidenté s'élevant à proximité du St-Laurent, et une partie de la vallée de la rivière Jean-Larose. La station de ski de Mont-Ste-Anne bénéficie d'excellentes conditions d'enneigement et d'une infrastructure sportive développée.

★★ Panorama – *Accès au sommet (15mn) par télécabine de fin juin à mi-oct. : 10h-16h30 - AR 30mn -* ✕&🅿 *- 17,56 $.* Du sommet, la vue sur le St-Laurent est extraordinaire. Elle englobe, au sud, la Côte-de-Beaupré, reconnaissable aux tours jumelles de la basilique Ste-Anne, mais aussi Québec, l'île d'Orléans et la région Chaudière-Appalaches. À l'est de l'île d'Orléans, l'estuaire s'étend sur une largeur de 10 km. Au nord se détache la silhouette des Laurentides.

Chutes Jean-Larose – *De la station de ski, faites 700 m à l'est et prenez la piste balisée.* Avant de se jeter dans la rivière Ste-Anne, la rivière Jean-Larose se faufile à travers un étroit canyon, puis forme une cascade de 68 m de hauteur.

◀ Un sentier pentu (*397 marches*), dévoile de bien jolies vues sur ces eaux déchaînées.
Revenez à Beaupré (4 km), et prenez l'avenue Royale en direction de St-Joachim. Tournez à droite dans la rue de l'Église.

Saint-Joachim

Ce village fut créé au lendemain de la Conquête. Juste avant d'assiéger la « vieille capitale », la flotte britannique avait réduit en cendres les villages situés en bordure du St-Laurent. Forts de cette expérience, les habitants de St-Joachim s'établirent plus à l'intérieur des terres. Aujourd'hui, ce bourg paisible est surtout connu pour son église, qui a longtemps constitué un modèle pour les églises du Québec.

★★ **Église St-Joachim** – *165 r. de l'Église -* ☎ *418 827 4020 -* ♿🅿 *- de mi-mai à mi-oct. : 9h-17h.* Cette petite église (1779), dédiée au père de la Vierge, remplace celle de 1685, rasée par les Anglais lors de la Conquête. L'édifice est célèbre pour son **intérieur★★**, réalisé entre 1815 et 1825 par **François** et **Thomas Baillairgé**. Remarquez dans **le chœur** de beaux lambris rehaussés de bas-reliefs dorés. De part et d'autre du sanctuaire, deux grands panneaux sculptés représentent la Foi et la Religion. Les quatre médaillons qui ornent les fausses arcades illustrent des scènes de la vie du Christ. Le tableau du maître-autel, intitulé *Saint-Joachim et la Vierge* (1779), est l'une des rares œuvres connues de l'abbé Antoine Aide-Crequy.

Le **presbytère** est composé d'une petite partie ancienne (à l'est), érigée en 1766. L'imposant bâtiment ouest s'y ajouta en 1830, en même temps que les portails néoclassiques en bois sculpté.

Petit-Cap

Ici se dresse le séminaire, ensemble monumental unique du 18e s. L'édifice principal qui domine le St-Laurent est le château Bellevue. Construit en 1779, il fut agrandi dans le style original en 1875. À côté se trouvent la chapelle (1779) et la maison du gardien, structure de bois revêtue de crépi.

★ Réserve nationale de faune du Cap-Tourmente

570 chemin du Cap-Tourmente - ☎ *418 827 4591 - www.captourmente.com -* 🍴♿🅿 *- de fin avr. à oct. : 8h30-17h ; de janv. à mi-mars : 8h30-16h - 6 $.*

Le cap Tourmente tire son nom des vents qui balayent la vallée à cet endroit. Créée en 1969, sa réserve compte plus de 290 espèces d'oiseaux dont les fameuses **oies des neiges** qui, chaque année durant leur migration printanière *(avril)* et automnale *(octobre)*, envahissent par milliers ce promontoire massif surplombant le St-Laurent. Les roseaux qui prolifèrent dans les terres marécageuses au bord du fleuve offrent un refuge aux oies sur leur chemin vers les terres de nidification estivale sur l'île de Baffin (dans l'Arctique) ou leur refuge hivernal sur les côtes de Virginie (aux États-Unis).

Seuls les détenteurs d'un permis spécial sont autorisés à chasser cette espèce protégée à laquelle sont consacrées toutes sortes d'expositions et de films dans le **centre d'interprétation** à 1,5 km de l'entrée.

Autres oiseaux vedettes : les faucons pèlerins et les colibris à gorge rubis. Sur place, des naturalistes vous aident à les observer.

Remarquez, à l'entrée de la réserve, la **Petite Ferme**. Cet édifice fut construit à l'emplacement de la première ferme de Nouvelle-France, fondée par Samuel de Champlain en 1626.

5

Côte de Charlevoix

★★★

Charlevoix

😊 NOS ADRESSES PAGE 349

🛈 **S'INFORMER**

Tourisme Charlevoix – 495 bd de Comporté, La Malbaie - ☎ 418 665 4454 ou 1 800 667 2276 - www.tourisme-charlevoix.com - de mi-oct. à mi-mai : 9h-16h ; de mi-mai à mi-juin et de mi-sept. à mi-oct. : 9h-17h ; de mi-juin à déb. sept. : 9h-19h.

▶ **SE REPÉRER**

Carte de région C1-3 (p. 332-333). La côte de Charlevoix est accessible par les routes 40 et 138 au nord de Québec. La route 138 traverse la région qui commence au bord du cap Tourmente, à environ 40 km de Québec, et s'étend jusqu'au fjord du Saguenay. La route 362 (ou Route du Fleuve) relie la communauté de Baie-St-Paul à celle de La Malbaie – Pointe-au-Pic et dessert les bourgades côtières.

🎭 **À NE PAS MANQUER**

Le charme de l'île aux Coudres, les villas de La Malbaie, le site de Baie-St-Paul, et l'observation des baleines dans le St-Laurent, à hauteur de Baie-Ste-Catherine.

🕐 **ORGANISER SON TEMPS**

Prévoyer au minimum deux jours.

👫 **AVEC LES ENFANTS**

Le Centre d'interprétation et d'observation des baleines de Pointe-Noire à Baie-Ste-Catherine.

Accidentée, échancrée, nuancée : voici l'une des plus belles régions du Québec ! Ici, les montagnes plongent directement dans les eaux majestueuses du St-Laurent, et le fleuve devient un véritable bras de mer ; aussi appelle-t-on ses rives des « côtes ». À la fois rural et sauvage, parsemé de villages pittoresques et de petites stations balnéaires, Charlevoix offre de remarquables vues sur le fleuve et, par temps clair, sur la Côte-du-Sud.

Circuit conseillé Carte de région

DE BEAUPRÉ À BAIE-SAINTE-CATHERINE C1-3

▶ *Circuit de 220 km tracé sur la carte p. 332-333. Quittez Beaupré par la route 138. Après 4 km, tournez à gauche et suivez les panneaux de signalisation.*

★★ Canyon Sainte-Anne C3

206 rte 138 Est, St-Joachim - ☎ 418 827 4057 - www.canyonste-anne.qc.ca - ✕ ♿ 🅿 - du 24 juin au 1ᵉʳ lun. de sept. : 9h-17h30 ; 1ᵉʳ mai-23 juin et de déb. sept. à fin oct. : 9h-16h30 - 11,50 $.

Baie Saint-Paul.
Y. Marcoux/Age Fotostock

Dans ce superbe cadre sauvage, où les roches sédimentaires marquant le début de la plaine du St-Laurent côtoient celles de gneiss granitique marquant la fin du Bouclier canadien, la rivière Ste-Anne-du-Nord dévale une étroite faille rocheuse en créant une chute d'eau de 74 m de hauteur.

Des sentiers à travers bois jalonnés de panneaux d'interprétation permettent d'accéder à la rivière et à ses chutes dont deux ponts suspendus offrent de belles vues. Une troisième passerelle permet également de se rendre au fond du canyon.

Rejoignez la route 138. Après St-Tite-des-Caps (6 km), prenez à gauche la route 360 vers St-Ferréol-les-Neiges. Continuez sur 10 km en suivant les indications.

★ Les Sept-Chutes C3

☏ 418 826 3139 ou 1 877 724 8837 - www.septchutes.com - ✕ 🅿 - *de mi-juin à mi-août : 9h-17h45 ; de mi-mai à mi-juin et de mi-août à déb. sept. : 10h-16h30 ; de déb. sept. à déb. oct. : vend.-lun. : 10h-16h30 - 10,50 $.*

À cet endroit où la rivière Ste-Anne-du-Nord forme sept chutes distinctes, un barrage et une centrale furent construits en 1916, et demeurèrent en service jusqu'en 1984. Agréablement aménagé en parc, le site permet de découvrir le patrimoine industriel québécois, tout en offrant plusieurs points de vue sur les cataractes. La **centrale** *(descente de 325 marches)*, l'une des plus anciennes du genre au Québec, la forge (1929), le barrage en amont des chutes et l'aqueduc (qui acheminait l'eau aux turbines) témoignent d'un passé technologique actif. Un **centre d'interprétation** retrace l'histoire de ces installations hydroélectriques.

Reprenez la route 138. Au bout de 30 km, tournez à droite vers Petite-Rivière-St-François et continuez sur 10 km.

Petite-Rivière-Saint-François C2

La route descend en pente raide à travers la forêt vers ce petit village situé sur le St-Laurent, au pied d'une grande falaise.

Dans le village, tournez à gauche après l'église.

Une région attractive

À L'ORIGINE DU NOM

La côte doit son nom au chroniqueur jésuite Pierre-François-Xavier de Charlevoix (1682-1761), grand voyageur et auteur de la célèbre *Histoire et description générale de la Nouvelle-France*. C'est vers la fin du 17e s. que les premiers colons, pour la plupart des bûcherons et des navigateurs, s'installèrent sur ces terres peu propices à l'agriculture. Quelques villages isolés demeurèrent inaccessibles par la route jusqu'au milieu du 20e s.

UNE DESTINATION RECHERCHÉE

Dès les années 1760, la région, réputée pour la beauté de ses paysages, commença à attirer les visiteurs. Après la Conquête, deux officiers écossais, le capitaine John Nairn et le lieutenant Malcolm Fraser, reçurent en concession du gouverneur militaire, le général Murray (1721-1794), l'ancienne seigneurie de La Malbaie – Pointe-au-Pic, qu'ils nommèrent Murray Bay.

Dès le milieu du 19e s., l'engouement pour la nature fit de Charlevoix un lieu de villégiature recherché. Les citadins acquirent d'abord quelques habitations traditionnelles et les rénovèrent, puis entreprirent de construire d'élégantes résidences d'été. Commencée en 1889 pour relier Québec au sanctuaire de Ste-Anne-de-Beaupré, la ligne de chemin de fer du Train du Massif de Charlevoix fut prolongée pour emmener les touristes jusqu'à Pointe-au-Pic. En parallèle, la compagnie Canada Steamship Lines les transportait aussi sur ses luxueux paquebots. Elle fit ériger en 1899 un énorme hôtel, le manoir Richelieu. Reconstruit en 1929 après un incendie, l'édifice est le seul rescapé des établissements hôteliers de l'époque.

L'ouverture de la route de la Côte-Nord dans les années 1960 devait marquer la fin de l'ère des « grands bateaux blancs » et plus tard celle du train. Aujourd'hui, de nombreuses auberges perpétuent cependant la tradition d'accueil auprès des visiteurs. La voie de chemin de fer a quant à elle été rouverte *(voir « Nos adresses »)*.

UN RENDEZ-VOUS D'ARTISTES

Charlevoix (plus particulièrement Baie-St-Paul, Port-au-Persil et Les Éboulements) attire depuis longtemps peintres, écrivains et poètes. Clarence Gagnon, Marc-Aurèle Fortin, René Richard, Jean-Paul Lemieux et A.Y. Jackson en ont immortalisé la beauté dans leurs toiles. Parmi les écrivains qui y ont vécu, notons Gabrielle Roy et Laure Conan.

LES « VOITURES D'EAU »

Construites sur les grèves de Charlevoix, plus de 300 **goélettes** ou « voitures d'eau » (à voiles, puis à moteur) assurèrent, jusque vers la fin des années 1960, le ravitaillement, le commerce et le transport du bois sur la côte de Charlevoix et sur la Côte-Nord, mais aussi dans le Bas-St-Laurent et en Gaspésie. Aujourd'hui, leurs épaves jonchent les battures de la région. Car ces embarcations traditionnelles ont été remplacées par les cargos. Lorsque l'on s'arrête sur la corniche, on entend d'ailleurs souvent le bruit de leurs moteurs alors qu'ils passent au loin, par la voie maritime du St-Laurent.

ENTRE FLEUVE ET MONTAGNE

La région de Charlevoix est parcourue par deux routes thématiques qui partent de Baie-St-Paul. La **Route du Fleuve** domine le rivage nord du St-Laurent sur une soixantaine de kilomètres entre Baie-St-Paul et La Malbaie, alternant entre points de vue en hauteur sur le fleuve et incursions dans les baies au ras de l'eau. La **Route des Montagnes** explore l'arrière-pays montagneux, de St-Urbain à St-Aimé-des-Lacs et plus loin encore jusqu'aux parcs nationaux des Grands-Jardins et des Hautes-Gorges-de-la-Rivière-Malbaie.

♿ www.routedufleuve.ca ; www.routedesmontagnes.com

Une jetée dégage une **vue★** sur les montagnes de Charlevoix, qui plongent dans le St-Laurent, et sur la grève parsemée de rochers.

Retournez vers la route 138 et continuez jusqu'à Baie-St-Paul.

La route offre de magnifiques **vues★★** sur la vallée du Gouffre, sur le St-Laurent et sur l'île aux Coudres, en descendant vers Baie-St-Paul.

★★ Baie-Saint-Paul C2

🚻 Bureau d'information touristique – 6 r. St-Jean-Baptiste - 📞 418 665 4454 ou 1 800 667 2276.

Plantée dans un décor de rêve à la confluence de la rivière du Gouffre et du St-Laurent, cette petite ville a toujours inspiré les artistes, séduits par les montagnes et la lumière propre à la région de Charlevoix. Au cours des années 1970, elle était fréquentée par des acrobates, des clowns, des jongleurs et des contorsionnistes qui devaient fonder le célèbre Cirque du Soleil. Aujourd'hui encore, Baie-St-Paul demeure un lieu de création artistique très actif, qui vit au rythme des expositions qui animent ses nombreuses galeries et centres d'art. Un circuit des galeries est même prévu !

Prenez le temps de parcourir les ruelles de ce village et d'admirer les ravissantes maisons anciennes qui bordent la **rue St-Jean-Baptiste**, pittoresque à souhait *(notamment les nᵒˢ 143-145)*. Descendez-la pour faire du lèche-vitrines et chiner dans les magasins d'antiquités. Dirigez-vous ensuite vers le quai et embarquez le temps d'une promenade à bord d'un kayak de mer. Près du quai s'étendent une plage et une forêt de pins avec des sentiers aménagés.

Carrefour culturel Paul-Médéric – 4 r. Ambroise-Fafard - 📞 418 435 2540 - www.baiesaintpaul.com - 🅿 - de mi-juin à mi-oct. et de mi-déc. à fin déc. : mar.-dim. 10h-17h ; de mi-oct. à mi-déc. et de déb. janv. à mi-juin : jeu.-vend. 13h30-17h, w.-end 10h-17h. Cette galerie moderne (1967 ; Jacques Delois), construite comme monument commémoratif de la Confédération canadienne, expose les œuvres d'artistes de la région de Charlevoix. Dans les ateliers de tissage et de tapisserie, des artisans locaux réalisent des pièces traditionnelles et contemporaines.

Depuis le quai *(rue Ste-Anne)*, l'île aux Coudres donne l'impression de bloquer l'entrée de la baie.

★ Musée d'Art contemporain de Baie-St-Paul – 23 r. Ambroise-Fafard - 📞 418 435 3681 - www.macbsp.com - juin.-oct. : 10h-17h ; reste de l'année : mar.-dim. 11h-17h ; fermé 24-26 et 31 déc. - 4 $. Dessiné par l'architecte Pierre Thibault, le centre accueille des expositions itinérantes venant du monde entier et consacrées à toutes les formes d'art moderne et contemporain. En parallèle, des expositions temporaires présentent, par roulement, sa riche collection d'œuvres des années 1940 à nos jours.

5

Habitat 07 – *212 r. Ste-Anne - ☏ 418 435 5514 - www.baiesaintpaul.com - de mi-juin à déb. sept. : 10h-17h ; de déb. sept. à mi-oct. : w.-end 10h-17h - 5 $.* Édifiée dans un champ isolé face au fleuve, cette maison témoin propose de comprendre le fonctionnement d'un habitat construit en utilisant des techniques écologiques, produisant une partie de son énergie et recyclant elle-même ses eaux usées. La visite guidée en explore les moindres détails.

En quittant la ville par la route 362 Est, une halte routière offre une autre **vue★★** de Baie-St-Paul, du St-Laurent et de la rive sud.

Peu après, le chemin Vieux-Quai descend vers la droite. Il mène au rivage que borde une voie ferrée, et offre une vue rapprochée de l'île aux Coudres.

Les Éboulements C2

Assis sur le rebord de la montagne à plus de 300 m au-dessus du St-Laurent, le village doit son nom à plusieurs glissements de terrain qui suivirent le violent tremblement de terre de 1663 : la moitié de la montagne s'affaissa dans le fleuve. En 1710, la seigneurie fut concédée à Pierre Tremblay.

Moulin banal – *Avant le carrefour vers St-Joseph-de-la-Rive. Entrée à droite, juste avant la rivière du Moulin. 157 rang St-Joseph - ☏ 418 635 2239 - www.hcq-chq.org - ✗ 🅿 - de fin juin à déb. sept. : 10h-17h - 4 $.* Ce moulin, dominant une chute d'une trentaine de mètres, fut bâti en 1790 par le seigneur Jean-François Tremblay. Le visiteur pourra y admirer les mécanismes d'origine et observer le travail du meunier en titre *(farine de blé ou de sarrasin en vente)*. Tout à côté du moulin, l'ancien manoir des Sales-Laterrière illustre particulièrement bien la vie quotidienne sous le régime seigneurial, aboli en 1854.

Quittez la route 362 à droite en direction de St-Joseph-de-la-Rive. Descente très raide vers le St-Laurent.

Saint-Joseph-de-la-Rive C2

Cette petite localité blottie entre le St-Laurent et la montagne, point de départ du traversier pour l'île aux Coudres, offre des vues charmantes sur l'île et le fleuve.

Musée maritime de Charlevoix – *305 r. de l'Église - ☏ 418 635 1131 - www.musee-maritime-charlevoix.com - de mi-mai à fin juin et de déb. sept. à mi-oct. : 9h-16h, w.-end 11h-16h ; de fin juin à déb. sept. : 9h-17h - 5 $.* On construisait ici jadis les goélettes qui naviguaient sur le St-Laurent. Les collections du musée ainsi que l'ancienne scierie et l'atelier de fabrication vous donneront une idée du passé maritime de Charlevoix. À l'extérieur reposent deux goélettes construites dans les années 1950 : la *Jean Yvan* et la *Saint-André*. Cette dernière se visite.

Papeterie St-Gilles – *304 r. Félix-Antoine-Savard - ☏ 418 635 2430 ou 1 866 635 2430 - www.papeteriesaintgilles.com - avr.-oct. : 9h-17h ; nov.-mars : vend.-dim. 10h-16h.* Cette fabrique de papier traditionnelle, fondée par le prélat et écrivain Félix-Antoine Savard dans les années 1960, invite les visiteurs à découvrir les techniques de production du papier héritées du 17e s.

★★ Île aux Coudres C2

Accès par traversier : dép. de St-Joseph-de-la-Rive - Société des traversiers du Québec - ☏ 418 438 2743 - www.traversiers.gouv.qc.ca - ♿ - avr.-oct. : 7h30-23h30, dép. ttes les heures ; reste de l'année : 7h30-23h30 (janv.-fév. 23h) ttes les 2h - 15mn.

🛈 Bureau d'accueil touristique – *1024 chemin des Coudriers - ☏ 418 665 4454 ou 1 800 667 2276 - ouvert en saison.*

Cette étendue de terre enchanteresse de 11 km de long sur 5 km de large a gardé sa tranquillité et son charme rural. Jetant l'ancre dans l'une de ses

PREMIÈRES COLONIES

Les premiers colons arrivèrent vers 1728 sur l'**île aux Coudres** qui, pendant longtemps, fit partie d'une seigneurie appartenant au séminaire de Québec. Les habitants pratiquaient l'agriculture et chassaient le béluga (qu'ils appelaient « marsouin ») pour son huile. Jusqu'à la fin des années 1950, l'île abrita plusieurs chantiers navals où étaient construits les « voitures d'eau » *(voir p. 342)* pour le cabotage et pour la chasse aux marsouins, mais aussi les lourds canots permettant l'hiver de naviguer entre les glaces flottantes. C'est aussi sur cette île que, dans les années 1960, Pierre Perrault, de l'Office national du film du Canada, tourna ses célèbres longs métrages documentaires sur la chasse aux marsouins et les « voitures d'eau ».

 www.onf.ca

baies en 1535, Jacques Cartier la baptisa « isle es couldres » en raison des coudriers – ou noisetiers – qui y poussaient en abondance.

On peut en faire le **tour** en voiture ou à bicyclette *(21 km)*. Des vestiges du passé, des goélettes échouées sur les battures sont visibles en plusieurs endroits. Pointe-du-Bout-d'en-Bas, à l'extrémité nord de l'île, offre une **vue★** pittoresque sur le village des Éboulements et son site verdoyant.

★ **Musée les Voitures d'eau** – *1922 chemin des Coudriers -* *418 438 2208 -* P *- de fin mai à mi-juin et de mi-sept. à déb. oct. : w.-end 10h-17h ; de mi-juin à mi-juil. et de mi-août à mi-sept. : 10h-17h ; de mi-juil. à mi-août : 10h-19h - 5 $.* Consacré aux fameuses goélettes ou « voitures d'eau » qui, jusque dans les années 1960, jouèrent un rôle fondamental dans la vie des habitants des îles, ce petit musée permet de mieux comprendre l'histoire de la navigation sur le St-Laurent. Visite du *Mont-Saint-Louis*, embarcation construite en 1939 et qui servit pendant 35 ans.

Église St-Louis – & P. Dans cette église, construite en 1885, admirez la décoration intérieure et l'autel sculpté par Louis Jobin. Deux statues, saint Louis et saint Flavien, furent réalisées par François Baillairgé entre 1804 et 1810. Par le soin apporté aux vêtements et à l'anatomie, ces deux œuvres exceptionnelles témoignent du talent de l'artiste.

★ **Les moulins de l'Isle-aux-Coudres** – *418 760 1065 - www.lesmoulinsiac. com -* P *- de mi-mai à déb. oct. : 9h30-17h30 - 8 $.* Un vieux moulin à vent (1836) tout en pierre subsiste à côté d'un moulin à eau (1825), près de la rivière Rouge. Construits respectivement par Thomas et Alexis Tremblay, les deux bâtiments fonctionnèrent jusqu'en 1948. Restaurés, ils donnent aujourd'hui l'occasion de comparer deux mécanismes différents. Dans la maison du meunier, un **centre d'interprétation** offre une rétrospective historique des lieux. On pourra s'y procurer de la farine de blé moulue selon les techniques artisanales.

De retour à St-Joseph-de-la-Rive, reprenez la route 362 vers St-Irénée.

Cette corniche escarpée dévoile de belles échappées sur le fleuve. Empruntez la route de Cap-aux-Oies sur 1 km et arrêtez-vous au bas de la côte pour jouir d'une **vue** sur le cap et la rive sud. Reprenez la route 162 qui, dans une descente raide aux **vues** spectaculaires, rejoint le niveau du fleuve.

Saint-Irénée C2

Installée au confluent de la rivière Jean-Noël et du St-Laurent, St-Irénée se blottit dans une anse et sur les hauteurs qui dominent le fleuve. C'est le village natal de l'avocat et poète **Adolphe-Basile Routhier** (1839-1920), auteur des paroles françaises de l'hymne national canadien, *Ô Canada*.

5

Domaine Forget – *5 rang St-Antoine -* 🞥 *418 452 8111 - www.domaineforget. com.* Rodolphe Forget (1861-1919), constructeur du chemin de fer qui suit la rive nord du St-Laurent, établit sa résidence d'été à St-Irénée. Cette propriété, consacrée à la diffusion des arts du spectacle, occupe un site charmant face au fleuve et organise de nombreux événements artistiques.

La route mène aux villages qui entourent l'estuaire de la rivière Malbaie : La Malbaie – Pointe-au-Pic et Cap-à-l'Aigle.

★ La Malbaie – Pointe-au-Pic C2

🛈 Bureau d'information touristique – *495 bd de Comporté -* 🞥 *418 665 4454 ou 1 800 667 2276 - www.tourisme-charlevoix.com.*

Rattachée à la communauté de Pointe-au-Pic, La Malbaie occupe un site magnifique sur la rive nord du St-Laurent, à l'embouchure de la rivière Malbaie : c'est là son principal attrait et la raison d'une fréquentation très chic et mondaine depuis les années 1900. Vestiges de ce passé, de belles villas à découvrir, des parcours de golf, parmi les plus beaux, dit-on, de l'Amérique de l'Est et, toujours, une vue sublime sur la baie.

Manoir Richelieu – *Accès par le chemin des Falaises à partir de la route 362. 181 r. de Richelieu -* 🞥 *418 665 3703 ou 1 866 540 4464 - www.fairmont.com/richelieu.* À l'hospitalité prodiguée par deux officiers anglais, Malcolm Fraser et John Nairn, succédèrent plusieurs établissements hôteliers dont le plus connu, le manoir Richelieu, est un grand édifice de style château normand surplombant le St-Laurent. Il peut faire penser au château Frontenac à Québec.

À l'ombre du manoir, reconstruit en 1929 à la suite d'un incendie, se trouve un second bâtiment (1930) qui accueille depuis 1994 le fameux casino de Charlevoix.

Villas de villégiature – La plupart de ces résidences estivales furent érigées entre 1880 et 1945 sur les deux promontoires qui encadrent La Malbaie. On reconnaît, dans les maisons revêtues de bardeaux de cèdre, l'influence du style Domestic Revival américain, très populaire en Nouvelle-Angleterre.

Venus pour chasser et pêcher dans cette région, les villégiateurs appréciaient le cachet rustique des intérieurs conçus par un architecte local, Jean-Charles Warren (1868-1929). Celui-ci érigea une soixantaine de ces grandes villas, premiers exemples du style dit « laurentien », caractérisé par l'emploi de matériaux locaux et une intégration harmonieuse au site. Orientées de façon à profiter du cadre naturel, ces villas offrent de magnifiques panoramas.

Musée de Charlevoix – *1 chemin du Havre -* 🞥 *418 665 4411 - www.musee decharlevoix.qc.ca -* ♿🅿 *- de juin à mi-oct. : 9h-17h ; de mi-oct. à mai : 10h-17h, w.-end 13h-17h - 7 $ - Boutique.* Consacré à l'art populaire de Charlevoix et à la mise en valeur du patrimoine historique et ethnologique de la région, ce musée présente des objets issus de sa collection permanente (soit environ 4 000 pièces) et propose des expositions temporaires sur des thèmes variés. De la rotonde, on découvre un impressionnant panorama sur les environs.

Chutes Fraser – *À Rivière-Malbaie, à environ 3 km. Après le pont de la rivière Malbaie, prenez à gauche le chemin de la Vallée. Continuez sur 1,5 km, puis tournez à droite (suivre les indications pour le camping).* 🞥 *418 665 2151 -* ⛺🍴🅿 *- de mi-mai à mi-oct. : 8h-22h - 5 $.* Les chutes de la rivière Comporté s'écoulent dans un cadre agréable. Elles forment une cataracte de 30 m de hauteur qui retombe sur les rochers tel un voile de dentelle.

Revenez sur la route 138.

La route 138 continue vers St-Fidèle-de-Mont-Murray, d'où l'on peut apercevoir les îles de Kamouraska. Elle rejoint ensuite les rives du fleuve.

CHAMPLAIN ET BAIE-SAINTE-CATHERINE
À la pointe sud de cette baie, Samuel de Champlain rencontra le chef montagnais Sagamo en 1609. De cette rencontre allait naître une alliance contre les Iroquois, qui devait avoir de graves conséquences pour la Nouvelle-France. Les premiers colons arrivèrent à Baie-Ste-Catherine vers 1820 et produisirent longtemps du bois de sciage destiné à l'Europe.

6 km après St-Fidèle-de-Mont-Murray, tournez à droite vers Port-au-Persil.

★ Port-au-Persil C2
Cette anse du St-Laurent est depuis longtemps un lieu de prédilection des artistes. À côté du vieux quai, une minuscule église anglicane et une petite chute d'eau ajoutent une note pittoresque à la beauté du lieu.

Saint-Siméon C2
🛈 **Bureau d'accueil touristique** – *494 r. St-Laurent -* 🕿 *418 665 4454 ou 1 800 667 2276 - www.tourisme-charlevoix.com - ouvert en été.*
Traversier – 🕿 *418 638 2856 - www. traverserdl.com - aller simple environ 1h, 15,80 $, AR sans débarquer 3h, 18,80 $.* Il relie cette ancienne communauté de bûcherons à Rivière-du-Loup. À cet endroit, le St-Laurent fait une vingtaine de kilomètres de largeur.
Centre éducatif forestier Les Palissades – *À environ 13 km par la route 170.* Il est logé au pied d'une falaise de 120 m, près de St-Siméon. Le centre d'interprétation sert de point de départ à trois chemins de différentes longueurs qui permettent d'observer de plus près la flore de la région.
La route 138 rentre à l'intérieur des terres, traverse la forêt et longe différents lacs.

★ Baie des Rochers C1
Un chemin non revêtu *(environ 3 km)* mène à cette jolie baie aujourd'hui désertée dont il ne reste que le vieux quai. La petite île à l'entrée de la baie est accessible à marée basse.
Rejoignez la route 138.
Le St-Laurent réapparaît près de Baie-Ste-Catherine.

★ Baie-Sainte-Catherine C1
La bourgade a fait de l'observation des baleines sa principale attraction, comme sa voisine Tadoussac, sur l'autre rive du Saguenay. Le mois de juin – correspondant à l'arrivée massive des cétacés au large du fjord –, y est le plus propice, suivi de septembre et octobre, plus calmes qu'au pic estival *(juil.-août)*.
★★ **Croisières d'observation des baleines** – Elles vous permettront de partir à la rencontre des cétacés du St-Laurent : beluga, petit rorqual, rorqual commun et, avec plus de chance, la légendaire baleine bleue *(voir « Nos adresses »)*.
Centre d'interprétation et d'observation de Pointe-Noire – *Sur la rte 138, peu avant la descente vers le Saguenay.* 🕿 *1 800 773 8888 - www.parcmarin. qc.ca -* ♿🅿 *- de mi-juin à déb. sept. : 9h-17h ; de déb. sept. à mi-oct. : vend.-dim. 9h-17h - 5,80 $.* 👥 Situé sur un cap surplombant l'embouchure du Saguenay, le **promontoire de Pointe-Noire** offre un panorama superbe sur l'estuaire du St-Laurent et sur les falaises du fjord. Le centre propose toutes sortes d'activités d'interprétation (exposition, télescopes, programmes vidéo…) relatives à ce milieu.

5

À proximité Carte de région

Parc national des Grands-Jardins C2

▶ *À 33 km au nord-ouest de Baie-St-Paul. 11 km après Baie-St-Paul, prenez la route 381 vers St-Urbain (4,5 km), et continuez sur 18 km jusqu'au centre d'accueil Thomas-Fortin.*

ℹ *ℰ 418 439 1227 - www.sepaq.com -* ⛺ 🅿 *- ouvert tte l'année - 5,50 $. Deux bureaux d'accueil : le centre de services Thomas-Fortin, situé au km 31 (de fin mai à mi-oct.) et le poste d'accueil Mont-du-Lac-des-Cygnes, au km 21 (de fin mai à fin oct. : tlj ; de fin oct. à mi-nov. et fév.-mars : w.-end) - 5,50 $.*

Ce vaste territoire nous plonge dans l'atmosphère des régions nordiques et de la taïga subarctique. Classé à l'Unesco, le parc a été créé en 1981 afin de préserver l'habitat du caribou. Chassés sans répit, les 6 000 représentants estimés de l'espèce qu'abritait la région au début du 20e s. avaient disparu vingt ans plus tard. Entre 1969 et 1972, une opération de réintroduction fut menée dans le futur parc… avec succès puisque le troupeau compte aujourd'hui quelque 80 têtes !

Secteur du Mont-du-lac-des-Cygnes – *À 1,5 km du centre de services Thomas-Fortin.* 🚶 Un sentier de randonnée de 2,7 km grimpe jusqu'à 980 m. Du sommet, la **vue★★** embrasse le St-Laurent et la région de Charlevoix, parsemée de lacs et de villages. En montant, le promeneur remarquera trois types distincts de végétation, caractéristiques de l'étage montagnard, de la taïga et de la toundra : forêts de bouleaux blancs, de peupliers, de sapins et épinettes.

Centre d'interprétation du Château-Beaumont – *À 18 km par la route 381 - ℰ 418 846 2218 -* ♿🅿 *- de mi-juin à mi-oct. : 9h-18h.* Le visiteur pourra y voir des expositions consacrées au parc, véritable « îlot de Grand Nord québécois », et à son milieu naturel si particulier. Le centre organise des excursions de découverte de la nature menées par des guides-naturalistes.

★ Parc national des Hautes-Gorges-de-la-Rivière-Malbaie C2

▶ *À 52 km au nord-ouest de La Malbaie. Prenez la route 138 et tournez à droite en direction de St-Aimé-des-Lacs. Poursuivez sur 35 km.*

ℹ *ℰ 418 439 1227 - www.sepaq.com -* ⛺🍴🅿 *- ouvert tte l'année - 5,50 $ - Centre de découverte et de services Félix-Antoine-Savard - de mi-mai à mi-oct. : 7h-21h.*

Un des plus beaux monuments naturels du Québec : c'est ainsi qu'est officiellement décrit le parc national des Hautes-Gorges-de-la-Rivière-Malbaie. Son nom ? Il le doit à la présence d'un réseau de vallées profondément découpées dans un écrin de hautes montagnes. Ses attraits ? Des montagnes de plus de 1 000 m d'altitude dominant la vallée de la rivière des Martres et les gorges encaissées de la rivière Malbaie. L'importance des dénivellations, l'esthétique des paysages et le tracé particulier de la rivière Malbaie font de ce site un lieu exceptionnel. Le parc est également l'une des aires centrales de la Réserve mondiale de la biosphère de Charlevoix.

Promenade en bateau-mouche – *ℰ 418 439 1227 - www.sepaq.com -* ♿ *- dép. du quai, au bout du chemin forestier - de mi-mai à mi-oct. - de 3 à 5 sorties/j. en fonction des saisons - AR 1h30 - commentaire à bord - sur réserv. - arriver 1h avant le dép. de la croisière - 32 $.* Elle permet d'admirer les gorges de la Malbaie et de comprendre l'histoire de la région qu'on appelle ici le pays de Menaud, en raison du célèbre roman de l'écrivain Félix-Antoine Savard (1896-1982), *Menaud maître-draveur*, qui décrit les gens de l'arrière-pays charlevoisien.

😊 NOS ADRESSES SUR LA CÔTE DE CHARLEVOIX

HÉBERGEMENT

BUDGET MOYEN

À Baie-Saint-Paul

Les Colibris – *80 r. Ste-Anne - ℘ 418 240 2222 - www.charlevoix. net/lescolibris - 5 ch. 120/155 $ ⌑.* Un peu à l'écart de l'agitation du centre bourg, dans la rue qui mène à la baie, cette grande maison aux airs de pension de famille d'antan réserve un adorable accueil. Chambres très bien tenues au décor rustique mais raffiné.

POUR SE FAIRE PLAISIR

À Baie-Saint-Paul

L'Estampilles – *24 chemin Cap-aux-Corbeaux - ℘ 418 435 2533 - www.lestampilles.com - ✕ 🅿 - 11 ch. - demi-pension 135/240 $ ⌑.* Une grande maison récente dans le style de la région perchée sur les hauteur de Baie-St-Paul. Chambres impeccables dans un style champêtre élégant. Restaurant gastronomique *(table d'hôtes 50 $).*

RESTAURATION

PREMIER PRIX

À Saint-Irénée

Chez Ginette – *n° 712 sur la 5e rue - avr.-mai et sept-mi-oct. : merc-dim. 11h-20h ; juin-août. : 11h-22h - 7 $.* Le casse-croûte incontournable de Charlevoix. Poutine savoureuse et terrasse avec vue imprenable sur le fleuve et sa plage.

À La Malbaie

La Bohème – *955 r. Richelieu - ℘ 418 202 0544 - www. grilladelaboheme.com - mai-oct. : 11h-22h ; reste de l'année dès 16h - menu midi 13 $, table d'hôtes 35 $.* Ambiance très western dans cet établissement spécialisé dans les grillades. Viande de qualité (bœuf, émeu élevé en Charlevoix) mais aussi poissons de rivière. Musique tous les soirs en été.

BUDGET MOYEN

À Baie-Saint-Paul

Chez Bouquet – *39 r. St-Jean-Baptiste - ℘ 418 240 3444 - www. lamuse.com - 25/38 $.* Estampillé « écobistro », l'endroit se veut soucieux de l'environnement (produits locaux) et de la santé de ses invités. La cuisine est donc fine et équilibrée avec, en vedette, veau, canard et émeu de Charlevoix. Brunch le week-end.

POUR SE FAIRE PLAISIR

À Baie-Saint-Paul

Mouton Noir – *43 r. Ste-Anne - ℘ 418 240 3030 - www. moutonnoirresto.com - de fin juin à mi-oct. : 11h-22h ; reste de l'année : mar.-sam. 11h-14h, 17h-22h - 35/42 $.* Sans conteste l'un des meilleurs restaurants de Charlevoix. La cuisine très soignée à base de produits du terroir revisite les classiques (tartare de saumon, venaisons, gaspacho) avec un brin de folie créative (sucré salé, fusion).

PETITE PAUSE

À Saint-Irénée

Chez Laurent – *128 r. Principale - ℘ 418 452 3408.* Dans la rude montée de St-Irénée, juste en face de l'église, ce petit café sert de bons brunchs et de légères collations sur sa terrasse. Vue magnifique sur la baie au loin.

À La Malbaie

Pains d'Exclamation – *398 r. St-Étienne - ℘ 418 665 4000 - www. painsdexclamation.com - fermé lun. (et dim. en hiver).* Délicieuse boulangerie où l'on s'attable pour déguster un gâteau maison ou une viennoiserie accompagnée d'un café. On y trouve aussi des fromages du cru et quelques charcuteries.

BOIRE UN VERRE

À Baie-Saint-Paul

Le Saint-Pub – *2 r. Racine -* ℘ *418 240 2332.* En plein centre, le pub de la microbrasserie de Charlevoix sert des bières maison réputées dans tout le Québec : la Vache Folle et surtout la Dominus Vobiscus qui se décline en blanche, ambrée, double et triple.

ACTIVITÉS

Randonnée – *www. traverseedecharlevoix.qc.ca.* La région possède l'un des plus beaux sentiers de longue randonnée à l'est des Rocheuses. Le circuit constitue un corridor aménagé entre le parc des Grands-Jardins et celui des Hautes-Gorges-de-la-Rivière-Malbaie. Six chalets et six refuges sont dispersés sur le parcours.

Train du Massif de Charlevoix – ℘ *418 632 5876 - www.lemassif. com - 285 $/pers.* Au départ de Québec, le train mis en service sur l'ancienne voie de chemin de fer longe le rivage du St-Laurent sur 140 km jusqu'à Pointe-Au-Pic. Un service digne de l'*Orient-Express* : voitures luxueuses et repas gastronomiques agrémentent ce voyage de 10h au ras des eaux du fleuve.

Croisières AML – ℘ *1 800 563 4643 - www. croisieresaml.com -* ✂ ♿ 🅿 *- dép. du quai municipal, Baie-Ste-Catherine - mai-oct. : 10h, 13h15 et 15h45 - AR 3h - commentaire à bord - sur réserv. - 67 $.* À bord du *Grand-Fleuve*, équipé de caméras sous-marines et panoramiques, partez observer les baleines du St-Laurent. La croisière « Baleines et Fjord » permet en complément de découvrir le fjord du Saguenay. *Voir aussi Tadoussac p. 414.*

AGENDA

Symposium international d'art contemporain – *Baie-St-Paul - www.symposium-baiesaintpaul. com.* En août. Organisé par le musée d'Art contemporain de Baie-St-Paul, il donne l'occasion à de jeunes artistes de réaliser en public des œuvres de grand format.

Fjord du Saguenay

★★★

Saguenay - Lac-Saint-Jean

☺ NOS ADRESSES PAGE 356

🅸 S'INFORMER

Association touristique régionale du Saguenay – Lac-St-Jean – *412 bd du Saguenay Est, Saguenay (secteur Chicoutimi) -* ☏ *418 543 9778 ou 1 877 253 8387 - www.saguenaylacsaintjean.ca.*

◗ SE REPÉRER

Carte de région BC2 (p. 332-333). Le fjord du Saguenay est accessible à partir de Québec par la route 175 jusqu'à Chicoutimi (212 km) ou par la route 138 jusqu'à Tadoussac (216 km). La route 172 longe la rive nord du fjord, la route 170, sa rive sud.

☺ À NE PAS MANQUER

Le parc national du Saguenay, avec la baie Éternité et le cap Trinité, et Tadoussac.

◷ ORGANISER SON TEMPS

Les plus belles vues sur le fjord, vous les aurez en bateau. Croisières au départ de Chicoutimi, Baie-Éternité ou Tadoussac. Les promeneurs peuvent avoir des vues spectaculaires depuis les sentiers de randonnée sur les hauteurs de Baie-Éternité et L'Anse-St-Jean.

👫 AVEC LES ENFANTS

Une excursion au site de la Nouvelle-France.

En 1534, Jacques Cartier entendit parler des fabuleuses richesses du royaume du Saguenay. Richesses illusoires… jusqu'au 19ᵉ s. où l'exploitation hydroélectrique généra des revenus bien réels. Si, avec ses nombreuses centrales, papeteries et usines d'aluminium, le Haut-Saguenay est aujourd'hui très industrialisé, le Bas-Saguenay a conservé son caractère sauvage, à explorer au fil de l'eau ou en partant à la découverte des villages cachés. Un trésor naturel protégé par le parc national du Saguenay et le parc marin du Saguenay-St-Laurent et composé par les rives splendides du fjord, ses falaises vertigineuses et ses fonds marins.

5

Circuit conseillé Carte de région

EN VOITURE, DE TADOUSSAC À L'ANSE-SAINT-JEAN BC1

◗ *Circuit de 250 km tracé sur la carte p. 332-333. L'itinéraire suit la route touristique du Fjord (www.routedufjord.com) qui relie la plupart des curiosités.*

★★ Tadoussac C1

Voir Côte-Nord.

Suivez la route 138 Nord sur 6 km, puis prenez à gauche la route 172 et continuez sur 11 km jusqu'à Sacré-Cœur. Tournez à gauche et poursuivez sur 8 km.

L'Anse de Roche C1

Cette petite crique permet de bénéficier d'une très belle **vue★** sur le fjord.

Pôle de découverte du quai de l'Anse de Roche – *À 5 km de Sacré-Cœur. 346 chemin de l'Anse de Roche - aire de pique-nique et restaurant.* Il propose des randonnées en kayak. Panneaux d'interprétation sur les richesses historiques de l'écosystème du fjord.

Bon à savoir – Les lignes à haute tension qui traversent ici le fjord transportent l'électricité de la Manicouagan à Montréal.

Reprenez la route 172.

Baie-Sainte-Marguerite C1

On peut y observer les bélugas du St-Laurent. Ces baleines blanches y séjournent parfois plusieurs heures tout en s'activant à la surface de l'eau. L'observation se fait depuis la rive. Postés au belvédère (*anse à la Barge*), des guides-naturalistes vous font partager les secrets du mode de vie du béluga et vous expliquent l'importance de protéger son habitat.

Centre d'interprétation Le Béluga – *1121 rte 172 Nord - de fin mai à fin juin : w.-end 9h-16h ; de fin juin à mi-juil. : 9h-18h ; de mi-juil. à déb. sept. : 9h-21h ; de déb. sept. à mi-oct. : 9h-16h - 5,50 $.* Cette exposition interactive informe sur cet habitat et sur l'évolution des rapports entre les bélugas du St-Laurent et les hommes à travers les époques.

Après 69 km, tournez à gauche en suivant les indications.

Sainte-Rose-du-Nord C1

🛈 **Bureau d'accueil touristique** – *213 r. du Quai -* 📞 *418 675 2346 - www.saguenay lacsaintjean.ca.*

UN SITE IMPRESSIONNANT

Le Saguenay fut pendant plus de 4 000 ans « le chemin qui marche », ou la route fluviale, pour les Premières Nations qui remontaient la rivière en canoë pour rejoindre les territoires de trappe. Mais la colonisation ne débuta qu'en 1838 à l'époque où **William Price** créa la Société des Vingt-et-Un, vingt-et-un travailleurs endurcis qui quittèrent Charlevoix pour commencer une nouvelle vie dans les contrées inhabitées.

Seul émissaire du lac St-Jean, le Saguenay (longueur : 155 km) subit, d'Alma à Jonquière, une dénivellation d'environ 90 m. Ses eaux ont favorisé l'essor d'une des régions les plus industrialisées de la province. Vers St-Fulgence, la rivière s'engage dans le fjord du Saguenay, puis se jette dans le St-Laurent à la hauteur de Tadoussac. Gorge profonde et majestueuse, le fjord fut creusé dans la roche précambrienne à la dernière glaciation. Lorsque la calotte glaciaire recula, la mer envahit la vallée, et aujourd'hui, la marée remonte jusqu'à Chicoutimi. Le chenal atteint, en certains endroits, 1 500 m de large, et sa profondeur moyenne est de 240 m. Les falaises rocheuses, dont la hauteur culmine à 457 m, plongent dans les eaux sombres de ce fjord, le plus méridional du monde.

Le fjord du Saguenay est doublement protégé par le **parc national du Fjord du Saguenay** *(voir p 354)* et le **parc marin du Saguenay-St-Laurent** *(voir p 355)*. Le premier a pour mission la protection et la mise en valeur de la composante terrestre de ce patrimoine naturel. Le second s'attache à la protection d'une portion représentative du milieu marin du fjord et de l'estuaire du St-Laurent.

Fjord du Saguenay.
Nevio Doz/Age Fotostock

Fondé en 1838, ce charmant village est niché dans une anse, entre deux escarpements rocheux. Du quai se découvre un **site★★** exceptionnel ; une promenade dans ce cadre réserve de superbes vues sur le village et le fjord.

Musée de la Nature – *199 r. de la Montagne -* ☎ *418 675 2348 - www.musee.delanature.com - de mi-mai à mi-sept. : 8h45-20h30 ; reste de l'année : 8h45-18h30 - 7 $*. Il renferme une étonnante collection d'objets légués par la nature (racines aux formes bizarres, champignons sauvages, loupes d'arbres insolites) et d'animaux naturalisés (dont deux requins pris dans le fjord), soit plus de 3 000 pièces.

Revenez à la route 172.

Saint-Fulgence B1

La descente sur **St-Fulgence** permet de profiter d'un splendide **panorama★** sur l'extrémité ouest du fjord.

Centre d'interprétation des battures et de réhabilitation des oiseaux (CIBRO) – *100 chemin Cap-des-Roches -* ☎ *418 674 2425 - www.cibro.ca.qc.ca/cibro - de fin juin à déb. sept. : 8h30-18h ; de déb. mai à fin juin et de déb. sept. à déb. nov. : 9h-16h - 10 $ (12-18 ans 8 $)*. Les parois rocheuses du fjord laissent la place à de grands marais à St-Fulgence, et une flèche littorale s'y étire sur plus de 650 m. Le centre explique ces phénomènes particuliers et vous fait découvrir la flore abondante du lieu et les 265 espèces d'oiseaux qui séjournent sur les battures. En mai, la journée de la Bernache permet d'admirer plus de 10 000 bernaches et canards s'alimentant dans les vasières.

Parc national des Monts-Valin – *À 28 km au nord de St-Fulgence par le chemin du Lac-Léon. 360 rang St-Louis, accueil Petit séjour -* ☎ *418 674 1200 ou 1 800 665 6527 - www.sepaq.com - 5,50 $*. Créé afin de protéger le massif du mont Valin (968 m) des coupes forestières intensives, c'est aujourd'hui un paradis pour les amateurs de pêche et de canot-camping. L'hiver, l'enneigement exceptionnel transforme ce territoire en haut lieu du ski nordique et des raquettes de courte ou longue randonnée.

5

Revenez à St-Fulgence et continuez jusqu'à Chicoutimi par les routes 172 et 175.

★ **Chicoutimi** B1
Voir Saguenay, secteur Chicoutimi, p. 357.
Suivez la route 372.

La Baie B1
Voir Saguenay, secteur La Baie, p. 360.
Prenez la route 170.

Saint-Félix-d'Otis C1
Site de la Nouvelle-France – *370 Vieux-Chemin -* 📞 *418 544 8027 ou 1 888 666 8027 - www.sitenouvellefrance.com - juin-août : mar.-dim. 9h15-16h - dép. des visites en français ttes les 30mn - visite guidée 1h30 - spectacle équestre présenté à 11h - durée moyenne du spectacle : 1h. Informez-vous sur les forfaits : specta-cle-visite-repas ou croisière-visite - 15 $.* 👥 Naguère lieu de tournage, le site vous plongera dans l'histoire de la colonisation française. Vous y découvrirez un petit village huron, un camp de Montagnais (Indiens alliés des Français) et une ancienne ferme française avec ses dépendances qui retracent les us et coutumes des Amérindiens et des premiers colons. L'endroit ne pouvait pas être mieux choisi. Pendant 5 000 ans, il fut occupé par les nomades amérin-diens qui y installaient régulièrement leur camp. Les traces archéologiques figurent parmi les plus importantes découvertes dans la province.
Reprenez la route 170 jusqu'à Rivière-Éternité. Tournez à gauche.

Rivière-Éternité C1
Ce village est l'une des portes d'entrée du parc national du Fjord du Saguenay et donne accès à l'un des secteurs du parc marin du Saguenay-St-Laurent.
🚶 Un superbe sentier pédestre *(25 km)* relie Rivière-Éternité à L'Anse-St-Jean *(terrains de camping et places en refuge).*

★★ **Parc national du Fjord du Saguenay** C1
🏛 *91 r. Notre-Dame -* 📞 *418 272 1556 ou 1 800 665 6527 - www.sepaq.com -* ⛺ 🍴 🅿 *- de fin juin au 1ᵉʳ lun. de sept. : 8h-21h ; sept.-oct. et de mai à mi-juin : 9h-16h - 5,50 $.*
Il fut créé en 1983 afin de protéger les rives du fjord. D'une superficie de quel-que 300 km², il s'étire de La Baie (Saguenay, *voir ce nom*) à Tadoussac sur une centaine de kilomètres. Parmi les pôles majeurs d'intérêt touristique, il faut noter la baie Ste-Marguerite *(ci-avant)*, les dunes de Tadoussac *(voir ce nom)* et la **baie Éternité**. Cette dernière est l'une des plus belles anses du fjord, dominée par le cap Trinité et le cap Éternité.
Centre de découverte et de services le Fjord du Saguenay - secteur Baie-Éternité – *91 r. Notre-Dame, Rivière-Éternité - restaurant et boutique nature - de fin juin à mi-août : 8h30-20h30 ; de mi-août à déb. sept. : 9h-18h ; de fin mai à fin juin et de déb. sept. à fin oct. : 9h-16h.* Au bout de la vallée de la rivière

---

★★ **CROISIÈRES SUR LE FJORD DU SAGUENAY**
C'est probablement le meilleur moyen d'admirer les caractères géologi-ques, les falaises vertigineuses, les chutes d'eau magnifiques et de décou-vrir les phénomènes exceptionnels liés à cette vallée glaciaire, en particu-lier les deux promontoires rocheux de cap Trinité et cap Éternité et leurs échoueries de phoques communs *(voir « Nos adresses »).*

LE PARC MARIN DU SAGUENAY-SAINT-LAURENT

Depuis 1998, le parc marin du Saguenay-St-Laurent (www.parcmarin.qc.ca) assure la protection des espèces et des écosystèmes de la zone de confluence de l'estuaire du St-Laurent et du fjord du Saguenay. Le parc marin est découpé en **cinq territoires**, chacun proposant des lieux de découverte différents :

Secteur de l'Estuaire : centre d'interprétation de Pointe-Noire, à Baie-Ste-Catherine (voir Côte de Charlevoix).

Secteur du Fjord nord : centre d'interprétation des battures et de réhabilitation des oiseaux, à St-Fulgence, et centre d'interprétation du Béluga, à Baie-Ste-Marguerite (voir ci-avant).

Secteur du Fjord sud : centre d'interprétation du fjord à Baie-Éternité, dans le parc national du Fjord du Saguenay (voir ci-avant).

Secteur des Baleines : centre d'interprétation Archéo-Topo, centre d'interprétation et d'observation du Cap-de-Bon-Désir, aux Bergeronnes ; centre d'interprétation des mammifères marins à Tadoussac (voir Côte-Nord).

Secteur des Navigateurs : l'île aux Basques, le Parc de l'aventure basque en Amérique, les îles du Pot-l'Eau-de-Vie et l'île aux Lièvres (voir Côte du Bas-St-Laurent).

Éternité, il explique les étapes de la formation du fjord par le biais d'une exposition interactive.

★★ Cap Trinité C1

Le cap Trinité (518 m) doit son nom aux trois corniches qui le composent. Une statue de **N.-D.-du-Saguenay**, haute de 8 m, couronne le sommet de la première corniche (180 m), offrande d'un certain Charles-Napoléon Robitaille. La statue comporte trois énormes blocs de pin recouverts d'une couche de plomb. On peut l'admirer de près en empruntant un sentier escarpé (3,5 km ; comptez 4h AR) au départ du centre d'interprétation. Du promontoire, le **panorama★★** est superbe.

Rejoignez la route 170.

L'Anse-Saint-Jean C1

Ce petit village, fondé en 1828, se trouve à l'embouchure de la rivière St-Jean. On y admire un beau **panorama★** sur le fjord depuis le quai et la marina. On remarquera aussi, sur la rivière St-Jean près de l'église, le **pont du Faubourg** (1929). Il s'agit d'un pont couvert de 37 m de long.

Traversez le pont et continuez sur 5 km, puis tournez à droite.

Situé sur le seul cap accessible en voiture, le belvédère de l'Anse-de-Tabatière offre une superbe **vue** sur la région.

Rejoignez la route 170 en direction de Petit-Saguenay.

Petit-Saguenay C1

Le sentier Les Caps, qui longe la rivière Saguenay à partir de Baie-Éternité en passant par L'Anse-St-Jean, s'arrête dans ce petit village. Entouré de montagnes, il offre une vue spectaculaire sur le fjord.

5

😊 NOS ADRESSES DANS LE FJORD DU SAGUENAY

HÉBERGEMENT

BUDGET MOYEN

À L'Anse-Saint-Jean

La Fjordelaise – *370 St-Jean-Baptiste - ☏ 418 372 2560 - www.fjordelaise.com -* ✕ 🅿 *- 9 ch. 85/115 $* 🛏. Voilà plus d'un siècle que cette charmante maison en bois ornée d'une galerie a une vocation hôtelière. L'accueil y est simple et chaleureux et les chambres, petites, bien tenues. Préférer l'une des trois qui donnent sur le fjord.

POUR SE FAIRE PLAISIR

À Sainte-Rose-du-Nord

Cap au Leste – *5551 chemin du Cap-au-Leste - suivez la route 172 vers l'ouest sur 9 km, puis les panneaux sur la gauche sur 7 km - ☏ 418 675 2000 - www.capauleste. com - fermé avr.-mai et nov. -* ✕ 🅿 *- 39 ch. 144/190 $ -* 🛏 *13 $.* Un véritable nid-d'aigle perdu en pleine nature avec le fjord en contrebas. Les belles chambres rustiques parfaitement équipées se répartissent en plusieurs chalets. La cabane au Canada ? Inutile de la chercher plus loin.

RESTAURATION

PREMIER PRIX

À L'Anse-de-Roche

Bistro du Fjord – *346 chemin de l'Anse-de-Roche - ☏ 418 236 1212 - http:// bistrodufjord.wordpress.com - de mi-mai à fin sept. : 11h-21h30 - plats de 13 à 33 $.* Une minuscule maisonnette dotée d'une terrasse avec vue sur la jetée. Menu bistro où les salades sont à l'honneur, mais aussi succulente chaudrée de la mer, plateau de fruits de mer, poissons et viandes grillées.

BUDGET MOYEN

À L'Anse-Saint-Jean

L'Islet – *354 St-Jean-Baptiste - ☏ 418 272 9944 - www. restaurantlislet.com - table d'hôtes 25/48 $.* Perché face aux eaux du fjord, cet endroit est fort recommandable. La truite, fumée maison, est incontournable, mais ne négligez pas pour autant les autres spécialités que sont la saucisse de cerf et les fruits de mer.

PETITE PAUSE

À Sainte-Rose-du-Nord

Les 3 G – *100 r. du Quai - ☏ 418 675 2380.* S'arrêter manger une glace aux 3 G est presque un rituel obligé. Pour deux raisons : parce qu'il s'agit de la fameuse crème molle fourrée au beurre d'érable, et parce qu'elle se déguste sur la jetée, face au fjord.

À L'Anse-Saint-Jean

Bistro de l'Anse – *319 St-Jean-Baptiste - ☏ 418 272 4222 - www. bistrodelanse.com - de mi-mai à mi-oct.* Ce bistro, installé dans une maison de 150 ans d'âge, est au cœur de l'activité culturelle de l'anse. En plus des bières locales et des snacks goûteux, laissez-vous tenter par les terrines maison et le soir par le hambourgeois au cerf *(20 $).*

ACTIVITÉS

Croisières du Fjord – *☏ 418 543 7630 ou 1 800 363 7248 - www.croisièresdufjord.com.* Cette compagnie organise de mai à octobre des excursions à la découverte du Saguenay. Le départ s'effectue de plusieurs sites : Tadoussac *(voir p. 414),* Ste-Rose-du-Nord, La Baie, Rivière-Éternité et L'Anse-St-Jean.

Saguenay

★

143 660 habitants – Saguenay - Lac-Saint-Jean

😊 NOS ADRESSES PAGE 362

🗓 **S'INFORMER**

Offices de tourisme – ☎ 418 698 3167 ou 1 800 463 6565 - www.saguenay. ca - secteur La Baie : 900 r. Mars ; secteur Chicoutimi : 2555 bd Talbot ; secteur Jonquière : 3919 bd Harvey - de fin mai à mi-juin et de déb. sept à mi-oct. : 8h30-12h, 13h-16h30, w.-end 10h-18h ; de mi-juin à déb. sept. : 8h30-19h30 ; reste de l'année : lun.-vend. 8h30-12h, 13h-16h30.

😊 **Bon à savoir** – Trois livrets présentent des itinéraires de découverte à travers le patrimoine historique de Chicoutimi, La Baie et Jonquière.

⊙ **SE REPÉRER**

Carte de région B1 (p. 332-333). Saguenay se trouve à 210 km au nord de Québec sur la route 175.

😊 **À NE PAS MANQUER**

Une croisière sur le fjord au départ de La Baie. L'arrivée au cap Trinité est mémorable.

🕐 **ORGANISER SON TEMPS**

Il y a fort à faire et à voir à Saguenay. Comptez au minimum deux jours.

👫 **AVEC LES ENFANTS**

Le village de la sécurité, le musée du Fjord dans le secteur La Baie, la passe migratoire à saumons de la Rivière-à-Mars.

« Une ville, un fjord » : le slogan touristique de Saguenay résume parfaitement l'atout principal de cette nouvelle ville créée en 2002 et qui regroupe entre autres Chicoutimi, Jonquière et La Baie. La cité s'étend du lac Kénogami au Saguenay et de la rivière aux Sables jusqu'à la baie des Ha ! Ha ! Elle est au centre de deux pôles touristiques d'importance : le lac St-Jean et le fjord du Saguenay. Une étape incontournable pour qui veut profiter des panoramas inoubliables que propose la rivière Saguenay.

Découvrir Carte de région

★ CHICOUTIMI (SAGUENAY) B1

Métropole économique, administrative et culturelle de la région du Saguenay, siège épiscopal et site de l'un des campus de l'Université du Québec, Chicoutimi est avant tout une ville très vivante, tant d'un point de vue culturel que par l'animation de ses cafés et restaurants. On y profite par ailleurs d'un **panorama★** saisissant sur les falaises arrondies creusées par le Saguenay dans sa course vers le St-Laurent.

Les automobilistes peuvent traverser la rivière par le **pont Dubuc**, tandis que les cyclistes et les piétons emprunteront la passerelle Ste-Anne.

5

PETITES HISTOIRES DE CHICOUTIMI

Chicoutimi tire son nom du montagnais *eshko-timiou*, « au bord des eaux profondes ». À juste titre d'ailleurs, car elle se trouve au confluent des trois rivières suivantes : Saguenay, du Moulin et Chicoutimi.

Important poste de traite des fourrures dès 1676, la ville ne fut véritablement fondée qu'en 1842, lorsque le commerçant Peter McLeod construisit une scierie au pied des chutes de la rivière du Moulin. Son entreprise devait marquer les débuts de l'industrie forestière dans la région.

★ Croix de Sainte-Anne

Sur la rive nord du Saguenay, à 3 km du pont Dubuc. Prenez à gauche la rue St-Albert, à droite la rue Roussel, puis à gauche la rue de la Croix.

Dominé par une croix de 18 m de haut (1922), ce belvédère surplombant le Saguenay dévoile une **vue** superbe de Chicoutimi et de ses environs. Une première croix avait été dressée sur les lieux en 1863 par Monseigneur Baillargeon, afin de guider les navires remontant la rivière. Une seconde fut élevée en 1872 pour marquer l'endroit où s'était arrêté le « grand feu » de 1870, terrible incendie qui détruisit la quasi-totalité de la région du Saguenay – Lac-St-Jean. On distinguera, en contrebas, la ravissante façade de l'église Ste-Anne (1901).

Le **belvédère Jacques-Cartier** *(à l'angle de la rue Jacques-Cartier Est et du bd Talbot)* et le **belvédère Beauregard** *(à l'est du belvédère Jacques-Cartier, dans le quartier de la statue N.-D.-du-Saguenay)* offrent également de jolies vues sur le Saguenay.

★ La pulperie de Chicoutimi (centre d'interprétation)

300 r. Dubuc - ☎ *418 698 3100 ou 1 877 998 3100 - www.pulperie.com -* ✗&⊞ *- de fin juin à déb. sept. : 9h-18h ; reste de l'année : merc.-dim. 10h-16h - 10 $ (-5 ans gratuit).*

Cette ancienne usine de production de pulpe de bois occupe un **site★★** charmant à l'embouchure de la rivière Chicoutimi. En son temps l'un des plus importants complexes industriels du Québec, elle témoigne de l'importance de l'industrie forestière dans la région. Fondée en 1896, la Compagnie de pulpe de Chicoutimi devint, vers 1910, la première entreprise productrice de pulpe de bois « mécanique » au Canada, grâce à son directeur Alfred Dubuc. À son apogée, en 1920, elle comptait quatre moulins, un atelier de réparation, plusieurs dépendances et quelque 2 000 employés. Après l'effondrement boursier de 1929, la pulperie ferma ses portes. Ses vestiges servent aujourd'hui de décor à toutes sortes d'activités culturelles et artistiques.

Bâtiment 1921 – Cet énorme atelier de granit rose abrite un **centre d'interprétation**, proposant une rétrospective audiovisuelle de la pulperie et de l'industrie du bois en général, et la **maison Arthur-Villeneuve**. Cette dernière, anciennement située au 669 rue Taché Ouest, fut déplacée sur le site même de la pulperie lors de travaux de mise en valeur patrimoniale amorcés en 1994.

Arthur Villeneuve (1905-1990) fut longtemps « barbier » de profession, faisant de la peinture un simple loisir. Profondément religieux, il troqua, en 1957, ses ciseaux pour des pinceaux à la suite d'un sermon sur la parabole des talents. Aujourd'hui, la renommée de ce peintre régional dépasse largement les murs de son humble demeure qu'il décora à sa façon, de peintures colorées, parfois terrifiantes.

Plus bas, au bord de la rivière, se dressent les ruines de deux moulins à papier (1898 et 1912). Il subsiste un tronçon du puissant aqueduc qui les alimentait en eau. Un escalier en amont conduit à un tertre qui surplombe l'ensemble des installations. Le château d'eau fonctionne encore. René-P. LeMay (1870-1915) dressa les plans de plusieurs de ces édifices, faisant usage du granit plutôt que de la brique, traditionnellement utilisée dans la construction des bâtiments industriels. Le matériau choisi ajoute énormément au charme ambiant.

Cathédrale Saint-François-Xavier

À l'angle des rues Racine et Bégin. Les hautes tours carrées qui flanquent la façade de pierre de cette cathédrale (1915) dominent la ville. L'édifice fut reconstruit après un incendie en 1919. À l'intérieur, on remarquera la chaire, un Christ sculpté par Médard Bourgault, le trône épiscopal de Lauréat Vallières ainsi qu'un orgue Casavant.

Village de la sécurité

Sur la rive nord du Saguenay, à 4 km du pont. Prenez à droite la rue Pasteur, encore à droite la rue St-Gérard, puis à gauche la rue Pinel. 200 r. Pinel - ✆ 418 545 6925 ou 1 888 595 6925 - www.zoneportuaire.com - ✕ ♿ 🅿 - de mi-juin à mi-sept. : 9h30-17h30 - 6 $.

Essentiellement créé pour permettre aux jeunes d'améliorer leurs connaissances en matière de sécurité, ce village à échelle réduite leur propose toutes sortes d'activités : promenade au volant d'une voiture miniature motorisée, simulation réaliste d'une collision automobile et d'un incendie à la maison, secourisme, balade en train, etc. Une tour météorologique de 30 m de haut offre une très belle vue sur la région.

JONQUIÈRE (SAGUENAY) B1

L'ancienne ville de Jonquière fut fondée en 1847 par Marguerite Belley et ses fils, qui avaient quitté le comté de Charlevoix. Ils la baptisèrent du nom du marquis de Jonquière, gouverneur de Nouvelle-France de 1749 à 1752. Le début du 20e s. fut marqué par l'arrivée de deux géants de l'industrie : la papeterie Price à Kénogami en 1912, et l'usine d'aluminium d'Alcan à Arvida en 1926, qui fit de cette localité le plus important producteur d'aluminium en Occident.

Centrale hydroélectrique de Shipshaw

1471 rte du Pont - ✆ 418 699 1547 - visite guidée (1h) sur réserv. - juin-août : lun.-vend. 13h30-16h30 ; fermé 24 juin.

Le barrage de la centrale hydroélectrique de Shipshaw fut installé en 1941. La centrale constitue un bel exemple d'Art déco industriel.

★ Église Notre-Dame-de-Fatima

Accès à partir du bd du Royaume, à l'angle de la rue de Montfort. 3635 r. Notre-Dame - ♿ 🅿.

Le « tipi » est une église contemporaine (1963), d'une hauteur de 25 m. Construite en béton blanc, elle a la forme d'une pyramide, que coupe verticalement en deux moitiés une double verrière réalisée par Guy Barbeau. L'intérieur de l'église jouit ainsi d'une remarquable luminosité.

Mont Jacob

Accès à partir de la rue St-Dominique par la rue du Vieux-Pont.

Il domine la partie ouest de Jonquière et offre une belle **vue** sur la région.

Centre national d'exposition – *4160 r. du Vieux-Pont - ✆ 418 546 2177 - www.centrenationalexposition.com - ♿ 🅿 - juil.-août : 10h-18h ; reste de l'année : 9h-17h, w.-end 12h-17h - fermé 24-26 déc. et 31 déc.-2 janv.* Situé au sommet,

5

il organise toutes sortes d'événements culturels et d'activités spéciales sur les thèmes de l'art, de l'architecture et de l'histoire.

★ Mont Fortin

Accès à partir du boulevard du Saguenay par la rue Desjardins. Il est possible de se rendre en voiture jusqu'au sommet, lorsque le portail est ouvert.

Du haut du mont Fortin se découvre un splendide **panorama** avec, d'un côté, le pont d'aluminium et le barrage de Shipshaw, et de l'autre, Kénogami et la ville de Jonquière, reconnaissable à la flèche de l'église N.-D.-de-Fatima.

Parc de la Rivière-aux-Sables

2230 r. de la Rivière-aux-Sables - ☏ 418 698 3000 - ouvert tte l'année ; les Halles : de mi-mai à mi-oct. : 9h-21h.

Situé dans la partie la plus ancienne de Jonquière, le parc offre une aire de jeux, des halles avec boutiques, un marché et un square public. Pour une partie de pêche à la truite tachetée, vous louerez un bateau.

LA BAIE (SAGUENAY) B1

Le centre industriel de La Baie occupe un **site★** magnifique dans une anse du fjord du Saguenay, plus connue sous le nom de **baie des Ha ! Ha !**. En 1838, des colons arrivèrent dans la région. Ils étaient membres d'une association, la Société des Vingt-et-Un, dont le but était d'amorcer la colonisation dans la région du Saguenay – Lac-St-Jean. Les trois municipalités qu'ils fondèrent le long des rives de la baie, Bagotville, Port-Alfred et Grande-Baie, fusionnèrent en 1976 pour former la ville de La Baie. Centre de transformation du bois, cette dernière s'enorgueillit aujourd'hui d'une grande papeterie, mais tire avant tout son importance de ses installations portuaires dont les majestueux bâtiments industriels trônent au centre de l'agglomération. De grands cargos en provenance des Antilles et d'Amérique du Sud apportent la bauxite nécessaire à ses usines d'aluminium et à celles de Jonquière.

L'été, un **spectacle historique** intitulé *La Nouvelle Fabuleuse ou les aventures d'un Flo* (www.fabuleuse.com), évoque le passé de la région depuis 1603.

Route panoramique

Juste avant que la route 372 ne plonge en direction de la Rivière-à-Mars dans la baie des Ha ! Ha !, on découvre une **vue★★** imprenable sur la baie. Par temps clair, le panorama s'étend à 48 km alentour. Un peu plus loin, la route 372 rejoint la route 170 qui longe les rives de la baie, offrant de belles échappées sur une douzaine de kilomètres.

Parc Mars

À la jonction des routes 170 (r. Bagot) et 372 (bd St-Jean-Baptiste), prenez la rue Bagot, puis tournez à gauche dans la rue Mars.

Aménagé pour les cyclistes et les piétons, ce parc au bord de l'eau dévoile un beau **panorama★** de la baie et des collines environnantes, et met en scène l'imposant trafic fluvial. Environ 200 000 t de bois et de papier, et plus de trois millions de tonnes de bauxite transitent chaque année par le port.

Musée du Fjord

3346 bd de la Grande-Baie Sud (route 170) - ☏ 418 697 5077 ou 1 866 697 507 - www.museedufjord.com - ♿🅿 - de fin juin à déb. sept. : 9h-18h ; reste de l'année : mar.-vend. 9h-16h30, w.-end 13h-17h - 15 $ (- 5 ans gratuit).

👥 Partiellement détruit lors du déluge de 1996, le musée du Fjord a fait peau neuve dans un élégant complexe moderne. Il présente des expositions

> **VOUS AVEZ DIT AH ! AH !**
> Selon certains, ce pittoresque toponyme tirerait son origine de la rue des Ha ! Ha !, passage sans issue à Paris au 17ᵉ s. Pour d'autres, les premiers explorateurs – prenant la baie pour une rivière – s'y seraient engagés ; se rendant bientôt compte de leur méprise, ils se seraient alors écriés « Ha ! Ha ! ».

à caractère scientifique (la formation du fjord, la faune et la flore aquatiques, et la baie des Ha ! Ha !), historique (la région du Saguenay) et artistique.

Clou de la visite, l'**Aquarium du Fjord** présente des spécimens de la faune marine qui peuplent les profondeurs du Saguenay. Un dispositif unique permet aux visiteurs de toucher les poissons et étoiles de mer.

Des excursions accompagnées sont également proposées : le visiteur chausse les bottes d'un scientifique et part à la découverte d'organismes qui peuplent les berges de la baie des Ha ! Ha ! De retour au musée, il analyse ses échantillons au microscope…

Pyramide des Ha ! Ha !

Parc des Ha ! Ha ! - r. Monseigneur-Dufour - 𝒫 *418 698 3167 ou 1 800 463 6565.*
Ne manquez pas la Pyramide des Ha ! Ha ! au parc des Ha ! Ha ! Conçue par l'artiste Jean-Jules Soucy, cette pyramide en aluminium haute de 21 m avec une base de 24 m est couverte de 3 000 panneaux signalétiques triangulaires « Céder le passage » rouges et blancs : un jeu de mots pour rappeler que, lors du déluge qui a dévasté la région en juillet 1996, « s'aider » a permis de faire face à la catastrophe. Il est possible de monter au sommet de la pyramide.

Passe migratoire à saumons de la Rivière-à-Mars

3232 chemin St-Louis - 𝒫 *418 697 5093 - www.riviereamars.com - de mi-juin à fin août : 8h-20h ; de fin août à mi-sept. : 8h-17h - 3 $.*
Située au cœur de la ville, sur une portion de la Rivière-à-Mars, la passe permet aux saumons de remonter la rivière au moment de leur migration. Grâce à l'observatoire aménagé sous le niveau de la rivière, on peut voir le saumon dans son habitat naturel et même « dans son lit ». Une expérience enrichissante pour toute la famille !

★★ Croisières sur le fjord du Saguenay

Croisières du Fjord – 𝒫 *418 543 7630 ou 1 800 363 7248 - www.croisieresdufjord. com -* ✗ 🅿 *- dép. quai de Bagotville - de juil. à déb. sept. : dép. à 10h - commentaire à bord - 50 $ (-14 ans 25 $).*
Une croisière sur le majestueux fjord du Saguenay constitue l'une des excursions (7h30 AR) les plus spectaculaires du Québec. Le bateau descend la rivière jusqu'au charmant village de **Ste-Rose-du-Nord,** s'arrête en contrebas de la masse rocheuse du Tableau (hauteur : 150 m), longe **St-Basile-du-Tableau**, l'un des plus petits villages du Québec, et pénètre dans la baie Éternité dominée par les deux hautes falaises du cap Éternité et du cap Trinité. L'arrivée au pied du **cap Trinité** constitue le point culminant de la croisière : encastrée dans la désolation rocheuse du paysage se dresse la gigantesque statue de la Vierge *(voir p. 355)*. Les trois corniches qui ont donné ce nom au cap sont clairement visibles du bateau ; il arrive que des alpinistes en tentent l'ascension.

5

😊 NOS ADRESSES À SAGUENAY

HÉBERGEMENT

BUDGET MOYEN

Secteur Chicoutimi

Auberge le Parasol – *1287 bd du Saguenay Est* - 📞 *418 543 7771* - *www.aubergeleparasol.com* - 🍴⃓ - *80 ch. 95/155 $*. Perché sur sa colline, ce motel bien tenu aux airs légèrement *sixties*, a littéralement la ville à ses pieds. De la terrasse du restaurant, la vue sur Chicoutimi et sur le Saguenay est très agréable au soleil couchant.

POUR SE FAIRE PLAISIR

Secteur Chicoutimi

Hôtel Chicoutimi – *460 r. Racine Est* - 📞 *418 549 7111 ou 1 800 463 7930* - *www.hotelchicoutimi. qc.ca* - 🍴⃓ - *85 ch. 120/285 $*. En plein de cœur de Chicoutimi, cet hôtel historique domine la rue principale de la ville et son animation. Toutes les chambres ont été soigneusement rénovées dans un style rustique-chic. Certaines, plus hautes, jouissent d'une belle vue sur la rivière.

RESTAURATION

BUDGET MOYEN

Secteur Chicoutimi

La Cuisine – *387 r. Racine Est* - 📞 *418 698 2822* - *www. restaurantlacuisine.ca* - *fermé w.-end à midi* - *29/55 $* - *table d'hôtes midi 19/31 $, le soir 56/62 $*. Cet excellent restaurant à la cuisine d'inspiration française n'hésite pas à faire quelques incursions dans les cuisines exotiques. L'endroit est célèbre pour son tartare de poisson du vendredi confectionné

toutes les semaines avec un poisson différent.

POUR SE FAIRE PLAISIR

Secteur Chicoutimi

La Vieille Garde – *461 r. Racine Est* - 📞 *418 602 1225* - *www. bistrolavieillegarde.com* - *mar.-sam.* - *45/60 $*. C'est un bar à vin, avec un choix impressionnant de crus de qualité, mais aussi un restaurant au décor ultra-design où se presse la clientèle branchée de Chicoutimi. En cuisine, la crème des chefs de la région prépare une cuisine fine où les produits du terroir sont mis au service d'une cuisine d'inspiration française avec une pointe d'accent québécois.

PETITE PAUSE

Secteur Chicoutimi

Café Cambio – *405 Racine Est* - 📞 *418 549 7830* - *www.cafecambio. ca* - *lun.-mar. et dim. 8h-22h, mer.-sam. 8h-23h*. Ne manquez pas un arrêt dans ce café bio ! Le café servi est torréfié maison et les encas sont délicieux : bagels, muffins, salades et de délicieux hamburgers dont quatre végéburgers.

BOIRE UN VERRE

Secteur Jonquière

La Voie Maltée – *2509 r. St-Dominique* - 📞 *418 542 4373* - *www.lavoiemaltee.com* - *10h-3h*. Bienvenue au royaume des bières ! Cette microbrasserie n'en fabrique pas moins d'une quinzaine aux noms aussi évocateurs que la Polissonne, la Graincheuse et la Rabat-Joie. Choisissez la vôtre.

Lac Saint-Jean

★★

Saguenay – Lac-Saint-Jean

S'INFORMER
Association touristique régionale du Saguenay – Lac-St-Jean – *Voir Fjord du Saguenay, p. 351.*

SE REPÉRER
Carte de région A1 (p. 332-333). Le lac St-Jean se trouve à 180 km au nord de Québec par les routes 175, 169 et 170, à 299 km de Trois-Rivières par les routes 55 et 155, et à 69 km de Chicoutimi par les routes 175 et 170.

À NE PAS MANQUER
Le parc de la Pointe-Taillon, le village historique de Val-Jalbert et Péribonka.

ORGANISER SON TEMPS
Prévoyez deux jours pour le tour du lac en voiture. Le tour du lac peut s'effectuer après la découverte d'une des rives du fjord du Saguenay.

AVEC LES ENFANTS
La maison des Bâtisseurs à Alma, le zoo « sauvage » de St-Félicien, le Musée amérindien de Mashteuiatsh, le village historique de Val-Jalbert.

C'est une mer au milieu des terres : avec ses 1 350 km² situés à l'extrémité sud de la région du Saguenay, le lac St-Jean impressionne ! Bordé de plages de sable, au cœur d'une vaste plaine verdoyante, il a peu d'effort à fournir pour attirer les amateurs de baignade et de farniente. Il se découvre en un tour de voiture le long de la route 169, avec sur la rive nord des villages moins fréquentés que sur la rive sud. Ou en un tour de vélo, pour les plus audacieux.

Circuit conseillé Carte de région

LE TOUR DU LAC AB1-2

Circuit de 220 km tracé sur la carte p. 332-333, par la route 169.

Alma B1
Tourisme Alma Lac-St-Jean – *1682 av. du Pont Nord - ☎ 418 668 3611 ou 1 877 668 3611 - www.tourismealma.com.*
Alma se développa autour de l'île du même nom, près de la source du Saguenay, à l'est du lac St-Jean. Fondée en 1864, la ville fut baptisée en l'honneur de la fameuse bataille que les troupes franco-britanniques venaient de remporter en Crimée sur l'armée russe.
Maison des Bâtisseurs – *1671 av. du Pont Nord - ☎ 418 668 2606 - www.odysseedesbatisseurs.com - 🅿 - de mi-juin à fin août : 9h-17h ; de fin août à fin sept. : 9h-16h30 ; reste de l'année : lun.-vend. 9h-12h, 13h-16h30 - 13 $.* La Société d'histoire du Lac-St-Jean présente dans la maison des Bâtisseurs **l'Odyssée des Bâtisseurs**. Expositions, animations, sentiers pédestres, château d'eau d'une hauteur de 25 m avec observatoire, présentation multimédia 360° :

5

tout est mis en œuvre pour faire comprendre au visiteur la nature et la culture du lac St-Jean. Des animateurs et des témoins racontent, à leur manière, les moments marquants de la construction de la **centrale hydroélectrique de l'Isle-Maligne** et ses impacts sur la société régionale.

👬 Les enfants peuvent explorer le parcours extérieur tout en s'amusant dans les « modules d'hébertisme ». Aire de jeux pour les plus petits.

Rue Harvey, à l'est de l'avenue du Pont, se trouve l'**église St-Pierre**, saisissante avec son architecture ultramoderne.

Du centre-ville d'Alma, prenez l'avenue du Pont vers le nord, et tournez à gauche dans le boulevard des Pins. Prenez à droite le chemin de la Dam-en-Terre, puis encore à droite le chemin de la Marina.

Dam-en-Terre B1

Érigé au début des années 1950 pour exploiter la rivière et hausser le niveau du lac, le barrage entre l'île d'Alma et l'Isle-Maligne a permis d'augmenter la force du cours d'eau.

Complexe touristique Dam-en-Terre – ℘ 418 668 3016 - www.damenterre. qc.ca - △ ✗ 🅿 - *de fin mai à mi-sept. : 8h-21h ; le reste de l'année : lun.-vend. 8h-16h.* Installé autour de la baie, il comprend un camping, une plage, des bungalows, un restaurant-théâtre, des sentiers pédestres et une marina. On peut également y louer canots, pédalos et bicyclettes.

Croisière panoramique – ℘ 1 888 289 3016 - ♿ - *dép. de mi-juin à fin août : mar.-sam., horaires variables - AR 2h - commentaire à bord - sur réserv. - 25/33 $.* Elle remonte le courant le long de l'usine d'aluminium d'Alcan puis du barrage hydroélectrique de l'Isle-Maligne, avant d'approcher les rives du lac St-Jean, bordées de nombreux villages et chalets.

Prenez la route 169 et parcourez 25 km jusqu'à St-Henri-de-Taillon, puis 6 km vers le parc (suivez les indications).

Parc national de la Pointe-Taillon A1

🚻 ℘ 418 347 5371 ou 1 800 665 6527 - www.sepaq.com - △ ✗ ♿ 🅿 - *ouvert tte l'année - Centre de découverte et de services du secteur Taillon : de mi-juin à mi-août : 8h-21h ; de mi-août à déb. sept. : 8h-20h ; de fin mai à mi-juin et de déb. sept. à mi-oct. : 9h-17h - 5,50 $.*

Zone d'alluvionnement postglaciaire de près de 20 km de long, la Pointe-Taillon se trouve sur la rive nord du lac St-Jean, à l'embouchure de la rivière Péribonka. La presqu'île (92 km²) est couverte de tourbières, de forêts d'épinettes noires et de bouleaux qui, au bord de l'eau, cèdent la place à une plage de sable fin où s'ébattent canards et outardes lors de leur migration automnale.

Le parc se prête au cyclisme (*piste de 32 km*), à la marche (🐾 *sentiers pédestres*), au canotage, au kayak, au pédalo et à la planche à voile.

Reprenez la route 169 et suivez-la jusqu'à Péribonka.

Après Ste-Monique, la route 169 franchit la Péribonka et aboutit, 4 km plus loin, à un charmant **point de vue** où l'on trouvera une aire de pique-nique.

Péribonka A1

Fondée en 1887 sur les bords de la rivière Péribonka, à quelques kilomètres à peine de son embouchure avec le lac St-Jean, cette charmante bourgade vit essentiellement de ses activités agricoles et forestières. La fougueuse rivière, dont le nom montagnais signifie « qui fait son chemin dans le sable », fait plus de 460 km de long. Deux réservoirs et trois centrales hydroélectriques ont aujourd'hui domestiqué son cours tumultueux.

En 1912, le Français **Louis Hémon** (1880-1913) passa quelques mois à Péribonka. Ce court séjour ne fut pas sans conséquences, car en 1916 était publié en œuvre

Cabanes de pêcheurs sur le lac Saint-Jean.
Mauritius images/Mauritius/Photononstop

posthume l'un des romans québécois les plus connus à l'étranger : *Maria Chapdelaine, récit du Canada français*. Péribonka est aujourd'hui le point de départ de la célèbre **Traversée internationale du lac St-Jean** *(voir p. 366)*.

Musée Louis-Hémon - complexe touristique Maria-Chapdelaine – *À 5 km à l'est de Péribonka, sur la route 169.* 𝄞 *418 374 2177 - www.museelh.ca -* ♿🅿 - *juin-sept. : 9h-17h ; reste de l'année : mar.-vend. 9h-16h - 5 $.* Consacré à l'œuvre de Louis Hémon et à la mise en valeur de la littérature, ce complexe muséologique possède une collection d'environ 1 400 œuvres d'art, documents et objets ethnologiques liés au monde littéraire.

On peut également voir la maison historique Samuel-Bédard, où Hémon travailla comme garçon de ferme en 1912, et le fameux pavillon contemporain (1986). Ce dernier, tout en quartz, propose des expositions temporaires d'art et de littérature ainsi qu'une exposition permanente retraçant la vie de l'auteur de *Maria Chapdelaine*, de sa naissance en Bretagne jusqu'à sa mort tragique à Chapleau (Ontario).

Continuez par la route 169 jusqu'à la jonction routière (13 km). Tournez à droite et poursuivez sur 1 km.

5

Sainte-Jeanne-d'Arc A1

Ce village est situé au confluent de la Petite rivière Péribonka et de la rivière Noire. À une certaine époque, l'énergie canalisée de la première faisait tourner une scierie, une fabrique de planches, un moulin à laine et une meunerie.

Vieux moulin – 𝄞 *418 276 3166 - de mi-juin à fin août : 9h-17h - 3 $.* Construit en 1907 au pied d'une chute sur la Petite rivière Péribonka, il est ouvert aux visiteurs depuis la fin de ses activités (1974). On peut y admirer l'équipement d'origine.

Reprenez la route 169.

Dolbeau-Mistassini A1

Fondée en 1927 avec l'installation de la fabrique de pâte à papier Domtar, Dolbeau est aujourd'hui rattachée à Mistassini avec laquelle elle partage la

Un portrait flatteur

DES ORIGINES MULTIMILLÉNAIRES

Le lac actuel ne représente qu'une faible partie du lac d'origine, créé par la fonte des glaciers il y a plus de 10 000 ans. Il reçoit de nombreux affluents, dont les rivières Péribonka, Mistassini et Ashuapmushuan, mais ne possède qu'un seul émissaire, le Saguenay. La région du lac St-Jean se présente sous la forme d'une cuvette dont les parois vont en s'abaissant vers le lac même. Cette morphologie particulière a entraîné la formation de cascades et de chutes aussi spectaculaires les unes que les autres.

DÉVELOPPEMENT ÉCONOMIQUE

St-Jean, que les Montagnais appelaient jadis *Piékouagami* (lac plat), doit son nom actuel à **Jean Dequen**, premier Français à en explorer les rives en 1647. Le commerce des pelleteries entre Français et Amérindiens, qui s'effectuait d'abord à Tadoussac, ne tarda pas à gagner la région. En 1676, un poste de traite fut établi sur les bords du lac, à l'embouchure de la Métabetchouane, à l'emplacement de la future ville de Desbiens. La construction des premières scieries et papeteries vers le milieu du 19e s., ainsi que l'installation de centrales hydroélectriques et la construction de l'usine d'aluminium d'Alma au 20e s., contribuèrent au développement de la région. L'agriculture n'a pas été affectée et reste florissante. Les terres s'y prêtent en effet fort bien, contrairement aux régions voisines de la Mauricie et du Saguenay, mais cette vocation ne s'est affirmée que depuis l'incendie de 1870, qui déboisa une grande partie des forêts environnantes. Le tourisme demeure lui aussi un secteur d'importance.

DES PRODUITS PHARES

Le lac St-Jean est surtout réputé, parmi les pêcheurs, pour les **ouananiches** (saumons d'eau douce) qui y abondent. Il est également connu pour le **granit** qu'on trouve à ses abords, notamment à St-Gédéon, près d'Alma. Un grand nombre d'églises locales sont d'ailleurs faites de cette roche qui, une fois taillée, prend une couleur rosée. Parmi les produits typiques de la région, notons la gourgane (gros haricot) et les **bleuets**, si abondants sur la rive nord du lac que les habitants ont reçu le sobriquet de « bleuets ».

UN ÉVÉNEMENT

La dernière semaine de juillet commence la célèbre **Traversée internationale du lac St-Jean** qui a lieu chaque année depuis 1955 et qui dure neuf jours. L'aller simple de Péribonka à Roberval en ligne droite fait 32 km et nécessite une moyenne d'environ 8h d'efforts physiques. L'aller-retour, parcouru par les plus endurants en 18h, est également inscrit au marathon. En 1990, le trajet s'est prolongé et fait désormais 40 km le long de la berge.
♿ www.traversee.qc.ca

LA VÉLOROUTE DES BLEUETS

C'est un réseau de pistes cyclables de 256 km autour du lac St-Jean. Elles bordent de jolies plages de sable, longent d'impressionnantes rivières et traversent de belles plaines agricoles. On y découvre des petits coins de paradis accessibles uniquement par ce réseau de sentiers et de sections de route balisée. Cartes et renseignements sur les excursions sont à votre disposition à La Véloroute des Bleuets.

🚲 **Maison des Bâtisseurs** – *1671 av. du Pont-Nord, Alma - ☎ 418 668 2606 - www.veloroute-bleuets.qc.ca.*

municipalité. Elle doit son nom au missionnaire récollet Jean Dolbeau, qui débarqua à Tadoussac en 1615. La ville est connue pour son **Festival des dix jours western de Dolbeau** qui se déroule en juillet. La ville (« gros rocher » en langue crie) est située au confluent des rivières Mistassibi et Mistassini, non loin d'une jolie cascade. Cette dernière fut nommée **chute des Pères★** en l'honneur des trappistes d'Oka qui, en 1892, y construisirent un prieuré. En 1980, les religieux partirent s'établir plus au nord, à St-Eugène, mais leur fabrique se trouve toujours aux abords de l'ancien monastère et offre aux visiteurs chocolats et autres denrées. Capitale mondiale du bleuet, Mistassini célèbre chaque année au mois d'août le **Festival du bleuet**.

Saint-Félicien A1

🅸 **Ville de St-Félicien** – *1209 bd Sacré-Cœur - ☎ 418 679 9888 ou 1 877 525 9888 - www.ville.stfelicien.qc.ca.*

St-Félicien se trouve près de la rive ouest du lac St-Jean, au confluent des rivières Mistassini, Ticouapé et Ashuapmushuan dont le flot tumultueux parcourt quelque 266 km, enchaînant chutes et rapides avant de rejoindre le lac.

★★ **Zoo « sauvage » de St-Félicien** – *À 6 km par le bd du Jardin (route 167). Centre de conservation de la biodiversité boréale - ☎ 418 679 0543 - www.zoosauvage.org et www.borealie.org -* ✕⚐🅿 *- juin-août : 9h-18h (20h de mi-juil. à mi-août) ; mai et sept.-oct. : 9h-17h - entrée simple 18,50 $ (6-14 ans 12,50 $).* 👥 Agréablement situé sur une île de la rivière aux Saumons, affluent de l'Ashuapmushuan, ce jardin zoologique constitue une fabuleuse introduction aux animaux de la faune canadienne (au total, plus de 950 spécimens). Caribous, wapitis, ours noirs, loups, bisons et autres espèces évoluent en toute liberté dans le **parc des Sentiers de la nature★★** (324 ha), tandis que les visiteurs se promènent à bord de wagons grillagés. Le site leur permettra en outre de se replonger dans l'histoire régionale grâce à ses bâtiments historiques, dont une maison de pionniers de 1875, un poste de traite, un camp montagnais et un camp de bûcherons des années 1930.

★ **Chute à l'Ours** – *À la sortie du pont de St-Félicien, quittez la route 169, prenez à gauche le rang St-Eusèbe Nord et continuez sur 15 km. Suivez les indications menant au camping - ☎ 418 274 3411 - www.chutealours.com -* ✕🅿 *- de fin mai à mi-sept. : 8h-23h.* 🚶 Un sentier pédestre *(3 km)* longe la rivière Ashuapmushuan dont les rapides emportent les eaux sur une longueur de plus de 1 500 m. Ils furent appelés « chute à l'Ours » par les premiers explorateurs qui butèrent contre cet obstacle. Parmi eux se trouvait un père jésuite, Charles Albanel, qui fut le premier Français à atteindre les rives de la baie James en 1672.

★ **Moulin des Pionniers** – *À La Doré, à 20 km de St-Félicien par la route 167. 4201 r. des Peupliers - ☎ 418 256 8242 - www.moulindespionniers.com -* ✕⚐🅿 *- de fin juin à fin août : 9h30-19h ; de déb. juin à fin juin et sept. : 9h30-18h - 14 $.*

Ce vieux moulin occupe un joli site en bordure de la rivière aux Saumons, l'une des plus importantes aires de reproduction de la ouananiche, qui fréquente ces eaux de juillet à octobre. Construit en 1889 par Belarmain Audet, le bâtiment servait à la fois à scier le bois, à moudre le grain, à actionner la forge du maréchal-ferrant et à tailler les bardeaux. Il fonctionna commercialement jusqu'en 1977, et, aujourd'hui encore, demeure en parfait état de marche.

La vieille maison du pionnier (1904) se trouve tout à côté. Elle fut déménagée à cet endroit en 1977, et décorée de meubles d'époque. ✎ Des sentiers pédestres offrent des **vues** superbes sur la rivière aux Saumons. Sur ses rives ont été aménagés des étangs de pêche qui permettront aux intéressés d'attraper des saumons d'eau douce.

Réserve faunique Ashuapmushuan – *Entrée sud à 33 km au nord-ouest de St-Félicien (entrée nord à 178 km), sur la route 167, direction Chibougamau (à 232 km de St-Félicien).* ☎ *418 256 3806 - www.sepaq.com - △ ♿ P - de mi-mai à fin oct. : 7h-21h - 5,50 $.* En montagnais, son nom signifie « là où l'on guette l'orignal ». Véritable paradis de la chasse et de la pêche, cette réserve de 4 487 km^2 est aussi l'une des plus importantes frayères régionales pour la ouananiche, c'est-à-dire le saumon d'eau douce. Vouée à la conservation et à la mise en valeur de la faune, elle est régie par des lois assez strictes visant à protéger l'environnement naturel.

👁 **Bon à savoir** – La traversée du parc ne requiert aucune autorisation particulière, mais en ce qui concerne la chasse et la pêche, il est fortement recommandé de s'arrêter au poste d'accueil pour obtenir tous les renseignements et permis nécessaires.

La **rivière Ashuapmushuan** délimite un territoire comprenant plus de 1 200 plans d'eau. Longue de 266 km, elle représente l'un des affluents les plus importants du lac St-Jean, et servait autrefois de moyen de communication et de relais d'échange entre les Montagnais et les Cris. Porte des régions nordiques, elle constituait un segment de la route vers la baie James. À l'arrivée des Européens, le commerce des fourrures devint la principale activité. Plusieurs postes de traite, établis le long de son parcours et à son embouchure, demeurèrent en activité jusqu'au début du 20e s.

Revenez à St-Félicien.

La route 169 passe par le village de St-Prime, bien connu pour ses produits laitiers, notamment son *cheddar* (fromage).

Mashteuiatsh A1

🛈 **Bureau d'information touristique** – *1516 r. Oauiatchouan - ☎ 418 275 7200 ou 1 888 222 7922 - www.kuei.ca.*

Depuis 1856, cette réserve amérindienne accueille une population d'origine innue ou ilnue, aussi appelée montagnaise. Le visiteur y appréciera aussi bien les boutiques d'artisanat autochtone que la promenade aménagée au bord du lac. En juillet s'y tiennent les **Jeux autochtones interbandes**.

Musée amérindien de Mashteuiatsh – *1787 r. Amishk - ☎ 418 275 4842 - www. museeilnu.ca - ♿ P - de mi-mai à mi-oct. : 9h-18h ; reste de l'année : lun.-vend. 8h-12h, 13h-16h - 9 $.* 👥 Le visiteur y découvrira, à travers ses expositions permanentes et temporaires, l'histoire et la culture des **Pekuakamiulnuatsh** (Montagnais de la région du lac St-Jean), leur vie traditionnelle, leurs coutumes, leur langue et leur place dans la société actuelle.

✎ À l'extérieur, les sentiers du jardin permettent de découvrir comment les Ilnus, peuple nomade, exploitaient au quotidien la flore locale. Une boutique propose des objets d'artisanat autochtone confectionnés dans le village même de Mashteuiatsh.

ROBERVAL DANS L'HISTOIRE

Roberval doit son nom à Jean-François de La Rocque, sieur de Roberval, nommé lieutenant général du Canada par François Ier. Sous ses ordres, Jacques Cartier mena, en 1542, une expédition malheureuse en vue d'établir une colonie à Charlesbourg, près de Québec. La ville fut fondée en 1855. À la fin du 19e s. s'y trouvait le fameux hôtel Beemer, propriété de l'Américain Horace Jansen Beemer, roi du bois de charpente et propriétaire de deux bateaux à vapeur sur le lac. Un incendie devait détruire le somptueux manoir en 1908.

Roberval A1

Important centre administratif situé sur la rive sud-ouest du lac St-Jean, Roberval marque depuis 1954 le point d'arrivée de la fameuse Traversée internationale du lac St-Jean *(voir p. 366)*. Roberval présente en outre les charmes d'une station de villégiature, avec marina, promenade et vue sur le lac. Autre attrait : sa proximité avec le village historique de Val-Jalbert.

★ **Église N.-D.-de-Roberval** – *Bd St-Joseph, au coin de l'av. Lizotte, en face de l'hôpital.* Érigée en 1967, elle évoque par sa forme une grande tente de cuivre sur laquelle on aurait posé un clocher blanc. Les vitraux, très colorés, ont été réalisés par Guy Bruneau.

Tout au long du trajet de Roberval à Chambord, la route épouse les courbes du lac et laisse découvrir un magnifique **panorama**.

★ Village historique de Val-Jalbert A1

Val-Jalbert se visite à pied ou en trolleybus. 📞 *418 275 3132 ou 1 888 675 3132 - www.valjalbert.com - △ ✗ ⴲ ☐ - de mi-juin à fin août : 9h-18h ; de déb. juin à mi-juin et de fin août à déb. oct. : 10h-17h - 22 $ (-5 ans gratuit, 6-16 ans 11 $).*

👥 Émouvant vestige d'une « ville-compagnie » du début du 20e s., ce village fantôme occupe un **site★** de toute beauté près de la **chute Ouiatchouan**. En 1902, Damase Jalbert y établit une pulperie autour de laquelle se développa un village qui, en 1926, comptait déjà 950 habitants. En 1910, à son plus fort rendement, l'usine produisait jusqu'à 50 t. de pâte à papier par jour. Malheureusement, la chute des prix de la pulpe entraîna la fermeture du complexe en 1927. La population locale se vit contrainte de quitter Val-Jalbert qui fut peu à peu déserté. Le village serait tombé dans l'oubli sans les travaux de rénovation amorcés dans les années 1970.

Véritable musée de plein air, ce site patrimonial offre aujourd'hui aux visiteurs toute une gamme d'activités d'interprétation.

Couvent – L'ancien couvent-école des sœurs de N.-D.-du-Bon-Conseil (1915) sert désormais de **centre d'interprétation**. Une maquette représente l'ensemble du site et une projection *(15mn)* relate l'histoire du village. L'étage abrite les cellules des sœurs ainsi qu'une chapelle. En face du couvent, remarquez les ruines de l'église St-Georges et de son presbytère.

Rue St-Georges – Sur l'artère principale du village trône l'ancien **hôtel** *(hébergement possible toute l'année)*. Ce dernier, rasé par un incendie en 1918, fut aussitôt reconstruit. Il abritait jadis le magasin général et comporte aujourd'hui, au rez-de-chaussée, un magasin de souvenirs. En retrait de l'hôtel, notez l'étal de boucherie du village, où l'on retrouve un herbarium et une boutique de métiers d'art.

Secteur résidentiel – Le quartier formé par les rues Ste-Anne, St-Joseph, Dubuc, Tremblay, l'avenue Labrecque et la rue St-Georges comptait, à l'apogée du village, jusqu'à 80 maisons de travailleurs *(la seule ouverte au public se*

5

trouve rue St-Georges, près du bureau de poste). À l'époque de leur construction (1909-1920), ils offraient un confort insoupçonné : électricité, chauffage, eau courante, voire téléphone. La compagnie, à laquelle ils appartenaient, les louait à ses employés pour environ 10 dollars par mois (un salaire mensuel moyen ne dépassant guère 27 dollars). Totalement désertés, ces modestes logis constituent un étonnant décor fantomatique.

Vieux moulin – Au pied de la chute s'élève l'ancienne pulperie. Une voie ferrée, dont on aperçoit encore les rails, acheminait l'importante production de pâte à papier vers les marchés extérieurs. Dans le bâtiment, une maquette explique le fonctionnement du complexe et un film décrit le processus de fabrication de la pâte à papier. Plusieurs pièces d'équipement d'origine (écorceuses, turbines, meules, etc.) sont également exposées.

Chute Ouiatchouan – Un escalier *(400 marches)* ou un téléphérique *(4 $)* permettent d'accéder au sommet de cette chute de 72 m de hauteur qui, à l'époque, constituait l'unique source d'énergie locale. De là, le visiteur jouit d'une **vue★★** magnifique embrassant le lac St-Jean et la campagne environnante. En aval, la rivière Ouiatchouan offre un spectacle impressionnant.

Chute Maligne – *Le sentier part du terrain de camping, sur la rive ouest de la rivière. Attention : descente raide.* ⬅ *4,4 km. Comptez 1h30 AR.* Un agréable sentier forestier remonte la vallée de la Ouiatchouan jusqu'à l'endroit où la rivière tombe en cascades. Ici se trouvaient autrefois l'écluse et la scierie où l'on préparait les billots avant de les flotter jusqu'à l'usine en contrebas.

Après Val-Jalbert, à 2 km sur la route 169, une **vue★** magnifique sur le lac s'offre au regard.

Chambord A1

Fondée en 1857, la ville s'est développée à partir de 1888 grâce à la construction d'une ligne ferroviaire qui la relie à Québec. Elle fut nommée en l'honneur d'Henri V, comte de Chambord et dernier représentant de la lignée royale des Bourbons.

Suivez la route 155.

Lac-Bouchette A2

Cette bourgade, nichée entre les lacs Ouiatchouan et Bouchette, fut fondée en 1890. Le lac dont elle porte le nom fut baptisé en souvenir de l'ingénieur et arpenteur-géomètre Joseph Bouchette qui avait exploré la région vers 1820 pour en faire un relevé cartographique.

★ **Ermitage St-Antoine** – *À 2 km à l'ouest de la route 155.* ☏ *418 348 6344 - www.st-antoine.org -* ⛺ ✕ ♿ **P** *- de mi-avr. à fin oct. : 24h/24h.* Il fait la renommée de la localité. En 1907, Elzéar Delamarre (1854-1925), supérieur du séminaire de Chicoutimi, décida de construire une chapelle et d'établir un lieu de retraite estivale à l'endroit même où il avait l'habitude de passer ses étés. Il y découvrit, en 1916, une grotte naturelle semblable à la grotte de Massabielle, à Lourdes. À sa mort, beaucoup de pèlerins venaient déjà se recueillir sur les lieux. Aujourd'hui, l'ermitage reçoit chaque année plus de 200 000 visiteurs. Le site est dominé par un monastère de brique rouge érigé en 1924 par les capucins. Construite en 1907 par l'abbé Delamarre, la **première chapelle** était consacrée à saint Antoine de Padoue. Après la découverte de la grotte, l'abbé la fit agrandir et la dédia à Notre-Dame de Lourdes. Le bâtiment se distingue par son style néogothique anglais. Devenue nef latérale depuis les travaux d'agrandissement, la chapelle d'origine abrite la sépulture de l'abbé Delamarre. Sur les murs du modeste édicule, on retrouve un ensemble de 23 **tableaux★** (1908 et 1920) représentant la vie et les miracles de saint

Antoine de Padoue. **La Chapelle mariale** de style moderne (1950) adopte la forme d'une grotte. Ses vitraux furent réalisés par Guy Bruneau en 1971. Au fond, un grand vitrail représente Bernadette Soubirous à genoux au pied de Notre-Dame de Lourdes. Un escalier conduit à la fameuse grotte. Un peu plus loin s'élève une chapelle en plein air. À quelques pas encore se trouvent une réplique du Saint Escalier de Rome et un sentier qui conduit au chemin de Croix, composé des 14 stations.

Desbiens A1

C'est ici que le père Jean Dequen vit pour la première fois, en 1647, le lac St-Jean. Cinq ans plus tard, il y fonda une mission jésuite, suivie, en 1676, par l'établissement d'un poste de traite des fourrures. Le village doit son nom à Louis Desbiens, fondateur de la première papeterie en 1896.

Juste en contrebas du petit parc Jean-Dequen, un grand quai en bois constitue un endroit idéal pour observer la pêche à la ouananiche et admirer le lac.

Centre d'histoire et d'archéologie de la Métabetchouane – *Près du pont qui enjambe la Métabetchouane. 243 r. Hébert - ☎ 418 346 5341 - www.chamans. com - ♿🅿 - de fin juin à déb. sept. : 9h-17h - 9 $.* Consacré à l'histoire locale depuis l'ère amérindienne, ce centre contient la reconstitution du poste de traite au siècle dernier, et expose des marchandises de troc ainsi que des objets découverts lors de fouilles archéologiques menées dans la région. Juste à l'entrée du site, sur les rives de la Métabetchouane, une poudrière marque l'emplacement exact de l'ancien comptoir de fourrures. Notez aussi un mémorial érigé en l'honneur de Jean Dequen.

Parc de la caverne « Trou de la Fée » A1

La grotte se trouve à 6 km au sud de Desbiens. En face de l'hôtel de ville de Desbiens (925 r. Hébert), prenez la 7ᵉ Av. ☎ 418 346 1242 - www.cavernetroudelafee.ca - 🅿 - de déb. juin à mi-août : 9h-19h ; de mi-août à fin sept. : 10h-18h - 15 $.

Vieille de quelque 10 000 ans, cette grotte occupe un site sauvage à flanc de montagne, à la jonction du Bouclier canadien et de la cuvette du lac St-Jean. Elle domine de plus de 68 m la rivière Métabetchouane sur laquelle un belvédère d'observation offre une superbe **vue** plongeante. Durant la Seconde Guerre mondiale, des déserteurs qui s'étaient réfugiés dans les parages se dirent sauvés par la fée de la grotte.

🐾 La descente de 38 m dans la caverne est impressionnante et très à pic ; il convient donc d'être équipé *(port de chaussures de sport recommandé ; casques de protection fournis sur place).*

Métabetchouan-Lac-à-la-Croix A1

Ce village, fondé en 1861, évoque par son nom la rivière Métabetchouane (« courants qui se concentrent avant de se déverser » en langue crie). Il s'y tient, durant l'été, le célèbre **Camp musical du Lac-St-Jean** *(concerts en été).*
Situé à flanc de colline, le site offre une superbe **vue** sur le lac.
Rejoignez Alma par la route 170 (29 km).

5

Au nord-est de Québec 6

Phare de Pointe-au-Père.
B. Perousse/Age Fotostock

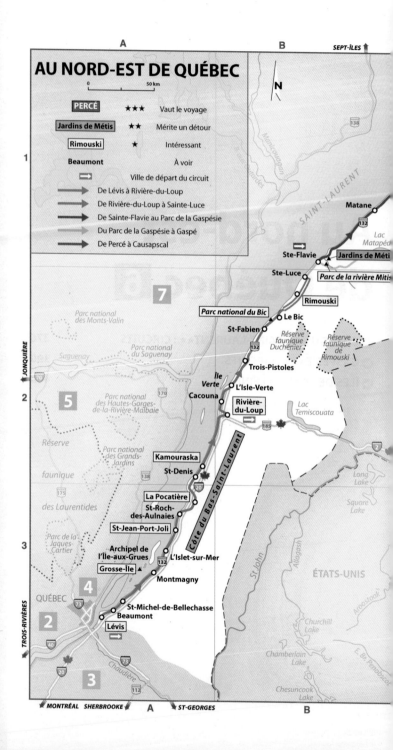

AU NORD-EST DE QUÉBEC

PERCÉ ★★★ Vaut le voyage
Jardins de Métis ★★ Mérite un détour
Rimouski ★ Intéressant
Beaumont À voir
Ville de départ du circuit
De Lévis à Rivière-du-Loup
De Rivière-du-Loup à Sainte-Luce
De Sainte-Flavie au Parc de la Gaspésie
Du Parc de la Gaspésie à Gaspé
De Percé à Causapscal

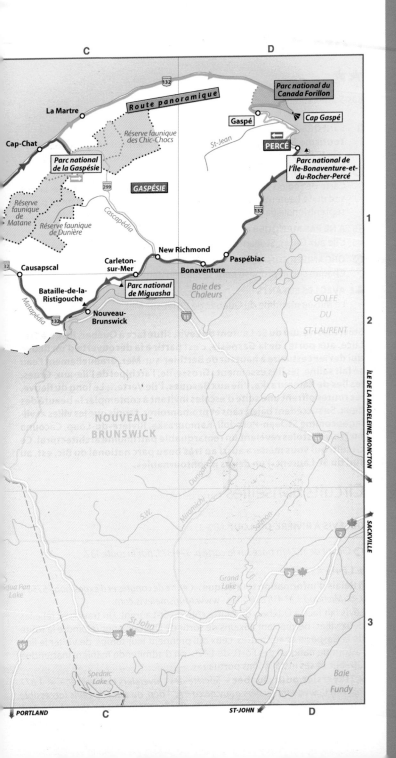

Côte du Bas-Saint-Laurent

★★

Bas-Saint-Laurent

🛈 **S'INFORMER**

Tourisme Bas-St-Laurent – *148 r. Fraser, Rivière-du-Loup (QC) G5R 1C8 - 𝒫 418 867 3015 ou 1 800 563 5268 - www.tourismebas-st-laurent.com.*

◑ **SE REPÉRER**

Carte de région AB2-3 (p. 374-375). Entre Québec et la Gaspésie, la rive sud du St-Laurent englobe la région du Bas-St-Laurent, et, dans sa partie septentrionale (la Côte-du-Sud), celle de Chaudière-Appalaches.

☺ **À NE PAS MANQUER**

L'île aux Grues, St-Jean-Port-Joli, Kamouraska, le parc national du Bic.

🕐 **ORGANISER SON TEMPS**

Chaque circuit proposé peut se faire en deux ou trois jours.

👫 **AVEC LES ENFANTS**

Le Musée maritime du Québec de L'Islet-sur-Mer.

Suivre la rive sud du St-Laurent de Lévis, situé face à Québec, jusqu'à Ste-Luce, aux portes de la Gaspésie, c'est partir à la découverte d'un fleuve qui devient estuaire à hauteur de Berthier-sur-Mer. Graduellement l'eau se fait saline, les îles essaiment : Grosse-île, l'archipel de l'île-aux-Grues, les îles de Kamouraska, l'île aux Basques, l'île Verte… Le long du fleuve, les routes offrent une suite d'escales invitant à contempler la beauté des lieux. Se succèdent baies, caps et promontoires, tandis que les villes et villages comme St-Jean-Port-Joli, Kamouraska, Rivière-du-Loup, Cacouna ou Trois-Pistoles révèlent un remarquable patrimoine architectural. Ce circuit, qui vous mènera aussi au très beau parc national du Bic, est, au sud du St-Laurent, l'un de ses incontournables.

Circuits conseillés Carte de région

DE LÉVIS À RIVIÈRE-DU-LOUP AB2-3

◑ *Circuit de 187 km tracé sur la carte p. 374-375, par la route 132.*

★ **Lévis** A3

🛈 **Relais d'information touristique** – *Centre de congrès et d'exposition - 5750 r. J.-B.-Michaud - 𝒫 418 838 6026 - www.tourismelevis.com.*

Lévis fait face à Québec, de l'autre côté du St-Laurent. Un traversier relie les deux villes, permettant aux uns de sortir de Québec pour rejoindre la route de la Gaspésie et aux autres, ceux qui prennent leur temps, de visiter le lieu historique national des Forts-de-Lévis, ou d'admirer de manière inattendue Québec et ses installations portuaires.

★ **Traversier pour Québec** – *Société des traversiers du Québec - 𝒫 1 877 787 7483 - www.traversiers.gouv.qc.ca - ♿ - dép. du quai de Lévis (accessible à pied ou en voiture) tte l'année : 6h-2h, ttes les 30mn (ttes les 15mn lun.-vend. 7h-10h, 15h-19h) - traversée 10mn - 3 $/passager, 7 $/voiture. En service depuis*

LÉVIS PAR LE PASSÉ

C'est sur la falaise rocheuse de Lévy qu'en 1759, le général anglais Wolfe bâtit une redoute d'où il comptait bombarder la capitale française. D'abord appelée Aubigny, la petite agglomération fut rebaptisée en 1861 en l'honneur de François-Gaston, duc de Lévis, vainqueur des Anglais à Ste-Foy en 1760. Au 19e s., Lévis était l'un des principaux centres d'exportation de bois d'œuvre vers l'Angleterre. En 1828, la société de construction navale Davie (Davie Shipbuilding Company), de la ville voisine de Lauzon, y aménagea le premier chantier maritime du Canada. Avec l'arrivée du chemin de fer en 1861, la ville devint un carrefour commercial important. Le port, les activités liées à l'industrie du bois et, bien sûr, la fameuse Caisse populaire Desjardins ont contribué à l'essor de Lévis.

1812, ce traversier est de loin la façon la plus pittoresque d'aborder la ville de Québec si l'on veut profiter d'une **vue** exceptionnelle sur son site et ses installations portuaires.

Terrasse de Lévis – *À partir de la route 132, prenez la rue Côte-du-Passage. Restez dans la file de gauche, et tournez à gauche dans la rue William-Tremblay.* Construite pendant la crise de 1929, la terrasse fut inaugurée en 1939 par le roi George VI et sa fille, la future reine Elizabeth II. Elle domine le fleuve et offre une excellente **vue**★★ tant sur le Vieux-Lévis que sur Québec, la Citadelle, le château Frontenac et le port. La vue porte jusqu'au mont Ste-Anne à l'est, et au pont de Québec à l'ouest.

Carré Déziel – Au cœur du Vieux-Lévis, le carré Déziel met en valeur plusieurs édifices, dont la vaste église N.-D.-de-la-Victoire, édifiée en 1851. Au centre de la place, le **monument** à la mémoire de Joseph-David Déziel (1806-1882) est l'œuvre du sculpteur Louis-Philippe Hébert. Premier curé de la paroisse et supérieur du collège de Lévis qu'il créa en 1851, Déziel est aujourd'hui considéré comme le fondateur de Lévis.

★ **Maison Alphonse-Desjardins** – *À l'angle de la rue Guenette. 8 av. Mont-Marie -* ☎ *418 835 2090 - www.desjardins.com/maisonalphonsedesjardins -* ♿🅿 *- visite guidée (45mn) - 10h-18h, w.-end 11h-18h - fermé 1er-2 janv., 24-26 et 31 déc.* Alphonse Desjardins, le fondateur en 1900 de la banque qui porte son nom, et son épouse Dorimène habitèrent plus de 40 ans ce cottage en bois de style néogothique, construit entre 1882 et 1884. Ici même furent enregistrées les transactions de leur toute première Caisse populaire. Restaurée en 1982 par le mouvement Desjardins *(voir p. 378)* en hommage à son fondateur, la petite maison blanche a désormais retrouvé son caractère d'antan. Une vidéo et divers objets racontent la vie d'Alphonse Desjardins et décrivent l'œuvre à laquelle il s'est consacré.

★ **Lieu historique national du Canada des Forts-de-Lévis** – *À 2 km par la route 132 Est et le chemin du Gouvernement.* ☎ *418 835 5182 ou 1 888 773 8888 - www.pc.gc.ca/levis -* ♿🅿 *- de mi-mai à fin août : 10h-17h - 3,90 $.* Bâti entre 1865 et 1872 sur la pointe de Lévy, face à la ville de Québec, ce vestige de l'architecture militaire du 19e s. domine la rive sud du St-Laurent. Il faisait partie d'une série de trois forts destinés à protéger Québec de la menace américaine, puis des raids menés par les **féniens**. Ces derniers, membres d'une société secrète irlandaise fondée à New York vers 1858, luttaient pour libérer l'Irlande de la domination anglaise et avaient pour objectif l'occupation de l'Amérique du Nord britannique. Pratiquement abandonné après le traité de Washington en 1871, le fort n'eut guère l'occasion de servir.

ALPHONSE DESJARDINS

Le 6 décembre 1900, Alphonse Desjardins (1854-1920), journaliste et rapporteur officiel des débats à la Chambre des communes, fondait la « Caisse populaire », première coopérative d'épargne et de crédit en Amérique du Nord. Modelé sur l'exemple européen, ce nouveau type de banque populaire fut adapté au contexte québécois. Il visait notamment à donner aux Canadiens français une autonomie économique et à freiner leur exode vers les États-Unis. Alphonse Desjardins et sa femme, Dorimène, ouvrirent la première « caisse pop » dans leur maison de Lévis. Bientôt, 186 succursales allaient être créées dans tout le Québec. En 1932, les caisses furent regroupées au sein d'une confédération.

Le **mouvement Desjardins**, dont le siège social est à Lévis, compte plus de 1 300 Caisses populaires réunissant quelque cinq millions de membres.

Il s'agit d'un ouvrage massif en terre, de type « Montalembert », doté d'un remblai destiné à protéger les casemates. Il comprend une fosse et des tunnels voûtés conduisant à la caponnière. Sa structure marque la transition entre les principes classiques de défense, fondés sur l'utilisation de fortifications continues, et les pratiques militaires du milieu du 19e s., basées sur la construction de forts détachés. Du fort, la **vue★** sur l'île d'Orléans, le parc de la Chute-Montmorency et le St-Laurent est superbe.

À la sortie de Lévis, la route 132 longe le St-Laurent et offre de belles vues de Québec et de la **chute Montmorency**, sur la rive gauche.

Après 13 km, tournez à gauche en direction de Beaumont.

Beaumont A3

Construite entre 1726 et 1733, l'**église** de Beaumont est l'une des plus anciennes du Québec (après l'église de St-Pierre, sur l'île d'Orléans, et la chapelle votive de Cap-de-la-Madeleine). C'est là, en 1759, que le général Wolfe – commandant en chef des troupes anglaises – fit afficher la fameuse proclamation qui affirmait la suprématie britannique. Quand les villageois l'arrachèrent, ses soldats voulurent brûler l'église mais le bâtiment demeura intact. Sa façade fut agrandie, et on ajouta une chapelle au nord ainsi qu'une sacristie. Sa nef dépouillée se termine en une abside circulaire. À l'intérieur, on découvre un magnifique décor de bois sculpté, façonné par Étienne Bercier, de l'atelier de Louis-Amable Quévillon à Montréal. Exécuté de 1809 à 1811, le chœur est orné de boiseries de style Louis XV et d'une voûte étoilée en caissons. Le tabernacle finement sculpté du maître-autel, du 18e s., est surmonté d'un tableau d'Antoine Plamondon, *La Mort de saint Étienne*.

Traversez le village pour rejoindre la route 132.

Moulin de Beaumont – *À 7 km du village, tournez à gauche.* ℘ 418 833 1867 - ✕ ⅋ 🅿 - *de fin juin à déb. sept. : mar.-dim. 10h-17h ; de déb. sept. à mi-oct. : w.-end 10h-17h -* 8 $. Construit en 1821, ce moulin qui surplombe la chute à Maillou était destiné au cardage de la laine pour la seigneurie. En 1850, il devint un moulin à grain et, par la suite, une scierie. Il fut restauré et rouvert en 1967, puis meublé par les habitants de la région (troisième étage et grenier). Le visiteur pourra y acheter du pain préparé avec de la farine de blé entier moulue sur place.

Derrière le moulin, un escalier panoramique assez raide mène au pied de la falaise, sur la rive du St-Laurent. On y voit les fondations du **moulin Péan** (18e s.), qui fonctionna jusqu'en 1888. Depuis 1984, l'endroit fait l'objet de fouilles archéologiques.

Reprenez la route 132 et continuez sur 4 km avant de tourner à gauche.

Saint-Michel-de-Bellechasse A3

L'**église**, au centre du village, date de 1858. Plus ancien, le **presbytère** (1739) fut réalisé dans le plus pur style québécois, avec ses volets sculptés d'une fleur de lys (en haut) et d'une feuille d'érable (en bas). À la fin du 18e s., l'édifice fut endommagé par les Anglais, puis restauré.

Reprenez la route 132 en direction de Montmagny.

Cette région agricole est parsemée de fermes laitières et de plusieurs maisons décorées de boiseries colorées. La route longe le bord de l'eau, et offre de jolis points de vue sur le St-Laurent et sur l'archipel de l'Île-aux-Grues.

Montmagny A3

🛈 **Bureau d'information touristique** – *45 av. du Quai -* 📞 *1 800 463 5643 - www.cotedusud.ca.*

Cette charmante ville présente bien des points d'intérêt.

Musée de l'Accordéon – *301 bd Taché Est -* 📞 *418 248 7927 - www.accordeon. montmagny.com -* ♿🅿 *- de fin juin à déb. sept. : 10h-16h ; reste de l'année : lun.-vend. 10h-16h - 4 $.* Logé dans le superbe manoir Couillard-Dupuis (1789), il retrace l'histoire de ce fameux instrument à soufflet et permet d'assister à différentes étapes de sa fabrication.

Centre des migrations – *53 r. du Bassin-Nord -* 📞 *418 234 8841 -* ♿🅿 *- mai-oct. : 9h-17h, 3,50 $.* Les visiteurs découvriront une exposition interactive sur les oies blanches ainsi qu'une présentation du centre de quarantaine de Grosse-Île.

Archipel de l'Île-aux-Grues A3

Visite guidée – *Dép. quotidien de Berthier-sur-Mer - Croisières Lachance -* 📞 *418 259 2140 ou 1 888 476 7734 - www.croisiereslachance.ca -* ♿🅿 *- mai-oct. : téléphoner pour les horaires - AR 2h30 - commentaire à bord. Réserv. recommandée - de 38 à 52 $ selon le forfait.* Les plus importantes des 21 îles et îlots dont se compose l'archipel sont Grosse-Île, l'île aux Grues et l'île aux Oies.

Île aux Grues – *Accès en traversier -* 📞 *418 248 6869 - www.traversiers.gouv.qc.ca -* ♿🅿 *- dép. de Montmagny avr.-déc. - aller simple 25mn - se renseigner sur les horaires.* La seule île habitée en permanence fait 10 km de long. Les premiers colons européens débarquèrent ici en 1679. Au cours du siècle suivant, les troupes anglaises du général Wolfe dévastèrent l'île. Aujourd'hui, cette oasis de paix, visitée au printemps et à l'automne par des milliers d'oies blanches, attire les amoureux du calme et de la nature qui y trouveront gîtes et auberges.

À la pointe sud-est de l'île, en dehors du village de St-Antoine, se dresse un élégant manoir en bordure du St-Laurent.

★ Lieu historique national du Canada de la Grosse-Île-et-le-Mémorial-des-Irlandais A3

📞 *1 888 773 8888 - www.pc.gc.ca/grosseile -* ✕🅿 *- de déb. mai à mi-oct. : 9h-18h - plusieurs compagnies assurent le transport vers Grosse-Île au départ de Berthier-sur-Mer (Croisières Lachance, voir Archipel de l'Île-aux-Grues), Québec (Croisières le Coudrier, www.croisierescoudrier.qc.ca, 72 $) et de la baie de Beauport (Croisières Fleuve-Océan, www.fleuve-ocean.com, 83 $) - Aller simple 30mn - commentaire à bord.*

Face au flot grandissant d'immigrants européens, le gouvernement du Canada établit en 1832 un centre de quarantaine sur Grosse-Île. Il s'agissait avant tout de protéger le pays des épidémies (notamment le choléra) qui ravageaient alors l'Europe. Dès la première année, 50 000 immigrants transitèrent par l'île. En 1847 arrivèrent plusieurs milliers d'Irlandais fuyant la misère, la répression politique et… le redoutable typhus. Environ 5 000 périrent sur Grosse-Île avant même d'avoir atteint le continent.

L'île était jadis divisée en trois zones. Dans la partie ouest, dite « Secteur Hôtel », les immigrants en bonne santé trouvaient à se loger dans des bâtiments de standing variable. Un hôtel de première classe fut ainsi construit en 1914, chaque chambre avait l'eau courante et l'électricité. Le Secteur Village, dans la partie centrale de l'île, abritait les employés du centre et leurs familles. À l'est, le Secteur Hôpital comprenait 21 installations hospitalières dont une existe toujours. Le centre de quarantaine humanitaire de Grosse-Île cessa son activité en 1937. L'île fut tour à tour utilisée comme centre de recherche sur la guerre chimique et bactériologique, sur les maladies animales, puis comme centre de quarantaine animale, avant de devenir lieu historique national en 1990.

👣 Une promenade guidée dans le Secteur Hôtel permet de voir l'hôtel de première classe, le cimetière, la baie du Choléra et le monument érigé en 1909 à la mémoire des milliers d'Irlandais enterrés sur l'île. La visite se poursuit, à bord d'un petit train, jusqu'au Secteur Village où s'élève la chapelle réservée aux employés et à leurs familles. Elle se termine par le Secteur Hôpital.

L'Islet-sur-Mer A3

Bâtie face à la pointe de l'île aux Oies, L'Islet-sur-Mer est « tournée » vers la mer. Depuis le 18e s., son économie repose sur son activité maritime et beaucoup d'Isletains sont devenus capitaines, marins et bien sûr pêcheurs. Pas surprenant donc d'y trouver le Musée maritime du Québec.

★ **Église N.-D.-de-Bonsecours** – ✆ 418 247 5103 - ♿🅿 - *24 juin-1er lun. sept. : 9h-16h, dim. 11h30-16h.* Cet édifice religieux, construit en pierre des champs, fut érigé en 1768 puis agrandi en 1884, époque à laquelle on refit sa façade et ses deux clochers. Les niches de façade contiennent les statues de saint François d'Assise *(à droite)* et saint Jean-Baptiste *(à gauche)*, œuvre d'Amable Charron qui réalisa également les corniches intérieures. L'église possède par ailleurs un maître-autel de François Baillairgé, un tabernacle de Noël Levasseur, six tableaux d'Antoine Plamondon et un chemin de Croix sculpté en 1945 par Médard Bourgault, originaire de St-Jean-Port-Joli.

Musée maritime du Québec – *200 m après l'église.* ✆ 418 247 5001 - www.mmq.qc.ca - ♿🅿 - *de fin mai à fin juin et de déb. sept. à déb. oct. : 10h-17h ; de fin juin à déb. sept. : 9h-18h ; de déb. oct. à fin mai : lun.-vend. 10h-16h (sur réserv.) - 10 $ (5-15 ans 5 $).* Ce musée perpétue, par le nom de son édifice principal, le souvenir du capitaine Joseph-Elzéar Bernier (1852-1934), navigateur originaire de L'Islet-sur-Mer et l'un des premiers explorateurs de l'Arctique. Les trois salles d'expositions sont consacrées au patrimoine maritime du St-Laurent. On y verra notamment des maquettes de navires et des objets récupérés à la suite du naufrage de l'*Empress of Ireland* qui coula en 1914.

👥 Derrière le musée, le brise-glace *Ernest Lapointe*, construit en 1940 pour la flotte de la Garde-côtière canadienne, et l'hydroptère *Bras d'Or 400*, utilisé par la marine canadienne entre 1968 et 1972, sont aussi ouverts au public.

★ Saint-Jean-Port-Joli A3

🛈 **Bureau d'information touristique** – *20 av. de Gaspé Ouest (route 132) -* ✆ *1 800 278 3555 - www.cotedusud.ca.*

Patrie d'une célèbre famille de sculpteurs, les frères Bourgault : Médard (1897-1967), André (1898-1958) et Jean-Julien (1910-1996), la petite ville de St-Jean-Port-Joli est devenue, au fil des ans, la capitale québécoise de la sculpture sur bois, comme l'illustrent ses innombrables galeries, boutiques et ateliers d'artisanat. Autre résident de marque, Philippe Aubert de Gaspé père (1786-1871), parti de Québec en 1824 pour s'installer ici dans l'intention d'écrire Les Anciens Canadiens. Ce roman, publié en 1863, allait d'ailleurs faire sa gloire.

Église St-Jean-Baptiste – *Au centre du village* - &♿🅿. Avec ses élégants clochers et sa toiture galbée, cet édifice constitue un pittoresque exemple d'architecture (1779). L'**intérieur** comporte plusieurs œuvres de Médard et Jean-Julien Bourgault. Le tabernacle du maître-autel, attribué à Pierre-Noël Levasseur, daterait de 1740. Il est situé dans le sanctuaire, qui fut décoré entre 1794 et 1798 par Jean Baillairgé et son fils Florent. La voûte en berceau de l'église évoque le firmament ; elle est formée de petits caissons ornés de 4 300 fleurs sculptées. Le banc seigneurial a été conservé en l'honneur du dernier seigneur de St-Jean-Port-Joli, Philippe Aubert de Gaspé, enterré dans la crypte de l'église. En 1987, dix-sept sculpteurs sur bois du village ont uni leurs talents pour créer une magnifique **crèche de Noël★**.

Musée des Anciens Canadiens – ✆ *418 598 3392* - &♿🅿 - *www.museedes ancienscanadiens.com - mai-juin : 9h-18h ; juil.-août : 8h30-21h ; sept.-oct. : 8h30-18h - 7 $*. On y verra des sculptures sur bois façonnées par les meilleurs artistes de St-Jean-Port-Joli (dont les frères Bourgault). Le musée propose aussi une projection vidéo *(15mn)* consacrée à la sculpture sur bois, sur pierre et sur glace et, à la période estivale, des démonstrations de sculpture.

Site du manoir de Philippe Aubert de Gaspé – ✆ *418 358 0518 - www.memoire vivante.org - de fin juin à déb. sept. : 9h-17h30 ; reste de l'année : mar.-dim. 10h-17h - 7 $*. En 1909, un incendie détruisit le manoir où Philippe Aubert de Gaspé écrivit son roman, n'épargnant guère que le four à pain domanial (1764). Le manoir fut reconstruit selon l'allure extérieure qu'on lui connaissait au 19e s. et abrite aujourd'hui le musée de la Mémoire vivante. Dédié aux témoignages et récits de vie, ce musée est également voué à l'histoire locale et à l'écrivain Philippe Aubert de Gaspé. Il expose par ailleurs les découvertes archéologiques réalisées sur le site et le produit des fouilles qui s'y poursuivent.

Saint-Roch-des-Aulnaies A3

Ce village paisible doit son nom à l'abondance d'aulnes qu'on y observe le long de la rivière Férée. La seigneurie des Aulnaies est l'une des plus anciennes de la région. Elle fut concédée en 1656 à Nicolas Juchereau de St-Denis, mais les premiers colons, repoussés par les Iroquois, n'arrivèrent qu'à la fin du 17e s. En 1837, Aimable Dionne (1781-1852) acheta la seigneurie. Riche marchand, il fut maire de Kamouraska pendant plus de 30 ans et construisit un magnifique manoir pour son fils, Pascal-Aimable.

Église St-Roch – *À 3 km à l'est de l'entrée du village, sur la route 132.* ✆ *418 354 2552* - & - *de mi-juil. à mi-août : 10h-17h*. Construite en 1849, cette église néogothique abrite de nombreuses toiles de Joseph Légaré (1795-1855). La chaire sculptée et l'autel sont l'œuvre de François Baillairgé.

À 400 m de l'église, la petite **chapelle de procession** en pierre date de 1792 *(du 24 juin au 1er lun. de sept. : 10h-17h)*.

Seigneurie des Aulnaies – *À 3 km à l'est de l'église par la route 132. Tournez à droite, puis montez au sommet de la colline jusqu'au terrain de stationnement et au centre d'information.* ✆ *418 354 2800 ou 1 877 354 2800 - www. laseigneuriedesaulnaies.qc.ca - 🍴🅿 - de mi-juin à déb. sept. : 9h30-18h ; de mi-mai à déb. juin et de déb. sept. à mi-oct. : w.-end 10h-18h - 12,50 $*. Élevée sur un promontoire au confluent de deux rivières, cette belle maison de bois d'époque victorienne fut construite entre 1850 et 1853, selon les plans de l'illustre architecte Charles Baillairgé. Elle est entourée de grandes galeries ornées de dentelles de bois. Deux tours octogonales jouxtent ses flancs. À l'intérieur, les pièces ont été aménagées de manière à refléter les goûts de l'époque. Des guides en costumes de la fin du 19e s. commentent la visite de la demeure et décrivent le mode de vie d'antan.

6

À l'extérieur, on appréciera les jardins, superbement entretenus, et le **moulin banal** adjacent (1842), d'une taille démesurée.

★ La Pocatière A3

Berceau de l'enseignement agricole au Canada, La Pocatière a conservé sa vocation éducative, et l'on y effectue aujourd'hui d'importantes recherches dans différents domaines, en particulier celui de l'agroalimentaire. Le secteur industriel est également représenté par les usines Bombardier, célèbres pour leurs motoneiges et leurs véhicules guidés sur rail.

★ Musée François-Pilote – *Derrière le collège Ste-Anne - entrée au 1er étage.* 418 856 3145 - *www.museefrancoispilote.ca -* P - *juil.-août : 9h-12h, 13h-17h, dim. 13h-17h ; reste de l'année : lun.-jeu. 9h-12h, 13h-17h - 6 $.* Essentiellement consacré à la vie en milieu rural au début du 20e s., ce musée d'ethnologie québécoise porte le nom du fondateur de la première École permanente d'agriculture (1859) au Canada, l'abbé François Pilote. Les gestes du bûcheron, du menuisier, du forgeron, du cordonnier et du tisserand sont évoqués à travers leurs outils ; ceux du paysan sont illustrés par toute une collection d'instruments aratoires. La reconstitution d'une cabane à sucre donne l'occasion de découvrir les techniques traditionnelles de fabrication du sirop d'érable. Notez aussi une section consacrée aux moyens de transport de l'époque (traîneaux, voitures à chevaux et autres), ainsi qu'une exposition sur la navigation côtière du milieu du 18e s. au milieu du 19e s., avec des modèles réduits de bateaux et différents instruments de navigation.

Une exposition présente l'évolution de l'agriculture depuis l'époque de Champlain (première moitié du 17e s.) jusqu'à nos jours, avec un aperçu sur les techniques du futur. Un salon, une salle à manger et une chambre à coucher recréent le confort et l'aisance d'une famille bourgeoise des années 1920 et sept pièces évoquent le mode de vie d'une famille de fermiers du Québec dans les années 1900. Une école rurale, un magasin général et les bureaux du médecin de campagne, du dentiste et du notaire viennent compléter ce tableau thématique. Enfin, l'histoire de l'enseignement agricole au Québec est présentée à travers diverses disciplines telles que l'élevage, l'aviculture, la botanique et la zoologie, mais aussi la chimie, la physique, l'astronomie et les pêcheries.

Rivière-Ouelle – *À 10 km.* Autrefois appelé Rivière-Houel en souvenir de l'un des officiers de Champlain, le territoire fut concédé en 1672 par l'intendant Jean Talon à Jean-Baptiste Deschamps, dit Boishébert de la Bouteillerie.

Saint-Denis A2

Maison Chapais – *Au centre du village. 2 rte 132 Est -* 418 498 2353 - *www.maisonchapais.com -* & - *visite guidée (40mn) de juin à mi-oct. : 9h-17h - 6 $.* Construite en 1833 pour Jean-Charles Chapais, l'un des signataires de la Confédération, elle appartint à sa famille jusqu'en 1968. En 1866, le porche et l'escalier en spirale furent ajoutés à la façade, et de nouveaux meubles

---

LA ROUTE DES NAVIGATEURS

Cet itinéraire, reliant La Pocatière à Ste-Luce (190 km), longe la rive sud du St-Laurent. Il offre des panoramas sans cesse renouvelés et permet d'explorer les sites représentatifs du patrimoine maritime régional, qui sont signalés par un panneau bleu marqué d'une roue de gouvernail. www.bassaintlaurent.ca

Kamouraska.
A. Marsh/Age Fotostock

furent achetés : ceux du salon datent du début du 19ᵉ s. ; en revanche, ceux de la salle à manger et de la chambre sont de style Second Empire.

La route traverse une plaine d'où l'on découvre un beau panorama sur les Laurentides. En travers du littoral, des nasses à anguilles se prolongent jusque dans le fleuve.

Continuez vers le nord sur la route 132.

★ Kamouraska A2

🅸 Bureau d'accueil touristique – *69A av. Morel - 📞 418 492 1325- www.kamouraska.ca.*

En 1674, Louis de Buade, comte de Frontenac et gouverneur de la Nouvelle-France, concédait à Olivier Morel de la Durantaye la seigneurie de Kamouraska. Les premiers colons arrivèrent l'année suivante. Au 18ᵉ s., Kamouraska était devenu l'un des villages les plus peuplés du Bas-St-Laurent. Depuis le 19ᵉ s., la culture des céréales, des pommes de terre et l'élevage laitier ont fait de l'agriculture le pivot de l'économie locale.

Si vous n'avez pas lu le célèbre roman d'Anne Hébert, *Kamouraska,* il sera temps de le faire au retour de ce village qui a également donné son nom, en architecture, à une forme de toit, le toit Kamouraska, appelé aussi toit à larmier (ou avant-toit). Sa forme incurvée, qui apparut d'abord sur quelques édifices publics, dont l'église de St-Jean-Port-Joli, confère à plusieurs maisons de la région une silhouette pittoresque.

Kamouraska , « Là où il y a des joncs au bord de l'eau » en algonquin, se distingue aussi par ses battures : ces parties du rivage que la marée ascendante laisse à découvert constituent des refuges naturels pour de nombreuses espèces d'oiseaux et d'invertébrés. Une raison de plus pour venir découvrir Kamouraska.

Musée régional de Kamouraska – *Derrière l'église. 69 av. Morel - 📞 418 492 9783 - www.museekamouraska.com -* 🅿 *- de fin-juin à déb. sept. : 9h-17h ; de mi-mai à fin juin et de déb. sept. à fin déc. : mar.-vend. 9h-17h, w.-end 13h-17h - 5 $.*

Ce couvent transformé en musée fut construit en 1851. Consacré à l'histoire culturelle de la région de Kamouraska, il renferme du mobilier et des objets typiques des maisons et du style de vie des premiers colons européens. Des instruments agricoles et des outils d'artisans témoignent des conditions de travail des pionniers. De nombreuses pièces de l'attirail du pêcheur et des maquettes illustrant les techniques de pêche à l'anguille démontrent l'importance prépondérante du St-Laurent dans la vie des villageois. Le musée conserve aussi le vieux retable de la seconde église (1727), sculpté par François-Noël Levasseur en 1737.

Berceau de Kamouraska – *À 3 km à l'est du village, sur la route 132.* Le cœur du village est connu sous le nom de « Berceau de Kamouraska ». Une chapelle en plein air marque aujourd'hui l'emplacement des deux premières églises (1709 et 1727) et du cimetière où quelque 1 400 pionniers furent enterrés.

Société d'écologie de la batture du Kamouraska – *À 9 km à l'est du Berceau de Kamouraska et à 3 km à l'ouest de St-André-de-Kamouraska, sur la route 132. 273 rte 132 Ouest -* 𝒫 *418 493 9984 - www.sebka.ca -* △ ▣ *- 21 juin-1ᵉʳ lun. sept. : 8h-21h ; 15 mai-20 juin et de déb. sept. à fin oct. : 10h-18h - 9 $ la visite guidée d'interprétation.* La Société d'écologie de la batture du Kamouraska (SEBKA) est un centre de plein air qui propose trois types d'activités : de l'escalade sur les falaises de St-André, du kayak de mer ainsi qu'une halte écologique dont l'objectif est de stimuler l'intérêt des visiteurs pour la connaissance et le respect de l'écosystème marécageux et fluvial.

Des activités d'initiation sur différents thèmes écologiques (faune et flore des marais, bélugas, faucons pèlerins et différentes espèces d'oiseaux) sont animées par des guides spécialisés.

🐾 Un parcours *(12 km)* mène au marais ainsi qu'à un promontoire rocheux doté de belvédères panoramiques et de postes d'observation ornithologique.

★ Rivière-du-Loup B2

🛈 **Bureau d'information touristique** – *189 bd de l'Hôtel-de-Ville -* 𝒫 *418 862 1981 ou 1 888 825 1981 - www.tourismeriviereduloup.ca.*

Au cœur de la région du Bas-St-Laurent, entre Québec et la Gaspésie, Rivière-du-Loup, se trouve à un carrefour géographique propice au commerce et au tourisme : un service de traversier assure la liaison avec St-Siméon (sur la rive nord du St-Laurent), dans la région de Charlevoix, tandis que la Transcanadienne conduit au sud vers le Nouveau-Brunswick.

Hôtel de ville – *À l'angle de la rue Lafontaine et du bd de l'Hôtel-de-Ville.* Cet édifice (1917) fut construit à l'emplacement d'un ancien marché public ravagé par un incendie en 1910. La tour de l'horloge, qui caractérise les hôtels de ville en territoire anglophone, constitue ici un élément architectural inhabituel.

Tournez à droite dans la rue Lafontaine. Traversez-la pour aller rue de la Cour.

Situé au coin de la rue Lafontaine et de la rue de la Cour, le **palais de justice**, tout de pierre de taille et de brique, fut conçu par David Ouellet en 1881. Il a fait l'objet de trois rénovations importantes.

L'**ancien bureau de poste** (1889) est un imposant édifice de brique sombre situé dans la rue Iberville *(tournez à droite à partir de la rue Lafontaine).* Bel exemple d'architecture anglo-saxonne, il abrite un centre de services communautaires.

Suivez la rue Iberville. Continuez jusqu'à la rue du Rocher et tournez à droite.

Bibliothèque municipale – L'édifice de pierre fut construit en 1886 par David Ouellet dans le style Second Empire. Il abrita pendant près d'un siècle le couvent des sœurs du Bon-Pasteur. En 1978, après le départ de la congrégation religieuse, il fut rénové, puis transformé en bibliothèque en 1983.

UNE CITÉ PROSPÈRE

En 1673, la seigneurie de Rivière-du-Loup fut concédée à Charles-Aubert de la Chesnaye, ancêtre de l'écrivain Philippe Aubert de Gaspé. Il s'associa au sieur Charles Bazire pour tirer profit des fourrures et des pêcheries, et devint l'un des négociants les plus riches de la Nouvelle-France. Mais les deux hommes ne se préoccupaient guère de coloniser le territoire dont la population passa à peine, entre 1683 et 1765, de 4 à 68 habitants.

Avec l'acquisition de la seigneurie par Alexander Fraser en 1802, commença sa véritable expansion. Le commerce du bois, que Fraser entretenait avec l'Angleterre, permit à Rivière-du-Loup de prospérer. La région connut un nouvel essor avec la création, en 1860, d'une ligne ferroviaire reliant Rivière-du-Loup à Windsor (Cantons-de-l'Est). En 1887, l'arrivée du chemin de fer du Témiscouata devait par ailleurs relier la ville au Nouveau-Brunswick. Les opulentes résidences et les grands édifices publics construits à l'époque témoignent de la prospérité qui régnait à la fin du 19e s. et au début du 20e s.

Au coin, à côté du parc Blais, tournez à gauche dans la rue Lafontaine puis retournez à l'hôtel de ville.

Musée du Bas-St-Laurent – *300 r. St-Pierre -* 📞 *418 862 7547 - www.mbsl.qc.ca -* ♿🅿 *- de mi-juin à déb. sept. : 9h-18h ; de déb. sept. à mi-oct. : 13h-17h ; reste de l'année : merc.-dim. 13h-17h - fermé 1er janv. et 25 déc. - 5 $.* L'héritage culturel et l'art contemporain sont les thèmes des diverses expositions présentées au musée. On y voit également de nombreuses œuvres d'artistes québécois.

★ **Chutes de la rivière du Loup** – *Suivez la rue Lafontaine vers le nord jusqu'à la rue Frontenac. Tournez à droite. Les chutes se trouvent deux rues plus loin.* Avant de se jeter dans le St-Laurent, la rivière du Loup subit une dénivellation de 90 m. Huit chutes interrompent son cours sur une distance de 1 500 m. Ici, les chutes font 38 m de haut.

Des marches conduisent à un belvédère d'où la vue embrasse la rivière et la ville. On voit également une **croix lumineuse** érigée sur la falaise qui surplombe la rivière.

L'île aux Lièvres et autres îles – La Société Duvetnor *(200 r. Hayward -* 📞 *418 867 1660 - www.duvetnor.com - entre 25 et 55 $)* offre la possibilité d'admirer les cormorans à double crête, les grands hérons bleus ainsi que les guillemots noirs peuplant une réserve naturelle composée de plusieurs îles – les Pèlerins, les îles du Pot-de-l'Eau-de-Vie et l'île aux Lièvres – au large de Rivière-du-Loup. Parmi toutes les activités proposées : excursions en mer et camping.

🐾 **Bon à savoir** – Un traversier part de Rivière-du-Loup pour rejoindre la rive nord du St-Laurent à hauteur de St-Siméon *(voir p. 347).* Une manière originale de contempler la beauté du fleuve.

DE RIVIÈRE-DU-LOUP À SAINTE-LUCE B2

6

▶ *Circuit de 130 km tracé sur la carte p. 374-375, par la route 132.*

Cacouna

La seigneurie fut concédée à Daulier Duparc en 1673, mais les premiers colons ne vinrent s'y installer qu'à partir de 1750. Les Amérindiens avaient appelé la région *Kakouna*, « terre du porc-épic ». Au milieu du 19e s., Cacouna devint un centre de villégiature populaire où furent édifiés de grands hôtels et de luxueuses pensions de famille dont ne subsistent aujourd'hui que quelques somptueuses villas victoriennes en bord de mer.

Église St-Georges – *De la route 132, prenez à droite la rue de l'Église, et passez encore deux rues* - ♿🅿. Cette église en pierre de taille, édifiée en 1848, fut en partie reconstruite en 1896. L'intérieur (1852), de François-Xavier Berlinguet, est richement décoré d'ornements dorés et sculptés, de lustres de cristal et de peintures italiennes de la fin du 19e s. L'orgue de 1888 reste l'un des rares modèles signés Eusèbe Brodeur, prédécesseur des Frères Casavant, de St-Hyacinthe. À côté, le **presbytère** néoclassique fut construit entre 1835 et 1841.

L'Isle-Verte

Fait d'anses et de pointes, le littoral de L'Isle-Verte regorge d'une importante faune aquatique, qui permet aux Isle-Vertois de vivre de la pêche au hareng et à l'anguille.

Réserve nationale de faune de la Baie-de-L'Isle-Verte – *371 rte 132 - ☎ 418 898 2757 - visite guidée (2h) de mi-juin à mi-sept.* Elle abrite l'un des plus vastes marais à spartines du Québec. Ce marais salé parsemé de marelles (petits étangs naturels) constitue l'une des principales aires de reproduction du canard noir en Amérique du Nord. C'est aussi d'une halte importante pour de nombreuses autres espèces d'oiseaux migrateurs. On identifie plus de 260 espèces d'oiseaux, dont 60 nichent sur place.

🐾 Des sentiers d'observation et d'interprétation permettent l'accès à la réserve. Située à l'est du village de L'Isle-Verte, la maison Girard abrite un centre d'interprétation consacré au site.

Île Verte

Traversier : La Richardière - ☎ 418 898 2843 - www.inter-rives.qc.ca - traversée de 30mn - 7 $; bateau taxi : Jacques Fraser I - ☎ 418 898 2199 - www.ileverte. net/jacques - traversée de 15mn - 7 $.

En face du village de L'Isle-Verte, apparaît l'île Verte. Enchanteresse, elle est la seule île du Bas-St-Laurent habitée toute l'année. Jacques Cartier y débarqua en 1535 et lui aurait donné son nom en apercevant son tapis de verdure au milieu de l'eau. À découvrir dans ce paysage exceptionnel : le phare, l'école du Bout-d'en-Bas, actuel centre d'interprétation de la vie insulaire, et le musée du Squelette.

Trois-Pistoles

🛈 **Bureau d'information touristique** – *51 rte 132 Ouest - ☎ 418 851 3698.*

Le nom de la ville provient d'une ancienne unité monétaire utilisée en Europe jusqu'à la fin du 19e s. Selon une légende locale, un petit vaisseau aurait fait naufrage sur la côte de l'île aux Basques, au début du 17e s. L'un des marins tenait une timbale d'argent lorsqu'il la laissa tomber dans le fleuve et s'exclama : « Voilà trois pistoles de perdues ! »

La seigneurie fut accordée à Denis de Vitré en 1687, mais la région avait été fréquentée longtemps auparavant par des pêcheurs basques, dont la présence est confirmée par les vestiges de fours trouvés sur l'île aux Basques.

Île aux Basques – *À 4 km au large. Rens. auprès du gardien de l'île - ☎ 418 851 1202 - www.provancher.qc.ca.* Refuge d'oiseaux migrateurs, cette île est précieusement conservée par la Société Provancher, qui la rend accessible au public pendant l'été. Son nom se réfère à la présence des chasseurs de baleines d'origine basque, qui venaient y faire fondre la graisse des mammifères vers 1580. Si leurs activités ont très vite cessé (probablement vers 1630), toute la région porte encore leur nom.

Carrefour d'accueil et d'orientation du parc marin du Saguenay-St-Laurent – *Adjacent au bureau d'information touristique.* Pour vous familiariser avec la culture maritime de la région. Sur place, le parc marin, et plus particulièrement le secteur des navigateurs sur la rive sud du St-Laurent et la région des Basques, vous sera présenté.

Parc de l'aventure basque en Amérique (PABA) – *66 r. du Parc - ℘ 418 851 1556 ou 1 877 851 1556 - www.aventurebasque.ca - 10h-18h - 6 $.* Ce centre d'interprétation présente l'histoire et la culture des pêcheurs basques venus chasser la baleine sur le fleuve St-Laurent au 16ᵉ s. À l'extérieur, une place libre, conçue comme dans leurs villages d'origine, est délimitée par le seul fronton de pelote basque du Canada, et par la terrasse d'un café convivial.

Église N.-D.-des-Neiges – *Du centre-ville, prenez à droite la rue Jean-Rioux. ℘ 418 851 1391 - & 🅿 - 24 juin-2 sept. : 9h-12h, 13h-17h.* Cet imposant édifice religieux fut construit de 1882 à 1887 selon les plans de David Ouellet. Son extérieur se distingue par deux clochers et trois clochetons et par quatre façades aux lignes angulaires. L'intérieur, très orné, est l'œuvre du chanoine Georges Bouillon, partisan du style romano-byzantin. On y remarquera beaucoup de dorures et des colonnes corinthiennes en bois peint imitant le marbre.

Traversier Trois-Pistoles - Les Escoumins – *La Compagnie de navigation des Basques - 11 r. du Parc - ℘ 418 851 4676 ou 1 877 851 4677 - www.traversiercnb. ca - mai-oct. : 2 à 3 dép./j - AR 23,25 $.* Il relie Trois-Pistoles aux Escoumins, sur la rive nord du St-Laurent.

Après 29 km, tournez à droite vers St-Fabien et continuez sur 2 km.

Saint-Fabien

🛈 **Corporation de développement touristique Bic/Saint-Fabien** – *33 rte 132 Ouest - ℘ 418 869 3333 - www.parcdubic.com.*

Remarquez, au centre du bourg, la **grange octogonale Adolphe Gagnon** *(visite de fin juin à mi-sept. : 10h-18h),* construite en 1888 selon les plans de l'Américain Orson Squire Fowler. Unique modèle de ce type dans toute la région du Bas-St-Laurent, cet édifice arrondi se fond harmonieusement dans le paysage. Sa forme particulière était destinée à offrir une résistance maximum au vent, à éliminer la perte d'espace, à faciliter l'entreposage du fourrage… et selon une croyance populaire, à empêcher les démons de se réfugier dans le bâtiment.

★ Parc national du Bic

🛈 *Entrée principale (secteur du Cap-à-l'Orignal) à 6 km du centre de St-Fabien. ℘ 418 736 5035 - www.sepaq.com - ✗ ⚠ & 🅿 - ouvert tte l'année - 5,50 $.*

Créé en 1984 pour protéger la faune et la flore de la rive sud de l'estuaire du St-Laurent (qu'on appelle ici la mer), ce parc provincial de 33 km² offre un impressionnant panorama du majestueux fleuve. Les falaises à pic se prolongent vers le nord-est. Le littoral est ponctué de minuscules îles et récifs, de caps, d'anses et de marécages. La flore y est variée, et l'on y rencontre deux types de forêts, l'une d'essences à feuilles caduques, l'autre d'essences boréales. On observe aussi toutes sortes d'oiseaux dont l'eider, le cormoran, le goéland et le héron. Avec de la chance, on aura le plaisir d'apercevoir des phoques qui viennent se reposer sur la côte rocheuse de la baie de l'Orignal.

Activités – Sentiers pédestres, pistes cyclables (location de vélos), kayak de mer, aires de pique-nique, camping, activités diverses (été et hiver) proposées par le centre d'interprétation *(de fin mai à déb. oct. : 9h-17h).*

Le Bic

Cette petite ville est renommée pour son **site**★★ spectaculaire sur les rives du St-Laurent. Selon une légende locale, à la création du monde, l'ange chargé

6

de la répartition des collines passa par Bic. Ne sachant que faire de ses surplus, il s'allégea de sa charge en se débarrassant à cet endroit des collines qui lui restaient.
Continuez sur la route 132.

★ Rimouski

🛈 **Tourisme Rimouski** – *50 r. St-Germain Ouest -* 𝄢 *418 723 2322 ou 1 800 746 6875 - www.tourisme-rimouski.org.*

Rimouski est un mot amérindien signifiant « la terre de l'orignal », gibier chassé par les Micmacs. Bâtie en bordure du St-Laurent et à l'embouchure de la rivière qui lui a donné son nom, la ville est aujourd'hui une métropole animée, étape idéale pour découvrir le Bas-St-Laurent et, plus à l'est, la Gaspésie.

Musée régional de Rimouski – *35 r. St-Germain Ouest -* 𝄢 *418 724 2272 - www. museerimouski.qc.ca -* ♿🅿🍴 *(été seult) - du 24 juin au 1ᵉʳ lun. sept. : merc.-vend. 9h30-20h, w.-end 9h30-18h ; reste de l'année : merc.-dim. 12h-17h (jeu. 21h) - 4 $.* Cet édifice de pierre (1824), situé face au St-Laurent, servit d'église paroissiale jusqu'en 1862, puis de séminaire, de couvent et d'école primaire. Il accueille aujourd'hui des expositions axées sur l'art contemporain, l'histoire locale et les sciences de la mer.

★ **Maison Lamontagne** – *À 3 km à l'est du centre-ville par la route 132. Prenez à droite le boulevard du Rivage et suivez les panneaux indicateurs.* 𝄢 *418 722 4038 - www.maisonlamontagne.com -* 🍴♿🅿 *- du 21 juin au 1ᵉʳ lun. de sept. : 9h-18h - 4 $.* La partie la plus importante, en colombage pierroté, remonte à la seconde moitié du 18ᵉ s., tandis que la partie en poteaux date de 1810 environ. Mal adapté au froid rigoureux, le colombage pierroté fut rapidement abandonné en Amérique du Nord. La demeure fut habitée jusqu'en 1959, puis restaurée en 1981. À l'intérieur, des expositions retracent le développement de l'architecture domestique québécoise et évoquent la vie en milieu rural au 18ᵉ s.

Canyon des Portes de l'Enfer – *Par la route 232. 1280 chemin Duchénier -* 𝄢 *418 735 6063 - www.canyonportesenfer.qc.ca - de fin mai à fin juin et de fin août à mi-oct. : 9h-17h ; de fin juin à fin août : 8h30-18h30 - 9,50 $.* Amorcées par la chute du Grand-Saut, les Portes de l'Enfer s'étendent sur près de 5 km et encaissent la rivière Rimouski avec des falaises atteignant près de 90 m. Des excursions guidées ont lieu en bateau dans le canyon. Un escalier de 300 marches descend au niveau de la rivière.

L'île St-Barnabé – Elle s'étend à 3 km de la rive, juste en face du centre-ville de Rimouski. C'est probablement Samuel de Champlain qui nomma l'île, au début du 18ᵉ s., lorsqu'il y accosta un 11 juin, le jour de St-Barnabé. Jadis habitée par un ermite, Toussaint Cartier, dont l'histoire est auréolée de mystère, l'île est aujourd'hui le refuge de plus de 72 espèces d'oiseaux. On peut aussi y observer des phoques gris, y marcher (*🚶 20 km de sentiers)* et désormais y dormir une nuit *(rens.* 𝄢 *418 723 2280).*

UNE VILLE INDUSTRIELLE

Rimouski s'est développée en hémicycle à l'embouchure de la rivière Rimouski. La région était autrefois une vaste forêt où chassaient les Micmacs. Le territoire fut concédé en 1688. En 1694, il fut acquis par René Lepage, négociant français qui vint s'y établir deux ans plus tard. L'économie locale fut longtemps axée sur l'agriculture et la pêche saisonnière. Au début du 20ᵉ s., la société Price Brothers vint pratiquer la coupe du bois et construire des scieries dans la région, engendrant ainsi un essor rapide. Après un grand incendie en 1950, Rimouski fut reconstruite.

★ **Musée de la Mer et lieu historique national du Canada du Phare-de-Pointe-au-Père** – *Sortez de Rimouski par la route 132 vers l'est jusqu'à Pointe-au-Père. De la route 132, prenez à gauche la rue Père-Nouvel. Tournez ensuite à droite en direction du musée. 1034 r. du Phare, à Pointe-au-Père -* ☎ *418 724 6214 - www.museedelamer.qc.ca -* ✕ 🅿 *- du 7 juin à fin août : 9h-18h ; de sept. à mi-oct. : 9h-17h - 9,50 $.* Le premier niveau de la maison du gardien est consacré à l'*Empress of Ireland*, surnommé le « Titanic du Saint-Laurent », qui fit naufrage le 29 mai 1914, causant la mort de 1 012 passagers. Une présentation multimédia fait revivre le drame. Dans le **phare** adjacent (1909), le deuxième du Canada en hauteur, une visite retrace la vie de gardien de phare au début du 20e s. En haut des 128 marches, vous découvrirez un beau **panorama**★ du littoral. À l'extérieur, vous visiterez l'*Onondaga*, le seul sous-marin accessible au public du Canada. Pour mieux appréhender le quotidien des sous-mariniers, il est possible de passer une nuit à bord.

Réserve faunique de Rimouski – *Le poste d'accueil de la réserve faunique de Rimouski est situé à 1 km au sud de la jonction des routes 232 et 234, soit à 21 km de la route 20 à la hauteur de Rimouski (sortie Ste-Blandine).* ☎ *418 735 2226 - www.sepaq.com - poste d'accueil de mi-mai à mi-nov.* La réserve faunique de Rimouski est réputée pour la richesse et la diversité des habitats fauniques qu'elle recèle. De nombreux sites aménagés permettent la découverte de l'orignal, du cerf de Virginie et du castor. Les oiseaux, dont les rapaces, y sont faciles à observer, notamment aux lacs Rimouski et Grand Kedgwick. Parmi toutes les activités proposées (pêche, canot-camping, chasse à l'orignal, au cerf de Virginie et à l'ours noir) : l'une d'elles ravira les enfants et les gastronomes : la cueillette de fruits sauvages.

Traversier pour Forestville – *CNM - Evolution -* ☎ *418 125 2725 ou 1 800 973 2725 - www.traversier.com - de fin juin à déb. sept. : 3 traversées/j. à 8h, 11h45 et 15h45, se renseigner pour mai et sept. - durée du trajet 55mn - carte de crédit nécessaire pour la réserv. - arrivée 45mn avant le départ - AR 25 $ (6-11 ans 19 $), voiture 40 $.* Il relie Rimouski à Forestville, sur la rive nord du St-Laurent.

Après 14 km, à la jonction avec la route 298, tournez à gauche en direction de Ste-Luce, et continuez sur 4 km.

Sainte-Luce

Cette agréable station balnéaire aux rivages bordés de villas occupe un site pittoresque sur le fleuve. On y trouve les plus belles plages du Bas-St-Laurent.

6

Gaspésie

★★★

😊 NOS ADRESSES PAGE 402

🛈 S'INFORMER

Association touristique régionale de la Gaspésie – *1020 bd Jacques-Cartier, Mont-Joli (G5H 0B1) -* 📞 *418 775 2223 ou 1 800 463 0323 - www.tourisme-gaspesie.com - 8h30-16h30 (8h-20h de mi-juin à mi-sept.).*

▶ SE REPÉRER

Carte de région BCD1 (p. 374-375). La Gaspésie est comprise entre le Nouveau-Brunswick et la baie des Chaleurs au sud, le golfe du St-Laurent à l'est, et le fleuve St-Laurent au nord.

😊 À NE PAS MANQUER

Les personnages sculptés du *Grand Rassemblement* au Centre d'art de Ste-Flavie, la route panoramique de La Martre, le musée de la Gaspésie à Gaspé, les jardins de Métis, Percé et son rocher.

🕐 ORGANISER SON TEMPS

Prévoyez trois à quatre jours.

👥 AVEC LES ENFANTS

Le parc de la rivière Mitis, le parc des Îles à Matane, le poste d'observation des orignaux dans le parc national de la Gaspésie.

Baignée par l'estuaire et le golfe du St-Laurent, la Gaspésie est une péninsule. Elle est « cette extrémité de terre », dans la langue des Micmacs, qui fut pour des milliers d'immigrants européens un premier port d'attache. Elle figure aujourd'hui au premier rang des destinations touristiques québécoises. Nichés dans ses nombreuses baies, des villages de pêcheurs parsèment la côte nord. Ce littoral sauvage, rocheux, battu par les vagues, devient d'une beauté saisissante à Forillon et à Percé. Au sud, le long de la baie des Chaleurs, l'agriculture et la pêche font vivre les Gaspésiens. Au paysage côtier spectaculaire s'ajoute le charme d'un mode de vie traditionnel, encore proche de la nature. L'intérieur de la péninsule est une vaste étendue montagneuse et forestière qui se découvre à travers le parc national de Forillon et celui de la Gaspésie. Un « bout de terre » incontournable !

Circuits conseillés Carte de région

DE SAINTE-FLAVIE AU PARC DE LA GASPÉSIE BC1

▶ *Circuit de 167 km tracé sur la carte p. 374-375, par la route 132.*

Sainte-Flavie B1

Ce village agricole, qui est par la même occasion un lieu de villégiature apprécié du public, marque l'entrée de la Gaspésie.

Centre d'art Marcel-Gagnon – *564 rte de la Mer -* 📞 *418 775 2829 - www.centredart.net -* 🍴♿🅿 *- de déb. mai à fin sept. : 7h30-22h ; reste de l'année :*

Paysage de Gaspésie.
R. Haidinger/Anzenberger/Photononstop

7h30-21h. Œuvre de l'artiste contemporain Marcel Gagnon, *Le Grand Rassemblement* constitue sans aucun doute l'un des attraits principaux de ce petit centre. Il s'agit d'un ensemble de plus de 120 sculptures de personnages grandeur nature émergeant des eaux du St-Laurent. À l'intérieur, vous pourrez également voir une exposition permanente des œuvres de Gagnon (tableaux et petites sculptures) et l'observer à l'œuvre dans son atelier.
Continuez la route 132.

★★ Jardins de Métis B1

200 rte 132, Grand-Métis - ℰ 418 775 2222 - www.jardinsmetis.com - ✗♿P - juin et sept.-oct. : 8h30-17h ; juil.-août : 8h30-19h - 17 $ (-13 ans gratuit).

Plus de trois mille espèces de fleurs et de plantes ornementales, dont certaines d'une grande rareté, composent les six jardins de Métis, parmi les plus beaux du monde. En 1886, Lord Mount Stephen (1829-1921), président fondateur du Canadien Pacifique, achetait au seigneur de Grand-Métis, Archibald Fergusson, des terres au confluent de la rivière Métis et du St-Laurent pour y construire un camp de pêche. Sa nièce Elsie Stephen Reford hérita du domaine en 1918 et le transforma, de 1926 à 1959, en un cadre enchanteur.

Jardin d'entrée – Une véritable explosion de couleurs s'offre, dès ce premier arrêt, à la vue du visiteur. Au tout début de l'été fleurissent des plantes vivaces comme la pivoine et le lupin, tandis que les plantes annuelles attendront juillet et août pour s'épanouir. Dans le boisé d'épinettes qui borde cet ensemble coloré croissent le myosotis et la prêle. Juste avant le jardin des rocailles, des bégonias tubéreux fleurissent du milieu de l'été jusqu'à l'automne.

Les rocailles – Sur un talus parcouru d'un petit ruisseau tortueux pousse une flore propre aux régions montagneuses. On y retrouvera, entre autres, la saxifrage, la campanule ou l'œillet alpin. Dans la plate-bande centrale se dresse un arbuste très rare, originaire de Chine : le saule de Bock. Le jardin compte par ailleurs neuf espèces de fougères, dont la capillaire du Canada et l'osmonde de Clayton.

Jardin des rhododendrons – Le spectacle des rhododendrons en fleurs au début de l'été est suivi, jusqu'aux premières gelées, de celui des rosiers. Le jardin abrite aussi l'érable rouge du Japon et le fameux pavot bleu, emblème floral des jardins de Métis. Rare et très difficile à cultiver, cette fleur originaire des prairies alpines de l'Himalaya s'épanouit de mi-juin à mi-juillet.

Allée royale – Éclatant hommage aux jardins à l'anglaise, l'allée royale présente un savant mélange de plantes annuelles et vivaces et d'arbustes offrant des floraisons quasi continues. De la fin juillet à la mi-août, de minuscules oiseaux-mouches viennent nombreux butiner le nectar des delphiniums.

Villa Reford – Au centre des jardins se dresse un somptueux manoir de 37 pièces. Il s'agit du pavillon de pêche que Lord Mount Stephen avait fait construire en 1887, et que sa nièce fit agrandir en 1927. Le rez-de-chaussée abrite aujourd'hui un restaurant, un café et une boutique d'artisanat.

À l'étage, un musée évoque l'histoire du domaine et de ses anciens propriétaires. On y verra les appartements privés des Reford. La reconstitution d'une cuisine, d'une église, d'un magasin général, d'un cabinet de docteur, d'une école de rang et d'une chambre de tissage et de filage fait revivre quelques facettes de la vie métissienne d'antan.

À l'extérieur, une pelouse s'étend jusqu'à la baie de Métis. Véritable écran naturel, un muret bordé de peupliers et de conifères a été construit au bord de l'eau pour protéger les jardins contre les vents froids de l'hiver.

Jardin des pommetiers – Somptueuses pelouses, plantes couvre-sol, sentiers sinueux donnent à ce jardin un caractère typiquement anglais. Au printemps, les pommetiers apportent à l'ensemble un remarquable éclat rose.

Jardin des primevères – Un arbre originaire du Japon, le faux-cyprès de Sawara, marque l'entrée du jardin. Ce conifère aux branches retombantes fut introduit par Mme Reford. Au printemps, différentes variétés de primevères offrent une grande diversité de couleurs et de formes.

Sous-bois – Réservée à la flore québécoise, la dernière section des jardins de Métis vous permettra de découvrir, dans un cadre boisé, toutes sortes d'espèces typiques de la région.

Continuez sur la route 132 en direction de Ste-Flavie.

★Parc de la rivière Mitis B1

À 9,5 km à l'est de Grand-Métis. 900, rte de la Mer - ☎ *418 775 2969 - www.parcmitis.com -* &♿🅿✕ *- de mi-juin à déb. sept. : 9h-17h - 5 $.*

À deux pas des jardins de Métis, parcourez les sentiers pédestres du parc afin de découvrir la nature et les magnifiques paysages de la rivière Mitis et du fleuve St-Laurent. Ces sentiers mènent à différentes haltes d'interprétation ainsi qu'à des belvédères. Visites guidées et activités interactives.

👫 Une aire de jeux a été aménagée afin d'amuser les enfants. N'oubliez pas de visiter le bâtiment d'accueil où des expositions sont présentées. Sur place : boutique nature, aire de pique-nique et programmation variée d'activités et de conférences.

Revenez à Ste-Flavie et poursuivez sur la route 132.

Matane B1

🛈 **Bureau d'accueil touristique de la région de Matane** – *968 av. du Phare Ouest -* ☎ *418 562 1065 ou 1 877 762 8263 - www.tourismematane.com.*

Matane est connue pour sa pêche au saumon et ses fameuses petites crevettes. Au centre-ville, derrière la mairie, la **passe migratoire★** (44 m) du **barrage Mathieu-d'Amours** permet aux poissons de remonter le cours de la rivière Matane de la mi-juin jusqu'en octobre.

ROUTE DES PHARES

Elle relie les onze phares qui veillent sur les côtes de Gaspésie, pour certains depuis la fin du 19e s. Vous rencontrerez ainsi successivement les phares de Matane, Cap-Chat, La Martre, Cap-de-la-Madeleine, Pointe-à-la-Renommée, Cap-des-Rosiers, Cap-d'Espoir et Pointe-Duthie. Convertis en musée, lieu de visite, voire en hôtel, ces fleurons du patrimoine québécois connaissent depuis quelques années une deuxième jeunesse. Les phares de la Pointe-de-Mitis, de Cap Blanc, de Port-Daniel-Ouest ne sont quant à eux pas accessibles au public.

www.routedesphares.qc.ca

Poste d'observation – *260 av. St-Jérôme - ☎ 418 562 7006 - de mi-juin au 1er lun. de sept. : 7h30-21h30 (puis horaires variables jusqu'à fin sept.).* On peut observer la montaison des saumons à travers des hublots.

À côté du barrage, le **parc des Îles** offre un terrain de jeux, une plage, une aire de pique-nique. Le phare (1906) abrite le bureau de tourisme de la municipalité ainsi qu'un petit musée.

Cap-Chat C1

★ **Éole** – *Pour voir l'éolienne, tournez à droite, à 3 km à l'ouest du pont de Cap-Chat. ☎ 418 786 5719 - www.eolecapchat.com - ♿ (accès partiel) 🅿 - visite guidée (35mn) seult de mi-juin à oct. : 9h-17h - sur réserv. hors saison - 13 $.* Plus haute éolienne à axe vertical du monde, l'Éole domine le paysage du haut de ses 110 m. Un rotor, muni de deux pales incurvées pouvant atteindre une vitesse de 13,25 tours/mn, est fixé à un arbre central qui transforme le souffle du vent en énergie mécanique. Celle-ci est à son tour transformée en énergie électrique par l'intermédiaire d'une génératrice. Le projet Éole, conjointement mis sur pied par le Conseil national de recherche et par Hydro-Québec, fonctionne de façon entièrement automatique depuis 1988. Cette entreprise d'envergure fut mise au point par LavalinTech, de Montréal. Une visite guidée du site permet de comprendre le fonctionnement de la turbine et les exploitations possibles des énergies nouvelles.

Rocher de Cap-Chat – *À partir de la route 132, tournez à gauche à 2 km à l'ouest du village, et parcourez 500 m sur une route non pavée.* Le cap ressemble à un chat assis, ce qui a donné son nom à la ville.

Non loin de là, plusieurs sentiers partent d'un **phare** érigé en 1871.

Bon à savoir – Quatre gîtes sont aménagés dans la maison du gardien. *Continuez sur la route 132 et à Ste-Anne-des-Monts, prenez la route 299.*

★ Parc national de la Gaspésie C1

☎ 418 763 7494 - www.sepaq.com - ⛺ 🍴 ♿ 🅿 - ouvert tte l'année - 5,50 $. Consacré depuis 1937 à la protection de milieux naturels exceptionnels, le parc s'étend sur un territoire de 802 km². Il s'agit, au Québec, de la seule zone où cohabitent le caribou des bois, l'orignal et le cerf de Virginie.

Véritable « mer de montagnes », le parc est traversé par deux massifs appartenant au système appalachien : les **Chic-Chocs** et les **McGerrigle**, qui confèrent à l'endroit un relief accentué. Trois secteurs sont « ouverts » aux visites. Dans le secteur Mont-Albert, une promenade au sommet (1 154 m) révèle un plateau de 20 km² couvert d'une végétation de toundra caractéristique des régions nordiques. Dans le secteur Lac-Cascapédia, les monts Chic-Chocs offrent des points de **vue★★** spectaculaires sur la plaine appalachienne et la vallée du St-Laurent au nord, et sur la vallée de la rivière Ste-Anne à l'est.

6

Le secteur La Galène permet quant à lui d'accéder au mont Jacques-Cartier (1 268 m), site privilégié d'observation du caribou, caractérisé par une flore de type arctique-alpin. De son sommet arrondi et battu par les vents, la **vue★★** embrasse les monts McGerrigle.

Centre de découverte et de services – *Mai-oct. : 8h-20h ; déc.-avr. : 8h-17h. Boutique de location et de vente d'équipement de camping et de randonnée.* Une exposition permanente donne au visiteur l'occasion de découvrir l'extraordinaire géologie du parc, et de se familiariser avec sa végétation arctique-alpine et sa faune particulière. L'été, des naturalistes répondent aux questions des excursionnistes au sommet des monts Albert et Jacques-Cartier. Le soir sont proposés des conférences, divers programmes (films, discussions et autres) portant sur des thèmes relatifs au parc.

Activités – En plus de la randonnée pédestre et l'observation de la nature, pêche au saumon le long de la rivière Ste-Anne (20 km) ou à la truite dans l'un des nombreux lacs du parc. Vous pourrez également vous promener en canot ou pique-niquer. De début décembre jusqu'à la fin avril sont organisées des randonnées en ski ou en raquettes (réseau de 17 refuges en montagne).

👫 Au poste d'observation du Lac-Paul, observez les orignaux à l'aube ou au coucher du soleil. Les enfants apprécieront aussi les balades à pied notamment autour du lac aux Américains et au mont Ernest-Laforce.
Retournez à Ste-Anne-des-Monts.

DU PARC DE LA GASPÉSIE À GASPÉ CD1

▶ *Circuit de 259 km tracé sur la carte p. 374-375, par la route 132.*

La Martre C1
De ce hameau niché sur un promontoire, la **vue** embrasse les caps et l'Océan.
Phare – 📞 *418 288 5698* - ♿ *(accès partiel)* 🅿 *- de mi-juin à mi-sept. : 9h-17h - 8 $ (6-18 ans 6 $).* Dans le phare rouge octogonal ainsi que dans la maison du gardien, des expositions temporaires et une exposition permanente sur l'histoire des phares de Gaspésie sont proposées.

★★ Route panoramique de La Martre à Rivière-au-Renard CD1
La route 132 continue de longer la côte et grimpe à l'assaut d'impressionnantes falaises d'où la vue sur les montagnes, les vallées, la mer et les pittoresques villages de pêcheurs est splendide. Dans la région de **Mont-St-Pierre**, des falaises de schiste encadrent la baie, et à **Ste-Madeleine-de-la-Rivière-Madeleine**, le phare au charme désuet et les bâtiments qui l'entourent agrémentent de luxuriantes collines vertes. Du haut de la colline, avant d'arriver à **Grande-Vallée**, une superbe vue embrasse le village et la baie. Au cœur du village se trouve un pont couvert (1923). Après **Rivière-au-Renard**, importante communauté de pêcheurs située à l'extrémité nord du parc national Forillon, l'horizon s'ouvre sur les champs et sur le golfe du St-Laurent.

Cap-des-Rosiers – *À 21 km de Rivière-au-Renard.* Ce joli village, qui doit son nom aux rosiers sauvages que Jacques Cartier y découvrit en abondance au 16e s., fut le témoin de très nombreux naufrages au large de sa côte rocailleuse.

Phare du Cap-des-Rosiers – 📞 *418 892 5577 - visite guidée (30mn) seult : de mi-juin à fin sept. : 10h-19h - payant.* Haut de 34 m, il est le plus élevé du Canada.

★★ Parc national du Canada Forillon D1

🏛 ☎ *418 368 5505 - www.pc.gc.ca -* 🏕 🅿 *- ouvert tte l'année - Centres d'accueil et de rens. à Penouille et L'Anse-au-Griffon - de juin à mi-sept. : 9h-17h - 7,80 $.*

Créé en 1970, il se trouve à l'extrémité est de la péninsule gaspésienne, là où les eaux du golfe du St-Laurent se mêlent à celles de la baie. Ses paysages, façonnés par l'érosion, sont d'une remarquable diversité : montagnes recouvertes d'épinettes, de sapins, de peupliers et de cèdres ; prairies parsemées de fleurs sauvages ; longues plages de galets bordant de petites anses ; falaises escarpées surplombant la mer… Cette diversité se retrouve dans la faune : ours noirs, castors, renards et porcs-épics sont des habitués des lieux. Vous aurez aussi le plaisir d'apercevoir un grand nombre d'oiseaux (goélands, cormorans, mouettes) et, qui sait, d'observer les ébats des mammifères marins (phoques et baleines) qui fréquentent les eaux limitrophes. Avis aux amateurs !

Centre d'interprétation – *Près de Cap-des-Rosiers, dans le secteur nord du parc -* ♿ *- juin et de mi-août à mi-oct. : 9h-17h.* Il présente une exposition consacrée à l'histoire régionale de la pêche et plusieurs aquariums. Projection de films sur le parc, sa faune, sa flore et sa géologie.

Cap Bon-Ami – *À 4 km du centre d'interprétation par une route secondaire.* Un belvédère d'observation et un sentier menant à la plage offrent des **vues★★** extraordinaires sur la mer et les majestueuses falaises du littoral.

Reprenez la route 132 et suivez les panneaux indicateurs pour vous rendre dans le secteur sud du parc. Prenez à gauche une route secondaire.

★ **Grande-Grave** – *À 14,5 km du centre d'interprétation.* Prospère village de pêcheurs du 19ᵉ s. jusqu'au milieu du 20ᵉ s., Grande-Grave fut habité par des familles venues des îles anglo-normandes de Jersey et de Guernesey, dans la Manche. On a redonné à plusieurs édifices leur cachet des années 1920. Au rez-de-chaussée du **magasin Hyman**, des milliers d'articles (boîtes de conserve, lampes à huile, etc.) recréent l'ambiance d'un magasin général d'autrefois. À l'étage, une exposition décrit les activités auxquelles s'adonnaient les pêcheurs et leurs familles tout au long de l'année.

Grande-Grave propose des **croisières d'observation des baleines** (☎ *418 892 5500 ou 1 866 617 5500 - www.baleines-forillon.com - juin-oct. - 2h - 1 à 4 sorties/j.) - 60 $ (4-15 ans 35 $).*

À l'**Anse-Blanchette**, on découvre la pimpante maison que Xavier Blanchette occupait au début du 20ᵉ s. À l'ensemble s'ajoutent une grange-étable, des hangars et un « chafaud », étal où séchait le poisson.

Reprenez la route secondaire vers l'Anse-St-Georges et l'Anse-aux-Amérindiens.

★ **Cap Gaspé** – 👣 *8 km AR à pied au départ de l'Anse-aux-Amérindiens.* Cette promenade à flanc de coteau offre de très belles **vues★** sur la baie de Gaspé. Le cap marque l'extrémité nord-est de la chaîne des Appalaches.

En revenant vers la route 132, la route longe le secteur sud du parc : chapelle, amphithéâtre, terrain de camping et centre récréatif.

Fort-Péninsule – *Sur la route 132, à 11,5 km en sortant du secteur sud, en direction de Gaspé.* Le blockhaus qui y fut érigé pendant la Seconde Guerre mondiale servait de complément à la base navale de Sandy Beach, sur la côte sud de la baie de Gaspé. Le gouvernement canadien voulait ainsi empêcher les sous-marins allemands de pénétrer dans le St-Laurent.

Penouille – *Sur la route 132, à 12,5 km en sortant du secteur sud, en direction de Gaspé.* Toponyme d'origine basque signifiant « péninsule », Penouille offre une belle **plage de sable** qui fera le bonheur des amateurs de baignade.

Ici, le littoral sablonneux et la taïga contrastent avec les grands caps calcaires et la forêt boréale du reste du parc.

6

★ **Gaspé** D1

🛈 **Chambre de commerce et de tourisme de Gaspé** – *27 bd York Est -* ☎ *418 368 8525 - www.cctgaspe.org.*

Le mot *gespec*, qui signifie « extrémité des terres » en micmac, serait à l'origine de Gaspé. C'est ici que le 24 juillet 1534, Jacques Cartier débarquait et prenait possession du nouveau territoire au nom de François Ier. À flanc de colline, là où la rivière York se jette dans la baie de Gaspé, se développa une ville devenue centre administratif et commercial de la péninsule de Gaspésie. Douceur de vivre et tranquillité sont les maîtres mots de cette bourgade que vous devrez traverser si vous voulez rejoindre le parc national de Forillon ou Percé.

★ **Musée de la Gaspésie** – *80 bd Gaspé (route 132) -* ☎ *418 368 1534 - www. museedelagaspesie.ca -* ♿🅿 *- juin-oct. : 9h-17h ; nov.-mai : lun.-vend. 9h-12h, 13h-17h, sam. 13h-17h - 8,50 $.* Dans ce musée du patrimoine, la découverte de la Gaspésie par Jacques Cartier, le mode de vie des Micmacs (premiers habitants des lieux) et la géographie de la péninsule gaspésienne constituent les thèmes majeurs de l'exposition permanente. Œuvre collective réalisée par les cercles de femmes de la région, la grande **courtepointe** exposée à l'entrée se compose des symboles de 58 villages gaspésiens. Trois autres salles sont consacrées à des expositions temporaires.

Du musée, la **vue**★ embrasse la baie de Gaspé et la péninsule de Forillon.

Monument Jacques-Cartier – Dans le parc attenant au musée ont été érigées six immenses stèles de fonte en forme de dolmens, réalisées par Jean-Julien et Gil Bourgault-Legros, de St-Jean-Port-Joli. Elles forment un monument commémorant la découverte du Canada par Jacques Cartier et la première rencontre de l'explorateur avec les Amérindiens. Leurs bas-reliefs illustrent, d'un côté, l'arrivée de Cartier au Nouveau Monde et, de l'autre, des extraits de textes rédigés par Cartier et par le père LeClercq.

En partant du musée, prenez à gauche le bd Gaspé en direction du centre-ville. Au feu, tournez à droite dans la rue Adams. Deux rues plus loin, tournez à gauche dans la rue Jacques-Cartier. La cathédrale se trouve sur la gauche.

★ **Cathédrale du Christ-Roi** – ☎ *418 368 5541 -* ♿. En 1934, à l'occasion du 400e anniversaire de l'arrivée de Jacques Cartier au Canada, fut mise en chantier une basilique commémorative dont les travaux durent être interrompus jusqu'en 1969 en raison de difficultés financières. L'édifice, avec son revêtement extérieur en cèdre, œuvre de l'architecte Gérard Notebaert, s'harmonise avec le site. Dans une enceinte d'une grande sobriété, la lumière se faufile sur de massives poutres, créant une douce clarté sur le revêtement de bois. L'artiste-sculpteur Claude Théberge conçut un vitrail constitué de verre ancien serti de plomb et un « Christ-Roi » en bronze. La fresque illustrant la prise de possession du territoire par Jacques Cartier fut offerte en 1934 par la France.

La **croix de Gaspé**, également appelée croix de Jacques-Cartier, se dresse à côté de la cathédrale. Haute de 9,6 m, elle fut taillée dans un bloc de granit provenant des environs de Québec et inaugurée lors des célébrations de 1934.

DE PERCÉ À CAUSAPSCAL CD1-2

▷ *Circuit de 337 km tracé sur la carte p. 374-375, par la route 132.*

★★★ **Percé** C1

🛈 **Bureau d'information touristique** – *142 rte 132 Ouest -* ☎ *418 782 5448 - www.perce.info.*

Le village doit son nom à un impressionnant rocher, percé sous l'effet de l'érosion marine, qui se dresse tout près de la côte. Il occupe un site magnifique qui attire en Gaspésie des visiteurs venus des quatre coins du monde. Jacques Cartier débarqua ici en 1534, et les pêcheurs européens séjournèrent le long du littoral aux 16e et 17e s. Petit village de pêcheurs isolé jusqu'au début du 20e s., Percé s'est développé grâce au tourisme. Aujourd'hui « capitale touristique » de la Gaspésie, c'est une station de villégiature très équipée et réputée pour sa bonne table. On y vient aussi pour l'île Bonaventure et son parc, situés à seulement 4 km du rivage.

★ Parc national de l'Île-Bonaventure-et-du-Rocher-Percé

🄸 *ℰ 418 782 2240 - www.sepaq.com - ✗ 🄿 - de déb. juin à mi-oct. : 9h-17h - 5,50 $.*

Le parc est divisé en quatre secteurs, chacun d'entre eux offrant une variété d'activités différentes.

Le **secteur Île Bonaventure**, sanctuaire d'oiseaux migrateurs, accueille environ 280 000 pensionnaires (mouettes, marmettes, macareux, cormorans, goélands et petits pingouins), dont quelque 70 000 **fous de Bassan**. Ces derniers nichent sur les surplombs et dans les anfractuosités des hautes parois de 90 m qui forment la façade est de l'île.

Excursion en bateau – *Les Bateliers de Percé Inc. - 162 rte 132 - ℰ 418 782 2974 - www.info-gaspesie.com - 🄿 - dép. du quai de Percé de mi-mai à mi-oct. : 9h-17h - AR 1h15 - commentaire à bord - 20 $.* Elle passe d'abord tout près du rocher Percé avant de faire le tour de l'île. 🐦 Durant la période estivale, les visiteurs peuvent descendre sur l'île pour aller observer de plus près les oiseaux et se promener par les sentiers. Ils sont accueillis par les gardes-parcs naturalistes.

Le **secteur du Rocher Percé★★**, gigantesque muraille de roc autrefois rattachée à la terre ferme, fait 438 m de long sur 88 m de haut. C'est un banc de calcaire, formé au fond des mers il y a des millions d'années, et qui renferme un nombre incalculable de fossiles. Jadis percé de quatre arcades, le rocher n'en a conservé qu'une, haute de 30 m. L'une des arcades aujourd'hui disparues s'effondra en 1845, laissant derrière elle un simple pilier : l'Obélisque. Une flèche de sable, découverte à marée basse, relie le rocher au **mont Joli★★** d'où l'on bénéficie de la plus belle vue. Consultez la table des marées au bureau de tourisme. Pour descendre à la plage et à la flèche de sable, empruntez l'escalier au départ du parc de stationnement du mont Joli.

Visites guidées en saison – *Visite (1h) de fin juin à fin sept. : tlj - dép. escalier situé en haut de la rue du Mont-Joli - visite seult à marée basse - 5 $ (enf. 2,50 $) et tarification d'accès au parc en sus.* Les parois du rocher Percé sont un endroit dangereux soumis toute l'année aux chutes de pierres. Ce secteur est accessible seulement en compagnie d'un garde-parc naturaliste. Les participants pourront découvrir les secrets de ce secteur touchant entre autres la géologie et l'ornithologie.

Le **Secteur marin** du parc propose des sorties de plongée sous-marine et de kayak de mer.

Le **secteur Charles Robin** est situé à proximité de la rue du Quai. Il comprend le Centre de découverte du parc et un musée à côté duquel se trouve La Neigère, qui abrite le bureau d'accueil du parc et la boutique Nature.

Musée Le Chafaud – *142 rte 132 - ℰ 418 782 5100 - www.musee-chafaud.com - de fin juin à fin sept. : 10h-20h - 5 $.* Aménagé dans un bâtiment de l'ancienne Compagnie de pêche Charles Robin (1776-1886), autrefois affecté au traitement de la morue, il s'attache à transmettre l'histoire locale et à exposer les œuvres d'artistes inspirés par Percé.

Excursions aux baleines – *Bateaux de croisières Julien Cloutier Enr. - ℰ 1 877 782 2161 - www.croisieres-julien-cloutier.com ; Les Bateliers de Percé*

6

Inc. - 📞 *1 877 782 2974 - dép. de Percé - durée 2h30 - env. 60 $/pers.* Vous pourrez observer, entre autres, des rorquals communs, des rorquals à bosse, des baleines bleues, des marsouins communs, des dauphins à flanc blanc et des phoques.

★★★ La côte

La route 132 offre des **panoramas★★** spectaculaires. Juste avant Percé, un belvédère permet d'admirer le pic de l'Aurore. Plus loin, la vue embrasse, d'ouest en est, l'ensemble des falaises appelées **Trois Sœurs**, le rocher Percé, l'anse du Nord, Mont-Joli, l'île Bonaventure et le village. À la sortie de Percé, le promontoire de la **côte Surprise** ménage une vue d'ensemble du rocher Percé, du village et de l'île Bonaventure.

Mont Ste-Anne – *De la route 132, prenez l'avenue de l'Église. Derrière l'église, un chemin non revêtu conduit au mont Ste-Anne.* 🥾 *Un sentier raide, mais assez facile, mène au sommet. Comptez 2h AR.* L'impressionnant sommet tabulaire du mont Ste-Anne dresse à 320 m d'altitude ses trois faces abruptes de roc rouge. Les belvédères aménagés en cours de route révèlent, à mesure que l'on monte, des **vues★★★** de plus en plus étendues sur le rocher Percé, la baie, le village et les environs. Au sommet se dresse une statue de sainte Anne.

La Grotte – *En revenant du mont Ste-Anne, prenez à gauche le chemin de la Grotte et continuez sur 1 km.* Dans cette belle grotte, un charmant bassin entouré de mousses et de fougères recueille les eaux d'une petite chute.

★ La Grande Crevasse – 🥾 *Du village, suivez la route des Failles jusqu'à l'auberge Gargantua (3 km) derrière laquelle commence le sentier. Comptez environ 1h30 AR. Avancez prudemment (pas de garde-fou).* Le sentier longe la face ouest du sommet du mont Ste-Anne et laisse entrevoir les monts Chic-Chocs à l'ouest, et la baie de Gaspé au nord. La Grande Crevasse *(également visible de la route des Failles)* entaille le conglomérat rocheux rouge qui forme le mont Blanc, au nord-ouest du mont Ste-Anne.

🥾 C'est également dans ce secteur que se trouve l'un des points de départ du réseau de sentiers aménagés au cœur de l'arrière-pays percéen *(carte des sentiers disponible au bureau de tourisme)*.

Continuez sur la route 132 en direction de Paspébiac. Passez par Grande-Rivière, Chandler et Port-Daniel.

Paspébiac D1

En 1767, Charles Robin, originaire de l'île de Jersey, choisit le site de Paspébiac pour y établir le siège de la Charles Robin Company (CRC), qui allait devenir un empire fondé sur la pêche à la morue.

Site historique du Banc-de-pêche-Paspébiac – *Depuis la route 132, prenez à gauche la route du Banc et continuez jusqu'au rivage.* 📞 *418 752 6229 - www.shbp.ca -* ✕ ♿ *accès partiel* 🅿 *- de mi-juin à fin sept. : 9h-17h - 8 $ (-6 ans gratuit).* Pour assurer le succès de son entreprise et l'exportation en Europe de sa morue fumée, séchée et salée, la compagnie Robin créa un véritable village doté d'un chantier naval, d'un magasin général et d'équipes de forgerons et de menuisiers. Le site comporte onze bâtiments construits vers 1783 par la CRC et restaurés après l'incendie qui ravagea le site en 1964. Sept d'entre eux (dont un énorme entrepôt, une charpenterie et une forge) sont ouverts au public et présentent des expositions essentiellement consacrées au commerce de la morue séchée. Le visiteur pourra aussi assister à des démonstrations d'activités traditionnelles (ravaudage des filets, construction des barges…).

À l'est de Paspébiac, à Shigawake précisément, commence l'agréable région de la **baie des Chaleurs**, découverte par Jacques Cartier en 1534. Son climat tempéré invite à la baignade et aux sports nautiques.

Percé.
Don Johnston/Age Fotostock

Bonaventure D1

🛈 Bureau d'accueil touristique – *97 av. de Port-Royal - ☎ 418 534 4014 - www. bonaventuregaspesie.com.*

La seigneurie de la rivière Bonaventure fut concédée par Frontenac en 1697. En 1760, des Acadiens, fuyant l'ordre de déportation, y fondèrent un village et y établirent des fermes ainsi qu'une pêcherie. Le village porte le nom d'un vaisseau qui navigua dans la baie des Chaleurs en 1591. Sa rivière à saumons jouit d'une grande renommée.

Musée acadien du Québec à Bonaventure – *Au cœur du village, à l'est de l'église, sur la rte 132. ☎ 418 534 4000 - www.museeacadien.com - ✗ ♿ 🅿 - de fin juin à déb. sept. : 9h-18h ; de déb. sept. à mi-oct. : 9h-17h ; reste de l'année : lun.-vend. 9h-12h, 13h-16h30, dim. 13h-16h30 - 8,25 $ (-6 ans gratuit).* Cet édifice rénové, qui servait autrefois de salle paroissiale, abrite aujourd'hui un musée d'histoire et d'ethnologie. Une exposition permanente présente une collection de photos et d'objets anciens ainsi qu'un diaporama témoignant de l'influence acadienne sur la culture québécoise.

New Richmond C1

Bastions loyalistes, les plus anciens quartiers de la ville ont conservé le charme des localités anglo-saxonnes de la fin du 19e s.

Village gaspésien de l'héritage – *351 bd Perron Ouest - ☎ 418 392 4487 - www. gaspesianvillage.com - ✗ ♿ 🅿 - de fin juin à fin août : 10h-17h - 8 $.* Ce centre a pour objectif de préserver et de mettre en valeur le patrimoine britannique de la Gaspésie. Les 24 bâtiments qui forment le village reconstruit de Duthie's Point proviennent de différentes municipalités de la baie des Chaleurs. La visite commence au **magasin général J.A. Gendron** qui sert de centre d'interprétation. À côté se trouve la **maison Harvey**, construite dans le style néocolonial populaire aux États-Unis à la fin du 19e s. D'autres habitations reflètent par leur architecture les styles en vogue de la fin du 17e s. au début du 20e s. L'excursion se termine au **phare** qui veille sur la baie de Cascapédia.

6

Carleton-sur-Mer C2

Fondé entre 1756 et 1760 par des Acadiens, le village se nommait à l'origine Tracadièche, dérivé de l'amérindien *tracadigash* (« lieu où abonde le héron »). À la fin du 18e s., des loyalistes, immigrés au Canada après la Déclaration d'indépendance des États-Unis, l'appelèrent Carleton en l'honneur de Sir Guy Carleton, gouverneur général de l'Amérique du Nord britannique, plus connu sous le nom de Lord Dorchester. Niché au fond d'une anse entre les montagnes et la mer, le village est devenu dès la fin du 19e s. un centre de villégiature fort recherché.

Sentiers de l'Éperlan – Ils longent le ruisseau de l'Éperlan, contournent des chutes, révèlent des paysages de montagnes, et aboutissent derrière le mont St-Joseph.

Mont St-Joseph – *Prenez la rue de la Montagne à partir du centre-ville, et suivez-la sur environ 6 km.* Du haut du mont St-Joseph (555 m), la **vue★★** embrasse la baie des Chaleurs, de Bonaventure à la péninsule de Miguasha, et s'étend, au sud, jusqu'aux côtes du Nouveau-Brunswick.

Oratoire Notre-Dame – 418 364 3723 - - *de mi-juin à déb. sept. : 9h-19h ; sept.-oct. : 9h-17h.* Élevé en 1935, ce petit sanctuaire de pierre renferme de délicates mosaïques et de beaux vitraux.

Continuez sur la route 132 ; après 18 km, tournez à gauche.

★ Parc national de Miguasha C2

418 794 2475 - www.sepaq.com - - *de déb. janv. à fin mai : lun.-vend. 8h30-12h, 13h-16h30 ; de juin à mi-oct. : 9h-17h ; de mi-oct à mi- déc. : lun.-vend. 8h30-12h, 13h-16h30 - 5 $.*

La baie des Chaleurs s'ouvre, à l'embouchure nord de la rivière Ristigouche, par un surprenant escarpement contenant des fossiles enchâssés dans la roche sédimentaire depuis le Dévonien supérieur, il y a 380 millions d'années. Découvert en 1842, ce riche gisement fossilifère n'attira guère l'intérêt de la communauté scientifique avant 1880. Dès lors, et durant de nombreuses années, géologues et collectionneurs du monde entier vinrent y prélever d'énormes quantités de spécimens. Afin de le protéger contre les pillages systématiques et de montrer à tous ces fabuleux trésors, le parc a été inscrit en 1999 sur la liste du Patrimoine mondial de l'Unesco. Depuis 1985, le site de Miguasha est un parc de conservation. Grâce à des expositions et à des excursions sur le terrain en compagnie de guides spécialisés, le visiteur est invité à découvrir l'univers fascinant de la paléontologie.

Musée d'Histoire naturelle – Parmi les fossiles exposés, on peut admirer des fougères, des invertébrés et une vingtaine d'espèces de poissons datant du Dévonien supérieur. On remarquera tout particulièrement l'*Eusthenopteron foordi* dont la morphologie – comparable à celle de l'*Ichtyostega*, premier tétrapode connu – a permis aux chercheurs de mieux comprendre la transition entre les vertébrés aquatiques et les premiers amphibiens. Parmi tous les spécimens fossiles, notez le *Bothriolepis canadensis*, trouvé dans les falaises et sur la grève de Miguasha en 2006, après avoir passé 380 millions d'années dans la boue et dans la pierre gaspésienne. L'exposition offre une place de choix à la découverte de l'*Eusthenopteron foordi*, aussi connu sous le nom de prince de Miguasha.

Laboratoire – Des guides expliquent les méthodes employées pour dégager les fossiles de la gangue qui les entoure. Le visiteur aura l'occasion, s'il le désire, d'examiner toutes sortes de spécimens au microscope.

Visite des falaises – Une courte promenade jusqu'aux falaises permet d'inspecter de près les couches sédimentaires et d'observer, avec l'aide d'un

MIGUASHA : UN SITE PROTÉGÉ

Alimenté par de nombreux cours d'eau et entouré d'une végétation tropicale, un estuaire de grande dimension occupait, il y a plusieurs centaines de millions d'années, le site actuel de Miguasha. L'accumulation des sables, du limon et de l'argile emprisonna, au cours des âges, toutes sortes de plantes et d'animaux dont on peut voir aujourd'hui les restes fossilisés. Dans les années 1970, le gouvernement québécois mit fin au pillage systématique du site en achetant une partie des falaises de Miguasha. Véritable sanctuaire paléontologique, ces dernières révèlent ici deux formations géologiques : le conglomérat de Fleurant (à la base) et la formation d'Escuminac (au sommet). La première est essentiellement constituée de galets. La seconde, de couleur grisâtre, fait à peine 8 km de long sur 1 km de large ; elle se compose de silt, de grès et de schistes argileux datant du Dévonien supérieur, et renferme d'importants éléments de la chaîne de l'évolution.

guide-interprète, le déroulement des fouilles fossilifères. Le prélèvement d'échantillons est naturellement interdit.

👁 Un sentier d'interprétation *(1,9 km)* retrace en plusieurs étapes l'évolution de la vie sur notre planète.
Revenez à la route 132.

Lieu historique national du Canada de la Bataille-de-la-Ristigouche C2

À Pointe-à-la-Croix. 𝄞 418 788 5676 - www.pc.gc.ca - ♿ *(accès partiel)* 🅿 *- de juin à mi-oct. : 9h-17h ; reste de l'année : sur réserv. - 3,90 $.*

C'est ici qu'échoua en 1760 la dernière tentative de la France pour soustraire sa colonie d'Amérique à la domination anglaise. L'organisation d'un soutien militaire par voie de mer fut un échec cuisant, et ce malgré l'aide des Acadiens et des Micmacs.

Centre d'interprétation – Dans le hall d'accueil sont exposées l'énorme ancre et une partie de la coque du *Machault*. Un film d'animation *(15mn)* retrace les principales étapes de cet affrontement historique, tandis que les salles d'exposition présentent les objets trouvés lors de fouilles sous-marines de l'épave. On verra également des articles de tous les jours (clous, peignes, etc.) et des marchandises de luxe (services de vaisselle en porcelaine fine et poterie).

😊 **Bon à savoir** – Un pont relie Ristigouche à Campbellton (Nouveau-Brunswick). La route 11 mène au Village historique acadien (Acadian Historic Village), situé à 10 km à l'ouest de Caraquet, et à l'aquarium et centre marin de Shippagan. Pour plus de détails, consultez *Le Guide Vert Canada*.
Continuez sur la route 132 qui traverse la vallée de Matapédia.

Villages pittoresques, forêts et collines parsèment l'itinéraire sans oublier la rivière **Matapédia**, omniprésente, renommée pour la pêche au saumon.

6

Causapscal C1-2

Située au confluent des rivières Causapscal et Matapédia, cette ville constitue un point de départ important pour les expéditions de pêche au saumon.

Site historique Matamajaw – *53 rue St-Jacques Sud - 𝄞 418 756 5999 - www. sitehistoriquematamajaw.com - de fin juin à déb. sept. : 9h30-16h30 - 7 $.* Il retrace le mode de vie des passionnés de pêche de la haute société du Matamajaw Salmon Club. Dans un chenal creusé tout spécialement, on peut observer le saumon de l'Atlantique dans son habitat naturel.

😊 NOS ADRESSES EN GASPÉSIE

HÉBERGEMENT

BUDGET MOYEN

À Sainte-Flavie

Centre d'art Marcel-Gagnon – *564 rte de la Mer - ☎ 418 775 2829 - www.centredart.net - ✗ P - 10 ch. 90-125 $ (en saison).* Simplicité, propreté et confort caractérisent les chambres situées à l'étage supérieur de ce centre d'art. Le petit-déjeuner est servi dans le restaurant au rez-de-chaussée où *Le Grand Rassemblement* est partout présent.

À Percé

Hôtel La Normandie – *221 rte 132 Ouest - ☎ 418 782 2112 ou 1 800 463 0820 - www.normandieperce. com - ✗ P - 45 ch. 90/272 $.* Dans la grande tradition des établissements de front de mer, cet hôtel dispose de chambres confortables donnant sur le rocher Percé ou sur les montagnes. Ne manquez pas de réserver une table dans son restaurant réputé. La table d'hôtes *(de 31 à 60 $)* offre un grand choix de plats, notamment de nombreuses recettes gaspésiennes de poissons et fruits de mer dont un feuilleté de homard au champagne. La carte des vins est impressionnante.

POUR SE FAIRE PLAISIR

À Sainte-Anne-des-Monts

Gîte du Mont-Albert – *Rte du Parc - ☎ 1 866 727 2427 - www. sepaq.com - ✗ ♿ P ♨ - 60 ch. 200 $ en saison.* Située dans le parc de la Gaspésie, cette ravissante auberge offre un point de chute agréable pour apprécier les activités saisonnières du parc. Des chambres bien tenues et un service efficace font de cet établissement un endroit idéal pour une escapade le temps d'un week-end ou de vacances en famille.

UNE FOLIE

À Percé

Auberge au Pirate – *169 rte 132 Ouest - ☎ 418 782 5055 - ✗ P - le soir seult, réserv. conseillée - 5 ch. 200/285 $.* Cet établissement, offrant une vue magnifique sur le rocher Percé et disposant de chambres extrêmement confortables, est géré par d'aimables propriétaires. La cuisine attire des clients de tout le pays, venus déguster des spécialités comme le fondant de chair de crabe en mille-feuille, la brandade de morue et sa compote de tomates fraîches.

RESTAURATION

BUDGET MOYEN

À Percé

La Maison du Pêcheur – *155 pl. du Quai - ☎ 418 782 5331 - www. maisondupecheur.ca - menu du jour de 15 à 23 $, table d'hôtes de 40 à 52 $.* Cuisine québécoise aux petit-déjeuner, déjeuner et dîner : on choisira parmi poissons, fruits de mer, telles les escalopes de homard aux parfums d'érable, et savoureuses pizzas cuites au feu de bois comme la spéciale du Pêcheur avec sauce tomate, crevettes, pétoncles et chair de homard.

Îles de la Madeleine

★★

NOS ADRESSES PAGE 411

S'INFORMER

Tourisme Îles de la Madeleine – *128 chemin Principal, au coin du chemin Débarcadère, Cap-aux-Meules - ✆ 418 986 2245 ou 1 877 624 4437 - www. tourismeilesdelamadeleine.com - de janv. à déb. juin et de fin sept. au 24 déc. : lun.-vend 9h-12h, 13h-17h ; de déb. juin à fin juin et de fin août à fin sept. : 9h-20h ; de fin juin à fin août : 7h-21h.*

SE REPÉRER

Carte p. 404. Les îles de la Madeleine forment, dans le golfe du St-Laurent, un ensemble d'environ 72 km de long composé de nombreux îlots et de huit îles, dont six sont reliées par des flèches de sable.

À NE PAS MANQUER

L'île du Havre-aux-Maisons, la plage de la Grande-Échouerie sur Grosse-Île, les falaises de la Belle-Anse sur l'île du Cap-aux-Meules.

ORGANISER SON TEMPS

Restez sur les îles au moins quatre jours. L'île d'Entrée, la seule île habitée à ne pas être reliée au reste de l'archipel, est une destination en soi.

AVEC LES ENFANTS

L'aquarium des Îles sur l'île du Havre-Aubert.

Battu par les vents du large, cet archipel produit un effet immédiat à quiconque débarque sur l'une de ses quinze îles. Des falaises de grès rouge, des dunes et de longues plages sauvages s'étirant vers la mer, des vallons verts, des lagunes teintées par le bleu du ciel, un climat maritime qui adoucit l'hiver et rafraîchit l'été, une eau de baignade pouvant atteindre 17 °C : voilà quelques-uns des atouts des îles de la Madeleine. Et pour que la séduction soit complète, elles émergent du golfe du St-Laurent, plus proches du Cap-Breton et de l'île du Prince-Édouard que de la péninsule gaspésienne. Cet isolement les rend encore plus envoûtantes.

Découvrir

★★ ÎLE DU CAP-AUX-MEULES

La plus grande île de l'archipel en est le centre commercial et administratif. Elle comprend trois municipalités (Cap-aux-Meules, Fatima et L'Étang-du-Nord) reliées par des routes panoramiques qui tantôt serpentent dans les collines boisées, tantôt longent le littoral. L'île doit son nom aux pierres à meule découvertes dans le cap qui domine le port.

Le charmant **port** de Cap-aux-Meules est le lieu le plus animé de l'archipel. Le soir est idéal pour flâner et observer bateaux et chalutiers, certains en cale sèche pour réparation, d'autres se préparant pour la pêche du lendemain.

Prenez la route 199 (chemin Principal) vers l'ouest, direction La Vernière. À La Vernière, prenez le chemin de l'Église qui coupe la route 199.

6

Butte du Vent

Le chemin de l'Église conduit, dans les collines, à la butte du Vent *(prenez à gauche le chemin Cormier, et tout de suite à droite le chemin des Arsènes ; faites preuve de prudence sur ces chemins non pavés ; emploi d'un véhicule 4x4 conseillé).*

C'est le point culminant de l'île, d'où la **vue**★★ embrasse l'archipel entier et la baie de Plaisance.

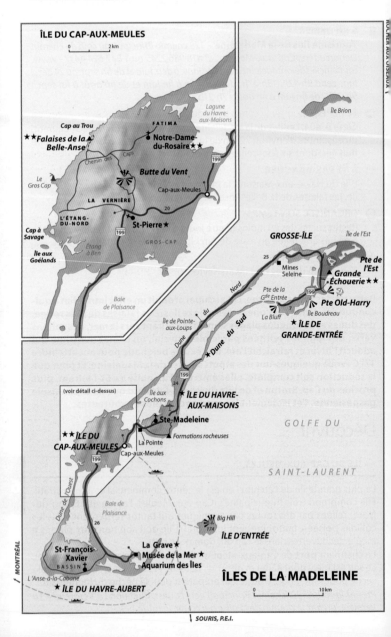

Reprenez le chemin de l'Église. Tournez à gauche dans le chemin des Huet, puis à droite dans le chemin des Caps, et continuez jusqu'à Fatima.

★★ Église Notre-Dame-du-Rosaire

Sur le chemin des Caps, à Fatima. Bel exemple de l'architecture religieuse contemporaine, cette église célèbre la vie des marins des îles de la Madeleine. De l'extérieur, elle rappelle la forme d'une coquille Saint-Jacques. L'intérieur est orné de symboles nautiques divers : hublots (fenêtres), brise-lames (autel et chaire) et vagues (disposition des tableaux du chemin de Croix). Construit d'après les plans de Jean-Claude Leclerc, l'édifice rappelle la chapelle de Ronchamps, due à Le Corbusier.

Reprenez le chemin des Caps. Tournez à droite dans le chemin de la Belle-Anse, et dirigez-vous vers la côte.

★★ Falaises de la Belle-Anse

Le visiteur peut longer la côte à pied, du chemin de la Belle-Anse au **cap au Trou** (en direction du nord) où il verra les formations les plus spectaculaires de tout l'archipel. La mer attaque sans répit les falaises de grès rouge, lézarde le roc et façonne des caps. Par endroits, la voûte des arches s'est effondrée pour ne laisser que des colonnes en butte aux assauts constants des vagues *(le bord des falaises étant friable, éloignez-vous du bord et restez très prudent).* *Continuez vers le sud par le chemin de la Belle-Anse. Tournez à droite dans le chemin des Caps, puis encore à droite dans le chemin de l'Étang-du-Nord.*

D'autres formations rocheuses impressionnantes jalonnent le littoral près de **L'Étang-du-Nord**. Cette municipalité possède un petit port de pêche qui accueille de nombreux chalutiers. Une promenade au bord du **cap à Savage** permet d'admirer la toute petite **île aux Goélands**, ainsi nommée à cause des oiseaux qui y affluent, et la côte ouest de l'île du Cap-aux-Meules.

Retournez à Cap-aux-Meules.

★ ÎLE DU HAVRE-AUBERT

La plus méridionale des îles de l'archipel se caractérise par des collines arrondies aux pentes douces, entrecoupées de coquettes maisons traditionnelles.

★ La Grave

Au nord-est de Havre-Aubert. Cet arrondissement historique tire son nom du mot « grave » (grève) qui désigne ici le lieu où les marchands venaient acheter aux pêcheurs leur poisson séché ou salé. Le site regroupe une quinzaine de petites maisons grises à bardeaux qui bordent la route, contournant une petite baie et menant au cap Grindley. On y voit des magasins, une ferblanterie, deux **chafauds** (quai ou hangar destiné à la préparation de la morue) et quelques entrepôts. Abandonnés par l'industrie des pêcheries, les bâtiments abritent des boutiques d'artisanat à base de sable, albâtre et peau de phoque.

Aquarium des Îles – ☏ 418 937 2277 - www.tourismeilesdelamadeleine.com/magdalen-islands - ♿🅿 - *de déb. juin à mi-oct. : 10h-18h - 5 $.* 👥 Des aquariums renfermant des espèces indigènes entourent un vaste bassin ouvert où l'on peut toucher les poissons. Les étages supérieurs sont consacrés aux divers modes de conservation et de transformation du poisson qui permettent aux pêcheurs madelinots d'exporter leurs produits.

6

★ Musée de la Mer

Pointe Shea, juste à côté de La Grave. ☏ 418 937 5711 - www.tourismeilesdela madeleine.com/magdalen-islands - ♿🅿 - *de juil. à déb. nov. : 9h-12h, 13h-17h, w.-end 13h-18h - 5 $.*

Des îles de caractère

Au 15ᵉ s., Basques et Bretons s'arrêtaient souvent dans l'archipel pour pêcher, chasser le phoque, le morse et la baleine. C'est en 1534, au cours de la première des trois expéditions qu'il entreprit dans le golfe du St-Laurent, que Jacques Cartier découvrit les îles de la Madeleine. Il débarqua au rocher aux Oiseaux, puis sur l'île Brion qu'il décrivit ainsi dans son journal de bord : « Ceste-dite ille est la meilleure terre que nous ayons veu, car ung arpant d'icelle terre vault mielx que toute la Terre Neufve. Nous la trouvames plaine de beaulx arbres, prairies, champs de blé sauvaige et de poys en fleurs, aussi espes et aussi beaulx, que je vis oncques en Bretaigne, queulx sembloict y avoir esté sémé par laboureux. »

Dans les décennies qui suivirent, l'archipel fut sporadiquement occupé par les Micmacs et par des explorateurs français en quête de ressources pour alimenter le commerce des fourrures. L'archipel devrait son nom à Madeleine Fontaine, femme du sieur **François Doublet** qui, en 1663, établit une colonie sur le territoire au nom du roi de France.

LA DÉPORTATION DES ACADIENS

L'archipel ne fut habité en permanence qu'à partir de 1755, lorsqu'il devint le refuge des colons français qui s'étaient installés en Acadie (aujourd'hui la côte ouest de la Nouvelle-Écosse). Région âprement disputée par l'Angleterre et la France entre 1604 et 1710, l'Acadie fut attribuée à l'Angleterre en 1713 par le traité d'Utrecht qui mettait fin à la guerre de succession espagnole. Les colons acadiens, soupçonnés par les Anglais d'être inféodés à la France, durent prêter serment d'allégeance inconditionnelle à l'Angleterre. Ils refusèrent et, au mois d'août 1755, Charles Lawrence, gouverneur de la Nouvelle-Écosse, émit un **ordre de déportation** dans les colonies américaines. Quelques centaines d'entre eux réussirent à s'échapper et se réfugièrent aux îles de la Madeleine et à St-Pierre-et-Miquelon, îles coloniales françaises situées au sud de Terre-Neuve (voir Le Guide Vert Canada). Après le traité de Paris (1763), les îles de la Madeleine furent cédées à l'Angleterre, St-Pierre-et-Miquelon demeurant aux mains des Français. À la suite de la Révolution française, les Acadiens réfugiés sur ces deux îles rejoignirent leurs compatriotes sur les îles de la Madeleine, préférant le roi, fût-il anglais, à la République. Ces anciens Acadiens sont les ancêtres de la plupart des « Madelinots » d'aujourd'hui.

Après la Conquête, le gouvernement britannique annexa les îles de la Madeleine à la province de Terre-Neuve, puis elles devinrent une seigneurie de la province du Québec, sous l'acte du Québec de 1774. Pour services rendus à l'Empire britannique, l'amiral Isaac Coffin obtint du roi George III le titre seigneurial des îles en 1798. Pendant un siècle, les Coffin allaient régner en maîtres absolus sur ce territoire, forçant de nombreux Acadiens à se réfugier de nouveau, cette fois sur la rive nord du St-Laurent. Ce n'est qu'en 1895 que les habitants obtinrent le droit de propriété des lots de terre qu'ils avaient défrichés et bâtis à la sueur de leur front.

LES ÎLES AUJOURD'HUI

Économie

Les Acadiens étaient traditionnellement d'habiles pêcheurs et de bons agriculteurs. À la pêche et à l'agriculture vint se greffer, au 19ᵉ s., l'exploitation forestière. C'est d'ailleurs ce type d'activité qui explique l'absence d'arbres sur les collines de l'île d'Entrée et de l'île Havre-aux-Maisons. Aujourd'hui, on ne pratique plus guère l'agriculture, et encore moins la coupe du bois. La pêche, par contre, demeure la principale activité économique. En effet, les îles, portion émergée d'un vaste plateau sous-marin, sont entourées de hauts fonds favorables à la prolifération de homards, de crabes, de pétoncles et d'autres crustacés. Les eaux abondent également en morues, flétans, maquereaux et perches, poissons que l'on traite à l'usine Madelipêche située près du port de Cap-aux-Meules, et que l'on expédie ensuite sur le continent pour la vente. Une industrie touristique en plein essor et une mine de sel viennent s'ajouter aux activités économiques des îles.

Architecture

Les îles présentent une architecture domestique caractéristique, même si les constructions les plus anciennes ne remontent guère qu'à 1850. Le type architectural le plus ancien est celui de la maison du pêcheur flanquée d'une ferme de subsistance. Ces demeures consistaient en un petit bâtiment à un étage, avec deux pièces au rez-de-chaussée et une plus petite au grenier. Après 1900, on construisit des maisons plus grandes, avec quatre pièces à chaque étage. Beaucoup de maisons traditionnelles ont des toits mansardés inspirés des presbytères et des couvents qui s'implantèrent sur les îles vers 1875. Les grandes églises en bois de Bassin, La Vernière et Grande-Entrée s'inscrivent dans la tradition des églises catholiques des Provinces maritimes (Church Point, par exemple), alors que plusieurs églises protestantes témoignent de la vitalité de la communauté anglophone.

Les années 1960 ont vu apparaître de nouvelles paroisses, ce qui explique cette rare concentration d'églises contemporaines dans cette partie du Québec.

Paysage

De belles **formations rocheuses**, sculptées dans la côte par les assauts de la mer, caractérisent les îles de la Madeleine. Par endroits, les falaises de grès rouge forment des arches, des tunnels, des caves et de fiers promontoires couronnés d'herbe vert émeraude. De vastes plages de sable blond s'étirent vers la mer pour composer un paysage multicolore, à la fois sauvage et paisible.

Flore

Les grands arbres sont très rares, car peu ont échappé, au 19e s., à la hache du bûcheron. Ceux qui restent ont subi l'agression des vents : ils ont pris des formes tortueuses et uniques.

Les fleurs sauvages abondent au printemps et en été. Dans les tourbières, une plante carnivore, la **sarracénie pourpre**, capture les insectes dans ses poils et les noie dans un liquide sécrété par ses feuilles en forme de cruche. Dans les marais d'eau douce, l'**iris versicolore** pousse en colonies parfois très denses. Dans les dunes, l'**ammophile**, grâce à ses racines profondes et ramifiées, retient les sables et freine l'érosion.

Faune

Au milieu du golfe du St-Laurent, l'archipel est un lieu de repos pour les oiseaux migrateurs. De nombreuses espèces, notamment le macareux arctique, le fou de Bassan et le pluvier siffleur (espèce menacée) y nichent toute l'année. Le harfang des neiges, grande chouette à plumage blanc, est une espèce indigène.

Le phoque gris, le phoque commun et le phoque du Groenland fréquentent les îlots et les plages les plus isolées.

LES ÎLES DE L'EST

Les îles les plus à l'est de l'archipel sont reliées aux autres par une flèche de sable, la **dune du Nord**. Au nord de la dune se trouvent les **mines Seleine**, dont la production est surtout destinée au déglaçage des routes du Québec en hiver.

Grosse-Île

La plupart de ses habitants sont les descendants de métayers écossais arrivés au début du 18e s. après avoir été chassés d'Écosse, à l'époque du développement de l'élevage ovin. C'est ici que le mode de vie traditionnel, axé sur la pêche et l'agriculture, s'est le mieux maintenu.

Réserve nationale de faune de la Pointe-de-l'Est – *℘ 418 985 2833 ou 1 888 537 4537 - du 24 juin à déb. sept. - rens. sur les randonnées pédestres organisées à l'intérieur de la réserve : Club vacances Les Îles/La Salicorne - www.salicorne.ca.* Sur un territoire de 1 440 ha, le visiteur découvrira le monde particulier des dunes : leur faune (phoques, oiseaux migrateurs), leur flore (comme, par exemple, l'ammophile à ligule) et bien sûr, leur terrain (plages, étangs, marais).

★★ **Plage de la Grande Échouerie** – Cette étendue de sable – l'une des plus belles de l'archipel – constitue la bande littorale sud de la réserve nationale de faune. Elle doit son nom au mot « échouerie » qui, au Québec, désigne les rochers où les troupeaux de phoques et de morses viennent se prélasser au soleil.

★ Île de Grande-Entrée

La pêche au homard joue un rôle primordial sur cette petite étendue de terre dont la colonisation remonte à environ 1870.

Pointe Old-Harry – La plage de la Grande Échouerie mène à la pointe Old-Harry, petit port protégé par une jetée typiquement madelinienne faite de « dolosses », blocs de béton en forme d'ancre. La chasse au morse, pratiquée à partir du 17e s., amena les premiers Européens à s'installer sur les îles. C'est à Old-Harry qu'ils procédaient à l'abattage et au dépeçage des bêtes. La route 199 traverse l'île et aboutit au petit port de pêche de Grande-Entrée, où quais et bateaux de pêche sont peints de couleurs vives. Chaque année, les homardiers locaux capturent plus de la moitié des prises de l'archipel.

Sentiers de randonnée sur la côte – C'est en se promenant sur les sentiers côtiers que l'on pourra admirer des **vues**★★★ panoramiques parmi les plus saisissantes de l'archipel : caps et falaises spectaculaires, vastes plages et lagunes sauvages, arbres tourmentés et fleurs multicolores. Du parc de stationnement, au bout du chemin des Pealey, les promeneurs avides de grands horizons flâneront du côté de La Bluff et de l'île Boudreau pour une vue allant jusqu'à la pointe de l'Est.

ÎLE D'ENTRÉE

Traversier N. M. Ivan-Quinn - ℘ 418 986 7172 ou contacter l'Association touristique des Îles-de-la-Madeleine - www.traversiers.gouv.qc.ca- dép. du port de Cap-aux-Meules - mai-déc. - lun.-sam. - 2 traversées/j. - 1h de trajet - sur réserv. - 31 $ AR. Seule île habitée à ne pas être reliée au reste de l'archipel, ce petit avant-poste compte une population de quelque 200 anglophones. Il est sillonné de sentiers d'où le promeneur pourra admirer des formations rocheuses intéressantes et observer de nombreux oiseaux, notamment le cormoran. De Big Hill, point culminant de l'archipel (174 m), la **vue** embrasse toutes les îles.

😊 NOS ADRESSES AUX ÎLES DE LA MADELEINE

HEURE LOCALE

Contrairement au reste du Québec, l'archipel vit à l'heure de l'Atlantique, et non à celle de l'Est. Il faut donc avancer sa montre d'1h par rapport à l'heure de Montréal.

TRANSPORTS

En avion

Service entre Montréal et l'île du Havre-aux-Maisons assuré par **Air Canada Jazz** (📞 1 888 247 2262 - www.aircanada. com) et **Pascan Aviation Inc** (📞 450 443 0500 ou 1 888 313 8777 - www.pascan.com).

En bateau

CTMA Traversier Ltée – 📞 1 888 986 3278, 418 986 3278 (Cap-aux-Meules) ou 902 687 2181 (Souris) - www.ctma.ca - 🍴🦽🅿. Liaison (5h) en traversier au départ de Souris-Cap-aux-Meules. *Service quotidien (sf lun.) avr.-juin et sept. au dép. de Cap-aux-Meules (à 8h) et de Souris (à 14h) ; service quotidien juil.-août ; service limité oct.-janv. ; aller simple 47 $/pers. en haute saison, 87 $ supplémentaires/voiture - sur réserv.*

Liaison Montréal-Cap-aux-Meules. *Le vend. de mi-juin à mi-sept. (2 jours) - aller simple 654/821 $/ pers. avec repas, taxes et frais portuaires - sur réserv.*

En autocar

Les Sillons – 📞 418 986 3886 - www.autobuslessillons.com - *dép. vend. soir.* Forfait comprenant le trajet en bus à partir de Montréal *(470 $ AR)*, Québec *(379 $ AR)* ou Rivière-du-Loup *(339 $)* et la traversée vers les îles.

VISITE

Excursions dans les îles

Plusieurs compagnies proposent des excursions (en autobus, en hélicoptère, en bateau) d'une durée variable. Des croisières panoramiques permettent par exemple d'admirer les formations rocheuses de l'archipel ou d'aller observer les phoques.

Des randonnées d'interprétation et d'observation de la nature sont également possibles grâce aux nombreux sentiers qui sillonnent les îles. Renseignements auprès de Tourisme Îles de la Madeleine *(voir p. 403).*

HÉBERGEMENT

😊 **Bon à savoir** – Auberges, hôtels, motels et B&B se trouvent surtout sur les îles du Cap-aux-Meules, du Havre-aux-Maisons et du Havre-Aubert. Logement chez l'habitant et location de maisons et chalets sont aussi possibles. Il est conseillé de réserver bien à l'avance si l'on prévoit d'effectuer un séjour en juillet-août.

6

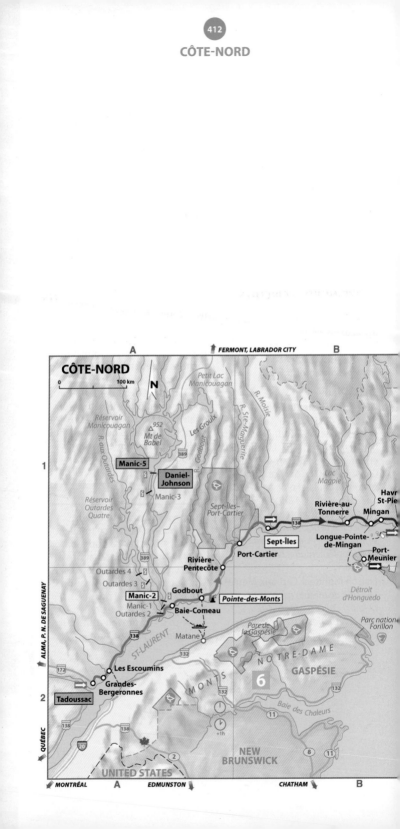

Côte-Nord 7

Tadoussac	★★	Mérite un détour
Sept-Îles	★	Intéressant
Mingan		À voir
⇨		Ville de départ du circuit
🔍 ÎLE D'ANTICOSTI		Voir la carte détaillée du circuit
→		De Tadoussac à Sept-Îles
→		De Sept-Îles à Havre-Saint-Pierre
⇢		De Havre-Saint-Pierre à Blanc-Sablon

Côte-Nord

★

Manicouagan-Duplessis

🔊 NOS ADRESSES PAGE 427

🚩 S'INFORMER

Tourisme Duplessis – *312 av. Brochu, Sept-Îles G4R 2W6 -* 📞 *418 962 0808 ou 1 888 463 0808 - www.tourismecote-nord et www.tourismeduplessis.com.*
Tourisme Côte-Nord-Manicouagan – *337 bd La Salle, bureau 304, Baie-Comeau G4Z 2Z1 -* 📞 *418 294 2876 ou 1 888 463 5319 - www.tourismecote-nord.com et www.tourismemanicouagan.com.*

▶ SE REPÉRER

Carte de région (p. 412-413). La route 138 dessert la Côte-Nord de Tadoussac à Natashquan. La Basse-Côte-Nord est accessible par bateau ou par avion.

🐾 À NE PAS MANQUER

La réserve du parc national de l'Archipel-de-Mingan.

🕐 ORGANISER SON TEMPS

La découverte de la Côte-Nord que nous vous proposons peut se faire en une à deux semaines.

👫 AVEC LES ENFANTS

Le centre d'interprétation des mammifères marins de Tadoussac et l'observation des baleines, le centre d'interprétation Archéo-Topo aux Grandes-Bergeronnes, une excursion au Jardin des Glaciers.

Divisée en deux régions touristiques (Manicouagan et Duplessis), la Côte-Nord englobe un immense territoire allant de l'embouchure du Saguenay jusqu'à la frontière du Labrador. Région la plus méridionale, la « Haute » Côte-Nord s'étend de Tadoussac à Sept-Îles. Au centre, la « Moyenne » Côte-Nord réunit Sept-Îles à Natashquan. Quant à la « Basse » Côte-Nord, ainsi nommée en raison de sa proximité avec l'Océan, elle comprend la région sise entre Natashquan et Blanc-Sablon. Dans ces vastes espaces de taïga, villes et villages ne sont guère accessibles que par avion ou par bateau. Inuits et Montagnais y résident depuis plusieurs milliers d'années. Peu fréquentée par les touristes, la Côte-Nord déroule des paysages d'une beauté presque irréelle. À découvrir !

Circuits conseillés Carte de région

DE TADOUSSAC À SEPT-ÎLES AB1-2

▶ *Circuit de 450 km tracé sur la carte p. 412-413, par la route 138.*

★★ **Tadoussac** A2
🚩 **Maison du tourisme** – *197 r. des Pionniers -* 📞 *418 235 4744 ou 1 866 235 4744 - www.tadoussac.com.*

D'HIER À AUJOURD'HUI

Bien avant que Jacques Cartier n'y jette l'ancre en 1535, l'endroit était déjà un lieu d'échanges. En 1600, Pierre Chauvin y érigea le premier poste de traite de fourrures du Canada. Peu après, les jésuites y établirent une mission. En 1603, dès son premier voyage, Champlain s'arrêta à Tadoussac, qui devint un port de relâche fréquenté par tous les vaisseaux venus d'outre-Atlantique. Prise en 1628 par les frères Kirke, aventuriers britanniques, Tadoussac retourna bientôt aux mains des Français, et fut un comptoir de fourrures jusqu'en 1839. Au 19e s., une population permanente s'y établit, et un moulin à scie y fut construit. L'avènement du bateau à vapeur, en 1853, allait favoriser le développement du tourisme dans la région. En 1866, la Tadoussac Hotel and sea Beathing Co. construisit le premier Grand Hôtel au toit rouge qui devait faire sa réputation de lieu de villégiature. Pendant plus d'un siècle, Tadoussac fut l'un des hauts lieux du tourisme en Amérique du Nord. Depuis, cet engouement ne s'est pas démenti.

Porte d'entrée de la Côte-Nord, la petite ville de Tadoussac est devenue la capitale québécoise de l'observation des baleines. Les visiteurs viennent de plus en plus nombreux admirer les mammifères marins qui fréquentent pendant quelques mois les eaux de l'embouchure du Saguenay, riches en plancton, et les croisières « baleines garanties » se multiplient, au risque de déranger ces géants des mers. Mais Tadoussac a bien d'autres attraits. Elle occupe un merveilleux site de dunes et de falaises, au confluent du fjord du Saguenay et du St-Laurent. Sa baie fait ainsi partie des plus belles baies du monde. Son nom vient du montagnais *tatoushak* (monticules), qui évoque les deux vallons boisés et rocheux qui entourent l'ouest du village.

Chapelle des Indiens – *169 r. du Bord-de-l'Eau -* ☎ *418 235 1415 -* ♿ 🅿 *- de mi-juin à mi-oct. : 9h-21h - 2 $.* La plus vieille chapelle de bois du Canada fut érigée en 1747 par le missionnaire jésuite Claude-Godefroy Cocquart. Elle renferme une belle collection d'objets religieux.

🐋 Une promenade, aménagée au bord du fleuve, relie la vieille chapelle des Indiens au poste de traite de Chauvin, dominée par l'Hôtel Tadoussac (*voir « Nos adresses »*) coiffé d'un long toit rouge.

Poste de traite Chauvin – *157 r. du Bord-de-l'Eau -* ☎ *418 235 4657 -* ♿🅿 *- de déb. juil. à déb. sept. : 9h30-19h ; juin et de déb. sept. à mi-oct. : 10h-12h, 15h-18h - 5 $.* Cette structure en billes équarries, coiffée d'un toit pentu, est une reconstitution du poste de traite érigé par Pierre Chauvin en 1600. Diverses expositions retracent l'histoire du commerce de la pelleterie entre Montagnais et Français et présentent les différentes espèces d'animaux à fourrure de la région.

Centre de découverte de la maison des Dunes – *Route 138 ou 172, à 4-5 km à l'est de Tadoussac par la rue des Pionniers qui devient le chemin du Moulin-à-Baude. 750 chemin du Moulin-à-Baude -* ☎ *418 235 4238 -* ♿🅿 *- fin mai : 10h-17h ; de déb. juin à mi-juin : w.-end 10h-17h ; de mi-juin à déb. sept. : jeu.-lun. 10h-17h ; de déb. sept à déb. oct. : jeu.-lun. 13h30-20h30.* Logé dans une maison de pierre (1922), il fournit des explications sur la formation de ces belles terrasses marines de 30 m de haut, en bordure du St-Laurent. D'août à octobre, on y observera de nombreux rapaces et passereaux. Le centre sert également de centre d'accueil et d'information pour le secteur de la Baie-de-Tadoussac du parc national du Fjord du Saguenay. Le droit d'accès au parc se retire ici.

★★ **Parc national du Fjord du Saguenay (secteur Baie-de-Tadoussac)** – ☎ *418 272 1556 ou 1 800 665 6527 - www.sepaq.com -* ⛺🍴🅿 *- ouvert tte l'année - centre d'accueil à la maison des Dunes : voir ci-dessus - 5,50 $.*

7

LA ROUTE DES BALEINES

Chaque année au mois de **juin**, des baleines remontent le St-Laurent jusqu'à l'embouchure du Saguenay. À cet endroit, les eaux salées du fleuve se mêlent aux eaux douces du Saguenay, favorisant la prolifération d'une flore et d'une faune extrêmement variées. Les petits poissons se nourrissent de plancton, fort abondant dans ces eaux, et servent à leur tour de nourriture aux baleines qui en consomment plusieurs tonnes par jour. Parmi la douzaine d'espèces les plus couramment observées, notez le **petit rorqual**, le **rorqual commun** et le **béluga** (ou baleine blanche). On peut aussi voir, de temps à autre, le **rorqual à bosse** et, plus rarement, le gigantesque **rorqual bleu** dont les dimensions en font le plus grand mammifère du monde. La moitié de ces espèces sont inscrites sur la liste des espèces en péril du Canada.

Le long de la **Route des Baleines** qui s'étend sur 900 km de Baie-Ste-Catherine *(voir p. 347)*, sur la rive opposée du Saguenay, jusqu'à l'extrême est de Duplessis, vous aurez peut-être l'occasion d'observer, de la côte ou en bateau, le ballet des cétacés. À Tadoussac surtout, mais aussi aux Escoumins, au phare de la Pointe-des-Monts, aux Sept-Îles ou encore à Longue-Pointe-de-Mingan.

★★ **Croisières sur le fjord du Saguenay** – *Voir « Nos adresses ».*

Randonnées – Le secteur de la Baie-de-Tadoussac propose plusieurs sentiers de courtes randonnées, parmi lesquels le sentier de la **pointe de l'Islet** qui renferme la baie de Tadoussac. Ce dernier mène à un **site d'observation terrestre des mammifères marins** *(dép. au bout du quai fédéral de Tadoussac, ⟿ 30mn)*. Et encore : sentier de la Colline-de-l'Anse-à-l'Eau *(dép. au parc de stationnement du parc, route 138 à la sortie du traversier, ⟿ 45mn)*.

Centre d'interprétation des mammifères marins – *108 r. de la Cale-Sèche, près du quai -* 🖉 *418 235 4701 - www.gremm.org -* 🖧🅿 *- de mi-juin à fin sept. : 9h-20h ; de mi-mai à mi-juin et de fin sept. à mi-oct. : 12h-17h -12 $ (-17 ans gratuit).* 👥 Des squelettes de baleines, un film (dont les images sont à couper le souffle !), des consoles interactives et des animateurs : tout est mis en œuvre pour vous faire connaître les mammifères marins. Une bonne introduction aux croisières d'observation. Le centre est géré par le parc marin du Saguenay-St-Laurent.

★★ **Croisières d'observation des baleines** – 👥 Les bateaux conduisent les observateurs au milieu du fleuve qui, à cet endroit, atteint 10 km de large. C'est ici, loin des côtes, que les baleines viennent plonger en quête de nourriture et faire surface pour respirer. On peut les repérer au puissant jet d'eau qui émane de leur évent *(voir « Nos adresses »).*

Traversier pour Baie Ste-Catherine – *Société des traversiers du Québec -* 🖉 *1 877 787 7483 - www.traversiers.gouv.qc.ca -* 🖧 *- dép. du quai de l'Anse-au-Portage - aller 10mn.* En service toute l'année, ce traversier constitue l'unique moyen de franchir l'embouchure du Saguenay pour les véhicules qui empruntent la route 138. Le voyage ne peut qu'impressionner, avec le fjord profond du Saguenay à droite et les eaux majestueuses du St-Laurent à gauche. Durant cette courte traversée, on aperçoit parfois des baleines ou autres mammifères marins.

Grandes-Bergeronnes A2

En 1603, Samuel Champlain nomma « Bergeronnettes » cet endroit où il avait observé le vol de ces petits oiseaux jaunes à longue queue. La région était

Tadoussac.
R. Chiasson/Age Fotostock

depuis longtemps fréquentée par des pêcheurs basques et par les Montagnais. En 1844, les premiers colons vinrent s'y établir et construisirent un moulin à farine à Petites-Bergeronnes, ainsi qu'une scierie à Grandes-Bergeronnes. Aujourd'hui, l'observation des **baleines** constitue le principal attrait de la localité. Attirés par une prolifération exceptionnelle de plancton, bélugas et baleines bleues fréquentent volontiers les eaux de la région, pour le plus grand plaisir des visiteurs qui pourront les admirer en mer ou depuis la côte, au Cap-de-Bon-Désir.

Centre d'interprétation et d'observation du Cap-de-Bon-Désir – *À 6 km à l'est de Grandes-Bergeronnes.* 418 232 6751 - www. parcmarin.qc.ca - *de mi-juin à mi-oct. : 8h-20h - 7 $.* Partie intégrante du **parc marin du Saguenay-St-Laurent** *(voir p. 355)*, le centre Cap-de-Bon-Désir propose de multiples activités ayant trait à l'interprétation de l'histoire régionale et à l'observation du milieu marin de l'estuaire. Un belvédère permettra d'admirer différentes variétés de mammifères marins, dont les baleines *(location de jumelles)*.

Centre d'interprétation Archéo-Topo – *498 r. de la Mer -* 418 232 6286 - www.archeotopo.com - *juin.-sept. : 9h-18h ; juil.-août : 8h-20h - 6 $.* Les premiers pas de l'exploration archéologique de la région remontent au début du 20e s. Dans les années 1950, un amateur éclairé, Ti-Louis Gagnon, parvint à attirer l'attention sur la richesse des gisements. Ce centre fait le point sur l'occupation humaine préhistorique et historique de la Côte-Nord à travers l'analyse d'une trentaine de sites représentatifs.

Petits et grands découvrent l'archéologie et la préhistoire dans un contexte où l'information est rendue interactive par des manipulations d'objets.

Les Escoumins A2

Vers la fin du 15e s., des pêcheurs basques fondèrent ici une petite communauté qu'ils appelèrent l'« Esquemin ». Aujourd'hui connue sous le nom d'Escoumins, cette charmante localité est un endroit idéal pour **observer baleines** et autres mammifères marins. Elle est également réputée parmi les amateurs de pêche et de plongée sous-marine.

L'EAU MOTEUR DE DÉVELOPPEMENT

Au cours de la seconde moitié du 15e s., des pêcheurs basques vinrent chasser la baleine dans les parages. La pêche demeura la principale activité de la région jusque dans les années 1920, époque au cours de laquelle les entreprises de pâte à papier se lancèrent dans l'exploitation forestière et créèrent une importante industrie du bois. Vers 1950, la découverte de riches gisements miniers (de fer en particulier) déclencha une nouvelle croissance économique à laquelle succéda, au début des années 1960, l'aménagement hydroélectrique des rivières aux Outardes et Manicouagan.

En traversant la rivière des Escoumins, vous découvrirez sur sa gauche une structure insolite. Il s'agit d'une **échelle à saumons** ou passe migratoire, déviation artificielle destinée à faciliter la montaison des poissons lorsqu'ils retournent frayer dans les eaux où ils sont nés.

Baie-Comeau A2

🛈 **Tourisme Baie-Comeau** – *69 pl. La Salle -* 📞 *418 296 8178 ou 1 888 589 6497 - www.ville.baie-comeau.qc.ca.*

La ville fut baptisée en hommage à Napoléon-Alexandre Comeau, trappeur, géologue et naturaliste de la Côte-Nord. Conscient du potentiel économique qu'offrait la région, le colonel Robert McCormick (1880-1955) – rédacteur en chef du *Chicago Tribune* – fonda en 1936 la Quebec North Shore Paper Company, qui allait donner naissance à la ville de Baie-Comeau. La société porte aujourd'hui le nom de Compagnie de papier de Québec et Ontario, et représente l'un des plus grands employeurs de la région.

Cathédrale St-Jean-Eudes – 📞 *418 589 2370 -* ♿ *- du 24 juin au 1er lun. sept. : 8h-20h ; reste de l'année : lors des offices.* Elle se dresse dans la partie ouest de la ville, à l'embouchure de la rivière Manicouagan. Elle est dédiée à saint Jean-Eudes, prêtre français du 17e s. qui fonda la congrégation de Jésus et Marie (dite des Eudistes). Édifié en 1958 à l'aide de différentes sortes de granits polychromes, l'édifice n'est pas sans rappeler le style du moderniste français Auguste Perret.

Déclaré zone historique en 1985, le **quartier Amélie** se trouve dans le secteur Marquette, à l'est, et comporte de belles demeures bâties dans les années 1930. Dans la rue Cabot se dresse l'élégant **hôtel Le Manoir**, reconstruit dans le style colonial français à la suite d'un incendie survenu en 1965.

Église Ste-Amélie – *À l'est de Baie-Comeau par la route 138. 36 av. Marquette -* 📞 *418 296 5528 -* ♿ *- 5 $.* L'église est dédiée à la mémoire d'Amélie McCormick, femme du fondateur et bienfaiteur de Baie-Comeau. L'artiste italien Guido Nincheries a signé les **fresques★** (restaurées en 1996) qui ornent l'intérieur.

Jardin des Glaciers – *Au nord de Baie-Comeau par la route 138. 3 r. Denonville -* 📞 *1 877 296 0182 - www.jardindesglaciers.ca - de déb. juin à fin août : 8h-19h ; de fin-août à déb. sept. : 8h-18h ; de déb. sept. à déb. oct. : 9h-17h - tarif variable suivant les activités.* 👥 Ce centre d'interprétation propose d'explorer cette partie des berges du St-Laurent modelée il y a plus de 10 000 ans par la dernière glaciation. Il aborde, avec une forte volonté de sensibilisation à l'écologie, la question des liens entre les hommes et leur environnement à travers trois pôles : la zone spectacle (présentations multimédia, projections), la zone nature (excursions, visites guidées de sites significatifs sur le plan scientifique, activités de fouilles) et la zone adrénaline (randonnées, sports extrêmes, camping sauvage).

Excursion au complexe Manic-Outardes A1-2

▷ *430 km AR au départ de Baie-Comeau.* ☏ *1 866 526 2642 - www.hydroquebec. com/visitez -* 🅿 *- visite guidée des différents sites 24 juin-31 août : 9h30, 11h30, 13h30 et 15h30.*

Lors de sa construction dans les années 1960, Manic-2 était le plus grand barrage-poids à joints évidés du monde. Manic-5 se veut la plus puissante des centrales de la Côte-Nord. Son réservoir, deux fois plus grand que le lac St-Jean, figure au 6e rang des réservoirs les plus volumineux du monde. Et le barrage Daniel-Johnson demeure le plus grand barrage à voûtes multiples et à contreforts du monde : autant dire qu'en venant au complexe Manic-Outardes, vous serez face à des géants ! Plus qu'impressionnant…

Les centrales du complexe Manic-Outardes produisent un total de 6 821 MW. Des lignes de transport d'énergie à 735 000 V (les premières de ce type dont on se soit servi à des fins commerciales) assurent le transport de l'électricité vers les grandes villes. Notons que d'autres centrales, situées sur les rivières Betsiamites et Hart-Jaune, viennent ajouter quelque 1 682 MW supplémentaires à la puissance hydroélectrique régionale. Les trois centrales dont se compose le complexe Outardes *(fermé au public)* à proprement parler sont alimentées par les eaux d'un réservoir de 652 km^2, créé à 93 km en amont du point de confluence de la rivière aux Outardes et du St-Laurent. La plupart des digues et barrages de ce complexe sont remblayés, c'est-à-dire constitués de sable, de cailloux et de pierres extraits à proximité.

★ **Manic-2** – *À 21 km de Baie-Comeau par la route 389.* Première centrale du complexe Manic-Outardes à produire de l'électricité, Manic-2 fut mise en service au milieu des années 1960. Elle est construite au pied d'un des plus grands barrages-poids évidés du monde (hauteur : 94 m, longueur : 692 m). Ce type de barrage peut, en raison de son poids, résister aux poussées énormes qu'exercent sur lui les eaux du réservoir. Par ailleurs, ses joints évidés de la base jusqu'au sommet ont permis d'économiser 15 % de béton. La centrale elle-même a une hauteur de chute de 70 m. Huit groupes turbines-alternateurs produisent jusqu'à 1 015 200 kW.

Reprenez la route 389 et poursuivez sur près de 190 km.

★★ **Barrage Daniel-Johnson** – Il régule l'alimentation en eau de toutes les centrales du complexe Manic-Outardes. Il s'agit du plus grand barrage à voûtes

UN DÉFI TECHNOLOGIQUE

La gigantesque entreprise que représentait l'aménagement de centrales hydroélectriques sur les rivières aux Outardes et Manicouagan commença en 1959 pour se terminer 20 ans plus tard. Le projet aboutit à la mise au point de nouvelles technologies qui allaient surpasser tout ce qui avait été accompli jusque-là en matière d'ingénierie et permit d'établir plusieurs records mondiaux. Réalisé dans la vaste et sauvage région de Manicouagan, l'énorme complexe hydroélectrique, composé de sept centrales, entraîna la mobilisation de milliers d'hommes et de femmes, et nécessita le transport de tonnes de matériel et de matériaux. À l'emplacement choisi pour la construction du barrage principal, à Manic-3, la nature du sol (dépôts alluviaux perméables) risquait d'entraîner des infiltrations d'eau dans les fondations de l'ouvrage. Les ingénieurs relevèrent alors le défi en concevant un barrage à double paroi de béton dont les assises plongeaient à 131 m dans le sol. Ils ont ainsi créé le mur d'étanchéité le plus profond du monde.

7

multiples et à contreforts du monde. Il mesure 1 314 m de long sur 214 m de haut. Sa construction s'est échelonnée sur une période de sept ans. Terminé en 1968, l'ouvrage fut nommé en l'honneur de Daniel Johnson, alors Premier ministre du Québec, qui mourut sur les lieux le matin même de l'inauguration. La construction du barrage entraîna la réunion de deux lacs semi-circulaires, les lacs Manicouagan et Mouchalagane, formant ainsi un gigantesque plan d'eau en forme d'anneau. Le diamètre du réservoir est de 65 km. La dépression naturelle qu'occupe l'immense lac amena les géophysiciens à s'interroger sur son origine et à conclure qu'elle aurait pu être causée par la chute d'une météorite il y a quelque 200 millions d'années. De fait, cette dépression présente un aspect étrangement similaire aux cratères dont est criblée la surface de la lune, et les roches qu'on y a trouvées rappellent les pierres lunaires rapportées par les astronautes.

Centrale de Manic-5 – La plus puissante du complexe Manic-Outardes, elle se trouve à environ 1 km en aval du barrage. Elle possède une hauteur de chute de 150 m, et ses groupes turbines-alternateurs sont capables de produire 1 528 000 kW. À l'aide de maquettes à l'échelle, des guides décrivent le fonctionnement des barrages de Manic-Outardes et expliquent comment l'électricité est produite, transportée et distribuée. Après la visite, un autobus amène le visiteur au pied des voûtes monumentales, puis sur le barrage même qui domine le paysage sauvage et la rivière Manicouagan.

Manic-5PA – Cette centrale souterraine, dite de « suréquipement » (les initiales PA signifiant « puissance additionnelle »), est dotée de quatre groupes turbines-alternateurs. Entrée en fonction en 1989, elle a pour but d'accroître la puissance installée de Manic-5 aux périodes de pointe. Les deux centrales ont une puissance combinée de 2 592 MW.

Godbout A2

🄸 **Bureau d'accueil touristique du Secteur des panoramas** – *115 r. Pascal-Comeau - 🖉 418 568 7462 - www.secteurdespanoramas.com.*
Cette localité occupe un très beau **site★** au fond d'une baie située entre le cap de la Pointe-des-Monts et l'embouchure de la rivière Godbout. Village et rivière furent baptisés en l'honneur de Nicolas Godbout, pilote et navigateur qui s'établit sur l'île d'Orléans en 1670. Un traversier assure la liaison avec Matane.

Musée amérindien et inuit de Godbout – *134 r. Pascal-Comeau - 🖉 418 568 7306 - www.vitrine.net/godbout - △ �🍴 🅿 - de fin juin à fin sept. : 9h-22h - 5 $ (6-12 ans 2 $).* Il possède une belle collection d'œuvres amérindiennes et de sculptures inuits provenant essentiellement des Territoires du Nord-Ouest. On y remarquera de superbes photos de Fred Bruemmer illustrant la faune de l'Arctique. Un authentique canot d'écorce algonquin est suspendu dans l'atelier qui offre, en été, des activités d'initiation à la poterie.

Reprenez la route 138. Au bout de 29 km, prenez à droite la route du Vieux-Phare et continuez sur 12 km.

★ Phare de Pointe-des-Monts A2

1830 chemin du Vieux-Phare, Baie-Trinité - 🖉 418 939 2400 ou 418 589 8408 (hors saison) - www.pharepointe-des-monts.com - △ ⛴ 🅿 - de mi-juin à mi-sept. : 9h-17h - 5 $.
Il se dresse à 28 m au-dessus du St-Laurent qui, ici, s'élargit pour former un golfe. Érigé en 1830, il abrita pendant 150 ans les gardiens et leurs familles. À l'intérieur, un petit musée patrimonial évoque leur vie et présente également des objets provenant d'épaves de navires échoués dans les environs.

Le bâtiment sert de point de départ à toutes sortes d'excursions et d'activités : pêche à la truite et au saumon ; pêche en mer ; plongée sous-marine ; chasse photographique à l'ours noir ; observation des mammifères marins (baleines, phoques) et des oiseaux (aigles pêcheurs, fous de Bassan) ; promenades sur la grève.

⚗ **Bon à savoir** – On trouvera sur place une auberge ainsi que plusieurs chalets de villégiature.

Reprenez la route 138.

De la Pointe-aux-Anglais à Rivière-Pentecôte, la route 138 longe de magnifiques plages de sable blond.

Rivière-Pentecôte A1-2

S'étant arrêté dans les environs le jour même de la Pentecôte, Jacques Cartier nomma ainsi la rivière locale. Rivière-Pentecôte fut le berceau du premier journal de la Côte-Nord, l'*Écho du Labrador*, fondé en 1903 par Joseph Laizé, un missionnaire eudiste. Du kiosque de renseignements touristiques qui domine le village, belle **vue★** sur l'ensemble pittoresque que forment, juchés sur un cap, l'église et le petit oratoire dédié à sainte Anne.

Port-Cartier B1

Grâce à son port en eau profonde, cette ville industrielle et commerciale occupe au Canada une place importante pour le transbordement du minerai et des céréales. Elle se trouve en bordure des rivières aux Rochers et Dominique, au point où toutes deux se jettent dans le St-Laurent. Les **deux îles situées à leur embouchure** offrent toutes sortes d'activités récréatives : randonnée pédestre, baignade, pique-nique, camping et pêche sportive (la région est réputée pour ses rivières à saumons). Sur l'île Patterson, un jardin botanique, le Taïga, abrite des plantes indigènes ; sur l'île McCormick, un café-théâtre expose les œuvres d'artistes locaux.

★ Sept-Îles B1

🛈 **Corporation touristique de Sept-Îles** – *1401 bd Laure Ouest -* ☎ *418 962 1238 ou 1 888 880 1238 - www.tourismeseptiles.ca.*

Troisième port du Québec, après Montréal et Québec, cette ville occupe un site de toute beauté au centre d'une vaste baie circulaire. Protégée à l'embouchure par les sept îles qui lui donnèrent son nom, la baie reste navigable en toutes saisons, ce qui permet à Sept-Îles de poursuivre à longueur d'année son activité industrielle.

Parc du Vieux-Quai – Une promenade longe la magnifique baie de Sept-Îles. Les amateurs de fruits de mer pourront acheter et déguster crevettes et crabes, tout en marchant le long du quai. Dans les abris qui jalonnent la promenade, des artistes et artisans locaux exposent leurs œuvres.

Maison de Transmission de la culture innue, Shaputuan – *290 bd des Montagnais -* ☎ *418 962 4000 - lun.-jeu. 8h-16h30, vend. 9h-12h - 5 $.* Shaputuan signifie « la grande tente de rassemblement ». Ce musée consacré à la culture du peuple innu se veut un lieu de rassemblement, d'animation et de conservation de leur culture. L'exposition permanente illustre leur cycle de vie traditionnel et la relation qu'ils entretiennent avec le temps, la terre et la vie.

Musée régional de la Côte-Nord – *500 bd Laure -* ☎ *418 968 2070 - www.mrcn.qc.ca -* ⚒🅿 *- du 24 juin au 1ᵉʳ lun. sept. : 9h-17h (20h merc.) ; reste de l'année : mar.-merc. 10h-12h, 13h-17h (20h merc.), jeu.-vend. 10h-17h, w.-end 13h-17h - 7 $.* Voué à la mise en valeur du patrimoine nord-côtier, ce musée d'art et d'histoire propose des expositions temporaires et une exposition permanente qui trace le portrait de la Côte-Nord, en évoquant les grandes étapes

7

UN PEU D'HISTOIRE…

En 1535, **Jacques Cartier** avait découvert plusieurs îles rondes à l'entrée de la grande baie. Avant lui, au 15e s., Basques, Français et Espagnols étaient venus y chasser le phoque et la baleine, dont l'huile était alors fort demandée en Europe. Et bien avant eux, les Montagnais y chassaient déjà le caribou. En 1651, le **père Jean Dequen** fonda la mission de l'Ange-Gardien, et quelques années plus tard, le roi de France accepta l'implantation d'une série de postes de traite qui furent loués à des marchands français. Après la Conquête de la Nouvelle-France par les Anglais, ces postes furent confiés à des commerçants anglais. La **Compagnie de la baie d'Hudson** exerça son monopole sur la pêche, la chasse et la traite des fourrures jusqu'en 1859, puis la région fut ouverte à la colonisation. Au début du 20e s., l'industrie du papier domina les activités économiques. On construisit à Clarke-City, qui fait aujourd'hui partie de l'agglomération de Sept-Îles, un barrage hydro-électrique et une usine de pâte à papier qui ferma ses portes en 1967. Au cours de la seconde moitié du 20e s., la ville allait connaître un important essor industriel lié au transport du charbon et du minerai de fer. Son port naturel en eau profonde permet le transbordement du charbon.

de son peuplement. Riche de pièces provenant des fouilles archéologiques réalisées sur la Côte-Nord et d'objets amérindiens, il expose par ailleurs les œuvres d'artistes canadiens et étrangers.

Le Vieux-Poste – *Bd des Montagnais - ℰ 418 968 2070 - www.mrcn.qc.ca -* **P** *- En travaux jusqu'à une date indéterminée.* Reconstitué selon les plans de 1786, cet ensemble de bâtiments entourés d'une palissade occupe un site chargé d'histoire. Témoin d'échanges entre Amérindiens et colons français il y a plus de 300 ans, le site fut visité par Jacques Cartier, Louis Jolliet et les marchands de la Compagnie de la baie d'Hudson. La visite permet de revivre l'époque des pionniers en goûtant l'atmosphère d'un poste de traite d'antan et en découvrant la richesse de la culture montagnaise.

★ **Parc régional de l'Archipel des Sept-Îles** – Des **excursions** en bateau croisière, en bateau-mouche ou en bateau pneumatique offrent une excellente introduction à la région, à son histoire et à la beauté naturelle de l'archipel des Sept-Îles auquel la ville doit son nom. Le phare, qui signale l'entrée de la baie, se dresse sur l'**île du Corossol**. Celle-ci abrite l'un des plus importants refuges d'oiseaux migrateurs au Canada. On y verra notamment des goélands, des sternes et des macareux *(voir « Nos adresses »)*.

La Grande-Basque – *Traversier : maison du tourisme de Sept-Îles - ℰ 418 962 1238 - www.tourismeseptiles.ca -* △ **P** *- dép. du parc du Vieux-Quai de mi-juin à mi-sept. : 9h-18h30. Aller simple 10-20mn - réserv. conseillée - AR 15 $, camping 10 $/j/tente - billets disponibles à la billetterie du Vieux-Quai face à la marina.* Cette île, la plus proche de la ville, est la seule qui ait été aménagée pour la randonnée pédestre, le pique-nique et le camping. De nombreux sentiers serpentent au milieu d'une nature aussi grandiose que variée : immenses remparts de pierre, falaises impressionnantes et tourbière. Belles plages de sable blond sur la côte ouest.

Excursion vers le Labrador

De Sept-Îles, vous pouvez rejoindre le Labrador en train. *Transport ferroviaire Tshiuetin - 100 r. Retty - ℰ 418 962 5530 - www.tshiuetin.net - 1 dép./sem. (jeu. mat.) - réserv. souhaitée - durée du voyage : 12h.* Le train traverse le Bouclier canadien jusqu'aux abords de la toundra.

Schefferville – Entourée de grands espaces naturels, la région de Schefferville, peu connue du Nord-Est québécois, se prête au tourisme d'aventure : chasse au caribou, pêche, descentes en canot et excursions en pleine nature. Les pourvoyeurs offrent un vaste choix de terrains de chasse et lieux de pêche au nord et à l'est de Schefferville. Un réseau routier permet l'accès à trois réserves amérindiennes : Kawawachikamach (Naskapis), Matimekosh et Lac-John (Montagnais).

Matimekosh – *Juste au nord du centre de Schefferville. Accès à pied ou en voiture par la route municipale.* Vers 1955, des Montagnais de Sept-Îles émigrèrent à Schefferville pour travailler dans les mines. Ils s'installèrent au village de Lac-John, créé en 1960 sur les rives du lac du même nom. Le village devint une réserve amérindienne. En 1972, la plupart des familles partirent s'installer dans une nouvelle réserve au bord du lac Pearce : Matimekosh. Un plan d'expansion prévoit d'agrandir Matimekosh en y incorporant une partie de la ville même de Schefferville. Les Montagnais parlent une langue algonquienne, et le français en seconde langue. Ils proposent un centre d'artisanat très actif.

Kawawachikamach – *À 15 km au nord-est de Schefferville. Accès par une route non revêtue.* Au milieu d'une myriade de petits lacs se trouve la réserve de Kawawachikamach, construite entre 1981 et 1984 pour héberger un groupe de **Naskapis**. Apparentés aux Cris et aux Montagnais, les Naskapis font, comme eux, partie de la famille linguistique algonquienne. Peuple nomade, originaire de l'intérieur de la région de l'Ungava, ils vivaient surtout de la chasse au caribou, dont ils suivaient la route de migration. Selon la Convention du Nord-Est québécois, signée en 1978, les Naskapis ont abandonné leurs titres sur les terres ancestrales et, en retour, ont obtenu des droits inaliénables sur certains territoires et de nouveaux droits de pêche, de chasse et de trappe. Ayant choisi de construire leur village sur les bords du lac Matemace, ils ont pu quitter la réserve de Matimekosh, qu'ils partageaient jadis avec les Montagnais. Ils ont également participé à la conception de leur village (d'ailleurs moderne), afin qu'il réponde à leurs besoins et aux exigences du climat subarctique, l'un des plus rudes du Canada.

DE SEPT-ÎLES À HAVRE-SAINT-PIERRE B1

▶ *Circuit de 222 km tracé sur la carte p. 412-413, par la route 138.*

Rivière-au-Tonnerre
🛈 **Bureau d'accueil touristique de Manitou** – *Route 138 (au bord de la rivière Manitou) - ☎ 418 564 2041 ou 418 538 2732 (hors saison) - de déb. juin à mi-sept.* Ce charmant village de pêcheurs doit son nom au grondement des chutes de la rivière au Tonnerre, juste à proximité.

Église St-Hippolyte – *☎ 418 465 2842 - de déb. juin à mi-sept. : 9h-17h.* Elle domine le village. Les travaux de construction, entrepris en 1905, furent exécutés selon les plans du curé par plus de 300 paroissiens. Chacun y consacra trois mois de travail et donna deux cordes de bois par hiver pour sa réalisation (une corde étant l'équivalent d'environ 3,5 m³). Les nombreux motifs qui ornent la voûte furent sculptés au canif par l'un des paroissiens.

Longue-Pointe-de-Mingan
Véritable porte d'entrée de la « Minganie », cette localité fut bâtie sur une longue pointe de sable s'avançant dans le golfe du St-Laurent. Une base militaire américaine y fut installée durant la Seconde Guerre mondiale. De la rue du Bord-de-la-Mer se profilent au loin les premières îles du célèbre archipel de Mingan.

7

Centre d'accueil et d'interprétation de Longue-Pointe-de-Mingan – *625 r. du Centre - ℰ 418 949 2126 - www.parcscanada.gc.ca/mingan - ♿🅿 - de mi-juin à déb. sept. : horaires variables - 5,80 $.* Il offre toutes sortes de renseignements sur la réserve du parc national de l'Archipel-de-Mingan (curiosités naturelles, faune, flore, activités touristiques, programmes éducatifs, etc.) et les mammifères marins du golfe du St-Laurent. Vous pourrez par ailleurs y faire des réservations pour des **croisières d'observation des baleines** *(voir « Nos adresses »).*

Mingan

Ce petit village de pêcheurs tire son nom d'un mot d'origine basque signifiant « langue de terre ». Poste de traite et de pêche à l'époque du Régime français, il abrite depuis 1963 une communauté montagnaise qui y gère une usine de traitement de poisson ainsi qu'une entreprise : Les Crustacés de Mingan.

★ **Église montagnaise** – *15 r. Nashipetimit - ℰ 418 949 2272.* Elle fut construite en 1918 par John Maloney, le légendaire Jack Monoloy de la chanson de Gilles Vigneault, *Les Bouleaux de la rivière Mingan,* et entièrement redécorée à la montagnaise en 1972 : chaire ornée de bois de caribous, stations du chemin de Croix peintes sur des peaux tendues sur des cadres de bouleau, fonts baptismaux taillés dans un tronc d'érable et tabernacle en forme de wigwam.

Havre-Saint-Pierre

🛈 **Bureau d'information touristique** – *1010 prom. des Anciens - ℰ 418 538 2512.* Ce bourg industriel fut fondé en 1857 par des pêcheurs acadiens venus des îles de la Madeleine. L'économie, étroitement liée aux ressources de la mer, fut transformée en 1948 par suite de l'implantation d'une entreprise minière qui allait exploiter, à 43 km au nord (autour des lacs Tio et Allard), les plus importants gisements d'ilménite (oxyde naturel de fer et de titane) connus du monde.

Centre d'accueil et d'interprétation de la réserve du parc national de l'Archipel-de-Mingan – *1010 prom. des Anciens - ℰ 418 538 3285 - pc.gc.ca/ mingan - ♿🅿 - de mi-juin à mi-août : 8h30-20h ; de déb. juin à mi-juin et de mi-août à mi-sept. : 8h30-12h, 13h-17h.* Comme à Longue-Pointe, vous trouverez ici des renseignements sur la réserve du parc national de l'Archipel-de-Mingan et les activités qui y sont proposées. Une présentation filmée et une exposition permanente sur la géologie de l'archipel préparent à la visite des îles.
Continuez jusqu'à la rue de la Berge, puis tournez à droite.

UNE RÉSERVE À L'ÉCOSYSTÈME UNIQUE

Le courant glacé du Labrador, la nature du sol, l'extrême humidité et l'influence de la mer sont à l'origine d'un bioclimat unique. Partiellement recouvert d'une forêt de conifères, l'archipel possède une flore d'une incroyable diversité : fougères, orchidées, mousses et lichens. Une quarantaine de plantes rares poussent sur l'archipel ; la plus remarquable (on ne la trouve nulle part ailleurs dans l'Est du Canada) est le **chardon de Minganie**, répertorié en 1924 par le frère Marie-Victorin, fondateur du Jardin botanique de Montréal.

Le **macareux** est le plus célèbre représentant de la faune de l'archipel. Son bec rouge, jaune et bleu, et ses pattes orange lui ont valu le surnom de « perroquet de mer ». On observera aussi l'eider commun, le guillemot noir, la sterne arctique et la sterne commune. Enfin, les eaux environnantes abritent le rorqual commun ainsi que trois espèces de phoques : le phoque gris, le phoque du Groenland et le phoque commun.

Monolithe de l'île Quarry.
Y. Marcoux/Age Fotostock

Maison de la culture Roland-Jomphe – *957 r. de la Berge - 📞 418 538 2512 -
www.havresaintpierre.com - ♿ - de mi-juin à mi-sept. : 9h-21h - 2 $.* Restauré
selon son apparence des années 1940, l'ancien magasin général des Clarke
(1926-1963) abrite une exposition sur le patrimoine culturel du village et son
évolution économique. Films et conférences abordent aussi l'histoire locale.

★★ Réserve du parc national de l'Archipel-de-Mingan

Centres d'accueil à Longue-Pointe-de-Migan et à Havre-St-Pierre (voir ci-avant).
Elle se compose d'un millier d'îles et d'îlots côtiers formant un chapelet d'environ 150 km de long. Les roches sédimentaires de l'archipel se sont formées
il y a 500 millions d'années par suite de l'accumulation de dépôts calcaires.
L'action constante du gel et du dégel et l'assaut ininterrompu des vagues ont
façonné le paysage en causant, dans la masse rocheuse, l'apparition de fissu-
res ; ces dernières, soumises à l'érosion, ont peu à peu donné naissance aux
îles et à leurs **monolithes** si caractéristiques. Ces « pots de fleurs » géants,
doivent leur forme particulière à une couche supérieure de calcaire résistant,
isolée sur un pied plus friable. Ils ont dans l'ensemble la même hauteur (de 5
à 10 m), ce qui tendrait à prouver qu'à une certaine époque, ils formaient un
bloc compact. Les habitants de la région les ont baptisés Bonne Femme, Tête
d'Indien, etc., selon leurs formes.
La partie la plus fréquentée du parc comprend la majorité des îles calcaires et
des monolithes de l'archipel. Elle se situe entre l'île aux Perroquets (en face
de Longue-Pointe-de-Mingan) et l'île Ste-Geneviève. Le second secteur, la
partie est, inclut les îles, îlots et cayes granitiques présents à l'est de l'île Ste-
Geneviève jusqu'à l'embouchure de la rivière Aganus près d'Aguanish. Parmi
toutes les îles, citons l'île aux Perroquets, l'île Nue de Mingan, La Grande Île,
l'île Quarry, l'île de Niapiskau, l'île du Fantôme, l'île du Havre, la Petite île au
Marteau, l'île de la Fausse Passe et l'île à la Chasse.

★ **Croisières en mer** – Elles sont dirigées par des guides-naturalistes *(voir
« Nos adresses »).*

Randonnées – Près de 24 km de sentiers de randonnée pédestre se répartissent sur quatre îles différentes : Petite île au Marteau, l'île Nue de Mingan (*à partir du 15 juil.*), l'île au Havre, l'île de Niapiskau, l'île Quarry. Ces sentiers font découvrir l'univers du bord de mer, et parfois, ils emmènent les randonneurs au cœur des îles, dans la forêt, la lande et les tourbières.

DE HAVRE-SAINT-PIERRE À BLANC-SABLON CD1

◗ *Carte p. 412-413. La compagnie Relais Nordik Inc. assure un service hebdomadaire entre Havre-St-Pierre et Blanc-Sablon sur le* Nordik Express. *Relais Nordik Inc. - ℘ 1 800 463 0680 - www.groupedesgagnes.com - ✕ - dép. de Havre-St-Pierre - de déb. avr. à mi-janv. : merc. à 23h15, arrivée à Blanc-Sablon vend. à 19h - forfait économique : passage maritime - cabine-repas AR 523 $/pers. - réserv. au moins 30 j à l'avance.*

La Basse-Côte-Nord marque l'extrémité orientale du Québec. Elle s'encastre entre le Labrador au nord, et Terre-Neuve au sud-est. Beaucoup de villages de la région correspondent à d'anciens postes de traite et de pêche datant du Régime français. Cependant, de Kegasha à Blanc-Sablon, parmi les 16 hameaux répartis sur 358 km, 12 sont anglophones (descendants de pêcheurs venus de Terre-Neuve et de l'île de Jersey, dans la Manche).

Le **voyage en bateau★** donne l'occasion de faire escale dans la plupart des villages de la côte, sauf Baie-Johan-Beetz.

Baie-Johan-Beetz C1

Accessible uniquement par le réseau routier (route 138).

Ce petit village porte le nom de Johan Beetz, aristocrate belge arrivé au Canada en 1897. Il se livra au commerce des fourrures de luxe, puis entreprit l'élevage des animaux à fourrure, acquérant une renommée internationale grâce à ses publications scientifiques et aux procédés d'élevage qu'il développa.

Maison de Johan Beetz – ℘ 1 877 393 0557 - 🅿 - *de fin juin à déb. sept. : 10h-12h, 13h30-16h - sur réserv. - 5 $.* Elle fut bâtie en 1899 sur un promontoire rocheux qui domine la baie. À l'intérieur, Beetz, artiste accompli, décora les murs et les portes de motifs animaliers ou floraux.

Natashquan C1

Par la route 138 ou par voie maritime.

Natashquan marque la fin de la route 138, au-delà de laquelle la Basse-Côte-Nord ne dispose d'aucune liaison routière avec le reste du Québec.

Patrie du célèbre poète et chanteur **Gilles Vigneault**, ce village de pêcheurs doit son nom à un terme montagnais signifiant « endroit où l'on chasse l'ours ». Colonisée par des Acadiens venus des îles de la Madeleine en 1855, la petite localité baigne dans un calme impressionnant. Sur une pointe de sable qui s'avance dans le St-Laurent, de vieux hangars de pêche battus par les vents, les « galets », témoignent d'une époque révolue. Depuis 1952, le village voisin de Pointe-Parent abrite une réserve montagnaise.

La liaison entre Natashquan et Blanc-Sablon se fait à bord du *Nordik Express (Relais Nordik Inc. - ℘ 1 800 463 0680 - www.groupedesgagnes.com - dép. de Natashquan d'avr. à mi-janv. : jeu. à 8h - forfait passage maritime-cabine-repas AR 418 $/pers. - réserv. au moins 30 j à l'avance).*

★ Harrington Harbour C1

Par voie maritime (voir ci-dessus), à 10h45 de Natashquan.

Blotties au pied d'une falaise, des maisons aux tons pastel accueillent le *Nordik Express* à l'approche de Harrington Harbour. Ce charmant village de pêcheurs, situé sur une petite île, est doté d'un port qui en fait l'un des hameaux les plus accessibles sur la route de Blanc-Sablon. Des trottoirs et des ponts de bois relient les terrasses rocheuses sur lesquelles sont réparties maisons et boutiques multicolores. Le plus ancien hôpital de la région, un édifice gris qui domine le village, a été transformé en maison de retraite. À proximité, la **boutique d'artisanat** propose des chandails, des parkas, des tapis faits à la main et des mocassins montagnais.

L'après-midi du deuxième jour, les passagers, à bord du *Nordik Express*, peuvent apprécier des **vues★** superbes : le bateau se fraie un chemin entre des îlots rocheux tachetés de mousses et de lichens, et contourne des falaises vertigineuses coiffées de conifères.

Blanc-Sablon D1
À 12h30 de Harrington Harbour.
Ce village se trouve à 1,5 km de la frontière du Québec et du Labrador. Depuis 1983, la vallée de la rivière Blanc-Sablon fait l'objet d'importantes fouilles archéologiques attestant l'existence d'un peuplement amérindien qui remonterait à quelque 7 200 ans.

Lourdes-de-Blanc-Sablon – *À 5 km par la route.* Situé à l'ouest de Blanc-Sablon, le plus gros village de la région possède aussi la plus importante infrastructure : un aéroport et un hôpital.

Musée Scheffer – *Dans l'église -* ✆ *418 461 2000 -* ♿🅿. Il évoque la vie de Monseigneur Scheffer (1903-1966), premier évêque du Labrador (1946-1966) en l'honneur duquel fut nommée la ville minière de Schefferville.

Traversier Blanc-Sablon-Ste-Barbe – *Labrador Marine Inc. - 17 r. Jacques-Cartier -* ✆ *418 461 2889 ou 1 866 535 2567 - www.labradormarine.com - d'avr. à fin janv. (changements possibles en fonction des conditions météorologiques) - aller simple 1h30 - réserv. conseillée de mi-juin à fin oct. - 7,50 $/pers., 22,75 $/voiture.*

Un traversier assure la liaison de Blanc-Sablon à Ste-Barbe. Ce village terre-neuvien se trouve à 139 km au sud de l'Anse aux Meadows, célèbre site archéologique contenant les vestiges d'une colonie viking considérée à ce jour comme le premier établissement européen en Amérique du Nord.

😊 NOS ADRESSES SUR LA CÔTE-NORD

HÉBERGEMENT

UNE FOLIE

À Tadoussac
Hôtel Tadoussac – *165 r. du Bord-de-l'Eau -* ✆ *418 235 4421 ou 1 800 561 0718 - www.hoteltadoussac. com -* ✕♿🅿🏊 *- mai-oct. - 149 ch. 209/299 $.* Coiffé de son toit rouge rendu célèbre par le film *Hotel New-Hampshire*, l'hôtel Tadoussac étire ses pelouses presque jusqu'au bord de l'eau. La plupart des chambres, décorées avec simplicité, donnent sur le St-Laurent. Un plongeon dans le passé.

RESTAURATION

PREMIER PRIX

À Tadoussac
Café Bohème– *239 r. des Pionniers -* ✆ *418 235 1180 - de fin avr. à fin oct. - 17/37 $.* Joli restaurant tout en bois proposant une assiette du fumoir (poissons et fruits de mer fumés), mais aussi des salades, bagels au saumon, paninis, cuisses de canard confit, pizzas fines… Terrasse.

7

CROISIÈRES

Sur le fjord

Croisières du Fjord – *☎ 418 543 7630 ou 1 800 363 7248 - www.croisieresdufjord. com - ✕ ▣ - dép. de la marina de Tadoussac - 67 $. Excursion de 6h vers l'Anse-St-Jean avec découverte de Cap Trinité et de la statue de la Vierge (de mi-juin à fin sept. : dép. 9h) et excursion de 2h en direction du cap de la Boule, de l'Anse-de-Roche et de la baie St-Étienne (juil.-août : dép. 15h).*

Autour des Sept-Îles

Croisières du Capitaine – *☎ 418 968 2173 ou 418 965 6670 - www.lescroisieresducapitaine. com - dép. du parc du Vieux-Quai - de 50 à 80 $/pers.*

Croisières du Petit Pingouin - *☎ 418 968 9558 ou 418 962 4127 - dép. du parc du Vieux-Quai - de 50 à 80 $/pers.*

Observation des baleines

Croisières AML – *☎ 1 800 563 4643 - www. croisieresaml.com - dép. de la marina de Tadoussac mai-oct. : 9h45, 13h et 15h30 ; reste de l'année : se renseigner - AR 3h - commentaire à bord - sur réserv. - 67 $ (6-12 ans 32 $).*

Croisières Dufour – *☎ 418 692 0220 ou 1 888 463 5250 - www.dufour.ca - &. - dép. de la marina de Tadoussac juin-sept. : 9h30 et 13h30 - AR 3h - commentaire à bord - réserv. conseillée - 67 $ (6-12 ans 32 $). Monocoque de 400 places et un zodiaque de 48 places.*

Station de recherche des îles Mingan – *☎ 418 949 2845 - www.rorqual.com - &▣ - dép. de Longue-Pointe-de-Mingan de mi-juin à mi-oct. : 7h30 - AR 6h - commentaire à bord - sur réserv. - 115 $.*

Dans la réserve du parc national de l'archipel-de-Migan

La Tournée des îles inc. – *☎ 418 538 2547 - &▣ - dép. de Havre-St-Pierre de mi-juin au 1er lun. de sept. : 8h et 13h - AR 3h30 - commentaire à bord - réserv. conseillée - 60 $ accès aux îles compris - également : La Relève Jomphe Inc. - ☎ 418 538 2865.* Croisière avec escale sur l'**île Niapiskau**, ce qui permet d'aller observer les monolithes de plus près.

Pneumatique Transport inc. – *Daniel Yockell - ☎ 418 538 1222 ou 418 294 2385 (hors saison) - www. pneumatiquetransport.com - dép. de Havre-St-Pierre de mi-juin à fin août : 8h et 17h - 80 $.* Croisières vers la Petite île au Marteau et l'île de la Fausse Passe en passant par l'île St-Charles et l'île à Calculot des Betchouanes (secteur est) ; Pour les lève-tôt, une excursion supplémentaire vers l'île de la Fausse Passe ou l'île Quarry est possible à 4h ou 5h du matin.

Entreprise touristique Loiselle Inc. – *☎ 418 949 2307 - www. tourisme-loiselle.com - ✕&▣ - dép. de Migan de déb. juin à déb. sept. : 8h, 12h et 16h - AR 3h30 mini - commentaire à bord - sur réserv. - 33,50 $.* Ces croisières donnent l'occasion d'admirer les fameux « pots de fleurs », mais aussi d'observer oiseaux de mer et mammifères marins.

Excursion du Phare enr. - Marius Vibert – *☎ 418 949 2302 - www. minganie.info - dép. de Longue-Pointe-de-Mingan.* Croisières vers l'île Nue de Mingan et l'île aux Perroquets.

Expédition Agaguk Inc. – *Gilles Chagnon - Pierre-St-Hilaire - ☎ 418 538 1588 ou 1 866 538 1588 - www.expedition-agaguk.com.* Excursions en kayak de mer.

Île d'Anticosti

★★

Duplessis

NOS ADRESSES PAGE 435

S'INFORMER

Bureau d'information touristique – *7 chemin des Forestiers, Port-Menier -*
418 535 0250 - www.ile-anticosti.com - de mi-juin à fin août : 9h-17h.

SE REPÉRER

Carte de région BC1-2 (p. 412-413). Étendue de terre de 222 km de long
sur 56 km dans sa plus grande largeur, l'île d'Anticosti garde l'entrée du
St-Laurent, au sud de l'archipel de Mingan (Côte-Nord) et au nord-est
du parc national Forillon (Gaspésie). Port-Menier, à l'est de l'île, est son
unique village.

À NE PAS MANQUER

La chute et le canyon de la Vauréal.

ORGANISER SON TEMPS

Son immensité et son éloignement imposent un séjour prolongé : l'île
d'Anticosti doit faire l'objet d'au moins une semaine de découverte. La
Sepaq propose des séjours clés en mains.

**Celle qui fut autrefois le paradis privé du magnat du chocolat est
aujourd'hui un paradis pour tous ! Située dans le golfe du St-Laurent,
entre Gaspésie et Côte-Nord, l'île d'Anticosti s'étend sur plus de 200 km
de long. La quasi-totalité de cet immense territoire est protégée par un
parc national où les amoureux de la nature peuvent admirer, dans un
cadre idyllique, une grande variété d'oiseaux et de fleurs sauvages. Plus
d'une centaine de rivières, riches en truites et saumons de l'Atlantique,
sillonnent ce territoire boisé bien connu des chasseurs de cerfs pour
l'abondance du gibier. Les plus aventureux pourront suivre la côte en
kayak et admirer ses hautes falaises escarpées, hérissées de nombreux
phares. Des formations calcaires incrustées de fossiles permettront aux
géologues amateurs de s'adonner à de passionnantes recherches.**

Découvrir

À PROXIMITÉ DE PORT-MENIER

Carte p. 432-433.

Asphaltée entre Port-Menier et l'aéroport *(7 km)*, l'unique route qui traverse
l'île devient ensuite un simple chemin de gravier. Des chemins de terre relient
Port-Menier aux pavillons de chasse et de pêche et aux camps sur la rivière
Jupiter. La visite de l'île ne peut s'effectuer qu'à bord d'un véhicule adapté.

Port-Menier

Dernier village toujours peuplé de l'île, Port-Menier fut fondé au début du
20e s. autour du site choisi pour la construction d'un port en eau profonde.

L'œuvre d'un homme

« AVANT LA CÔTE »

Les fouilles archéologiques menées sur l'île ont révélé des traces d'occupation humaine vieilles de 3 500 ans. Quant à l'étymologie du nom « Anticosti », elle reste incertaine. Il pourrait s'agir d'une déformation du mot amérindien *notiskuan*, « lieu où l'on chasse l'ours », ou encore de l'expression *anti costa*, « avant la côte », que les pêcheurs basques ou espagnols auraient donnée au lieu.

Jacques Cartier attesta de l'existence de l'île lors de son premier voyage en Nouvelle-France en 1534. Il fallut toutefois attendre 1680 pour que les lieux commencent à se peupler : c'est en effet à cette époque qu'Anticosti fut cédée à Louis Jolliet à titre de récompense pour sa découverte de l'Illinois et son expédition dans la baie d'Hudson. La première colonie fut éradiquée par la flotte anglaise de l'amiral Phips en 1690. Les trois enfants de Jolliet héritèrent par la suite d'Anticosti qui – conséquence de la Conquête anglaise – fut annexée à Terre-Neuve (elle-même devenue colonie anglaise selon les termes du traité d'Utrecht) en 1763.

Au 19e s., l'île changea à plusieurs reprises de propriétaire. En 1873, une société anglaise, l'Anticosti Island (ou Forsyth) Company, tenta sans succès de la coloniser, tout comme le firent, sans plus de succès, la Stockwell Company et les autres sociétés qui lui succédèrent.

L'ÈRE MENIER : 1895-1926

Héritier d'une fortune familiale bâtie sur les chocolateries, **Henri Menier** devait jouer un rôle considérable dans l'histoire de l'île. À la recherche d'un terrain qui, tout en présentant un investissement rentable, offrirait un lieu de retraite où il pourrait chasser et pêcher, l'industriel acheta Anticosti le 16 décembre 1895 pour la somme de 125 000 dollars, et en entreprit le développement.

Un de ses amis, Georges Martin-Zédé, qu'il avait nommé administrateur de l'île, fut chargé de faire respecter les règlements très stricts établis par Menier en personne pour entreprendre le développement du village de Baie-Ste-Claire, et celui de l'industrie du bois et de la pêche. Pour faciliter le transport des ressources de l'île, un port en eau profonde fut édifié dans la baie d'Ellis, et le village de Port-Menier vit ainsi le jour.

Menier dépensa sans compter pour transformer l'île en un paradis privé. Dans le but d'accroître davantage la faune sauvage, déjà riche en loutres, renards et ours, il fit importer castors, orignaux, caribous, lièvres et quelque **220 cerfs de Virginie**. Une ferme se spécialisa dans l'élevage des renards roux et argentés. Parmi les espèces que Menier fit introduire, la plus prolifique allait être le cerf de Virginie, dont on estimait le cheptel à quelque 120 000 têtes en 1989, au point que les biologistes parlent aujourd'hui de surpopulation et déplorent les dégâts causés à la végétation.

Pour que ses séjours sur l'île d'Anticosti se déroulent dans le plus grand confort, et pour combler ses visiteurs, Menier se fit construire un **pavillon de chasse** qui surplombait la baie entre Port-Menier et Baie-Ste-Claire. Ce bâtiment somptueux, baptisé « le château » par la population locale, était un mélange d'architectures norvégienne et normande. L'aile ouest était éclairée par un énorme vitrail en forme de fleur de lys. L'intérieur luxueux reflétait le goût de Menier pour le faste et le raffinement : antiquités norvégiennes, tapis orientaux de grande valeur, fine porcelaine et verrerie de cristal, portes de bois sculpté, toiles de maîtres, jardinières de bronze… Il y avait même un « trône » sculpté à la main pour le « roi du chocolat ». Le pavillon possédait une immense salle de réception, une bibliothèque bien pourvue et douze chambres auxquelles attenaient des salles de bains de marbre ; car, comble du luxe pour l'île, le château était équipé de l'eau courante et de l'électricité.

À la mort d'Henri Menier, en 1913, son frère Gaston hérita d'Anticosti. Tout en appréciant la beauté du lieu, celui-ci désapprouvait les extravagances d'Henri. En 1917, les difficultés économiques, qui affaiblirent en France la puissante industrie chocolatière, entraînèrent la fin des activités forestières de la famille Menier sur l'île. En 1926, Anticosti fut donc revendue, pour 6 500 000 dollars, à l'Anticosti Corporation, consortium de plusieurs sociétés canadiennes de production de papier.

Au cours des années suivantes, le mobilier de la propriété allait être dispersé et réparti entre les différentes branches du consortium sur le continent, ou bien vendu. Le château Menier, laissé à l'abandon, finit par atteindre un tel état de délabrement que ses ruines devinrent un danger pour les enfants de la communauté environnante qui venaient y jouer. En automne 1953, ordre fut donné de brûler l'édifice.

UNE NOUVELLE VOCATION

L'Anticosti Corporation s'engagea quelque temps dans l'exploitation forestière, apportant ainsi la prospérité à l'île. L'arrivée de travailleurs forestiers entraîna un accroissement de la population locale qui passa alors de 300 à près de 4 000 personnes. Mais au début des années 1930, face à la grande crise économique, l'industrie du bois connut de graves difficultés, et de nombreux habitants, réduits au chômage, durent alors quitter l'île.

La beauté du site et la richesse de sa faune et de sa flore avaient été, pendant de longues années, l'apanage d'un nombre restreint de privilégiés. Bientôt, l'Anticosti Corporation commença à son tour à s'intéresser au potentiel touristique de l'île. Le consortium changea de nom en 1967 pour devenir la Consolidated Bathurst Limited. En 1974, le gouvernement du Québec acquit l'île d'Anticosti pour la somme de 23 780 000 dollars. En 1983, les habitants se virent accorder le droit d'acheter des terres et des maisons et, en 1984, le premier conseil municipal élu voyait le jour. La quasi-totalité de l'île fait aujourd'hui partie d'une réserve.

Au centre du village, un bâtiment abrite le magasin général, la banque (pas de guichet automatique), le bureau de poste et la laverie automatique. À côté se tient l'épicerie-boucherie, et, un peu plus loin (*rue des Meuniers*), se trouve le bureau de la Sépaq (*voir « Nos adresses »*).

Baie-Sainte-Claire

À 15 km à l'ouest de Port-Menier.

À l'origine, le village s'appelait English Harbor. Il fut rebaptisé par Henri Menier en l'honneur de sa mère. Au milieu du 19e s., des pêcheurs venus de Terre-Neuve et des Provinces maritimes s'y étaient installés. La Forsyth Company tenta, sans succès, de développer l'endroit. Quand, en 1895, Martin-Zédé arriva sur les lieux, il ne trouva guère plus d'une dizaine de familles. Sous sa férule, le village devint une communauté active et bien administrée, mais fut abandonné au profit du nouveau village de Port-Menier. En 1931, Baie-Ste-Claire n'était plus que ruines. En 1985, un four à chaux fut reconstruit à l'ouest du village. À l'époque des Menier, le four d'origine avait servi pendant neuf ans à produire la chaux éteinte utilisée pour fabriquer du mortier et du blanc de chaux. Comme la chasse y est formellement interdite, Baie-Ste-Claire est aujourd'hui un endroit idéal pour observer les **cerfs de Virginie**, parfois rassemblés en troupeaux.

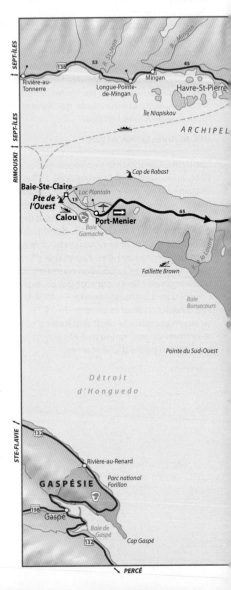

Pointe de l'Ouest

À 1 km de Baie-Ste-Claire.

Le premier **phare**, construit à la pointe de l'Ouest en 1858, était l'un des plus puissants du golfe du St-Laurent. Par temps clair, on pouvait voir sa lumière jusqu'à 50 km à la ronde. Malgré la présence de plusieurs phares le long de la côte d'Anticosti, les naufrages ont été nombreux : près de 200 navires depuis le début du 18e s. De la côte, il est facile de voir l'épave du *Calou*, prisonnier de ces eaux dangereuses depuis 1982.

Circuit conseillé

RIVE NORD – DE PORT-MENIER À LA BAIE DE LA TOUR

▸ *Circuit de 169 km tracé sur la carte ci-dessous.*

Chutes de Kalimazoo
À 65 km. L'accès aux chutes se trouve à 1,7 km de la route principale. Suivez les panneaux indicateurs pour atteindre le camping. De là, descendez le sentier à

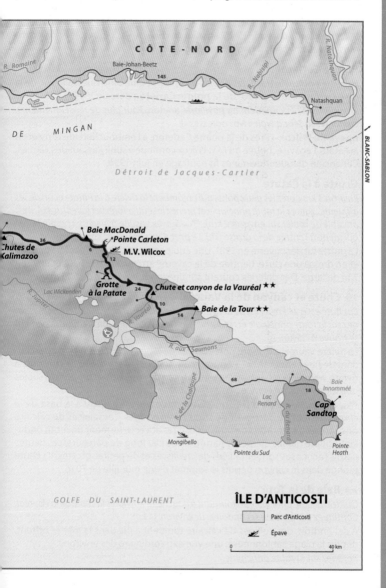

CÔTE-NORD

R. Romaine

Baie-Johan-Beetz

145

R. Nabisipi

R. Natashquan

Natashquan

DE MINGAN

BLANC-SABLON

Détroit de Jacques-Cartier

Chutes de Kalimazoo

36

Baie MacDonald
Pointe Carleton

6

M.V. Wilcox

12

R. Jupiter

Lac Wickenden

Grotte à la Patate

24

Chute et canyon de la Vauréal ★★

10

R. Vauréal

Baie de la Tour ★★

14

R. aux Saumons

R. de la Chaloupe

68

Lac Renard

R. du Renard

Baie Innommée

18

Cap Sandtop

Mongibello

Pointe du Sud

Pointe Heath

GOLFE DU SAINT-LAURENT

ÎLE D'ANTICOSTI

Parc d'Anticosti

Épave

0   40 km

droite jusqu'au ruisseau, traversez-le, puis tournez à gauche d'où un beau point de vue s'offre sur le site.

Les cascades se déversent dans un petit étang aux eaux très claires, encerclé de falaises calcaires.

Baie MacDonald

Entourée d'une plage de sable fin, cette baie spectaculaire doit son nom à Peter MacDonald dit « Peter l'ermite », pêcheur originaire de la Nouvelle-Écosse qui s'installa ici à la fin du 19e s. Après quelques années, sa femme retourna en Nouvelle-Écosse, et il vécut en solitaire sur l'île. Selon la légende, Martin-Zédé aurait réussi, non sans mal, à convaincre l'homme de se rendre à Baie-Ste-Catherine pour se faire soigner, car il était tombé malade. Aussitôt guéri, le fier vieillard, alors âgé de 87 ans, aurait chaussé ses raquettes et parcouru plus de 120 km pour regagner son logis.

Pointe Carleton

La route épouse le tracé des plages de sable, et offre ainsi une belle vue de la mer. Le pittoresque **phare de la pointe Carleton** date de 1918.

Possibilités d'hébergement au pavillon Carleton. Pour plus de renseignements, contactez la Sépaq (voir « Nos adresses »).

Épave du Wilcox – Près de la pointe Carleton, à l'embouchure de la rivière à la Patate, l'épave échouée du *M.V. Wilcox* continue à subir l'assaut des vagues. Cet ancien dragueur de mines fit naufrage en juin 1954.

Grotte à la Patate

Environ 3 km après les deux ponts qui enjambent la rivière à la Patate et un de ses affluents, quittez la route principale et prenez le sentier forestier (avec un 4x4, il est possible de rouler sur environ 2 km). Suivez ensuite à pied un chemin balisé qui mène à l'entrée de la grotte (1h). Le port d'un casque est conseillé.

La grotte fut découverte en 1981. Une équipe de géographes l'explora en 1982 et en dressa une carte. L'entrée de la caverne atteint 10 m de haut et environ 7 m de large. Des galeries courent sur une longueur totale de 625 m.

★★ Chute et canyon de la Vauréal

La chute est à 24 km à l'est de la Grotte à la Patate. Pour accéder au canyon, revenez sur la route principale et retournez vers la pointe Carleton. L'embranchement se trouve à 1,5 km.

La rivière Vauréal a d'abord porté le nom de Morsal, en souvenir d'un descendant de huguenots arrivé à Anticosti en 1847, qui passa 45 années près de la rivière. Menier la rebaptisa Vauréal, du nom de l'une de ses propriétés sur les bords de l'Oise, en France.

L'excursion à pied (1h), qui suit le lit de la rivière jusqu'à la base de la chute, permet de découvrir de superbes paysages. Les falaises de calcaire gris, striées par endroits de schistes rouges et verts, forment un motif ondulant sculpté par les éléments naturels. Tout au long du parcours, ces hautes parois rocheuses sont entaillées de crevasses et de petites grottes. La chute plonge dans le canyon depuis le sommet d'une muraille de 70 m.

★★ Baie de la Tour

Quittez la route principale en tournant à gauche 10 km après la chute de la Vauréal. Continuez par la route secondaire sur environ 14 km.

À cet endroit, des collines de calcaire tombent à pic dans la mer et offrent, depuis la plage sablonneuse, une vue extraordinaire des environs.

Revenez sur la route principale.

🙂 NOS ADRESSES SUR L'ÎLE D'ANTICOSTI

TRANSPORTS

En avion
Sepaq Anticosti – ☎ *418 890 0863 ou 1 800 463 0863 - www.sepaq. com*. Liaisons pour Anticosti au départ de Montréal, Québec et Mont-Joli.
ExactAir – ☎ *418 673 3522 ou 1 877 673 3522 - www.exactair.ca*. Vols au départ de Havre-St-Pierre et Sept-Îles.

En bateau
Relais Nordik Inc. – ☎ *418 723 8787 (Rimouski) ou 418 968 4707 (Sept-Îles) - www. groupedesgagnes.com*. Départs de Rimouski, Sept-Îles ou Havre-St-Pierre.

Location de voitures
Location Georges Lelièvre Anticosti – *Port-Menier -* ☎ *418 535 0351*. Il est indispensable de prendre un véhicule adapté (type 4x4 ou pick-up) pour visiter l'île.
Deux postes d'essence seulement aux centres de services de MacDonald et Chicotte-la-Mer.

HÉBERGEMENT

Sépaq – ☎ *418 890 0863 ou 1 800 463 0863 - www.sepaq.com*. Le parc national d'Anticosti est géré par la Société des établissements de plein air du Québec, la Sépaq. Cette dernière organise des forfaits-vacances d'une durée de 3, 4 et 7 jours comprenant le voyage par avion depuis Mont-Joli (Gaspésie), l'hébergement et les repas, ainsi qu'en option la mise à disposition d'un 4x4.
Toujours gérés par la Sepaq, les centres de service de **McDonald** au nord et de **Chicotte** au sud proposent aussi des hébergements.

On peut également loger à l'**Auberge de Port-Menier** (☎ *418 535 0122*).
D'autres **pourvoiries**, comme celle **du lac Geneviève** (☎ *418 535 0294*) proposent différentes formules.

ACTIVITÉS

🙂 **Bon à savoir** – Vous devrez impérativement vous enregistrer auprès de Sépaq Anticosti afin de pouvoir circuler en toute sécurité sur le territoire de l'île, et acheter le cas échéant les permis de pêche.
Les activités de loisirs ne manquent pas : randonnée pédestre ou à vélo, camping, kayak de mer, plongée sous-marine, équitation, baignade et, bien sûr, en hiver, motoneige, chasse et pêche.
Pour la chasse et la pêche, il est préférable de communiquer avec les différents pourvoyeurs de l'île pour connaître les modalités de pratique de ces activités. Renseignez-vous au bureau d'information touristique.

Territoires du Nord et de l'Ouest 8

Paysage du Nunavik.
T. van Rijn/Age Fotostock

Abitibi

Abitibi-Témiscamingue

S'INFORMER

Tourisme Abitibi-Témiscamingue – *155 av. Dallaire, bureau 100, Rouyn-Noranda* - ✆ *819 762 8181 ou 1 800 808 0706 - www.tourisme-abitibi-temiscamingue.org.*

SE REPÉRER

Carte rabat I de couverture. Amos se situe à 604 km au nord-ouest de Montréal par les routes 117 et 111, et à 56 km au nord de Val-d'Or par la route 111. Rouyn-Noranda se trouve à 78 km au sud-ouest d'Amos. Ville-Marie est à 106 km au sud de Rouyn-Noranda. Val-d'Or se trouve à 531 km au nord-ouest de Montréal par la route 117 et à 413 km au sud-ouest de Chibougamau *(voir p. 446).*

L'Abitibi compte deux aéroports desservis par Air Canada *(www.aircanada.ca)* : à Rouyn-Noranda et à Val-d'Or. Air Creebec *(www.aircreebec.ca)* assure des liaisons vers la Baie-James au départ de Val-d'Or.

À NE PAS MANQUER

Amos : le village de Pikogan ; **Rouyn-Noranda** : la visite guidée de la fonderie Horne ; **Ville-Marie** : la forêt enchantée et le panorama sur le lac depuis la grotte Notre-Dame-de-Lourdes ; **Val-d'or** : la cité de l'Or et le village minier de Bourlamaque.

ORGANISER SON TEMPS

La découverte d'Amos et de ses environs peut se faire dans le prolongement de celle de Val-d'Or à laquelle vous consacrerez une matinée, avant de vous balader l'après-midi dans la réserve faunique de La Vérendrye.

AVEC LES ENFANTS

À Amos : le refuge Pageau ; à Val-d'Or, la cité de l'Or.

Cette région du Bouclier s'étire le long de la frontière avec l'Ontario, entre la rivière des Outaouais et la plaine d'Eastmain, au sud de la baie James. Plus au sud, la boucle de la rivière des Outaouais délimite la région de Témiscamingue, connue pour ses fermes laitières nichées au cœur de collines couvertes d'épinettes.

Découvrir

AMOS

🛈 **Bureau d'information touristique** – *892 rte 111 Est* - ✆ *819 727 1242 - www.ville.amos.qc.ca.*
Les colons venus de Québec en 1912 pour exploiter les richesses naturelles de la région, s'installèrent à Amos, berceau et première capitale de l'Abitibi. Aujourd'hui encore, l'agriculture, la mine et la forêt demeurent les principales ressources de la cité, qui dispose d'une autre richesse d'avenir : l'eau douce ! La ville est en effet reconnue pour avoir l'une des meilleures eaux potables au monde…

Cathédrale Sainte-Thérèse-d'Avila

11 bd Mgr-Dudemaine - ℰ 819 732 2110 - ♿ - 9h-17h.

Située au cœur de la ville, cette église fut construite en 1923 selon les plans de Monseigneur Dudemaine, premier curé de la paroisse, et de l'architecte Beaugrand-Champagne, et élevée au rang de cathédrale en 1939. Elle constitue un exemple de style romano-byzantin, avec sa forme circulaire surmontée d'un dôme spectaculaire. On y remarque plusieurs éléments décoratifs, dont une colombe peinte (2,75 m), des marbres roses d'Italie et des vitraux de France.

Village de Pikogan

▶ *À 4 km au nord d'Amos. Prenez à gauche la rue Principale, encore à gauche la 1ʳᵉ Avenue Ouest, puis à droite la 6ᵉ rue Ouest (qui devient route 109). Continuez sur 2 km jusqu'au village, à gauche de la route.*

🛈 **Service de développement socio-économique** – *10 r. Tom Rankin - www. abitibiwinni.com - ℰ 819 732 3350 - lun.-jeu. 8h-12h, 13h-16h30, vend. 8h-12h.* Cet organisme propose, en été, des randonnées en canot sur l'Harricana, avec un guide amérindien.

Ce village algonquin, dont le nom signifie « tente de peaux » et où vivent également quelques Cris, fut fondé en 1954. Ses résidents sont tous originaires de la région du lac Abitibi. Entièrement administrée par les autochtones, la petite localité reflète leur volonté de réaffirmer leur culture. On y trouve tous les services d'une communauté active, notamment une école, où certains cours sont donnés en algonquin. Une exposition permanente relate l'histoire des Abitibiwinnik.

★ **Église de la mission Ste-Catherine** – ♿🅿 - *mai-sept. : lun.-vend. 9h-17h ; reste de l'année et j. fériés : sur RV.* Construite en 1968, elle adopte la forme d'un wigwam (tipi). Sa décoration intérieure est entièrement inspirée du style amérindien propre à la région.

Refuge Pageau

▶ *À 8 km à l'est d'Amos. Suivez la route 111 Est en direction de Val-d'Or, puis prenez à gauche le rang 10 de Figuery vers St-Maurice (rang Croteau). ℰ 819 732 8999 - www.refugepageau.ca - ♿🅿 - de fin juin à déb. sept. : 10h-17h ; de déb. sept. à oct. : w.-end 13h-16h ; nov.-mai : visite guidée 13h30 - 13 $.*

👥 Le propriétaire des lieux est un ancien trappeur, mais aussi un fidèle ami des bêtes. À la demande des chasseurs ou des agents de protection de la faune, il recueille les animaux blessés, maltraités ou abandonnés, les soigne et les relâche dans la nature ; certains d'entre eux, qui ne sauraient survivre en liberté, deviennent les invités permanents du refuge.

Le **zoo** ainsi formé se situe dans un sous-bois. Les cages portent le nom de leur pensionnaire en algonquin, en français et en anglais. Ours, cerf ou buse à queue rousse… chaque animal a son histoire et fournit une occasion de mieux comprendre la faune et les dangers qui la menacent.

Village de Preissac

▶ *À 35 km au sud-ouest d'Amos. La route 395, au sud d'Amos, n'est pas revêtue sur toute sa longueur. Épicerie et station-service à la sortie du village, route 395.*

Ce joli village occupe un cadre champêtre en bordure de la rivière Kinojélis. Près du pont des rapides, vous trouverez un coin idéal pour un pique-nique.

Juste avant la pourvoirie du lac Preissac *(à environ 15 km de la route 117)*, un poste d'observation sur la route 395 offre une **vue**★ magnifique sur le lac en contrebas. En face de la pourvoirie se trouvent des services de tourisme et de pêche, une marina et un terrain de camping.

Lieu historique national du Canada Le Dispensaire de la Garde

▶ *À La Corne, à 26 km au sud-est d'Amos par la route 111. ☏ 819 799 2181 - www. dispensairedelagarde. com - visite guidée (1h15) de fin juin à fin août et quelques jours déb. sept. : 9h-17h - 6 $.*

Entrez dans l'histoire de la colonisation en découvrant l'évolution du système de santé québécois : les débuts des dispensaires et leur rôle social sont ici évoqués en prenant pour exemple celui de l'infirmière Gertrude Duchemin, qui soignait les habitants de la région. Des guides en costume d'époque dirigent les visiteurs vers une présentation multimédia de la médecine de campagne et de la vie quotidienne des infirmières.

ROUYN-NORANDA

🛈 **Bureau d'information touristique** – *1675 av. Larivière - ☏ 1 888 797 3195 - www.tourismerouyn-noranda.ca.*

Rouyn-Noranda est la capitale régionale de l'Abitibi et la capitale nationale du cuivre – c'est la première productrice de cuivre du Canada ! Le profil très urbain et industriel de la cité est légèrement adouci par l'aménagement des rives du lac Osisko situé en centre-ville. Mais plus qu'une ville minière parmi d'autres, elle constitue le centre culturel de la région, grâce au **Festival du cinéma international en Abitibi-Témiscamingue** et à une communauté artistique dynamique. Rouyn-Noranda est également fière d'être la ville natale de Richard Dejardins, chanteur et poète célèbre.

★ Maison Dumulon

De la route 117 (en venant de Val-d'Or), prenez à gauche l'avenue du Lac jusqu'au bord du lac Osisko. 191 av. du Lac - ☏ 819 797 7125 - www.maison-dumulon. ca - ♿🅿 - de mi-juin à mi-août : 8h30-17h ; reste de l'année : merc.-dim. 10h-18h - 6 $.

Premier magasin général de Rouyn et son premier bureau de poste, cette maison reconstruite évoque l'atmosphère des années 1920. Des photos et de nombreux objets, témoins de temps révolus, y retracent l'histoire de la ville. Dans le **parc des Pionniers**, tout à côté de la maison Dumulon, la promenade Tremoy longe le lac Osisko et mène au Centre nautique de Rouyn-Noranda.

Église orthodoxe russe Saint-Georges

Tournez à gauche à partir de la rue Larivière. 201 r. Taschereau Ouest - ☏ 819 797 7125 - www.maison-dumulon.ca - de mi-juin à mi-août : 8h30-17h - 7 $.

Après la Seconde Guerre mondiale, une vingtaine de familles russes vinrent s'établir à Rouyn-Noranda. En 1954, le père Ustuchenko fit bâtir cette petite église d'architecture traditionnelle dont les deux coupoles superposées représentent Dieu étreignant la terre. Un petit musée, bien documenté et plein de détails pittoresques, vous transportera au cœur d'une culture différente.

Théâtre du Cuivre

145 r. Taschereau - ☏ 819 797 7133 - www.ville.rouyn-noranda.qc.ca.

En 1987, ce théâtre au toit de cuivre et à l'architecture résolument moderne remporta un Félix pour la meilleure salle de spectacles de la province. On y propose divers programmes : pièces de théâtre, films et récitals. Le théâtre accueille également le Festival du cinéma international en Abitibi-Témiscamingue.

Xstrata Cuivre Fonderie Horne

1 r. Carter. La découverte de cette mine déclencha le boom minier de 1923. Grâce à des capitaux américains et canadiens, la mine, aujourd'hui transformée en fonderie, entra en production en 1927. En tout, 51 millions de tonnes

ROUYN-NORANDA : UN BON FILON

La colonisation de Rouyn-Noranda ne débuta vraiment qu'en 1912, avec l'arrivée de la première ligne de chemin de fer qui relia la ville à l'Ontario. Mais ce fut la découverte de la **faille de Cadillac** qui déclencha une véritable ruée. Riche en cuivre, or et argent, cette faille – qui traverse l'Abitibi d'ouest en est, de Rouyn-Noranda à Val-d'Or – se ramifie en d'innombrables fractures secondaires. La faille québécoise étant une section de celle qui était déjà en exploitation en Ontario, la région demeura longtemps tributaire de sa voisine ontarienne, plus riche en capitaux et en investisseurs. Les graves conflits syndicaux des années 1930 entraînèrent le remplacement des premiers mineurs, essentiellement recrutés en Europe de l'Est, par des Canadiens français. En 1942, l'industrie de guerre attira de nombreux travailleurs dans la région, dont beaucoup d'origine étrangère.

Rouyn-Noranda emprunte son toponyme à deux anciennes localités minières aux destins fort différents. Issue d'intérêts ontariens, **Noranda** (contraction de « Nord » et « Canada »), était plutôt anglophone. C'était à l'origine une ville résidentielle, administrée par la mine Noranda. D'influence plutôt francophone, **Rouyn** regroupait quant à elle la majorité des mineurs. Elle fut baptisée en l'honneur du capitaine Jean-Baptiste de Rouyn, qui s'était illustré lors de la bataille de Ste-Foy, près de Québec. Véritablement issue de la « ruée vers l'or » de 1923 (qui s'avéra une ruée vers le cuivre), Rouyn attira les aventuriers en quête de fortune. Elle constitue aujourd'hui le quartier des affaires de la ville.

de minerai à haute teneur en cuivre et en or furent extraites de son sous-sol (pour obtenir une simple once d'or, il faut extraire environ 5 t de minerai).

Fonderie Horne – *101 av. Portelance - ℰ 819 797 3195 - de fin juin à déb. sept. : 9h-15h.* On y découvre le processus de purification du cuivre, de l'extraction à l'anode, gros lingot de cuivre à 99 % pesant environ 290 kg. La visite de la maison d'Edmund Horne, premier à découvrir la mine de Noranda, se poursuit dans un wagon de chemin de fer, où l'on assiste à la projection d'un film sur l'extraction du minerai et l'histoire de la région. Munis de bottes et de casques, les visiteurs feront ensuite le tour de la fonderie et de ses installations de surface.

Parc botanique À Fleur d'Eau

325 av. Principale - ℰ 819 762 3178 - www.corpodesfetes.ca - ouvert tte l'année - Pavillon d'accueil Julienne-Cliche ouvert de mi-juin à fin août.
Le lac Édouard, entouré d'arbres magnifiques et de beaux aménagements paysagers, est le lieu de prédilection des canards de la région !

Angliers

▶ *En quittant Rouyn-Noranda, prenez la route 117 vers l'ouest. Juste après Arntfield, quittez la route 117 et prenez la route 101 vers le sud. À environ 5 km au sud du village de Rollet, prenez à gauche la route 391 jusqu'à Angliers.*
Ce paisible village charmera les amateurs de nature et de pêche.

T.E. Draper – *ℰ 819 949 4431 - www3.telebecinternet.com/tedraper - ♿🅿 - de fin juin à déb. sept. : 10h-18h - 5 $.* Véritable témoin du flottage du bois dans la région, cet ancien remorqueur à bois, en service de 1929 à 1979, est aujourd'hui en cale sèche sur la rive du lac des Quinze. Il suppléait jadis au chemin de fer qui longeait les rapides du Long Sault sur la rivière des Outaouais, et déposait les voyageurs à l'extrémité sud du lac Témiscamingue.
Visitez aussi le camp Gédéon, reconstitution d'une exploitation forestière.

Parc national d'Aiguebelle

▶ *À 50 km au nord-est de Rouyn-Noranda (routes 117 et 101).*

🏠 *1702 rang Hudon, Mont-Brun -* ℘ *819 637 7322 - www.sepaq.com - ouvert tte l'année ; autre centre de services à Taschereau (à 78 km de Rouyn par la route 111) - ouvert de mi-mai à déb. sept. - 5,50 $.*

Le parc national d'Aiguebelle est un lieu exceptionnel. Vous pourrez y observer les traces du passage des glaciers, des coulées de lave et des roches vieilles de 2,7 milliards d'années, traverser une passerelle longue de 64 m suspendue à 22 m au-dessus du lac La Haie, scruter l'horizon du haut d'une tour de garde-feu ou dévaler une falaise en empruntant un escalier hélicoïdal.

VILLE-MARIE

🛈 **Bureau d'information touristique** – *1 r. Industrielle -* ℘ *819 629 2918 - www. ville-marie.ca et www.temiscamingue.net.*

Située dans la région de Témiscamingue, au sud-ouest de l'Abitibi, Ville-Marie est une étape idéale pour qui souhaite découvrir le gigantesque lac Témiscamingue, le lac des « eaux profondes » en algonquin. Fréquentée par les plaisanciers qui naviguent sur les eaux du lac et de la rivière Outaouais, elle cache une forêt enchantée et expose le Fort-Témiscamingue qui perpétue le souvenir de la traite des fourrures.

Grotte Notre-Dame-de-Lourdes

À l'extrémité est de la rue N.-D.-de-Lourdes.

Ce **site★** de montagne révèle un panorama remarquable sur le lac Témiscamingue, en contrebas. Le parc, fort agréable, comprend aussi des aires de pique-nique, des sentiers pédestres et un chemin de Croix.

À l'angle des rues Dollard et N.-D.-de-Lourdes, l'**hôtel de ville**, à l'architecture néomédiévale, servit d'école d'agriculture de 1939 à 1965. Il porte le nom du grand pionnier Moffet. On y trouve aussi la salle d'exposition Augustin-Chénier.

Maison du Frère Moffet

Au bord du lac. 7 r. N.-D.-de-Lourdes - www.maisondufreremoffet.com - ℘ *819 629 3533 -* ♿🅿 *- de fin juin à déb. sept. : 10h-18h - 2 $.*

Construite en « pièce sur pièce », la plus ancienne maison de la communauté (1881) abrite aujourd'hui un musée consacré au mode de vie des pionniers et

---

DES INFLUENCES RELIGIEUSES

La région fut colonisée dès 1853 grâce à la coupe des forêts qui dégagea de vastes terrains agricoles. En 1863, les oblats s'installèrent à la mission du Vieux Fort, au sud de Fort Témiscamingue, mais en 1887, ils déménagèrent à Baie-des-Pères, que l'on nomma par la suite Ville-Marie. Les Sœurs Grises ne tardèrent pas à suivre leur exemple.

Depuis leur arrivée dans la région, ces deux congrégations firent sentir leur présence évangélisatrice dans le domaine éducatif et culturel. Le frère **Joseph Moffet** (1852-1932), de la mission du Vieux Fort, fut surnommé « le père du Témiscamingue agricole ». Intermédiaire entre les colons et les dirigeants des chantiers forestiers, il traita aussi avec les acheteurs de denrées agricoles établis en Ontario, de l'autre côté du lac. En 1897, la ville se dota d'une structure administrative, mais ce n'est qu'en 1962 qu'elle devint municipalité.

Ferme, Ville-Marie.
M. Grandmaison/Age Fotostock

à l'histoire de Ville-Marie et du Témiscamingue. En face du bâtiment, un petit parc offre de belles **vues** sur le lac Témiscamingue. Cette immense étendue d'eau (longueur : 103 km ; profondeur : jusqu'à 210 m) forme une partie de la frontière entre le Québec et l'Ontario.

★ Lieu historique national du Canada du Fort-Témiscamingue

À 8 km au sud de Ville-Marie. De la route 101, tournez à droite (direction Témiscaming). 834 chemin du Vieux-Fort - ℘ *819 629 3222 - www.pc.gc.ca -* 🚻🅿 *- de déb. juin à déb. sept. : 9h-17h - 5 $.*

Choisi en 1679 par les Français pour y établir un poste de traite des fourrures, le site fut vite abandonné. En 1720, un second comptoir de fourrures fut construit, dont les activités devaient durer près de deux siècles. Le fort changea plusieurs fois de mains, passant de la Compagnie du Nord-Ouest à sa rivale, la Compagnie de la baie d'Hudson. Cette dernière en assura la gérance jusqu'à sa fermeture, en 1902. Quelques vestiges (cheminées et cimetières) témoignent de l'occupation du site.

Centre d'interprétation – Consacré au commerce des pelleteries, il présente des fourrures et des objets de traite. On y découvre le travail des « Voyageurs » et le fonctionnement d'un comptoir de fourrures aux 18e et 19e s.

À l'extérieur, une immense **plage**★ de sable et des aires de pique-nique et de repos viennent agrémenter les lieux.

★ **Forêt enchantée** – 🚶 Sur le site du fort, un sentier aménagé le long du lac Témiscamingue conduit à une curieuse forêt composée d'arbres argentés, de thuyas de l'Est et de pins rouges. Selon la légende, elle devrait son aspect féerique à une tempête de verglas qui, laissant tout un hiver les arbres courbés sous un lourd carcan de glace, leur aurait donné leurs formes si caractéristiques.

La route 101 serpente à proximité du lac Témiscamingue, qui apparaît par endroits à travers la forêt de hêtres, de chênes, d'érables, de peupliers, de pins blancs ou rouges. Quelques haltes routières, dotées d'agréables aires de pique-nique et de services, jalonnent la route.

Témiscaming

◗ *À 90 km au sud de Ville-Marie. La route 101 (vers la frontière avec l'Ontario) aboutit à ce petit village.*

▣ *www.tourismetemiscamingue.ca*

En 1917, la Riordon Company Ltd, usine de pâtes et papiers, s'installa dans cette charmante petite ville et y développa le commerce du bois. Artère principale, la pittoresque **route Kipawa** serpente à flanc de colline jusqu'à l'extrémité sud du lac Témiscamingue, à l'embouchure de la rivière des Outaouais.

★ **VAL-D'OR**

▣ **Bureau d'information touristique** – *1070, 3ᵉ Av. Est -* ℘ *819 824 9646 ou 1 877 582 5367 - www.tourismevaldor.com.*

À l'extrémité est de la faille de Cadillac, la ville naquit en 1922, lors de la ruée vers l'or provoquée par la découverte d'importants gisements aurifères à Rouyn-Noranda. Aujourd'hui encore, des mines exploitent l'or, le cuivre et l'argent. Et, en raison de la demande des pays émergents et de la hausse du prix des métaux depuis 2006, Val-d'Or est en plein boom minier. En été, les nombreux saloons, bars country et restaurants embrasent la rue Principale de leurs néons de couleur, qui rappellent les villes de l'Ouest des années 1950 et 1960. Grâce à la cité de l'Or et au village minier de Bourlamaque, déclarés sites historiques en 1979, la ruée vers l'or semble bien se poursuivre.

Village minier de Bourlamaque - Cité de l'Or

Au sud de la 3ᵉ Av. En pénétrant dans Val-d'Or, prenez la rue St-Jacques, juste en face du guichet d'information touristique, et grimpez-la à hauteur de la rue Perreault. 90 av. Perreault - ℘ *819 825 1274 ou 1 877 582 5367 (sans frais et pour les réserv.) - www.citedelor.com - ⅙ - visite guidée de fin juin à déb. sept. : 9h-17h ; reste de l'année : lun.-vend. 9h-17h sur RV - sur réserv. 24h à l'avance - 38 $ passeport complet incluant visite souterraine (+ 6 ans), surface et village minier ; 25 $ passeport excluant le village minier ; 18 $ passeport surface seulement.*

🚹🚻 Rattachée à Val-d'Or en 1965, cette ancienne communauté minière rappelle, par son nom, le souvenir de François-Charles de Bourlamaque, aide de camp du général Montcalm. Le petit bourg, déclaré quartier historique en 1979, était jadis administré par la mine Lamaque, l'un des plus grands employeurs de la région de la faille de Cadillac. Le chevalement du puits de mine, l'hôpital et la maison des dirigeants sont demeurés intacts, et les solides cabanes en bois rond, où logeaient autrefois les mineurs, sont encore habitées.

La **cité de l'Or** propose une visite commentée du village minier, permet de voir les bâtiments de surface de la **mine Lamaque** et de descendre à quelque 91 m sous terre, dans une authentique galerie minière.

Tour d'observation - tour Rotary

À l'angle des boulevards des Pins et Sabourin - ℘ *1 877 582 5367 - www.ville. valdor.qc.ca - ouvert tte l'année.*

Au milieu d'une forêt récréative, la tour Rotary, haute de 18m, permet d'observer la ville et ses environs, qu'on surnomme ici le « pays aux 100 000 lacs ».

Malartic

◗ *À 25 km à l'ouest de Val-d'Or par la route 117.*

Cette « ville-champignon » naquit en 1922. Dans les années 1940, elle comptait à son actif sept mines d'or en activité. De la ruée vers l'or d'antan, la petite communauté industrielle a conservé quelques façades postiches *(av. Royale)* dignes d'un décor de *Far-West* façon Hollywood.

★ **Musée minéralogique de l'Abitibi-Témiscamingue** – *En venant de Val-d'Or par la route 117, tournez à droite dans la rue Centrale. Le musée se trouve à l'angle de la rue de la Paix, au n° 650 - ☎ 819 757 4677 - www.museemalartic.qc.ca - ♿🅿 - visite guidée (1h30) de mi-juin à déb. sept. : 9h-17h ; reste de l'année : 9h-17h, w.-end sur RV - sur réserv. 24h à l'avance - 7 $.* Ce musée met à l'honneur le patrimoine naturel minéral et géologique de l'Abitibi-Témiscamingue. Belle collection minéralogique comprenant des spécimens de la région et du monde entier, ainsi qu'une exposition permettant au visiteur de faire un voyage au cœur même de la matière.

Réserve faunique La Vérendrye – *L'entrée nord de la réserve est située à 57 km au sud-est de Val-d'Or, sur la route 117 - l'entrée sud se trouve à 275 km de Montréal par la route 117 et à 180 km d'Ottawa par la route 105. ☎ 819 354 4392 - www.sepaq.com - ⛺🍴♿🅿 - accueils ouverts de mai à sept.* Cette immense réserve faunique (12 589 km²) est la plus grande après celle des Lacs Albanel-Mistassini-et-Waconichi. Nommée en l'honneur de l'illustre explorateur des Rocheuses Pierre Gaultier de Varennes, sieur de La Vérendrye, elle fait le bonheur de tous depuis 1939.

Ses nombreux lacs et cours d'eau, qui alimentent les rivières des Outaouais et Gatineau, sont peuplés d'une centaine de variétés d'oiseaux et de poissons dont le brochet, le doré, la perche et la truite mouchetée. Les vastes forêts de conifères qui couvrent le territoire abritent par ailleurs toutes sortes de mammifères, de l'orignal au castor en passant par le cerf, l'ours noir, le loup et le renard. Une route principale, la 117 *(180 km)*, traverse la réserve en offrant de jolies vues de ses multiples lacs et ruisseaux. On remarquera tour à tour le **lac Jean-Péré**, l'un des hauts lieux du parc, le réservoir Cabonga, qui contrôle le débit de la rivière Gatineau, et le réservoir Dozois, qui régule le cours de la rivière des Outaouais (plus loin, la route passe d'ailleurs par le barrage de cette dernière).

Quelque 800 km de parcours agrémentés d'aires de camping sauvage et de portages attendent les canoteurs. Le point de départ le plus prisé est le lac Jean-Péré qui offre aux débutants des circuits relativement aisés. On peut louer des canots et des bateaux de pêche.

Chibougamau

Baie-James

S'INFORMER

Tourisme Baie-James – *1252 rte 167 Sud, C.P. 134, Chibougamau G0W 1H0 -
418 748 8140 ou 1 888 748 8140 - www.tourismebaiejames.com.*

SE REPÉRER

Carte rabat I de couverture. Chibougamau se trouve à 700 km (9h de
route) au nord de Montréal par les routes 40, 55, 155 et 167. Air Creebec
(www.aircreebec.ca) assure une liaison quotidienne avec Montréal.

À NE PAS MANQUER

Le village cri Oujé-Bougoumou.

AVEC LES ENFANTS

Louez un canot, un pédalo ou une planche à voile sur la plage du centre-
ville, au bord du lac Gilman. Sur la route 167, le mont Chalco permet de
faire du ski en hiver et des randonnées en été. Camping à l'entrée de la
ville, derrière le kiosque de renseignements touristiques.

**Chasseurs-cueilleurs nomades, les Cris, peuple autochtone du Québec,
se séparaient jadis en petits groupes multifamiliaux pour faire face à l'hiver, et l'été venu, se rassemblaient à nouveau en grandes communautés.
Ils représentent aujourd'hui la moitié de la population de Chibougamau
et sont dispersés autour de lacs et de rivières, tirant la majeure partie
de leur subsistance de l'immense forêt boréale, divisée en territoires
de chasse familiaux. Si la ville est très isolée et éloignée des grands
centres urbains – nous sommes plus proches ici du Grand Nord que de
Montréal ! – elle constitue un point de départ idéal pour découvrir la
contrée sauvage de Baie-James.**

Découvrir

Réserve faunique Assinica et des Lacs-Albanel-Mistassini-et-Waconichi

*Entrée à 3 km de Chibougamau sur la route 167. 418 748 7748 ou 1 800
665 6527 - www.sepaq.com - ⚠ - de déb. juin à déb. sept. : 7h-19h - tarif, se renseigner - la route 167 conduit à l'accueil Rupert (à 18 km de Chibougamau) et à
l'accueil du lac Albanel (à 178 km). Pour atteindre les accueils Waconichi et Baie-
Pénicouane, il faut emprunter la route du Nord (10) via la route 167 Nord.*

LES ORIGINES

Chibougamau serait une déformation du mot cri *shabogamaw* (« lac traversé de bord en bord par une rivière »).

Le lac Chibougamau faisait partie de la route du Nord empruntée par les
premiers Européens, notamment le sieur des Groseilliers (1618-1696) et
Radisson (1636-1710), qui furent suivis de près par le père Albanel (1616-
1696). Aux postes de traite succéda la ville minière de Chibougamau. Elle
fut érigée en pleine forêt boréale, sur une plaine sablonneuse, à proximité
du lac Gilman, à 15 km au nord du lac dont elle porte le nom.

DE LA PROSPECTION... À LA MINE

Les premières traces de minerai furent découvertes à Chibougamau dans les années 1840. Plusieurs grands noms de l'industrie minière s'y succédèrent, reconnaissant l'extrême richesse naturelle de la région. La plupart des prospecteurs, ingénieurs, promoteurs et géologues venaient de l'Ouest du Québec, de l'Ontario et des États-Unis. Le choc boursier de 1929 mit fin à l'expansion régionale, mais vers 1934, spéculateurs et prospecteurs firent leur réapparition. La Seconde Guerre mondiale marqua un nouveau temps d'arrêt, et ce n'est finalement qu'en 1950 que la construction d'une route d'hiver de 240 km entre St-Félicien et Chibougamau permit aux sociétés minières de s'installer durablement sur les lieux.

La première mine de cuivre, zinc et or ouvrit ses portes en 1951 à Chapais, à 44 km de la ville. Il ne s'agit pas ici d'une faille géologique comme à Val-d'Or. On parle de la ceinture Chibougamau-Matagami formée de « zones » de minerai. Ce sont des veines verticales de 1 m de largeur sur 610 à 1 220 m de profondeur. On creuse donc des galeries de 1,8 m de large sur 2,5 m de haut le long de la veine. Aujourd'hui, Chibougamau est surtout une ville de mineurs et de travailleurs forestiers. On y verra des scieries et plusieurs mines en service. La prospection continue surtout à l'intérieur du complexe du lac aux Dorés. Autrefois, on n'extrayait que le cuivre, mais depuis la récession des années 1970, l'exploitation de l'or a pris le dessus. Les roches extraites sont concassées sur place, puis envoyées vers le complexe métallurgique de Rouyn-Noranda.

Cette vaste réserve faunique occupe une superficie de 16 400 km^2, parsemée de forêts d'épinettes noires, de sapins et de mousses. Ses nombreux lacs, dont le plus grand de la région, le lac Mistassini (2 019 km^2), en font un paradis pour les pêcheurs.

Activités – Outre la randonnée, la pêche est l'activité principale. Le camping *(aucune infrastructure)* est limité à 14 jours consécutifs ; il faut rapporter ses déchets au poste d'accueil. Des excursions *(non organisées)* de canot-camping sont également possibles en réservant au moins un mois à l'avance. Possibilité de se promener en chaloupe *(sur réserv.)* ; pas de service de guide.

Réserve Waconichi – Son nom évoque les collines situées à l'ouest du lac Waconichi qui protègent les campements des Amérindiens du vent du nordouest, parfois glacial. La réserve dispose d'un complexe touristique de pêche. Des chalets en bois rond *(à 30 km de l'accueil Rupert - ℘ 1 800 665 6527 - sur réserv. juin-août)* ont été aménagés sur un **site★** de toute beauté.

Mistissini – *De l'accueil Rupert, parcourez 67 km sur la route 167, puis tournez à gauche vers Mistissini (Baie-du-Poste), et continuez sur 16 km. Tourisme Mistissini - ℘ 819 923 325.* Ce village cri se trouve sur la route du commerce des fourrures menant à Fort-Rupert (Waskaganish), sur la baie d'Hudson. Mistissini est aujourd'hui la plus importante communauté des Cris de la Baie-James du Québec. Une communauté crie, qui portait le nom de Mistassini, habitait déjà la région en 1640. Durant une centaine d'années, la Compagnie de la baie d'Hudson tint un poste de traite à Fort-Rupert. Mais la concurrence que lui livra la Compagnie du Nord-Ouest la força à se déplacer à l'intérieur des terres. Pour intercepter les fourrures avant qu'elles n'arrivent à Fort-Rupert, les Français construisirent en 1674 leur propre poste de traite à Mistissini, à la suite de la visite du père Charles Albanel. Le premier poste de Neoskweskau, sur la rivière Eastmain, fut déplacé au nord du lac Mistassini en 1800, et au sud du lac, à l'emplacement actuel de la ville, en 1835.

Oujé-Bougoumou

▶ *À 58 km à l'ouest de Chibougamau. Accès par la route 167, la route 113, puis une route de gravier.*

🔹 **Ouje-Bougoumou Tourism** – *203 r. Opémiska-Meskino -* 📞 *418 745 3905 - www.creetourism.ca.* Il organise des visites du village traditionnel et de nombreuses activités : canot, raquettes, traîneau à chiens…

Après avoir été dépossédée de ses villages et de ses moyens de survivance, la communauté crie d'Oujé-Bougoumou a développé un nouveau site et une nouvelle organisation alliant modes de vie ancien et moderne. Le village propose, notamment, des séjours et des hébergements en tipi, en lodge ou en chambre d'hôtes.

Circuit conseillé

DE CHIBOUGAMAU À VAL-D'OR

▶ *Circuit de 413 km par les routes 167, 113 et 117.*

Chapais

La ville doit son nom à Sir Thomas Chapais, politicien et historien de renom. En 1929, Léo Springer y découvrit le premier grand gisement de la région Chibougamau-Chapais. En 1989, la scierie de Chapais passa en tête du palmarès des producteurs de bois de l'Est du Canada. Une nouvelle usine thermique transforme les résidus de bois en énergie électrique.

Waswanipi

Tout comme Mistissini, cette réserve faunique abrite une communauté crie dont les membres aident au reboisement des forêts ou travaillent aux mines de Desmaraiville et Miquelon, au sud de Waswanipi.

Lebel-sur-Quévillon

En 1965, les bords du lac Quévillon, alimenté par la rivière Le Bel, étaient encore sauvages. Depuis, une petite communauté pleine de vigueur s'y est développée, soutenue par l'usine de pâte et papier de la Domtar *(aujourd'hui fermée).* À l'entrée de la ville, sur le boulevard Quévillon, se trouvent un camping municipal et une plage, avec location d'équipement aquatique et sentiers pédestres balisés.

Senneterre

Très dynamique, cette petite communauté forestière a subi de nombreux changements au cours des dernières années. Aux portes d'entrée de la ville, des sculptures symbolisent l'armée canadienne, l'industrie forestière et l'industrie ferroviaire.

Lac Faillon – *À 45 km à l'est de Senneterre, sur le chemin de pénétration N-806.* Site de plein air et de détente, le lac Faillon bénéficie du charme sauvage de la rivière Mégiscane. Il offre de nombreuses activités récréatives : baignade, chaloupes, canots et pêche.

Baie-James

⭐

S'INFORMER

Tourisme Baie-James – *Voir Chibougamau, p. 446.*

SE REPÉRER

Carte de rabat I de couverture. Radisson se trouve à 1 448 km au nord-ouest de Montréal et à 625 km au nord de Matagami par la route de la Baie-James. Vols de Montréal, Québec et Val-d'Or à Radisson assurés par Air Inuit *(www.airinuit.com)* et Air Creebec *(www.aircreebec.ca).*

À NE PAS MANQUER

La centrale Robert-Bourassa.

Direction le Nord-du-Québec ! Le territoire de la Baie-James représente 20 % de la superficie du Québec. Ses 350 000 km² s'étendent du 49ᵉ au 55ᵉ parallèle. Avec la région touristique du Nunavik, encore plus au nord, la Baie-James constitue le Nord-du-Québec. Sillonné de puissants cours d'eau, peuplé de forêts d'épinettes noires et de pins gris et couvert d'innombrables lacs, ce vaste espace abrite une quarantaine d'espèces animales dont le caribou, l'orignal, l'ours noir, le castor, le lynx, le béluga et le phoque, ainsi qu'un large éventail d'oiseaux aquatiques et de poissons. Résolument différente du reste du Québec par la beauté de ses grands espaces dénudés et par sa végétation, où la toundra succède à la taïga et à la forêt boréale, la Baie-James ne cesse d'attirer de plus en plus de touristes à la recherche d'une nature sauvage et désireux de mieux connaître la culture du peuple autochtone, les Cris.

Découvrir

LA GRANDE

Radisson

Des cinq villages temporaires créés au moment de la construction du complexe La Grande, seul Radisson a survécu. Il se situe sur la rive sud de la rivière La Grande, juste à l'ouest de la route de la Baie-James et à 5 km à l'ouest de la centrale Robert-Bourassa. Le complexe Pierre-Radisson (centre communautaire) forme le cœur du village. C'est là que se trouvent les boutiques, le bureau de poste et les infrastructures récréatives comme le gymnase et la piscine. Un hôtel ainsi que les blocs résidentiels où logent les employés d'Hydro-Québec sont reliés au centre par des passages fermés.

⭐⭐ Aménagement Robert-Bourassa

☏ 1 800 291 8486 - www.hydroquebec.com - ✂ ♿ 🅿 - visite guidée (3h30) de mi-juin à déb. sept. : 13h (mar. 14h) ; reste de l'année : lun. et vend. 8h30, merc. 13h - réserv. 48h à l'avance.

La visite guidée comprend un documentaire sur la construction et le fonctionnement du complexe La Grande, des explications sur la production de l'électricité, le transport sur tout le site et une visite de la centrale Robert-Bourassa.

Un développement concerté

LE PEUPLE CRI

Les Cris du Québec font partie de la grande famille linguistique algonquienne. Leur dialecte est le cri. La population sédentaire, qui se chiffrait en 2007 à quelque 13 000 personnes, est concentrée dans neuf villages : Whapmagoostui (Kuujjuarapik – Poste-de-la-Baleine), Chisasibi, Wemindji, Eastmain et Waskaganish, sur la côte est de la Baie-James et de la baie d'Hudson ; Nemaska, Mistassini, Oujé-Bougoumou et Waswanipi, à l'intérieur des terres *(voir Chibougamau)*. Population autochtone des forêts nordiques, les Cris vivent en partie de la chasse (orignal, caribou, castor et oie sauvage) et de la pêche.

Autrefois organisés en petits groupes nomades, ils pratiquaient le troc bien avant l'arrivée des Européens. Entre 1672 et 1713, les coureurs des bois français et les marchands de la Compagnie de la baie d'Hudson (CBH) se livrèrent une concurrence acharnée pour se procurer des fourrures sur les territoires de chasse cris. Dès le début du commerce des fourrures, les employés de la CBH durent compter sur la collaboration des Cris pour survivre, créant très vite des relations d'interdépendance. Au milieu du 19e s. arrivèrent les premiers missionnaires anglicans qui se chargèrent des services de santé et d'éducation. En 1950, le gouvernement fédéral instaura un système d'enseignement obligatoire en anglais. Dans les années 1970, les Cris accédèrent rapidement à un degré élevé d'autonomie. Ils ont fondé de nombreuses sociétés, dont Air Creebec, et dirigent à présent divers organismes chargés de l'enseignement, de la santé et des services sociaux, ainsi que des programmes relatifs au logement et au développement économique. Chaque communauté est administrée par un conseil de bande local.

CONVENTION DE LA BAIE-JAMES ET DU NORD QUÉBÉCOIS

Dans les années 1960, le gouvernement provincial, jugeant que son expansion économique et la réponse à ses besoins énergétiques passeraient par le développement des ressources hydroélectriques des régions nordiques, confia à Hydro-Québec la responsabilité d'un gigantesque projet d'aménagement des principales rivières. En 1971, le gouvernement québécois adoptait une loi de développement du territoire du Nord québécois et créait à cet effet la Société de développement de la Baie-James (SDBJ) pour assurer l'exploitation des richesses naturelles de la région. La même année était fondée la Société d'énergie de la Baie-James (SEBJ) en vue d'assurer la coordination technique et financière du projet de centrales hydroélectriques par Hydro-Québec. Dès le début, le projet souleva des questions juridiques sur les droits des autochtones, aspect dont n'avait pas tenu compte le gouvernement provincial. Les nations indigènes concernées, Inuits et Cris, obtinrent une injonction d'arrêt des travaux et purent entamer des négociations au niveau fédéral et provincial afin de régler la question des revendications territoriales.

Le 11 novembre 1975, les partis en présence, dont le **Grand Conseil des Cris du Québec** et l'**Association des Inuits du Nord québécois**, signèrent la Convention de la Baie-James et du Nord québécois. Ce fut le premier accord de l'époque contemporaine portant sur le règlement des revendications territoriales des autochtones au Canada. Par cette convention, les Amérindiens et Inuits renonçaient à certains de leurs droits. En retour, ils obtenaient des

droits exclusifs de chasse, de pêche et de trappage dans des zones bien déli-
mitées, la propriété de certaines terres (16 % des surfaces revendiquées), la
constitution de conseils autochtones pour aider à la gestion des administra-
tions régionales et municipales, le droit de participation dans les décisions
concernant les différentes phases du projet, ainsi qu'une compensation financière. Des programmes sociaux (santé, éducation et développement économique) furent mis en œuvre.

LE PROJET HYDROÉLECTRIQUE DE LA BAIE-JAMES

Conçu dans le but d'exploiter l'immense potentiel hydroélectrique du Nord
du Québec, cet ambitieux projet prévoyait à long terme la réalisation de
19 centrales regroupées en trois complexes : La Grande, Grande-Baleine et
Nottaway-Broadback-Rupert. Seul le **complexe La Grande** a vu le jour. La réalisation de sa première phase a pris 12 années de travaux intensifs (de mai 1973
à décembre 1985) et a coûté près de 14 milliards de dollars. Le projet a entraîné
l'aménagement d'environ 2 000 km de routes, de cinq aéroports et de cinq
villages destinés à loger les employés. Au plus fort de son activité, à l'été 1978,
les chantiers comptaient quelque 18 000 ouvriers. La centrale souterraine
Robert-Bourassa fut mise en service le 27 octobre 1979, suivie de La Grande-3
en 1982 et La Grande-4 en 1984. Le projet a entraîné le détournement vers
la rivière La Grande des rivières Eastmain et Opinaca au sud, et de la rivière
Caniapiscau (Koksoak) à l'est, afin de former cinq réservoirs. Cette entreprise
colossale a exigé la construction de 215 barrages et digues en enrochements,
soit 262 400 000 m³ de moraine, de pierre et de sable, quantité suffisante pour
construire 80 fois la grande pyramide de Chéops en Égypte.

Aujourd'hui, les trois centrales abritent à elles seules 37 groupes turbines-
alternateurs, soit une puissance combinée de 10 282 MW. Durant la seconde
phase du projet, de 1988 à 1996, les cinq centrales suivantes ont été construites : La Grande-1, La Grande-2-A, La Forge-1, La Forge-2 et Brisay. Avec elles, le
complexe La Grande représente désormais une puissance totale de 15 244 MW
et fournit plus de la moitié de l'électricité produite au Québec.

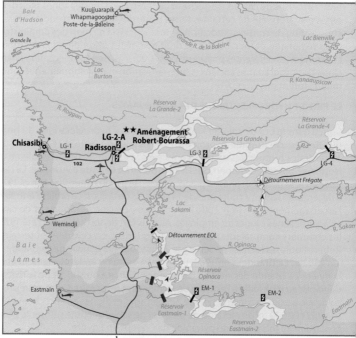

MATAGAMI (625 km)

Centrale Robert-Bourassa – C'est la plus importante des centrales hydroélectriques du Québec. Elle a une puissance installée de 7 722 MW. Le réservoir, qui couvre une superficie de 2 835 km², est contenu par un barrage et 31 digues. C'est aussi la plus grande centrale hydroélectrique souterraine du monde. Elle se situe à 137 m sous terre, dans une caverne de granit d'environ 0,5 km de longueur, équipée de 16 groupes turbines-alternateurs, et possède une chambre d'équilibre destinée à amortir les fortes variations de pression qui se produisent au moment de la mise en marche ou de l'arrêt des machines.

Évacuateur de crue – Prévu pour évacuer les excédents d'eau du réservoir en cas de crues exceptionnelles, il est prolongé par un **escalier de géant★** : 10 marches de 10 m de hauteur et de 122 m de largeur. Taillé à même le roc, cet ouvrage témoigne des exploits technologiques réalisés au complexe La Grande.

La **centrale La Grande-2-A**, à moins d'un kilomètre à l'ouest de la centrale Robert-Bourassa, est entrée en service fin 1992. Elle a pour fonction de produire davantage de puissance aux périodes de pointe de consommation, par l'intermédiaire de six groupes turbines-alternateurs supplémentaires.

AUX ALENTOURS DE RADISSON

Circuit de visite de l'aménagement Robert-Bourassa

▶ *Point de départ : centre d'information d'Hydro-Québec (complexe Pierre-Radisson, à Radisson). Plan du circuit gratuit.*

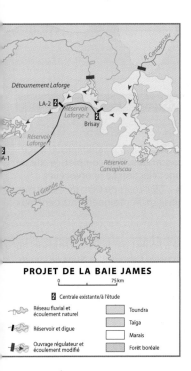

PROJET DE LA BAIE JAMES

0 ————— 75 km

⚡ Centrale existante/à l'étude

Réseau fluvial et écoulement naturel — Toundra

Réservoir et digue — Taïga

Ouvrage régulateur et écoulement modifié — Marais

Forêt boréale

Une route agréable, balisée de panneaux d'interprétation indiquant les principaux points d'intérêt, contourne les digues du réservoir Robert-Bourassa et permet d'admirer le paysage alentour.

Chisasibi

▶ *De Radisson, prenez la route de la Baie-James en direction du sud. Après 20 km, tournez à droite et suivez la route (asphaltée) sur 82 km.*

🛈 **Chisasibi Mandow Agency** – ✆ 819 855 3373 - www.creetourism.ca. Cet organisme propose des séjours en pourvoirie ainsi que des visites du village.

L'aménagement hydroélectrique du territoire devait entraîner une forte augmentation du débit de la rivière La Grande à son embouchure, dans la Baie-James. C'est pourquoi, en 1981, les Cris du village de Fort-George, sur une île située à l'embouchure de la rivière La Grande, demandèrent à être relocalisés à 8 km en amont. Le nouveau village fut appelé *Chisasibi* (« grande rivière » en langue crie).

Pour atteindre la Baie-James, du centre-ville, tournez à droite, suivez tout droit sur 2 km en direction de la rivière La Grande. Tournez à gauche et continuez sur 2 km. À la fourche, tournez à gauche et continuez sur 11 km.

La Baie-James s'étend à 15 km à peine du centre de Chisasibi.

Nunavik

★★

😀 **NOS ADRESSES PAGE 466**

S'INFORMER

Association touristique du Nunavik – *C.P 779 - Kuujjuaq J0M 1C0 - 📞 1 888 594 3424 - www.nunavik-tourism.com.* Très complet, le site de l'association propose, entre autres, une sélection de pourvoyeurs.

Centre d'information du Nunavik – *1204 cours du Gén.-de-Montcalm, Québec - 📞 418 522 2224 - www.nunavik.ca.* Renseignements généraux et pratiques.

SE REPÉRER

Carte rabat I de couverture. Délimité à l'ouest par la baie d'Hudson, au nord par le détroit d'Hudson et à l'est par le Labrador, le Nunavik couvre une superficie de 505 000 km², soit environ le tiers du territoire provincial. Il correspond approximativement à la région autrefois connue sous le nom de « Nouveau-Québec », que l'on appelle encore aujourd'hui le Grand Nord.

À NE PAS MANQUER

Kangiqsujuaq et le cratère du Nouveau-Québec, au sein du parc national des Pingualuit, le site de Salluit, et Kuujjuaq, la capitale du Nunavik.

Patrie des Inuits du Québec, le Nunavik est « le pays où vivre » en inuktitut. Un pays où la nature est encore à l'état sauvage, intacte, dominée par des étendues incommensurables. Un pays où la splendeur des couchers de soleil et des aurores boréales est saisissante. Un pays où la jovialité des habitants offre un frappant contraste avec l'immensité des espaces arctiques. Si la technique moderne a complètement bouleversé le mode de vie des Inuits, ces derniers, au prix de nombreuses luttes, ont pu préserver leur héritage traditionnel et ont su le faire connaître. Au cours des dernières années, le Nunavik est ainsi devenu une destination touristique de choix même si elle reste très onéreuse. Ses merveilles naturelles offrent aux amateurs d'aventure, de pêche et de chasse d'inoubliables spectacles, à condition qu'ils soient très bien encadrés et parfaitement équipés pour affronter les rudes conditions de la région. Le Nunavik est couvert de neige entre octobre et juin…

Découvrir

CÔTE EST

Les villages décrits dans ce chapitre apparaissent sous leur nom officiel. Leur ancien nom figure entre parenthèses.

★ Kuujjuaq (Fort Chimo)

2 132 habitants. Situé sur la rive ouest de la rivière Koksoak, sur une terre plate et sablonneuse, à environ 50 km en amont de la baie d'Ungava, ce centre administratif régional est aussi le village le plus important du Nunavik. Il regroupe tous les organismes centraux : gouvernement régional, services de santé, hôpital et siège d'Air Inuit. De 1942 à 1949, Kuujjuaq servit de base aux forces aériennes américaines. Aujourd'hui, ses deux grandes pistes d'atterrissage font partie du Système de Surveillance Nord, et le village joue un rôle de plaque tournante pour les transports aériens vers le Nord québécois, abritant le siège social de plusieurs compagnies de vols nolisés. Le village actuel s'est développé autour de la base militaire dans les années 1950. Kuujjuaq possède des hôtels, des restaurants, des magasins, des boutiques d'artisanat, et une banque. Officiellement baptisé Kuujjuaq, « la grande rivière » en inuktitut, le village était autrefois connu sous le nom de Fort Chimo. Rencontrant des Européens pour la première fois, les Inuits avaient l'habitude de leur dire « Saïmuk ! Saïmuk ! », ce qui signifie « serrons-nous la main ! », que les Européens ont transformé en « Chimo ».

Vieux-Chimo – *Visite de l'ancien village organisée par des guides locaux - se renseigner au village nordique de Kuujjuaq :* 819 964 2943. Le fort initial, premier poste de traite de la Compagnie de la baie d'Hudson dans le Nord québécois, avait été construit sur la rive opposée de la Koksoak, avant que le village ne soit transféré sur son site actuel en 1945. Les bâtiments, peints aux couleurs traditionnelles rouge et blanc, ont été déplacés pièce par pièce sur la rive ouest de la rivière.

Environs – Pour les amoureux de l'Arctique, les pourvoyeurs organisent des excursions autour de Kuujjuaq (pêche à l'omble et au saumon ou chasse au caribou). Un réseau routier limité *(8 km)* permet de s'avancer dans la toundra et de longer la limite de végétation des arbres, située non loin du village, pour se rendre dans des zones forestières, sur un plateau formé de collines ondoyantes de 80 m à 250 m d'altitude. La rivière Koksoak est l'une des merveilles de la région.

Kangiqsualujjuaq

735 habitants. Ce village est situé sur la rive est de la **rivière George**, à 25 km au sud de la baie d'Ungava. Il est blotti à l'ombre d'un large affleurement de granit, dans une vallée étroite à l'extrémité nord d'une petite baie.

Autrefois George River puis Port-Nouveau-Québec, Kangiqsualujjuaq (« très grande baie » en inuktitut) est le village permanent le plus au nord-est du Nunavik. Il a été créé à l'initiative d'Inuits locaux qui, en 1959, fondèrent sur ce site la première coopérative du Nunavik (pêcherie de l'omble). Entre les années 1830 et le milieu du 20e s., la Compagnie de la baie d'Hudson exploitait un comptoir de traite au sud du village actuel. Ce dernier se dresse à l'extrême limite de la zone boisée, et dans les années 1960, une petite scierie pour la coupe du bois (épinette) fonctionnait. La région est particulièrement intéressante pour les adeptes du canot, qui peuvent descendre la rivière George, et pour les pêcheurs, qui seront ravis par l'abondance de saumons de l'Atlantique. La rivière George attire aussi l'une des plus grandes hordes de caribous du Nord québécois. Les terrains de mise bas du plus grand troupeau d'ongulés du monde se trouvent à proximité.

Il existe des camps de pourvoyeurs en amont de la rivière, près des belles **chutes Hélène** (64 km en amont).

Parc national Kuururjuaq – 819 337 5454 - www.nunavikparks.ca - *parc ouvert tte l'année - centre d'interprétation lun.-vend. 9h-12h et 13h-17h.* Créé en mai 2009 et toujours en développement, il s'étend depuis la mer sur 4 500 km² et a pour objectif la protection des rives de la rivière Koroc et des monts Torngat où elle prend sa source. Visite conseillée de mi-juin à mi-sept et de mars à mai.

Une terre à l'identité forte

CARACTÉRISTIQUES GÉOGRAPHIQUES

La région du Nunavik se distingue par la configuration géographique particulière que forme le long littoral déchiqueté de la **péninsule d'Ungava**, dont la saillie au nord prolonge la péninsule Québec-Labrador, sous-continent rattaché au Bouclier canadien précambrien. Les **14 villages modernes du Nunavik** se situent presque tous sur ce littoral maritime. Les **monts de Povungnituk** s'étirent d'est en ouest et traversent la moitié nord de la péninsule d'Ungava. On peut y voir le **cratère du Nouveau-Québec**, qui aurait été creusé par une météorite il y a quelque 1,4 million d'années. À l'est, les **monts Torngat**, dominés par le plus haut sommet du Québec, le **mont d'Iberville** (1 622 m), tracent la frontière entre le Québec et le Labrador. Le territoire du Nunavik est parsemé d'une myriade de lacs et de rivières. Ces voies navigables, qui se jettent dans les baies d'Ungava et d'Hudson, permettent depuis longtemps aux Inuits de se déplacer et de pêcher. Dans les années 1950, la dépression du Labrador – faille géologique riche en minerais, partant de Kangirsuk au nord pour suivre la ligne Schefferville/Labrador-City/Gagnon au sud – est devenue un pôle important d'extraction du minerai de fer.

Végétation

Le Nunavik présente trois zones de végétation : au nord, la **toundra arctique**, qui se distingue essentiellement par l'absence d'arbre et par la présence de lichens et de plantes herbacées rases ; au centre, la **toundra forestière**, où poussent épinettes, pins et mélèzes ; au sud, la **taïga**, constituée de forêts clairsemées d'épinettes noires et de pins gris. La limite de végétation des arbres définissant ces espaces ondule d'Umiujaq à l'ouest à Tasiujaq, Kuujjuaq et Kangiqsualujjuaq au nord-est. Une zone de pergélisol (ou sol gelé en permanence) recouvre une bonne partie de la péninsule d'Ungava, atteignant jusqu'à 275 m de profondeur à Salluit. Des plaques discontinues de pergélisol apparaissent également dans le reste du Nunavik.

Climat

Le climat du Nunavik est inhospitalier : la saison de croissance dure moins de trois mois et le pergélisol est étendu. Il subit les influences opposées des masses continentales (froides) et de l'océan Atlantique (chaudes). L'hiver est long et froid ; l'été est généralement frais, avec des températures pouvant atteindre néanmoins 30 °C. Le printemps connaît de belles journées longues ; comme l'automne, il peut être aussi marqué par de violents orages et un temps instable. Les températures varient entre l'intérieur des terres et le littoral, et oscillent entre - 40 °C en janvier et de 10 °C à 20 °C en juillet. Les chutes de neige sont importantes (plus de 2 m) et recouvrent le sol entre octobre et juin. Certaines zones du littoral sont prises dans les glaces entre novembre et juin, ce qui limite la saison de cabotage et de navigation. En raison de sa position septentrionale, le Nunavik connaît de longues journées d'été (environ 20 heures de clarté au mois de juin) et de brèves journées d'hiver (en décembre, autour de 5 heures).

UN PEU D'HISTOIRE

Les premiers habitants

Population autochtone des terres arctiques, les Inuits tiennent leur nom d'un terme inuktitut signifiant « les Hommes » (*nu* : être humain ; *it* : plusieurs).

Il y a environ 9 000 ans, des chasseurs qui avaient traversé le détroit de Béring en provenance de l'Asie s'établirent sur la zone côtière de l'Alaska. Vers l'an 2000 av. J.-C., ils émigrèrent vers l'est, créant une deuxième culture qui se propagea le long de la côte du Labrador, vers le cap Dorset, au sud de l'île de Baffin. C'est aux « gens de Dorset » que l'on attribue l'**invention de l'igloo**. Vers l'an 1000 apr. J.-C., une troisième culture, connue sous le nom de « Thulé », se développa en Alaska et envahit le territoire des gens de Dorset, qui finirent par disparaître. Les Inuits actuels sont les descendants de la branche Thulé.

Peuple nomade organisé en petits groupes à structure familiale, les Inuits chassaient des mammifères marins (phoques, morses et baleines) le long de la côte et sur les îles proches du continent. Ils s'aventuraient aussi à l'intérieur des terres en suivant le cours des rivières et les lacs, pour pêcher le poisson et chasser le bœuf musqué, le caribou et le gibier d'eau. Réputés pour leur remarquable sens de l'orientation, ils étaient capables de voyager sans cartes sur de grandes distances, se déplaçant de camp en camp en traîneaux à chiens, en kayaks, en oumiaks (grands bateaux ouverts en peau de phoque) ou à pied. En hiver, ils construisaient des igloos, vivant en été dans des tentes en peaux ou des habitations en tourbe.

La rivalité ancestrale entre Inuits et Amérindiens s'intensifia avec le développement du commerce des fourrures. Utilisant les armes à feu avant les Inuits, les Algonquins (Cris, Naskapis et Innu) finirent par les chasser d'une partie de leur territoire.

L'arrivée des Européens

Après les brefs séjours des Vikings vers l'an 1000 sur la côte orientale du Canada, l'Europe oublia semble-t-il pendant plusieurs siècles l'existence du continent américain, à l'exception des Basques et des Anglais qui fréquentaient déjà les eaux poissonneuses de l'Atlantique Nord. Au 15e s., les progrès de la technique et l'espoir d'un négoce lucratif lancèrent véritablement les grands navigateurs à l'assaut des océans. Des explorateurs européens seraient alors parvenus dans l'Arctique, n'établissant pourtant que des rapports limités avec les autochtones. En 1610, le navigateur britannique Henry Hudson explora le passage du Nord-Ouest (l'immense baie au large des côtes ouest du Nunavik porte d'ailleurs son nom) et entra en contact avec des Inuits dans ce qui devint plus tard le détroit d'Hudson. En 1670, Charles II d'Angleterre concéda une charte à la **Compagnie de la baie d'Hudson** (CBH), lui octroyant le monopole de la traite des fourrures sur la Terre de Rupert. Cette dernière, qui comprenait tout le bassin de la baie d'Hudson, avait été baptisée en l'honneur du prince Rupert, cousin de Charles II. La CBH contribua grandement à l'exploration de l'immense territoire. Elle le céda en 1870 à la toute jeune Confédération canadienne, dont le désir était de créer une nation *A mari usque ad mare* (d'un océan à l'autre).

Au début des années 1810, la région accueillit des missionnaires moraviens protestants puis, entre 1880 et 1900, des expéditions scientifiques canadiennes. Au début du 20e s., la société française de fourrures **Révillon Frères** établit des comptoirs de traite dans la région. En 1936, la CBH, déjà bien implantée, réaffirma sa suprématie économique en rachetant son concurrent français. L'arrivée des marchands et des missionnaires européens transforma radicalement le mode de vie local. La présence des marchands fit évoluer la structure économique des autochtones d'un mode autarcique de chasseurs à un système de troc. Les ordres religieux – protestants puis catholiques – introduisirent les valeurs et l'éducation européennes. Les marchands et les missionnaires contribuèrent, dans une grande mesure, à l'abandon de l'existence semi-nomade des autochtones ainsi qu'au développement de villages côtiers permanents. Les baleiniers américains fréquentant le détroit d'Hudson dès 1845 introduisirent la monnaie, la carabine et les embarcations de bois chez les Inuits qui délaissèrent ainsi le harpon traditionnel et les kayaks en peau de phoque. Ces nouvelles méthodes de chasse, trop efficaces, entraînèrent la quasi-disparition des morses et des baleines, obligeant les Inuits à se tourner vers les terres pour survivre. Le dernier baleinier fut signalé en 1915.

Un siècle de changements

En 1912, l'ancienne Terre de Rupert était répartie entre le Manitoba, l'Ontario et le Québec. La frontière québécoise, préalablement établie à la rivière Eastmain, s'avançait jusqu'au détroit d'Hudson, à 1 100 km plus au nord. Des lois fédérales confirmant la légitimité de cette nouvelle frontière comportaient une clause de rachat, par la province, des terres appartenant aux autochtones de la région. Dans les années 1940, le gouvernement fédéral et provincial et les autorités militaires américaines s'établirent dans la région (Fort Chimo, aujourd'hui Kuujjuaq, et Poste-de-la-Baleine, ou Kuujjuarapik) afin de développer des projets miniers et hydroélectriques. Des villages modernes, pourvus d'écoles et d'habitations en bois, furent construits par le gouvernement canadien désireux de remplir ses obligations envers les autochtones. Entre 1950 et 1963, les groupes familiaux inuits se sédentarisèrent : ils quittèrent peu à peu leurs camps de chasse et de pêche pour les nouveaux villages.

Dans **les années 1960**, le Québec intensifia le développement des ressources hydrographiques pour la production d'électricité dans le nord. Hydro-Québec lança un vaste projet hydroélectrique concrétisé par la **Convention de la Baie-James et du Nord québécois** *(voir p. 450)*. Cet accord controversé, aux termes duquel les autochtones cédèrent leurs droits sur la terre, marqua le début d'une nouvelle période dans l'histoire sociale, économique et politique du Nunavik. En 1975, la **région administrative de Kativik** fut créée par la Convention de la Baie-James et du Nord québécois pour représenter les municipalités au nord du 55e parallèle. Les 14 villages du Nunavik se développèrent alors, grâce à la construction de logements, à la modernisation des aéroports, des écoles et des services de santé. Les habitants créèrent toutes sortes d'entreprises génératrices d'emplois dans les secteurs de la pêche, de l'exploitation minière, de la construction et de l'hôtellerie. La **Société Makivik**, appartenant à tous les signataires inuits de la Convention de la Baie-James et du Nord québécois et régissant les indemnités collectives établies par la Convention, prit la tête de plusieurs filiales, dont les compagnies aériennes Air Inuit et First Air.

Le Nunavik aujourd'hui

Adoptée par un référendum organisé dans les villages inuits en 1986, l'idée de créer la région du Nunavik a reçu deux ans plus tard l'approbation gouvernementale. Ce référendum populaire a provoqué à travers le Québec une prise de conscience de l'unicité culturelle des Inuits.

Après des années d'efforts, un accord de principe sur la création d'un gouvernement du Nunavik a été signé par l'Assemblée nationale le 5 décembre 2007. Bien que seul l'accord définitif aura force de loi, la signature de cet accord constitue une étape cruciale. Cela signifie que le Québec et le Canada acceptent la réalité d'un tel gouvernement. L'accord final devra être approuvé par un vote référendaire des résidents du Nunavik.

Aujourd'hui, la grande majorité des Inuits vivent dans des maisons modernes préfabriquées. Ils suivent une formation scolaire et professionnelle, et certains partent étudier ou travailler hors du Nunavik. Tous les villages sont équipés

LES COOPÉRATIVES INUITS

Depuis 1959, la communauté inuit du Québec bénéficie d'un **mouvement coopératif** très actif. Le but principal de chaque coopérative est d'unir la communauté et d'agir en tant que porte-parole de leurs intérêts. La coopérative est donc beaucoup plus qu'un simple magasin. **Quatorze coopératives**, regroupées au sein de la Fédération des coopératives du Nouveau-Québec, jouent ainsi un rôle prépondérant dans le commerce régional. Chacune exploite un magasin général au niveau local et veille à la commercialisation de l'artisanat inuit, permettant ainsi à de nombreux peintres, sculpteurs et graveurs de vivre de leurs talents *(boutique en ligne : http://fcnq.netc.net/)*. Les activités des coopératives s'étendent encore aux services bancaires, bureaux de poste, télévision par câble et services Internet, à la gestion d'hôtels, d'une agence de voyage et de plusieurs camps de chasse et de pêche.

de télévision, vidéo, téléphone et télécopieur. Il est également devenu plus simple et plus rapide de se déplacer grâce à toutes sortes de véhicules (canots à moteur et motoneige, par exemple). Malgré leur implantation dans les nouveaux villages côtiers, les Inuits maintiennent leurs activités économiques traditionnelles, notamment la pêche, la chasse et la cueillette. Ils continuent à exprimer leur culture par le biais de leur art et de leurs fêtes familiales et communautaires, et ont créé de nombreuses institutions pour préserver leur patrimoine culturel, tel l'**Institut culturel Avataq**, fondé à Inukjuak en 1980 *(voir l'encadré p. 463)*.

La population actuelle du Nunavik se compose de plusieurs ethnies distinctes : les **Inuits** (environ 10 000), essentiellement concentrés dans les 14 villages côtiers ; les **Amérindiens** (**Naskapis** à Kawawachikamach et **Cris** à Whapmagoostui) ; les **allochtones** (c'est-à-dire non autochtones), pour la plupart francophones, résidant surtout à Kuujjuaq, le centre administratif de la région.

Les **Inuits** du Nunavik sont géographiquement et culturellement divisés en deux zones : la zone nord et ouest (détroit et baie d'Hudson) et la zone est (baie d'Ungava) où les communautés s'apparentent plutôt à celles de la côte du Labrador. Les Inuits du Canada ont conservé leur langue (± 66 % d'entre eux parlent encore l'inuktitut), mais l'anglais et le français occupent une place importante à l'école et dans la vie publique. Depuis 1978, conformément aux dispositions de la Convention de la Baie-James et du Nord québécois, ils ont créé leur propre commission scolaire, et l'inuktitut est enseigné dans toutes les écoles.

Les liens avec les autres Inuits du Canada, du Groenland, de l'Alaska et de l'ancienne URSS se concrétisent par des échanges culturels et des activités politiques dans le cadre de la **Conférence circumpolaire** inuit, fondée en 1977 et reconnue comme organisme non gouvernemental par les Nations Unies. En 1992, les habitants des Territoires du Nord-Ouest se sont à leur tour prononcés pour la création d'une zone d'environ 2 000 000 km^2 s'étendant de la frontière provinciale Saskatchewan-Manitoba presque jusqu'au Groenland. Baptisée **Nunavut** (« notre pays » en inuktitut), cette nouvelle nation inuit a rendu aux autochtones l'administration de leurs terres ancestrales en 1999.

Tasiujaq (Leaf Bay, Baie-aux-Feuilles)

277 habitants. Ce petit village, dont le nom signifie « qui ressemble à un lac » en inuktitut, est bâti sur les basses terres marécageuses bordant la baie aux Feuilles, prolongement le plus occidental de la baie d'Ungava. La baie est célèbre pour ses marées qui enregistrent la plus forte amplitude au monde (jusqu'à 17 m). Plusieurs camps de pourvoyeurs organisent des pêches à l'omble et à la truite de lac et de ruisseau. Des hordes de caribous passent chaque année tout près du village, lors de leur migration automnale vers le sud.

Créé dans les années 1960 sur la rive ouest de la rivière Bérard, le village s'est organisé à proximité des postes de traite établis par la Compagnie de la baie d'Hudson et Révillon Frères au début du 20e s. Plus tard, l'exploration minière entreprise dans la partie septentrionale de la dépression du Labrador a relancé l'activité économique.

Aupaluk

177 habitants. La plus petite communauté du Nunavik se situe sur les rives sud de la **baie Hopes Advance**, une crique sur la côte ouest de la baie d'Ungava. Elle doit son nom (« endroit rouge » en inuktitut) à son sol ferrugineux ; car on se trouve ici aux confins nord de la dépression du Labrador, riche en minerai de fer. Le relief autour d'Aupaluk, qui est plutôt plat, est propice à la randonnée pédestre.

Aupaluk était jadis un camp de chasse traditionnel. Le village fut créé à la fin des années 1970, lorsque les Inuits de Kangirsuk et d'autres villages se réinstallèrent dans cette zone où abondaient caribous, poissons et mammifères marins. Premier village de l'Arctique canadien entièrement conçu par les Inuits, Aupaluk a été incorporé en tant que **village nordique** en 1981 et a ouvert son magasin coopératif au début des années 1980.

Kangirsuk (Payne Bay, Bellin)

466 habitants. Sur la rive nord de la rivière Arnaud, à 13 km en amont de la baie d'Ungava, Kangirsuk (« la baie » en inuktitut) trouve son origine dans un poste de traite et une mission installés à la fin des années 1880. La Compagnie de la baie d'Hudson y ouvrit un comptoir en 1925. Les premiers services gouvernementaux furent introduits dans les années 1950, et le village se développa au cours de la décennie suivante. De nos jours, on y trouve deux magasins (Northern Store et la coopérative).

Quaqtaq (Koartac)

315 habitants. Le village de Quaqtaq (« ver intestinal » en inuktitut) se situe dans une petite vallée sur le littoral est de la baie Diana, à la saillie du cap Hopes Advance qui s'avance dans le détroit d'Hudson. Les Inuits et leurs ancêtres ayant occupé la région pendant 4 000 ans, on y retrouve de nombreux sites archéologiques.

Les ressources de la mer constituent, aujourd'hui encore, le pivot autour duquel s'organise la vie des Inuits. Entre 1930 et 1960, de nombreux comptoirs de traite ont existé dans la région de Quaqtaq. Non loin de là, une station météorologique gouvernementale est restée en activité de 1927 à 1969. Le magasin coopératif local fut établi en 1974.

Quaqtaq repose sur la toundra arctique ; il est limité au nord par un relief montagneux, et par des collines basses et rocheuses au sud et à l'est. L'été, seuls les vallées et les lieux protégés sont recouverts d'une maigre végétation : mousse, lichens, minuscules fleurs aux couleurs éclatantes et buissons de baies.

Baie Diana – Zone de chasse très réputée, la région de la baie Diana (Tuvaaluk en inuktitut) abonde en mammifères terrestres (renards arctiques, loutres, lièvres, parfois même ours polaires venant de l'île Akpatok) et marins (phoques, morses, bélugas, narvals et autres). Parmi les oiseaux, on retrouve la perdrix et le canard eider, ainsi que l'oie des neiges, l'oie du Canada et la bernache, Quaqtaq se trouvant sur leur route de migration. Parmi les poissons les plus communs, citons les truites grises, rouges et mouchetées, et l'omble arctique. Les amoureux de la nature auront aussi l'occasion d'apercevoir des bœufs musqués (la région en compte environ un millier), et peut-être même quelques légendaires harfangs des neiges ou des huards.

Kangiqsujuaq (Wakeham, Maricourt)

605 habitants. Le village de Kangiqsujuaq (« la grande baie » en inuktitut) occupe un **site★★** de toute beauté dans une vallée près de la rive sud-est de la baie Wakeham. La petite localité fut érigée à l'emplacement d'un ancien poste de traite du début du 20e s. et d'une mission oblate fondée dans les années 1930. Devenu le siège d'activités gouvernementales depuis les années 1960, Kangiqsujuaq compte aujourd'hui un magasin (Northern Store), une coopérative et deux églises.

Le village se situe à 88 km au nord-est du **cratère du Nouveau-Québec★**. Emprisonnées dans les parois de cet ancien cratère d'origine météorique, les eaux bleutées et limpides du lac circulaire suscitent l'admiration. Vraisemblablement formé il y a 1,4 million d'années, le cratère présente des dimensions impressionnantes : un diamètre de 3 km et une profondeur de 267 m. Appelé « Pingualuit » par les Inuits, il est aujourd'hui protégé par le parc national des Pingualuit.

Parc national des Pingualuit – ✆ 819 338 3282 - www.nunavikparks.ca. Au-delà du cratère, le paysage du parc est d'une planéité étonnante. Dépourvues d'arbres, ses vastes étendues se prêtent parfaitement à l'observation de la nature et de la faune, ainsi qu'à la randonnée pédestre en été et au ski de randonnée en hiver. En cette saison, les pourvoyeurs y organisent également des excursions en motoneige. Le **centre d'interprétation** situé à Kangiqsujuaq permet aux visiteurs de découvrir le milieu naturel et la culture inuit. Le parc propose plusieurs refuges pour l'hébergement.

Salluit (Saglouc, Sugluk)

1 241 habitants. Salluit est situé sur l'étroit et superbe **fjord Sugluk**, à environ 10 km du détroit d'Hudson. C'est l'un des villages les plus importants du nord du Nunavik. Il est réputé pour la beauté de son **site★★** dominé par des montagnes dentelées et des collines aux versants abrupts pouvant atteindre jusqu'à 500 m d'altitude.

À l'est de Salluit, l'exploitation de mines d'amiante à Purtuniq (Asbestos Hills) et dans la **baie Déception** a entraîné, au début des années 1970, le

---

UN VILLAGE À PART

Selon la légende, les Inuits – pensant y trouver une faune abondante pour subvenir à leurs besoins – auraient apparemment été fort déçus, d'où l'origine du nom Salluit (« les gens minces » en inuktitut).

Salluit s'est développé autour d'un comptoir de traite et d'une mission établis dans la région après 1900. Les services publics ont fait leur apparition dans les années 1950. De concert avec les habitants d'Ivujivik et de Puvirnituq, 49 % des Sallumiut ont refusé de signer la Convention de la Baie-James et du Nord québécois en 1975. Ils ont formé un mouvement appelé Inuit-Tungavinga-Nunamini.

développement d'activités industrielles et d'une infrastructure moderne (port et piste d'atterrissage pour les jets). L'exploitation minière, liée au transport du minerai par bateau, a été abandonnée dans les années 1980. De nos jours, des voyages de découverte de la nature permettent l'observation de morses, d'ours polaires et de caribous.

Ivujivik

349 habitants. Village le plus au nord du Québec, Ivujivik évoque par son nom un « endroit où les glaces s'amoncellent à la fonte des glaces ». Il s'agit d'une petite localité nichée au fond d'une anse au sud de Digges Sound, près du cap Wolstenholme, dans une région montagneuse.

Après 1947, les Inuits des rives avoisinantes se sont peu à peu installés dans le village établi autour de la mission catholique. Celle-ci, fondée en 1938, a fermé ses portes dans les années 1960. Peu après, les services gouvernementaux furent introduits, et la coopérative commença à fonctionner en 1967. Les Inuits de Ivujivik refusèrent de signer la Convention de la Baie-James et du Nord québécois en 1975, et se regroupèrent avec les habitants de Puvirnituq et de Salluit, au sein du mouvement dissident Inuit-Tungavingat-Nunamini. Ils administrent leurs propres écoles, sous la responsabilité d'un comité local élu.

C'est sur l'**île de Digges**, au nord du village d'Ivujivik, dans le détroit d'Hudson, qu'eut lieu, en 1610, la première rencontre entre les Inuits de la péninsule Québec-Labrador et les Européens. Cet événement historique se produisit au cours de l'une des expéditions d'Henry Hudson, alors à la recherche d'un passage vers l'Asie mystérieuse.

À environ 30 km au nord-est, se trouve le **cap Wolstenholme**. Ses falaises battues par les vents sont le site de nidification d'une des plus grandes colonies du monde de guillemots de Brünnich.

CÔTE OUEST

Akulivik (Cape Smith)

507 habitants. Le village d'Akulivik se trouve sur une presqu'île bordée au nord par un port en eau profonde et au sud, par l'embouchure de la rivière Illukotat. Il doit son nom très imagé (« le milieu du harpon » en inuktitut) à l'aspect géographique du site « entre deux baies ». Vestiges de la dernière période glaciaire, des coquillages fossilisés, réduits en miettes, ont donné au sol un aspect sablonneux caractéristique.

De 1924 à 1951, la Compagnie de la baie d'Hudson tint un poste de traite sur **l'île Smith**, tout près du littoral. Cette dernière est remarquable pour ses beautés naturelles et pour les milliers de bernaches du Canada et d'oies des neiges qui y séjournent au printemps lors de leur migration.

Akulivik vit le jour en 1976 sur le site qui servait autrefois de campement d'été au groupe inuit Qikirtajuarmiut, « les hommes de l'île », avant que ces derniers ne partent s'établir à Puvirnituq en 1955.

Puvirnituq (Puvirnituuq)

1 476 habitants. Ce village se situe sur la rive nord de la rivière Puvirnituq, à 4 km à l'est de la baie du même nom. Le nom de Puvirnituq, « là où il y a une odeur de viande faisandée », rappelle un épisode tragique de sa courte histoire : une épidémie ravagea la colonie, tuant tous les villageois, et ne laissant aucun survivant pour enterrer les morts. Lorsque familles et amis arrivèrent des camps avoisinants au printemps, l'air était vicié par l'odeur des corps en décomposition.

Comme les autres villages du Grand Nord, Puvirnituq s'est surtout développé après l'établissement, en 1921, d'un comptoir de traite des fourrures de la Compagnie de la baie d'Hudson. Les Inuits venus y vivre après 1951 résidaient jusqu'alors dans des campements d'été près d'Akulivik, et dans des campements d'hiver sur l'île Smith. En 1975, les citoyens de Puvirnituq, appuyés par ceux d'Ivujivik et par 49 % des habitants de Salluit, refusèrent de signer la Convention de la Baie-James et du Nord québécois. Cette prise de position a donné naissance, au sein de la communauté, à une forte solidarité.

Le village abrite le Centre hospitalier de la Baie-d'Hudson, hôpital moderne qui dessert les villages de la côte. L'Association de sculpteurs, créée en 1950 par le père André Steinman, missionnaire oblat d'origine française, est devenue la **Société coopérative de Puvirnituq**, l'une des plus actives en son genre au Nunavik. Elle gère un magasin de vente au détail, un hôtel ainsi que l'approvisionnement de la communauté en combustible. Plusieurs artistes locaux ont acquis une réputation internationale.

Inukjuak (Port Harrison)

1 597 habitants. Deuxième village en importance du Nunavik, Inukjuak se trouve à l'embouchure de la rivière Innuksuac, près des **îles Hopewell**. En 1909, la société française de fourrures Révillon Frères ouvrit un comptoir de traite sur le site, qui reçut alors le nom de Port Harrison. La Compagnie de la baie d'Hudson vint à son tour y établir un poste en 1920 ; elle racheta la société française en 1936, et put ainsi jouir, jusqu'en 1958, du monopole du commerce des fourrures avec les Inuits. Le village vit l'arrivée d'une mission anglicane en 1927, et huit ans plus tard, d'un service postal destiné à répondre aux besoins des populations du Grand Nord.

Les plus vieux bâtiments du village, situés près de l'hôtel de la coopérative, sont ceux de la mission anglicane, du Northern Store, du magasin de la coopérative et de l'atelier de sculpture. Sur la rive est de la rivière, on peut encore voir des vestiges de l'ancien comptoir de traite, du campement et du cimetière. Les constructions les plus récentes se trouvent le long de la route de l'aéroport.

Hall d'entrée de l'école Innalik – L'école du village est un bâtiment de brique moderne dans le hall duquel une série de bas-reliefs sculptés illustrent la vie quotidienne dans une communauté traditionnelle inuit, et témoignent de l'étonnante habileté des sculpteurs.

Musée Daniel Weetaluktuk – Ce musée présente une magnifique collection d'objets d'art et d'artisanat inuits, de même que des outils, de l'équipement de chasse et de l'attirail de pêche traditionnels. Cette collection fut assemblée par un jeune archéologue inuit, Daniel Weetaluktuk (1951-1982), dont la courte carrière contribua largement aux progrès de l'anthropologie arctique.

L'INSTITUT CULTUREL AVATAQ

C'est à **Inukjuak** que se trouve le siège social de cet organisme à but non lucratif, consacré à la préservation et au développement du patrimoine linguistique et culturel des Inuits du Nunavik. Il propose toutes sortes d'activités portant notamment sur la toponymie, l'histoire, la littérature, les jeux, la musique traditionnelle et l'archéologie. L'Institut s'efforce également de rassembler les objets de facture inuit dispersés dans les musées, et parraine la Conférence annuelle des Aînés inuits, qui a pour vocation de recueillir et préserver la tradition du savoir oral afin de le transmettre aux générations futures.

www.avataq.qc.ca

LA SCULPTURE INUIT

Les premières œuvres des Inuits étaient traditionnellement façonnées à partir de matériaux tels que les os de baleine, la ramure des caribous ou l'ivoire. Grâce aux outils en acier, la pierre est devenue l'un des matériaux de choix. Si de nombreuses sculptures inuits sont taillées dans la pierre de savon ou stéatite, la plus grande partie est taillée dans la serpentine. Il existe aussi des sculptures en basalte, en marbre, en quartz, etc. Les thèmes varient également d'une communauté à l'autre, mais l'art inuit constitue avant tout un art d'observation où les animaux, les scènes de chasse et les personnes représentent les sujets les plus fréquents. Johnny Inukpuk, originaire d'Inukjuak, est un artiste de renommée internationale.

La vie des habitants d'Inukjuak reste encore fortement liée à la pratique des activités traditionnelles. La découverte sur place d'un important gisement de stéatite a permis d'encourager la pratique de la sculpture.

Aux alentours – Le paysage est dominé par les douces ondulations des collines rocheuses avoisinantes. Elles offrent une **vue panoramique★** du village et du port d'Inukjuak, de la rivière, de l'archipel des **îles Hopewell**, de la baie d'Hudson et des montagnes qui s'étendent au nord. Au printemps, la banquise entre ces îles et le littoral se soulève sous l'effet des marées et des courants, créant un champ d'immenses blocs de glace hérissés. Spectaculaire !

Une **promenade** au bord de la **rivière Innuksuac**, en direction de l'aéroport, permet de découvrir de multiples variétés de fleurs sauvages adaptées au milieu arctique. Les eaux claires de la rivière qui serpente entre les roches forment, tout au long du parcours, de nombreuses cascades et petits lacs.

Umiujaq

390 habitants. Une partie des habitants de Kuujjuarapik, craignant que la réalisation du projet hydroélectrique Grande-Baleine n'entraîne de sérieux bouleversements dans leur mode de vie, se prononcèrent il y a quelques années en faveur de la création d'une communauté plus au nord. Après maintes études archéologiques, écologiques et d'aménagement du territoire, la construction du village débuta dans le courant de l'été 1985. Quelques centaines d'Inuits de Kuujjuarapik vinrent alors s'établir dans le secteur, et logèrent dans des locaux provisoires jusqu'à la fin des travaux, au début de l'année 1986.

Aujourd'hui, Umiujaq est un village plein de vie. Son nom (« qui ressemble à un bateau » en inuktitut) fait référence à une colline des environs dont la forme rappelle un oumiak, grande embarcation en peau de phoque. La petite communauté occupe un site paisible près du lac Guillaume-Delisle (baie Richmond), avec de remarquables escarpements le long du littoral. Un bâtiment municipal abrite la station de radio, le bureau d'Air Inuit, le bureau de poste et l'hôtel de ville. À l'intérieur de ce dernier, un **musée** expose une collection d'outils, d'ustensiles ménagers et d'objets découverts par les archéologues et les anciens du village lors de la réalisation des fondations. À côté se trouvent l'hôpital ainsi que la coopérative, qui abrite également l'atelier de sculpture.

Des pourvoyeurs proposent des circuits organisés vers les îles situées à proximité du village, et des excursions sur la rivière Nastapoka.

Kuujjuarapik

1 408 habitants. Situé dans la baie d'Hudson, à 172 km au nord de Radisson, Kuujjuarapik était à l'origine un comptoir de traite de la Compagnie de la baie d'Hudson, fondé en 1813. Une mission anglicane s'y établit dès 1882, mais le village ne devint permanent qu'à partir de 1901. Les premiers contacts avec des missionnaires catholiques remontent à 1924. En 1908, la société française de fourrures Révillon Frères ouvrit un comptoir à l'embouchure de la Petite Rivière de la Baleine, pour commercer avec les Cris et Inuits qui vivaient le long de la côte. Dans les années 1920, le village fut déplacé à l'embouchure de la Grande Rivière de la Baleine.

Une station météorologique fut installée en 1895, mais la plupart des services publics ne firent leur apparition qu'à partir de 1949. De 1954 à 1959, Kuujjuarapik devint un important centre de communication pour le Nord québécois grâce à la construction, entre la côte atlantique et la baie d'Hudson, au nord du 55e parallèle, de la « ligne de radar Centre Canada » dont la base de commande était à Poste-de-la-Baleine. C'est à cette époque que la région connut sa plus forte expansion démographique. En 1965, les installations furent toutefois évacuées et cédées à la province du Québec.

Une communauté multiethnique – La population du village se compose d'Inuits, de Cris et d'allochtones. Le comptoir de traite et le village ont donc changé plusieurs fois de nom : Great Whale River en anglais, puis Poste-de-la-Baleine en français, Kuujjuarapik (« la petite grande rivière ») en inuktitut et Whapmagoostui (« rivière à la baleine ») en cri. Les trois dernières appellations sont officielles, particularité plutôt rare pour un village canadien.

La communauté inuit habite près de l'embouchure de la Grande Rivière de la Baleine, tandis que les Cris se sont installés plus en amont. Inuits et Cris possèdent leurs propres écoles, infirmeries et organisations municipales. L'église anglicane offre un service religieux en inuktitut comme en cri. Dans **la vieille église**, on peut voir une fresque réalisée par Eddy Weetaluktuk représentant le Christ marchant sur les eaux de la Grande Rivière de la Baleine. L'**École Asimautaq** présente une superbe collection de sculptures inuits et de peintures d'Eddy Weetaluktuk.

Le village est bordé à l'ouest par une piste d'atterrissage parallèle à la baie d'Hudson. Les bureaux du gouvernement et les résidences des allochtones sont situés près de l'aéroport, dans les anciens bâtiments de la station radar. L'Université Laval (Québec) y dirige un centre de recherche. On trouve également un bar où l'on peut boire et danser !

Aux alentours – Une vaste **plage de sable** s'étend depuis l'embouchure de la Grande Rivière de la Baleine jusqu'au côté opposé du village, où de hautes dunes offrent de beaux points de vue sur la baie d'Hudson et les alentours de Kuujjuarapik.

À environ 12 km en amont du village, on peut aller admirer sur la rivière la belle **chute Amitapanuch**, accessible en bateau l'été et en motoneige l'hiver.

😊 NOS ADRESSES AU NUNAVIK

TRANSPORTS

En avion

Le Nunavik n'est accessible que par avion. Deux compagnies principales le desservent :

First Air – ☎ 1 800 267 1247 - *www.firstair.ca*. Service quotidien de Montréal à Kuujjuaq, porte d'entrée du Nunavik. Service plus réduit entre Kuujjuaq et Iqaluit.

Air Inuit – ☎ 1 800 361 2965 - *www.airinuit.com*. Basée à Kuujjuaq et Kuujjuarapik, la compagnie propose des liaisons régulières entre Montréal, Puvirnituq, Kuujjuarapik, Inukjuak, et Kuujjuaq (avec ou sans escale selon la destination). Air Inuit assure également les services aériens réguliers entre les villages de la région.

😊 **Bon à savoir** – Sur les côtes de l'Hudson et de l'Ungava, plusieurs compagnies de vols nolisés offrent de vous amener où vous voulez dans la région, au gré de votre horaire.

HÉBERGEMENT

😊 **Bon à savoir** – Bien qu'en développement, l'infrastructure touristique des villages du Nunavik reste encore limitée. Pour cette raison, Il demeure impossible d'y partir à l'improviste et il est fortement recommandé de louer les services d'un **pourvoyeur**.

📱 www.nunavik-tourism.com ; www.nunavik.ca ; www.bonjourquebec.com.

Les différents séjours

Séjours aventure et nature – Du mois d'août au mois de mars, le Nunavik est la scène du fabuleux spectacle des aurores boréales. Appelées *arsaniit* en inuktitut, ces dernières décrivent dans l'immensité du ciel nocturne de grands arcs ondulés verts, pourpres et violacés. La faune est en outre très riche : oiseaux, ours polaire, que les Inuits appellent « nanuk » et qu'ils considèrent comme un mammifère marin, caribou, phoque, morse, béluga et bœuf musqué.

Séjours de chasse – Des centaines de milliers de caribous sillonnent les contrées sauvages du Nunavik et offrent d'innombrables possibilités aux chasseurs sportifs.

Séjours de pêche – Les lacs, rivières et eaux côtières du Nunavik regorgent de saumons de l'Atlantique, d'ombles chevalier, de truites de mer et de touladis. Pêche de renommée internationale.

Pourvoyeurs

Cruise Nord expéditions – ☎ 1 855 527 2842 - *www. cruisenorthexpeditions.com*. Cette compagnie propose d'explorer l'Arctique et les communautés du Nunavik à bord de bateaux spécialisés.

Artic Wind Riders – *www. arcticwindriders.ca*. Propose des séjours de paraski (ski à voile) au Nunavik (pour débutants et confirmés).

Artic Adventures – *19950 Clark Graham - Baie d'Urfé - Québec H9X 3R8* - ☎ 514 457 6580 ou 1 800 465 9474 - *www.arcticadventures. ca*. Organisme inuit spécialiste des séjours de pêche au Nunavik.

Tarifs

Le coût approximatif d'une semaine tous frais compris (avion, hébergement et activités de pêche, de chasse ou de découverte) est de 3 000/4 500 $ minimum par personne.

Les prix des hôtels et des auberges pour une chambre

double varient entre 190 et 350 $ la nuit. Possibilité de chambres d'hôtes.

RESTAURATION

La plupart des restaurants servent une cuisine rapide, à l'américaine. La majorité des hôtels étant équipés de kitchenettes, les touristes préparent en général eux-mêmes leurs repas. Parmi les plats locaux, on notera la viande de caribou et de phoque, le poisson (l'omble de l'Arctique fumé, entre autres) et… les conserves alimentaires, les fruits et légumes étant rares !

Bon à savoir – Chaque village possède au moins une coopérative où l'on peut acheter des produits de base.

Il est possible de payer avec une carte de crédit presque partout.

ACHATS

Boutiques d'artisanat à Kuujjuarapik (sculptures), à Kuujjuaq (outre la coopérative, deux établissements, l'InnivikArts and crafts shop et Tivi Galeries qui est une véritable galerie d'art) et à Kangiqsualujjuaq (vêtements).

ACTIVITÉS

Bon à savoir – Pour votre sécurité, ne quittez jamais un village sans informer de tous vos déplacements (destination, itinéraire, moyen de transport et horaires).

Randonnées et expéditions

Pour vos randonnées, prévoyez suffisamment de réserves alimentaires, des vêtements adaptés au climat, très changeant au Nunavik, du matériel de camping et de secours. Pour vos expéditions, partez accompagné de **guides reconnus**, qui connaissent parfaitement les lieux et la météo.

Pêche et chasse

Chasseurs et pêcheurs sont tenus de s'équiper auprès d'un magasin agréé. La liste de ces établissements est disponible sur le site Internet de l'Association touristique du Nunavik (*www. nunavik-tourism.com*).

VOUS CONNAISSEZ LE GUIDE VERT, DÉCOUVREZ LE GROUPE MICHELIN

L'aventure Michelin

Tout commence avec des balles en caoutchouc ! C'est ce que produit, vers 1880, la petite entreprise clermontoise dont héritent André et Édouard Michelin. Les deux frères saisissent vite le potentiel des nouveaux moyens de transport. L'invention du pneumatique démontable pour la bicyclette est leur première réussite. Mais c'est avec l'automobile qu'ils donnent la pleine mesure de leur créativité. Tout au long du 20e s., Michelin n'a cessé d'innover pour créer des pneumatiques plus fiables et plus performants, du poids lourd à la F 1, en passant par le métro et l'avion.

Très tôt, Michelin propose à ses clients des outils et des services destinés à faciliter leurs déplacements, à les rendre plus agréables... et plus fréquents. Dès 1900, le Guide Michelin fournit aux chauffeurs tous les renseignements utiles pour entretenir leur automobile, trouver où se loger et se restaurer. Il deviendra la référence en matière de gastronomie. Parallèlement, le Bureau des itinéraires offre aux voyageurs conseils et itinéraires personnalisés.

En 1910, la première collection de cartes routières remporte un succès immédiat ! En 1926, un premier guide régional invite à découvrir les plus beaux sites de Bretagne. Bientôt, chaque région de France a son Guide Vert. La collection s'ouvre ensuite à des destinations plus lointaines (de New York en 1968... à Taïwan en 2011).

Au 21e s., avec l'essor du numérique, le défi se poursuit pour les cartes et guides Michelin qui continuent d'accompagner le pneumatique. Aujourd'hui comme hier, la mission de Michelin reste l'aide à la mobilité, au service des voyageurs.

MICHELIN AUJOURD'HUI

N°1 MONDIAL DES PNEUMATIQUES

- 70 sites de production dans 18 pays
- 111 000 employés de toutes cultures, sur tous les continents
- 6 000 personnes dans les centres de Recherche & Développement

Avancer
monde où la

Mieux avancer, c'est d'abord innover pour mettre au point des pneus qui freinent plus court et offrent une meilleure adhérence, quel que soit l'état de la route.

LA JUSTE PRESSION

BONNE PRESSION

- Sécurité
- Longévité
- Consommation de carburant optimale

-0,5 bar

- Durée de vie des pneus réduite de 20% (- 8 000 km)

-1 bar

- Risque d'éclatement
- Hausse de la consommation de carburant
- Distance de freinage augmentée sur sol mouillé

ensemble vers un
mobilité est plus sûre

C'est aussi aider les automobilistes à prendre soin de leur sécurité et de leurs pneus. Pour cela, Michelin organise partout dans le monde des opérations **Faites le plein d'air** pour rappeler à tous que la juste pression, c'est vital.

L'USURE

COMMENT DETECTER L'USURE

La profondeur minimale des sculptures est fixée par la loi à 1,6 mm.

Les manufacturiers ont muni les pneus d'indicateurs d'usure.

Ce sont de petits pains de gomme moulés au fond des sculptures et d'une hauteur de 1,6 mm.

Les pneumatiques constituent le seul point de contact entre le véhicule et la route.

Ci-dessous, la zone de contact réelle photographiée.

PNEU NEUF

PNEU USÉ
(1,6 mm de sculpture)

Au-dessous de cette valeur, les pneus sont considérés comme lisses et dangereux sur chaussée mouillée.

Mieux avancer,
c'est développer une mobilité durable

INNOVATION ET ENVIRONNEMENT

Chaque jour, Michelin innove pour diviser par deux d'ici à 2050 la quantité de matières premières utilisée dans la fabrication des pneumatiques, et développe dans ses usines les énergies renouvelables. La conception des pneus MICHELIN permet déjà d'économiser des milliards de litres de carburant, et donc des milliards de tonnes de CO_2.

De même, Michelin choisit d'imprimer ses cartes et guides sur des «papiers issus de forêts gérées durablement». L'obtention de la certification ISO14001 atteste de son plein engagement dans une éco-conception au quotidien.

Un engagement que Michelin confirme en diversifiant ses supports de publication et en proposant des solutions numériques pour trouver plus facilement son chemin, dépenser moins de carburant.... et profiter de ses voyages !

Parce que, comme vous, Michelin s'engage dans la préservation de notre planète.

Chattez avec Bibendum

Rendez-vous sur:
www.michelin.com/corporate/fr
Découvrez l'actualité et
l'histoire de Michelin.

QUIZZ

Michelin développe des pneumatiques pour tous les types de véhicules. Amusez-vous à identifier le bon pneu...

Résultat : A-6 / B-4 / C-2 / D-1 / E-3 / F-7 / G-5

Notes

Notes

Notes

Notes

Notes

Notes

LHNC : Lieu historique national du Canada
PN : Parc national
PR : Parc régional
RF : Réserve faunique
RNF : Réserve nationale de faune

Q

Manufacture française des pneumatiques Michelin
Société en commandite par actions au capital de 504 000 004 EUR
Place des Carmes-Déchaux - 63000 Clermont-Ferrand (France)
R.C.S. Clermont-Fd B 855 200 507

Dépôt légal : 01 2012 – ISSN 0293-9436
Imprimeur : Deux-Ponts, Bresson
Imprimé en France : 12 2011
Sur du papier issu de forêts gérées durablement